PHILIP'S

STREET ATLAS

Powys

ATLAS STRYDOEDD Powys

Contents

Digital Data

The exceptionally high-quality mapping found in this atlas is available as digital data in TIFF format, which is easily convertible to other bitmapped (raster) image formats.

The index is also available in digital form as a standard database table. It contains all the details found in the printed index together with the National Grid reference for the map square in which each entry is named.

For further information and to discuss your requirements, please contact Philip's on 020 7644 6932 or james.mann@philips-maps.co.uk

First published in 2005 by

Philip's, a division of
Octopus Publishing Group Ltd
2-4 Heron Quays, London E14 4JP

First edition 2005
First impression 2005

ISBN-10 0-540-08659-2 (spiral)
ISBN-13 978-0-540-08659-7 (spiral)

Printed and bound in Italy by Rotolito

Key to map pages

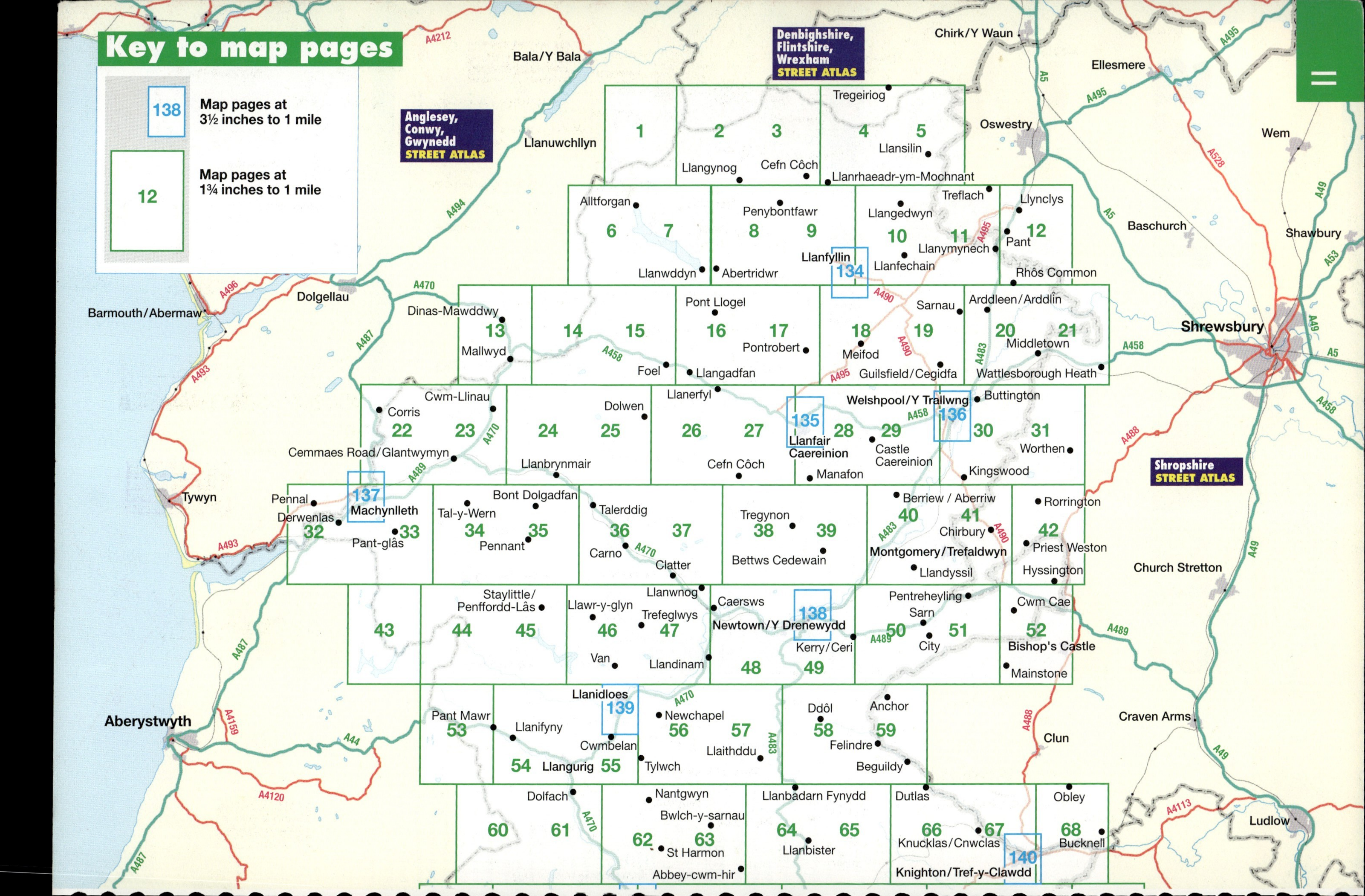

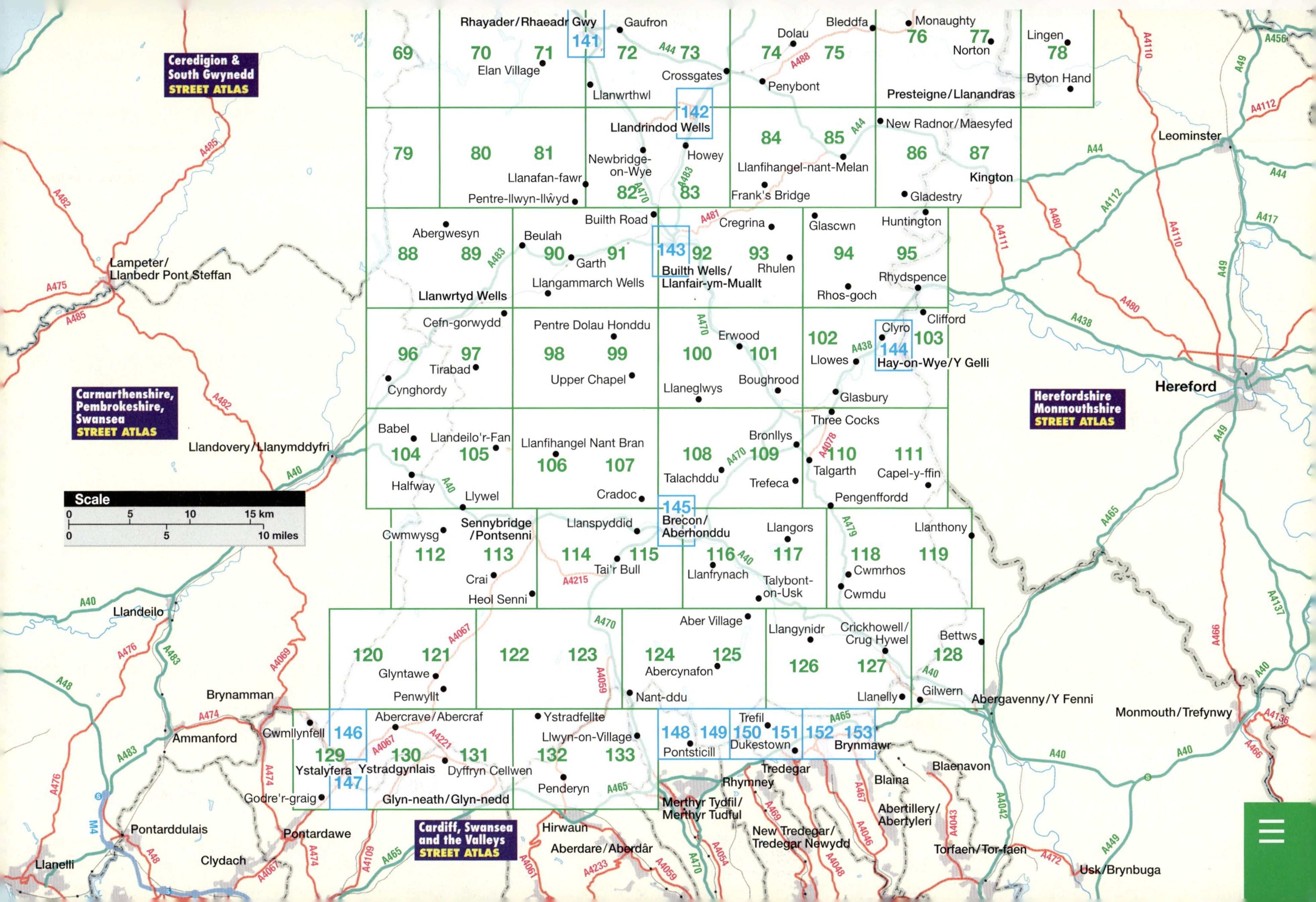

Ceredigion & South Gwynedd STREET ATLAS
Carmarthenshire, Pembrokeshire, Swansea STREET ATLAS
Herefordshire Monmouthshire STREET ATLAS
Cardiff, Swansea and the Valleys STREET ATLAS
Scale
0 5 10 15 km
0 5 10 miles
69
70 Rhayader/Rhaeadr Gwy 71 Elan Village
141
72 Gaufron 73 Crossgates Llanwrthwl
74 Dolau 75 Bleddfa Penybont
76 Monaughty 77 Norton Presteigne/Llanandras
78 Lingen Byton Hand
79
80 81 Llanafan-fawr Pentre-llwyn-llŵyd
142 Llandrindod Wells Howey
82 Newbridge-on-Wye 83
84 85 Llanfihangel-nant-Melan Frank's Bridge
86 87 New Radnor/Maesyfed Kington Gladestry
88 89 Abergwesyn Llanwrtyd Wells
90 91 Beulah Garth Llangammarch Wells Builth Road
143 92 Builth Wells/Llanfair-ym-Muallt
93 Cregrina Rhulen
94 Glascwn Rhos-goch
95 Huntington Rhydspence
96 97 Cefn-gorwydd Tirabad Cynghordy
98 99 Pentre Dolau Honddu Upper Chapel
100 101 Erwood Llaneglwys Boughrood
102 Llowes Glasbury
103 Clifford Clyro
144 Hay-on-Wye/Y Gelli
104 105 Babel Llandeilo'r-Fan Halfway Llywel
106 107 Llanfihangel Nant Bran Cradoc
108 109 Bronllys Talachddu Trefeca
110 111 Three Cocks Talgarth Capel-y-ffin Pengenffordd
145 Brecon/Aberhonddu
112 113 Cwmwysg Sennybridge/Pontsenni Crai Heol Senni
114 115 Llanspyddid Tai'r Bull
116 117 Llangors Llanfrynach Talybont-on-Usk
118 119 Llanthony Cwmrhos Cwmdu
120 121 Glyntawe Penwyllt
122 123
124 125 Aber Village Abercynafon Nant-ddu
126 127 Llangynidr Crickhowell/Crug Hywel Llanelly
128 Bettws Gilwern
146 147 129 Cwmllynfell Ystalyfera Godre'r-graig
130 131 Abercrave/Abercraf Ystradgynlais Dyffryn Cellwen Glyn-neath/Glyn-nedd
132 133 Ystradfellte Llwyn-on-Village Penderyn
148 149 Pontsticill
150 151 Trefil Dukestown
152 153 Brynmawr
Lampeter/Llanbedr Pont Steffan
Llandovery/Llanymddyfri
Llandeilo
Brynamman
Ammanford
Pontarddulais
Llanelli
Clydach
Pontardawe
Hirwaun
Aberdare/Aberdâr
Merthyr Tydfil/Merthyr Tudful
Rhymney
Tredegar
New Tredegar/Tredegar Newydd
Blaina
Abertillery/Abertyleri
Blaenavon
Torfaen/Tor-faen
Abergavenny/Y Fenni
Monmouth/Trefynwy
Usk/Brynbuga
Hereford
Leominster

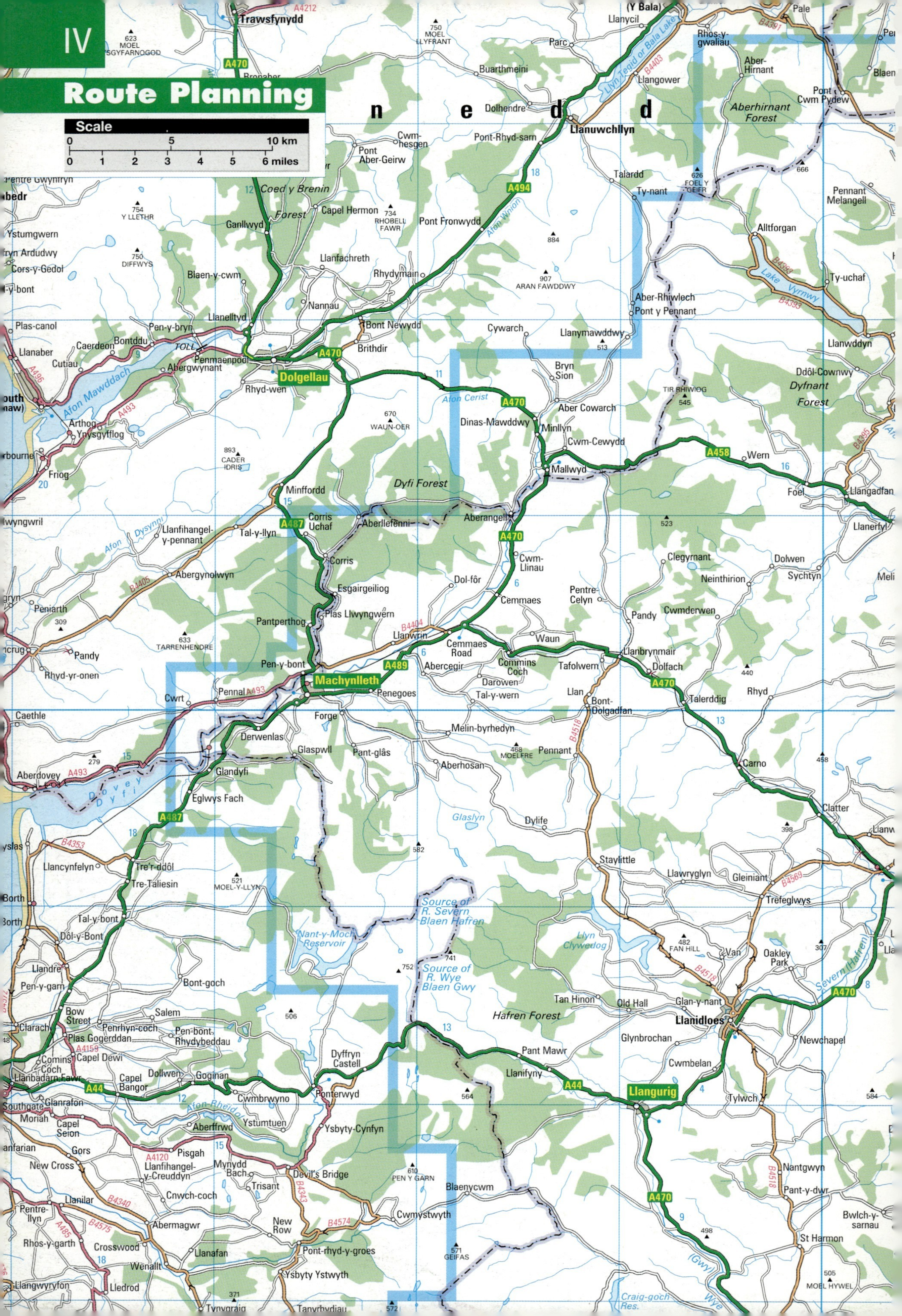
IV
Route Planning
Scale
0
5
10 km
0
1
2
3
4
5
6 miles
Trawsfynydd
A4212
(Y Bala)
Pale
623 MOEL YSGYFARNOGOD
750 MOEL LLYFRANT
Llanycil
Rhos-y-gwaliau
Parc
Llyn Tegid or Bala Lake
Aber-Hirnant
A470
Buarthmeini
B4403
Llangower
Blaen
Pont Cwm Pydew
Aberhirnant Forest
Dolhendre
Llanuwchllyn
n
e
d
d
Cwm-hesgen
Pont-Rhyd-sarn
Pont Aber-Geirw
Pentre Gwynfryn
Coed y Brenin
Talardd
Ty-nant
626 FOEL Y GEIFR
666
A494
Pennant Melangell
754 Y LLETHR
Forest
Capel Hermon
734 RHOBELL FAWR
Pont Fronwydd
Afon Wnion
Ystumgwern
Ganllwyd
884
Alltforgan
Tyn Ardudwy
750 DIFFWYS
Cors-y-Gedol
Llanfachreth
907 ARAN FAWDDWY
B4393
Ty-uchaf
Blaen-y-cwm
Rhydymain
Lake Vyrnwy
Nannau
Aber-Rhiwlech
Pont y Pennant
Plas-canol
Pen-y-bryn
Llanelltyd
Bont Newydd
Cywarch
Llanymawddwy
Llanwddyn
Llanaber
Caerdeon
Bontddu
TOLL
Brithdir
513
Cutiau
Penmaenpool
A470
Bryn Sion
Ddôl-Cownwy
Abergwynant
Dolgellau
11
Dyfnant Forest
A496
Afon Mawddach
Rhyd-wen
Afon Cerist
A470
TIR RHIWIOG 545
670 WAUN-OER
Aber Cowarch
A493
Dinas-Mawddwy
Minllyn
Arthog
Ynysgyfflog
Cwm-Cewydd
893 CADER IDRIS
A458
Wern
B4395
Friog
20
Mallwyd
16
Dyfi Forest
Minffordd
Foel
Llangadfan
15
Llwyngwril
A487
Corris Uchaf
Aberllefenni
Aberangell
523
Llanerfyl
Afon Dysynni
Llanfihangel-y-pennant
Tal-y-llyn
A470
Corris
Cwm-Llinau
Clegyrnant
Dolwen
Sychtyn
Neinthirion
Abergynolwyn
Dol-fôr
B4405
6
Esgairgeiliog
Pentre-Celyn
Cemmaes
Peniarth
Plas Llwyngwern
Cwmderwen
Pandy
309
Pantperthog
B4404
Llanwrin
633 TARRENHENDRE
Cemmaes Road
Waun
Llanbrynmair
Pandy
6
Abercegir
Commins Coch
Tafolwern
Dolfach
440
Pen-y-bont
A489
Rhyd-yr-onen
Machynlleth
Darowen
A470
Cwrt
Pennal
A493
Penegoes
Tal-y-wern
Llan
Talerddig
Rhyd
Caethle
Forge
Bont-Dolgadfan
Derwenlas
Melin-byrhedyn
13
468 MOELFRE
Pennant
B4518
Glaspwll
Pant-glâs
279
15
Aberhosan
Carno
458
Aberdovey
A493
Glandyfi
Dovey
Dyfi
Eglwys Fach
Glaslyn
Dylife
Clatter
A487
18
398
B4353
582
Staylittle
Llancynfelyn
Tre'r-ddôl
Llawryglyn
Gleiniant
521 MOEL-Y-LLYN
B4569
Tre-Taliesin
Trefeglwys
Source of R. Severn Blaen Hafren
Borth
Tal-y-bont
Nant-y-Moch Reservoir
Llyn Clywedog
482 FAN HILL
Van
307
Dôl-y-Bont
741
Oakley Park
Llandre
752
Source of R. Wye Blaen Gwy
B4518
Severn (Hafren)
Pen-y-garn
Bont-goch
A470
Tan Hinon
Old Hall
Glan-y-nant
Hafren Forest
Llanidloes
Bow Street
Salem
506
Clarach
Penrhyn-coch
Pen-bont Rhydybeddau
13
Glynbrochan
Newchapel
Plas Gogerddan
Comins Coch
A4159
Capel Dewi
Dyffryn Castell
Pant Mawr
Cwmbelan
Llanbadarn Fawr
Dollwen
Goginan
Llanifyny
A44
4
Capel Bangor
A44
Llangurig
Tylwch
584
Ponterwyd
564
Cwmbrwyno
Southgate
Glanrafon
12
Afon Rheidol
Moriah
Capel Seion
Aberffrwd
Ystumtuen
Ysbyty-Cynfyn
Gors
15
A4120
Pisgah
610 PEN Y GARN
Nantgwyn
New Cross
Llanfihangel-y-Creuddyn
Mynydd Bach
Devil's Bridge
B4518
Trisant
Blaenycwm
Pant-y-dwr
B4343
A470
Llanilar
Cnwch-coch
B4340
Pentre-llyn
New Row
B4574
Cwmystwyth
Bwlch-y-sarnau
9
A485
B4575
Abermagwr
498
Rhos-y-garth
Crosswood
Pont-rhyd-y-groes
571 GEIFAS
St Harmon
18
Wenallt
Llanafan
(Gwy)
Ysbyty Ystwyth
505 MOEL HYWEL
Llangwyryfon
Lledrod
371
Craig-goch Res.
Wye
Tynygraig
Tanyrhydiau
572

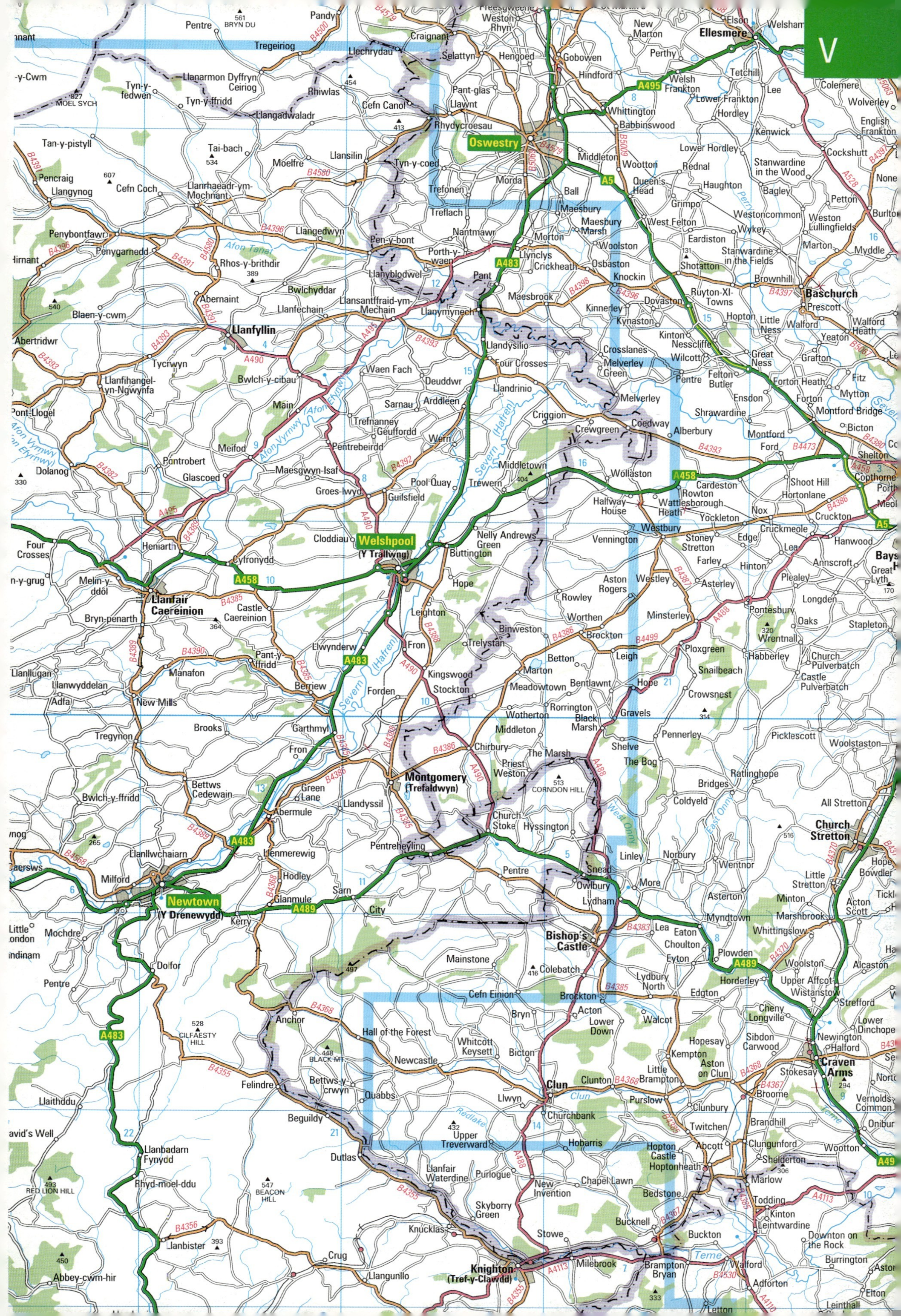
V
Pentre
561 BRYN DU
Pandy
Tregeiriog
Llechrydau
Craignant
Selattyn
Hengoed
Gobowen
Weston Rhyn
New Marton
Ellesmere
Welsham
Perthy
Hindford
Welsh Frankton
Tetchill
Lee
Colemere
Lower Frankton
Wolverley
Hordley
English Frankton
Kenwick
Cockshutt
Llanarmon Dyffryn Ceiriog
Tyn-y-fedwen
827 MOEL SYCH
Tyn-y-ffridd
Llangadwaladr
Rhiwlas
454
Cefn Canol
Pant-glas
Llawnt
Whittington
Babbinswood
Rhydycroesau
413
Oswestry
Tan-y-pistyll
Tai-bach
534
Moelfre
Llansilin
Tyn-y-coed
Middleton
Wootton
Lower Hordley
Rednal
Stanwardine in the Wood
Pencraig
607
Cefn Coch
Llangynog
Llanrhaeadr-ym-Mochnant
Trefonen
Morda
Ball
Queen's Head
Haughton
Bagley
Petton
Nonely
Maesbury
Treflach
Grimpo
Maesbury Marsh
West Felton
Westoncommon
Weston Lullingfields
Burlton
Penybontfawr
Pen-y-bont
Nantmawr
Morton
Eardiston
Wykey
Pentre
Penygarnedd
Llangedwyn
Afon Tanat
Rhos-y-brithdir
389
Porth-y-waen
Llynclys
Crickheath
Woolston
Osbaston
Shotatton
Stanwardine in the Fields
Marton
Myddle
Llanyblodwel
Pant
Knockin
Brownhill
Bwlchyddar
Abernaint
Llanfechain
Llansantffraid-ym-Mechain
Llanymynech
Maesbrook
Kinnerley
Dovaston
Ruyton-XI-Towns
Baschurch
Prescott
540
Blaen-y-cwm
Llanfyllin
Kynaston
Hopton
Little Ness
Walford
Walford Heath
Abertridwr
Tycrwyn
Llandysilio
Kinton
Nesscliffe
Yeaton
Crosslanes
Four Crosses
Melverley Green
Wilcott
Great Ness
Grafton
Waen Fach
Bwlch-y-cibau
Llanfihangel-yn-Ngwynfa
Deuddwr
Llandrinio
Pentre
Felton Butler
Forton Heath
Fitz
Mytton
Ensdon
Forton
Pont-Llogel
Main
Sarnau
Arddleen
Melverley
Criggion
Shrawardine
Montford Bridge
Afon Vyrnwy
Afon Efyrnwy
Trefnanney
Geufford
Crewgreen
Coedway
Alberbury
Montford
Bicton
Meifod
Pentrebeirdd
Wern
Ford
Shelton
Pontrobert
Dolanog
Glascoed
Maesgwyn-Isaf
Middletown
404
Wollaston
Cardeston
Shoot Hill
Copthorne
330
Groes-lwyd
Pool Quay
Trewern
Rowton
Hortonlane
Guilsfield
Halfway House
Wattlesborough Heath
Yockleton
Nox
Cruckton
Severn (Hafren)
Heniarth
Cloddiau
Welshpool (Y Trallwng)
Nelly Andrews Green
Buttington
Westbury
Stoney Stretton
Edge
Cruckmeole
Hanwood
Four Crosses
Vennington
Lea
Bayston Hill
Cyfronydd
Farley
Hinton
Annscroft
Great Lyth
170
Melin-y-ddôl
Hope
Aston Rogers
Westley
Asterley
Pulley
Llanfair Caereinion
Castle Caereinion
364
Rowley
Pontesbury
Longden
Bryn-penarth
Leighton
Worthen
Minsterley
Oaks
Stapleton
Llwynderw
Fron
Trelystan
Binweston
Brockton
Wrentnall
320
Pant-y-ffridd
Betton
Leigh
Ploxgreen
Habberley
Church Pulverbatch
Llanllugan
Manafon
Kingswood
Marton
Snailbeach
Castle Pulverbatch
Llanwyddelan
Adfa
Berriew
Forden
Stockton
Meadowtown
Bentlawnt
Hope
Crowsnest
New Mills
Rorrington
Gravels
314
Brooks
Garthmyl
Wotherton
Black Marsh
Tregynon
Middleton
Pennerley
Picklescott
Woolstaston
Fron
Chirbury
Shelve
The Marsh
Priest Weston
The Bog
Ratlinghope
Montgomery (Trefaldwyn)
513 CORNDON HILL
Bridges
Bettws Cedewain
Green Lane
Coldyeld
All Stretton
Bwlch-y-ffridd
Llandyssil
Abermule
Church Stoke
Hyssington
West Onny
East Onny
516
Church Stretton
265
Pentreheyling
Llanllwchaiarn
Llanmerewig
Linley
Norbury
Wentnor
Hope Bowdler
Caersws
Pentre
Snead
More
Little Stretton
Milford
Hodley
Owlbury
Lydham
Asterton
Minton
Acton Scott
Newtown (Y Drenewydd)
Glanmule
Sarn
Kerry
City
Myndtown
Marshbrook
Little London
Mochdre
Bishop's Castle
Lea
Eaton
Whittingslow
Choulton
Eyton
Plowden
Llandinam
Dolfor
Mainstone
497
416
Colebatch
Lydbury North
Woolston
Upper Affcot
Alcaston
Wistanstow
Pentre
Cefn Einion
Brockton
Edgton
Horderley
Strefford
Anchor
Bryn
Acton
Lower Down
Walcot
Cheney Longville
Lower Dinchope
528 CILFAESTY HILL
Hall of the Forest
448
Whitcott Keysett
Hopesay
Newington
Halford
Bicton
Kempton
Aston on Clun
Craven Arms
BLACK MT
Newcastle
Little Brampton
Stokesay
Felindre
Bettws-y-crwyn
Clun
Clunton
Quabbs
Llwyn
Purslow
294
Broome
Clunbury
Vernolds Common
Llaithddu
Churchbank
Beguildy
Redlake
Twitchen
Brandhill
Onibury
432
Upper Treverward
Hobarris
Abcott
Clungunford
Wootton
David's Well
Llanbadarn Fynydd
Hopton Castle
Hoptonheath
Shelderton
306
Dutlas
Llanfair Waterdine
Purlogue
Chapel Lawn
Marlow
493 RED LION HILL
Rhyd-moel-ddu
547 BEACON HILL
New Invention
Bedstone
Todding
Kinton
Leintwardine
Skyborry Green
Bucknell
Downton on the Rock
Llanbister
393
Knucklas
Stowe
Buckton
Teme
Burrington
450
Crug
Knighton (Tref-y-Clawdd)
Milebrook
Brampton Bryan
Walford
Aston
Abbey-cwm-hir
Llangunllo
333
Adforton
Elton
Letton
Leinthall
A495
A5
A483
A458
A490
A489
A488
A4113
B4500
B4580
B4396
B4391
B4393
B4392
B4398
B4382
B4389
B4385
B4390
B4386
B4387
B4499
B4368
B4355
B4356
B4383
B4370
B4367
B4385
B4530
B4397
B4473
B5009
B5069
B4579

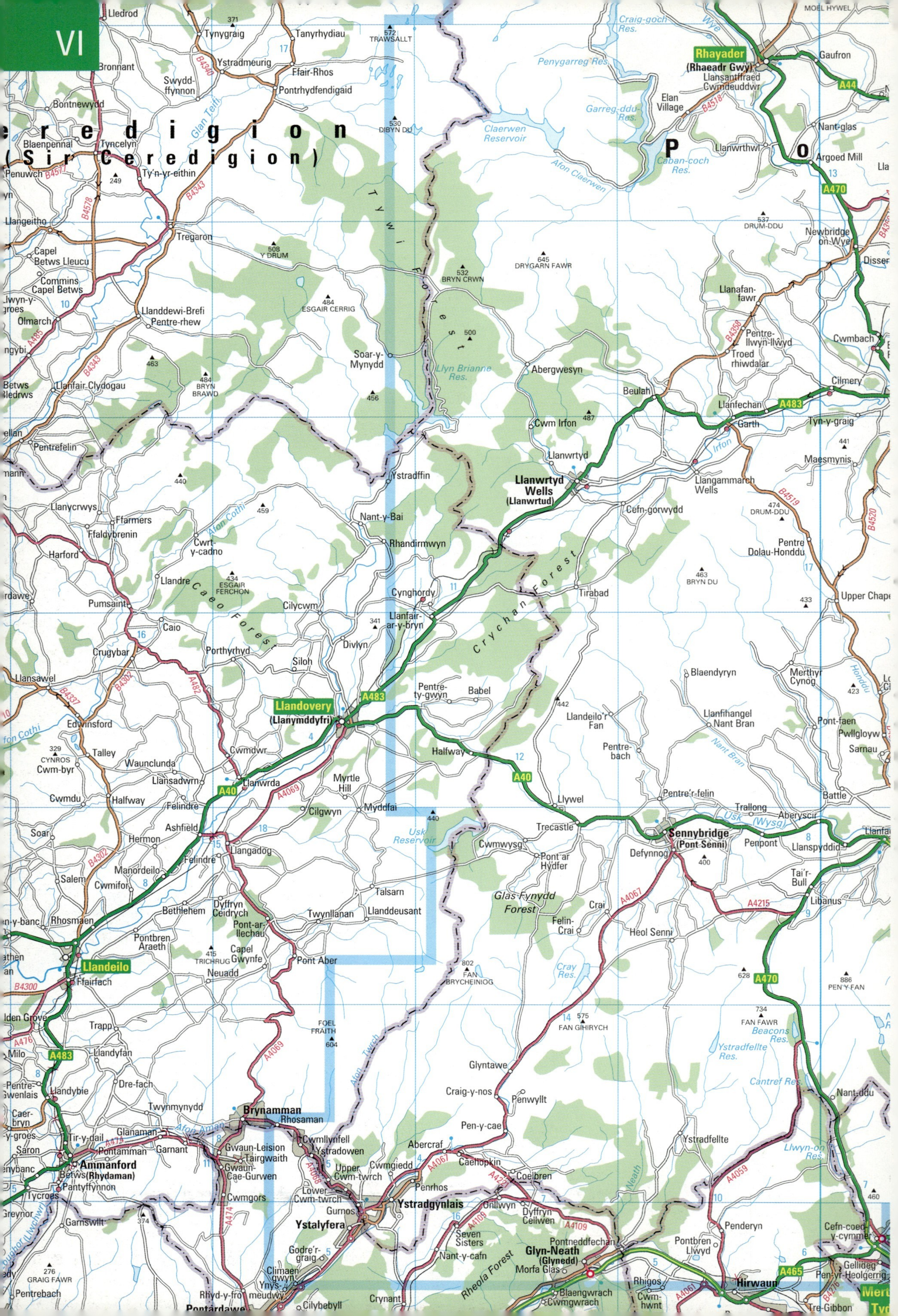
VI
Lledrod
371
Tynygraig
Tanyrhydiau
572
TRAWSALLT
Craig-goch Res.
Wye
MOEL HYWEL
Rhayader
(Rhaeadr Gwy)
Gaufron
Llansantffraed Cwmdeuddwr
A44
Bronnant
Ystradmeurig
Ffair-Rhos
Swydd-ffynnon
B4340
17
Pontrhydfendigaid
Penygarreg Res.
Elan Village
B4518
Bontnewydd
Glan Teifi
530
DIBYN DU
Garreg-ddu Res.
Nant-glas
Ceredigion
(Sir Ceredigion)
Tyncelyn
Claerwen Reservoir
Llanwrthwl
Powys
Argoed Mill
Penuwch
B4577
249
Ty'n-yr-eithin
Caban-coch Res.
Afon Claerwen
13
A470
B4343
B4578
Llangeitho
Tregaron
537
DRUM-DDU
Newbridge on-Wye
Capel Betws Lleucu
508
Y DRUM
645
DRYGARN FAWR
Disserth
Commins Capel Betws
532
BRYN CRWN
Tywi Forest
Llanafan-fawr
10
484
ESGAIR CERRIG
Olmarch
Llanddewi-Brefi
Pentre-rhew
500
B4358
Pentre-llwyn-llwyd
A485
Cwmbach
463
Soar-y-Mynydd
Llyn Brianne Res.
Abergwesyn
Troed rhiwdalar
B4343
Betws Bledrws
Llanfair Clydogau
484
BRYN BRAWD
456
Beulah
Cilmery
487
Llanfechan
A483
Cwm Irfon
Garth
Tyn-y-graig
Pentrefelin
7
441
Llanwrtyd
Irfon
Maesmynis
440
Ystradffin
Llanwrtyd Wells
(Llanwrtud)
Llangammarch Wells
B4519
474
DRUM-DDU
Llanycrwys
Afon Cothi
459
Cefn-gorwydd
B4520
Ffarmers
Nant-y-Bai
Ffaldybrenin
Cwrt-y-cadno
Rhandirmwyn
Pentre Dolau-Honddu
Harford
Crychan Forest
17
434
ESGAIR FERCHON
Llandre
Caeo Forest
463
BRYN DU
11
Cynghordy
Tirabad
Pumsaint
Cilycwm
Llanfair-ar-y-bryn
433
Upper Chapel
341
Caio
16
Divlyn
Crugybar
Porthyrhyd
Siloh
Blaendyryn
Merthyr Cynog
Honddu
Llansawel
B4302
A482
Pentre-ty-gwyn
Babel
423
B4337
A483
442
Llandovery
(Llanymddyfri)
Llanfihangel Nant Bran
Edwinsford
Llandeilo'r Fan
Pont-faen
Pwllgloyw
Afon Cothi
Nant Bran
4
329
CYNROS
Talley
Cwmdwr
Halfway
12
Pentre-bach
Sarnau
Cwm-byr
Wauncluda
Llansadwrn
A40
Myrtle Hill
Cwmdu
Halfway
Llanwrda
A40
A4069
Llywel
Battle
Felindre
Pentre'r-felin
Trallong
Aberyscir
Cilgwyn
Myddfai
440
Usk (Wysg)
Soar
Ashfield
18
Trecastle
Sennybridge
(Pont Senni)
Penpont
Llanspyddid
Hermon
15
Llangadog
Usk Reservoir
Cwmwysg
Pont ar Hydfer
Defynnog
400
Felindre
B4302
Manordeilo
Salem
8
Cwmifor
Glas Fynydd Forest
Tai'r-Bull
Talsarn
A4067
Libanus
Bethlehem
Dyffryn Ceidrych
A4215
Twynllanan
Llanddeusant
Crai
Rhosmaen
9
Pont-ar-llechau
Felin-Crai
Heol Senni
Pontbren Araeth
415
TRICHRUG
Capel Gwynfe
Pont Aber
Llandeilo
Cray Res.
628
A470
Neuadd
802
FAN BRYCHEINIOG
886
PEN Y FAN
Ffairfach
B4300
734
FAN FAWR
14
575
FAN GIHIRYCH
Golden Grove
FOEL FRAITH
604
Beacons Res.
Trapp
A476
A483
Llandyfan
Ystradfellte Res.
A4069
Afon Twrch
Glyntawe
Milo
Pentre-Gwenlais
Dre-fach
Cantref Res.
Craig-y-nos
Penwyllt
Nant-ddu
Llandybie
Twynmynydd
Brynamman
Caer-bryn
Rhosaman
Pen-y-cae
Afon Aman
Glanaman
Tir-y-dail
A474
Cwmllynfell
Ystradfellte
Saron
Garnant
Gwaun-Leision
Ystradowen
Abercraf
Pontamman
Tairgwaith
Llwyn-on Res.
Ammanford
Gwaun-Cae-Gurwen
Upper Cwm-twrch
Cwmgiedd
Caehopkin
A4067
Betws (Rhydaman)
11
A4068
Coelbren
A4059
Penrhos
A4221
Pantyffynnon
Cwmgors
Lower Cwm-twrch
Ystradgynlais
Neath
Tycroes
Gurnos
Onllwyn
10
460
Greynor
A474
16
A4109
Dyffryn Cellwen
Garnswllt
374
Ystalyfera
Seven Sisters
A4109
Penderyn
Cefn-coed-y-cymmer
Pontneddfechan
Godre'r-graig
Nant-y-cafn
Pontbren Llwyd
276
GRAIG FAWR
Rheola Forest
Glyn-Neath
(Glynedd)
Morfa Glas
Gellideg
Pen-yr-Heolgerrig
Climaen-gwyn
A465
Rhigos
Hirwaun
Pentrebach
Ynys-meudwy
Blaengwrach
Cwmgwrach
Cwm-hwnt
A4061
Rhyd-y-fro
Pontardawe
Cilybebyll
Crynant
Tre-Gibbon
Merthyr Tydfil

VII
Llandewi Ystradenny
Bleddfa
Monaughty
Pilleth
Rhos-y-meirch
Letton
Birtley
Wigmore
Leinthall Earls
Yatton
Lower Lye
Ongar Street
Lingen
Limebrook
Dolau
Llanfihangel Rhydithon
Whitton
Cascob
Norton
Dolley Green
Maes-Treylow
Discoed
Stapleton
Kinsham
Aymestrey
Fron
Gwystre
Crossgates
Penybont
Beggar's Bush
Presteigne
(Llanandras)
Lugg
Byton
Combe
Combe Moor
Mortimer's Cross
Yarpole
Lucton
Llandegley
Kinnerton
Evenjobb
Rodd
Llandrindod Wells
(Llandrindod)
Nash
Stansbatch
Ledicot
Shobdon
Lugg Green
Kingsland
New Radnor
Knill
Staunton on Arrow
Cobnash
Ridgebourne
Titley
Ithon
Yardro
Old Radnor
Walton
Shirl Heath
Howey
Flintsham
Eardisland
Lawton
Crossway
Dolyhir
Burlingjobb
Llanfihangel-nant-Melan
Arrow
Pembridge
Monkland
Frank's Bridge
Marston
Kington
Headbrook
Bearwood
Ivington Green
Lower Hergest
Upper Hergest
Lyonshall
Luntley
Llansantffraed-in-Elvel
Gladestry
Gwaunceste Hill
Holme Marsh
Haven
Sollers Dilwyn
Aulden
Hundred House
Dilwyn
Glascwm
Builth Road
Colva
Kingswood
Broxwood
Upper Hill
Huntington
Hopley's Green
Hengoed
Wootton
Woonton
Knapton Green
Birley
Llanelwedd
Cregrina
Almeley
Oaklands
Michaelchurch on Arrow
Weobley
Weobley Marsh
Bush Bank
Llanfaredd
Sarnesfield
Upcott
Lower Welson
Builth Wells
(Llanfair-ym-Muallt)
Rhulen
Newchurch
Red Hill
Bryngwyn
King's Pyon
Westhope
Ledgemoor
Eardisley
Hurstway Common
Kinnersley
Llanddewi'r Cwm
Brilley
Millhalf
Calver Hill
Aberedw
Llanbadarn-y-Garreg
Doly-y-cannau
Rhosgoch
Rhydspence
Toll
Willersley
Ailey
Wormsley
Norton Canon
Yarsop
Alltmawr
Whitney
Winforton
Moorhampton
Tillington Common
Llanbedr
Painscastle
Wye
Letton
Staunton on Wye
Yazor
Mansell Lacy
Llandeilo Graban
Clifford
Priory Wood
Merbach
Mansell Gamage
Brinsop
Bronydd
The Begwns
Bredwardine
Hardwicke
Bredenhill
Monnington on Wye
Brobury
Clyro
Bishopstone
Kenchester
Gwenddwr
Erwood
Hay-on-Wye
(Y Gelli Gandryll)
The Bage
Byford
Moccas
Preston on Wye
Bridge Sollers
Canon Bridge
Crickadarn
Llanstephan
Llowes
Cusop
Dorstone
Ploughfield
Lulham
Swainshill
Breinton Common
Rhydnest
Blakemere
Snodhill
Tyberton
Llanigon
Cwmbach
Boughrood
Glasbury
Pipton
Llaneglwys
Madley
Eaton Bishop
Ruckhall
Peterchurch
Hinton
Llanrosser
Tregoyd
Llyswen
Three Cocks
Velindre
Shenmore
Cublington
Urishay Common
Vowchurch
Clehonger
Brampton
Hay Bluff
Craswall
Turnastone
Kingstone
Llandefalle
Bronllys
Upper Maes-coed
Llynfi
The Tumpa
Llanelieu
Michaelchurch Escley
Middle Maes-coed
St Margaret's
Thruxton
Winnal
Garthbrengy
Talachddu
Llanfilo
Felinfach
Talgarth
Tredustan
Trefecca
Newton
Kerry's Gate
Cockyard
Bacton
Didley
Llandefaelog Fach
Llanddew
Tredomen
Llandefaelog-tre'r-graig
Lower Maes-coed
St Devereux
Afon Honddu
Llanveynoe
Abbey Dore
Wormbridge
Kilpeck
Pengenffordd
Brecon
(Aberhonddu)
Llanywern
Llanfihangel Tal-y-llyn
Howton
Longtown
Llechfaen
Talyllyn
Llangorse
Llanthony
Ewyas Harold
Clodock
Pontrilas
Llanhamlach
Llangorse Lake
Rowlstone
Monmouth Cap
Bagwy Llydiart
Llanfrynach
Scethrog
Llangasty Talyllyn
Cathedine
Hatterrall Hill
Llangua
Kentchurch
Garway Hill
Orcop
Pencelli
Walterstone
Cwmrhos
Oldcastle
Grosmont
White Rocks
Cross Oak
Llansantffraed
Cwmdu
Cwmyoy
Hoaldalbert
Talybont-on-Usk
Bwlch
Tre-wyn
Pandy
Garway
Monnow (Mynwy)
Aber-Village
Gaer
Pen Cerig-calch
Tretower
Stanton
Broad Oak
Llanbedr
Llanfihangel-Crucorney
Llangattock Lingoed
Talybont Res.
Coed-yr-ynys
Bont
Cross Ash
Norton
Skenfrith
Llangynidr
Blaenawey
Upper Green
Crossway
Crickhowell
Ffawyddog
Llangenny
Wayne Green
St Maughans
Abercynafon
Llangattock
Cwrt-y-gollen
Llantilio Pertholey
Llanvetherine
Newcastle
Llanfaenor
Garn Caws
Glangrwyney
Llwyn-du
Mardy
Bryn-y-gwenin
Llantilio Crossenny
Llangattock-Vibon-Avel
Onen
Usk (Wysg)
Gilwern
Abergavenny
(Y Fenni)
Llanelli
Pontsticill Reservoir
Clydach
Govilon
Llanvapley
Llanvihangel-Ystern-Llewern
Trefil
Rassau
Garnlydan
Blackrock
Llanfoist
Llanddewi Rhydderch
Wernyrheolydd
Trothy
Bryn-Mawr
Llanelly Hill
Blorenge
Coed Morgan
Penrhos
Pontsticill
Tafarnau-bach
Beaufort
Dukestown
Llanellen
Pen-yr-heol
Wonastow
Nantyglo
Garn-yr-erw
Llangattock nigh Usk
Llanarth
Dingestow
Vaynor
Princetown
Tredegar
Sirhowy
Ebbw Vale
(Glyn Ebwy)
Coalbrookvale
Tregare
Llechryd
George Town
Briery Hill
Forge Side
Blaenavon
Monmouth Services
Dowlais
Rhymney
(Rhymni)
Blaina
Coity Mountain
Pen-y-clawdd
Pontlottyn
Waunlwyd
East Bank
Varteg
Cwmavon
Pen-groes-oped
Nant-y-derry
Monmouthshire
Bettws Newydd
Twyn-y-Sheriff
Kingcoed
Abertysswg
Cwmtillery
Abertillery
New Tredegar
Fochriw
Cwm
Goetre
Kemeys
Gwehelog
(Sir Fynwy)
Penperlleni
Garndiffaith
Scale
0
5
10 km
0
1
2
3
4
5
6 miles
A44
A483
A481
A470
A438
A479
A40
A465
A4060
A4112
A488
A4047
A4077
B4356
B4357
B4355
B4372
B4362
B4594
B4350
B4348
B4352
B4351
B4560
B4558
B4521
B4233
B4246
B4248
B4347
B4349
B4567
B4520
B4078
A4079
A4078
B4256
B4257
A4048
A469
A4111
A480
B4230
A4110
A4113

Allwedd i symbolau'r map

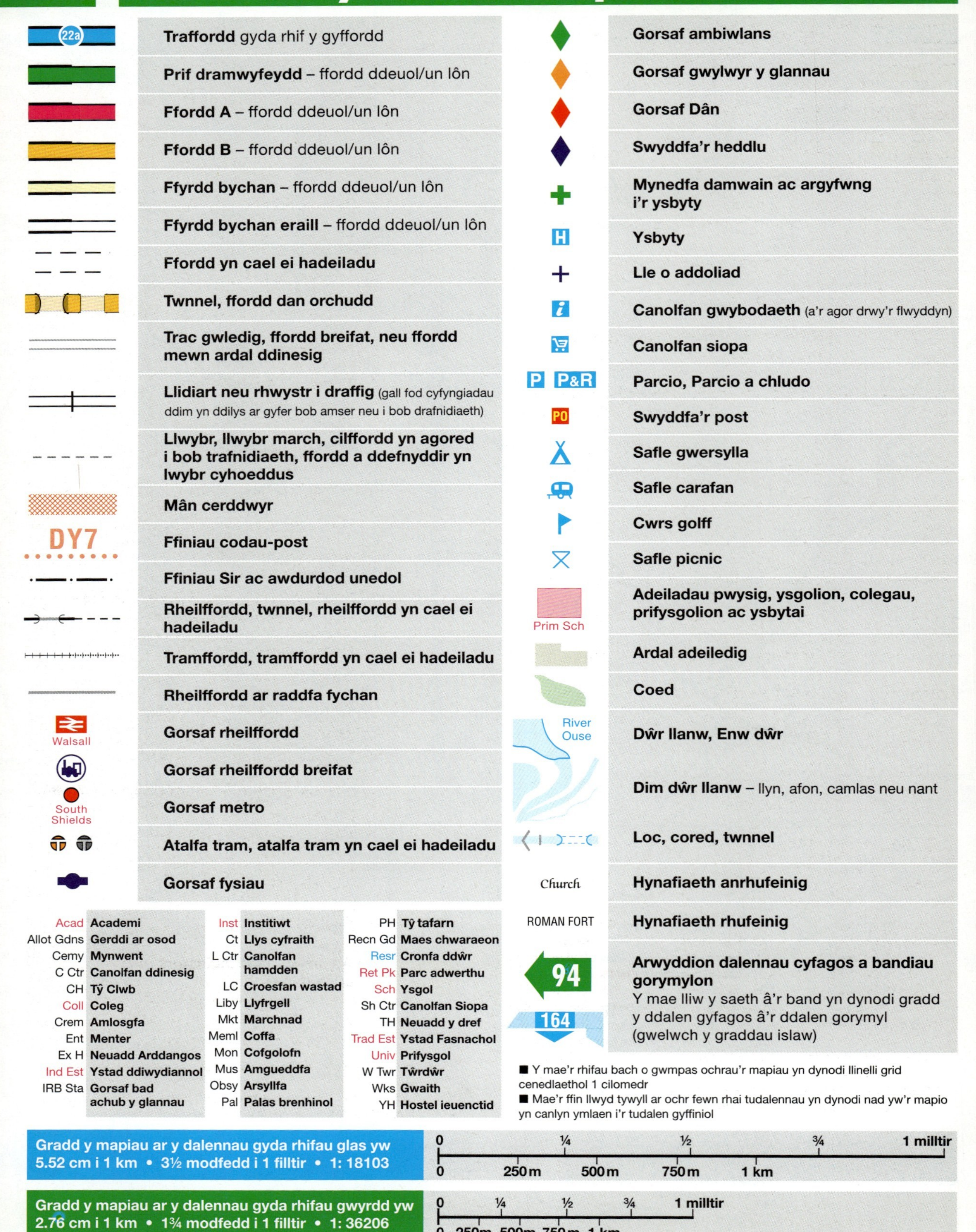

22a

Traffordd gyda rhif y gyffordd

Prif dramwyfeydd – ffordd ddeuol/un lôn

Ffordd A – ffordd ddeuol/un lôn

Ffordd B – ffordd ddeuol/un lôn

Ffyrdd bychan – ffordd ddeuol/un lôn

Ffyrdd bychan eraill – ffordd ddeuol/un lôn

Ffordd yn cael ei hadeiladu

Twnnel, ffordd dan orchudd

Trac gwledig, ffordd breifat, neu ffordd mewn ardal ddinesig

Llidiart neu rhwystr i draffig (gall fod cyfyngiadau ddim yn ddilys ar gyfer bob amser neu i bob drafnidiaeth)

Llwybr, llwybr march, cilffordd yn agored i bob trafnidiaeth, ffordd a ddefnyddir yn lwybr cyhoeddus

Mân cerddwyr

DY7 **Ffiniau codau-post**

Ffiniau Sir ac awdurdod unedol

Rheilffordd, twnnel, rheilffordd yn cael ei hadeiladu

Tramffordd, tramffordd yn cael ei hadeiladu

Rheilffordd ar raddfa fychan

Walsall **Gorsaf rheilffordd**

Gorsaf rheilffordd breifat

South Shields **Gorsaf metro**

Atalfa tram, atalfa tram yn cael ei hadeiladu

Gorsaf fysiau

Gorsaf ambiwlans

Gorsaf gwylwyr y glannau

Gorsaf Dân

Swyddfa'r heddlu

Mynedfa damwain ac argyfwng i'r ysbyty

H **Ysbyty**

Lle o addoliad

i **Canolfan gwybodaeth** (a'r agor drwy'r flwyddyn)

Canolfan siopa

P P&R **Parcio, Parcio a chludo**

PO **Swyddfa'r post**

Safle gwersylla

Safle carafan

Cwrs golff

Safle picnic

Prim Sch **Adeiladau pwysig, ysgolion, colegau, prifysgolion ac ysbytai**

Ardal adeiledig

Coed

River Ouse **Dŵr llanw, Enw dŵr**

Dim dŵr llanw – llyn, afon, camlas neu nant

Loc, cored, twnnel

Church **Hynafiaeth anrhufeinig**

ROMAN FORT **Hynafiaeth rhufeinig**

94 164 **Arwyddion dalennau cyfagos a bandiau gorymylon**
Y mae lliw y saeth â'r band yn dynodi gradd y ddalen gyfagos â'r ddalen gorymyl (gwelwch y graddau islaw)

Acad	**Academi**	Inst	**Institiwt**	PH	**Tŷ tafarn**
Allot Gdns	**Gerddi ar osod**	Ct	**Llys cyfraith**	Recn Gd	**Maes chwaraeon**
Cemy	**Mynwent**	L Ctr	**Canolfan hamdden**	Resr	**Cronfa ddŵr**
C Ctr	**Canolfan ddinesig**	LC	**Croesfan wastad**	Ret Pk	**Parc adwerthu**
CH	**Tŷ Clwb**	Liby	**Llyfrgell**	Sch	**Ysgol**
Coll	**Coleg**	Mkt	**Marchnad**	Sh Ctr	**Canolfan Siopa**
Crem	**Amlosgfa**	Meml	**Coffa**	TH	**Neuadd y dref**
Ent	**Menter**	Mon	**Cofgolofn**	Trad Est	**Ystad Fasnachol**
Ex H	**Neuadd Arddangos**	Mus	**Amgueddfa**	Univ	**Prifysgol**
Ind Est	**Ystad ddiwydiannol**	Obsy	**Arsyllfa**	W Twr	**Tŵrdŵr**
IRB Sta	**Gorsaf bad achub y glannau**	Pal	**Palas brenhinol**	Wks	**Gwaith**
				YH	**Hostel ieuenctid**

■ Y mae'r rhifau bach o gwmpas ochrau'r mapiau yn dynodi llinelli grid cenedlaethol 1 cilomedr

■ Mae'r ffin llwyd tywyll ar ochr fewn rhai tudalennau yn dynodi nad yw'r mapio yn canlyn ymlaen i'r tudalen gyffiniol

Gradd y mapiau ar y dalennau gyda rhifau glas yw
5.52 cm i 1 km • 3½ modfedd i 1 filltir • 1: 18103

0 ¼ ½ ¾ **1 milltir**
0 250 m 500 m 750 m 1 km

Gradd y mapiau ar y dalennau gyda rhifau gwyrdd yw
2.76 cm i 1 km • 1¾ modfedd i 1 filltir • 1: 36206

0 ¼ ½ ¾ **1 milltir**
0 250m 500m 750m 1 km

Key to map symbols

Acad	Academy
Allot Gdns	Allotments
Cemy	Cemetery
C Ctr	Civic Centre
CH	Club House
Coll	College
Crem	Crematorium
Ent	Enterprise
Ex H	Exhibition Hall
Ind Est	Industrial Estate
IRB Sta	Inshore Rescue Boat Station
Inst	Institute
Ct	Law Court
L Ctr	Leisure Centre
LC	Level Crossing
Liby	Library
Mkt	Market
Meml	Memorial
Mon	Monument
Mus	Museum
Obsy	Observatory
Pal	Royal Palace
PH	Public House
Recn Gd	Recreation Ground
Resr	Reservoir
Ret Pk	Retail Park
Sch	School
Sh Ctr	Shopping Centre
TH	Town Hall/House
Trad Est	Trading Estate
Univ	University
W Twr	Water Tower
Wks	Works
YH	Youth Hostel

■ The small numbers around the edges of the maps identify the 1 kilometre National Grid lines

■ The dark grey border on the inside edge of some pages indicates that the mapping does not continue onto the adjacent page

The scale of the maps on the pages numbered in blue is 5.52 cm to 1 km • 3½ inches to 1 mile • 1: 18103

The scale of the maps on pages numbered in green is 2.76 cm to 1 km • 1¾ inches to 1 mile • 1: 36206

Administrative and Postcode boundaries

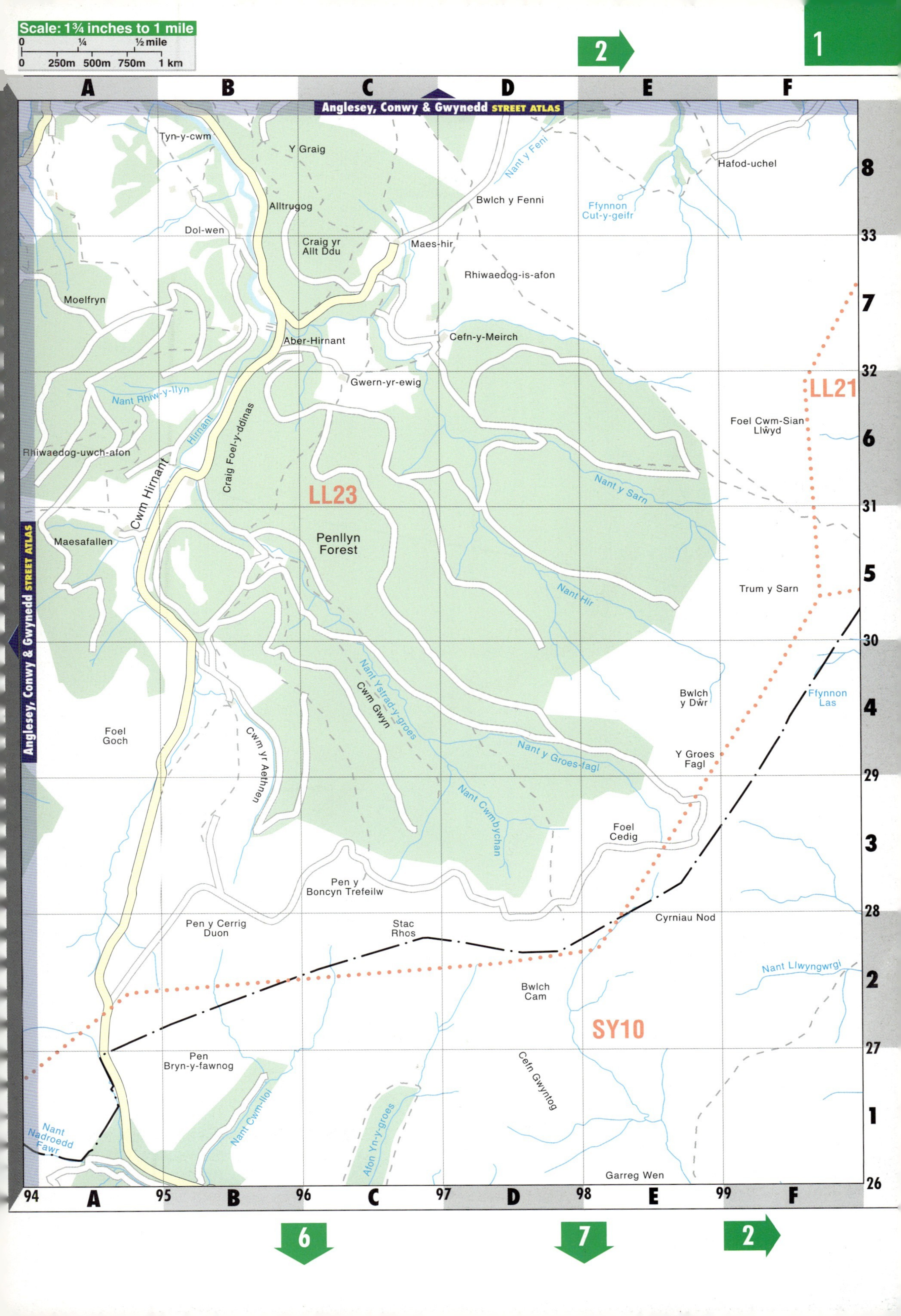

Scale: 1¾ inches to 1 mile
0
¼
½ mile
0
250m
500m
750m
1 km
2
A
B
C
D
E
F
Anglesey, Conwy & Gwynedd STREET ATLAS
Tyn-y-cwm
Y Graig
Hafod-uchel
Nant y Feni
Bwlch y Fenni
Ffynnon Cut-y-geifr
Alltrugog
Dol-wen
Craig yr Allt Ddu
Maes-hir
Rhiwaedog-is-afon
Moelfryn
Aber-Hirnant
Cefn-y-Meirch
Gwern-yr-ewig
Nant Rhiw-y-llyn
LL21
Foel Cwm-Sian Llŵyd
Hirnant
Craig Foel-y-ddinas
Rhiwaedog-uwch-afon
Cwm Hirnant
LL23
Nant y Sarn
Maesafallen
Penllyn Forest
Nant Hir
Trum y Sarn
Nant Ystrad-y-groes
Cwm Gwyn
Bwlch y Dŵr
Ffynnon Las
Foel Goch
Cwm yr Aethnen
Nant y Groes-fagl
Y Groes Fagl
Nant Cwmbychan
Foel Cedig
Pen y Boncyn Trefeilw
Cyrniau Nod
Pen y Cerrig Duon
Stac Rhos
Nant Llwyngwrgi
Bwlch Cam
SY10
Pen Bryn-y-fawnog
Cefn Gwyntog
Nant Nadroedd Fawr
Nant Cwm-lloi
Afon Yn-y-groes
Garreg Wen
8
33
7
32
6
31
5
30
4
29
3
28
2
27
1
26
94
95
96
97
98
99
6
7
2

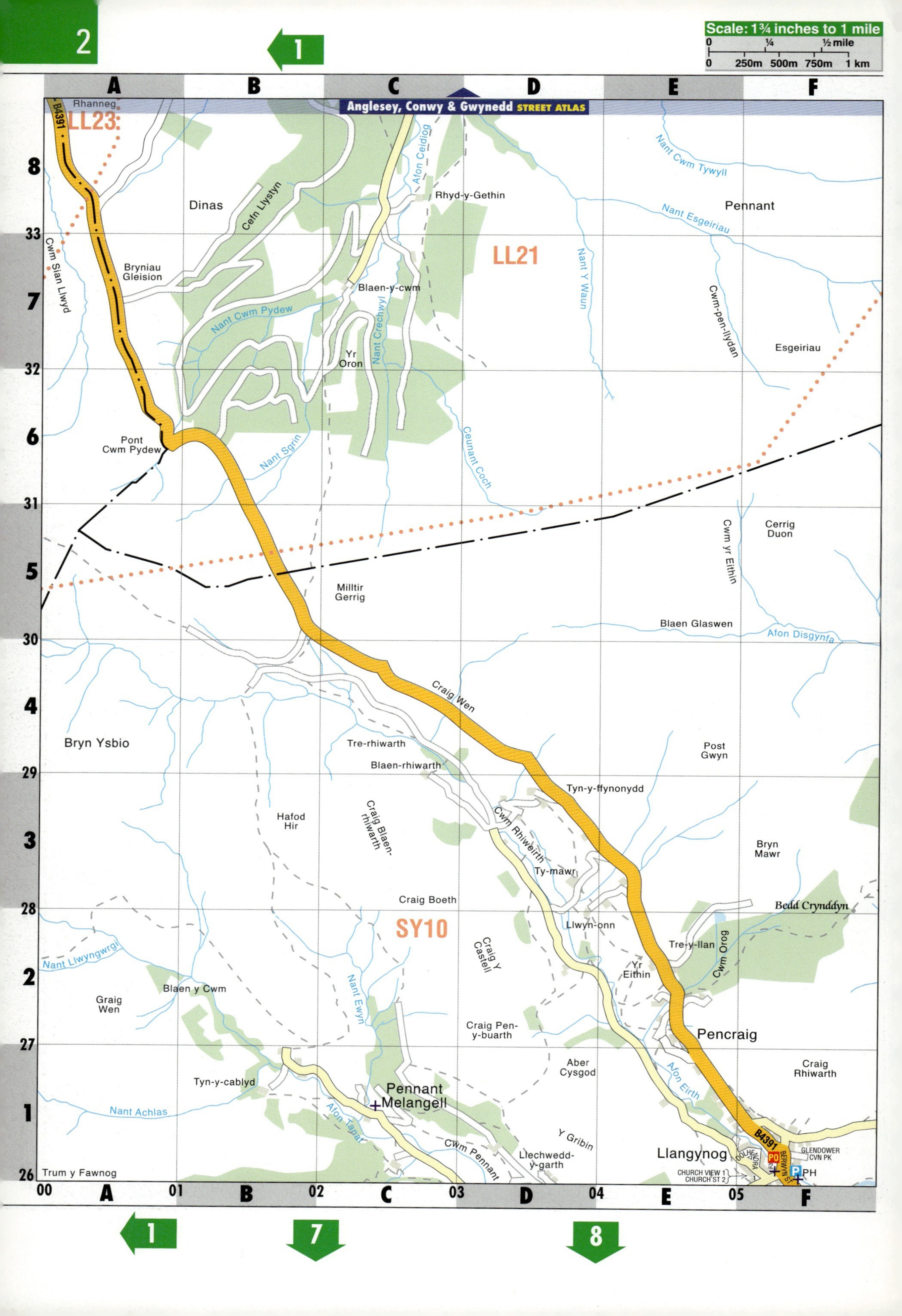
1
Scale: 1¾ inches to 1 mile
0
¼
½ mile
0
250m
500m
750m
1 km
Anglesey, Conwy & Gwynedd STREET ATLAS
A
B
C
D
E
F
B4391
Rhanneg
LL23
Dinas
Cefn Llystyn
Afon Ceidiog
Rhyd-y-Gethin
Nant Cwm Tywyll
Pennant
Nant Esgeiriau
Cwm Slan Llwyd
Bryniau Gleision
LL21
Nant Y Waun
Blaen-y-cwm
Cwm-pen-llydan
Nant Cwm Pydew
Nant Crechwyl
Yr Oron
Esgeiriau
Pont Cwm Pydew
Nant Sgrin
Ceunant Coch
Cerrig Duon
Cwm yr Eithin
Milltir Gerrig
Blaen Glaswen
Afon Disgynfa
Craig Wen
Bryn Ysbio
Tre-rhiwarth
Post Gwyn
Blaen-rhiwarth
Tyn-y-ffynonydd
Hafod Hir
Craig Blaen-rhiwarth
Cwm Rhiweirth
Bryn Mawr
Ty-mawr
Craig Boeth
Bedd Crynddyn
SY10
Llwyn-onn
Craig Y Castell
Tre-y-llan
Cwm Orog
Nant Llwyngwrgi
Yr Eithin
Blaen y Cwm
Nant Ewyn
Graig Wen
Craig Pen-y-buarth
Pencraig
Aber Cysgod
Craig Rhiwarth
Tyn-y-cablyd
Afon Eirth
Pennant Melangell
Nant Achlas
Afon Tanat
Y Gribin
B4391
Cwm Pennant
Llechwedd-y-garth
Llangynog
GLENDOWER CVN PK
Trum y Fawnog
DOLHENDRA
BERWYN ST
PO
P
PH
CHURCH VIEW 1
CHURCH ST 2
8
33
7
32
6
31
5
30
4
29
3
28
2
27
1
26
00
01
02
03
04
05
1
7
8

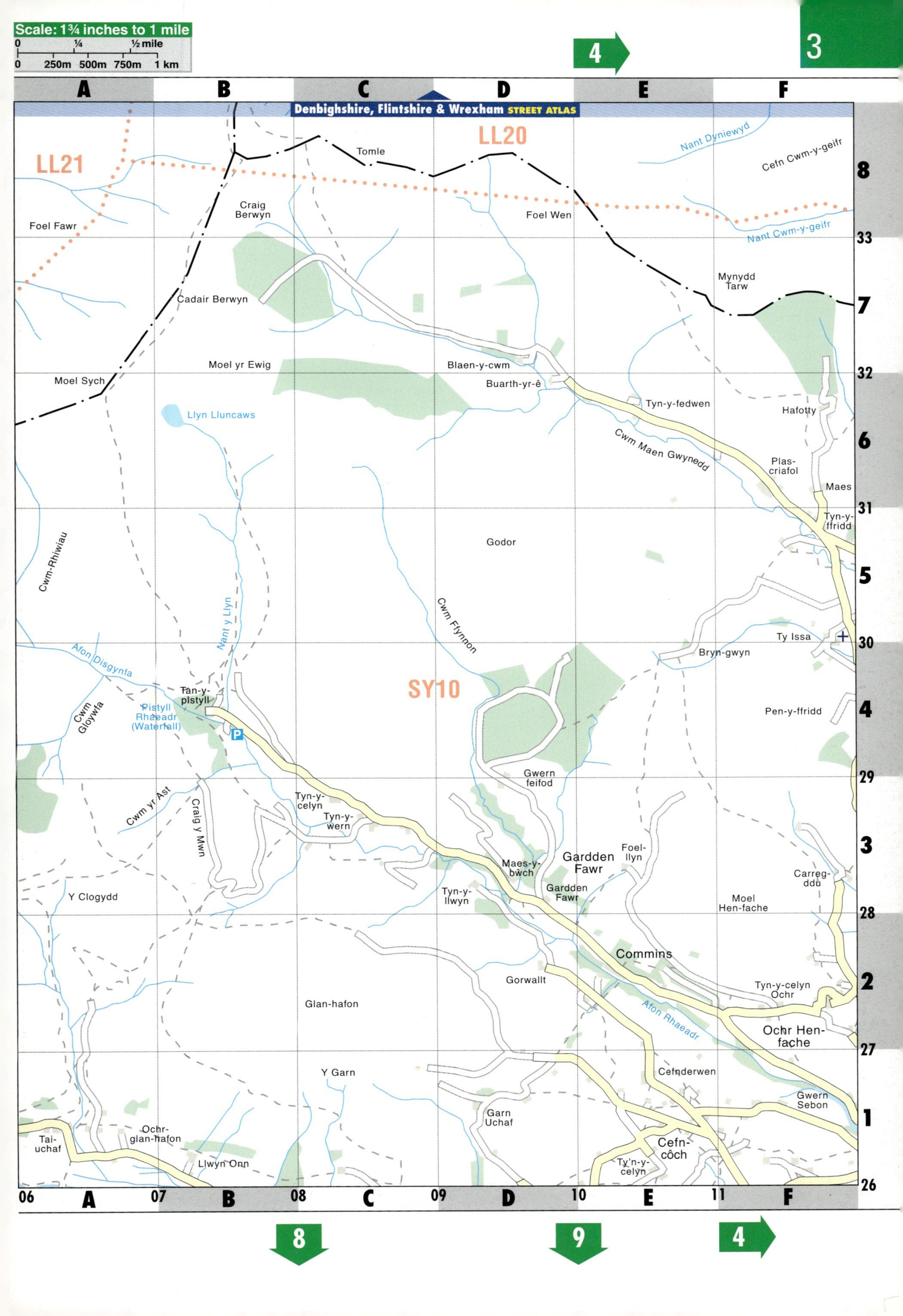
Scale: 1¾ inches to 1 mile
0 ¼ ½ mile
0 250m 500m 750m 1 km
4
A B C D E F
Denbighshire, Flintshire & Wrexham STREET ATLAS
LL21
LL20
Tomle
Nant Dyniewyd
Cefn Cwm-y-geifr
Craig Berwyn
Foel Fawr
Foel Wen
Nant Cwm-y-geifr
Mynydd Tarw
Cadair Berwyn
Moel yr Ewig
Blaen-y-cwm
Moel Sych
Buarth-yr-ê
Tyn-y-fedwen
Hafotty
Llyn Lluncaws
Cwm Maen Gwynedd
Plas-criafol
Maes
Tyn-y-ffridd
Godor
Cwm-Rhiwiau
Nant y Llyn
Cwm Ffynnon
Ty Issa
Afon Disgynfa
Bryn-gwyn
Tan-y-pistyll
SY10
Pistyll Rhaeadr (Waterfall)
Cwm Gloywfa
Pen-y-ffridd
P
Gwern feifod
Cwm yr Ast
Craig y Mwn
Tyn-y-celyn
Tyn-y-wern
Foel-llyn
Gardden Fawr
Maes-y-bwch
Carreg-ddu
Y Clogydd
Tyn-y-llwyn
Gardden Fawr
Moel Hen-fache
Commins
Gorwallt
Tyn-y-celyn Ochr
Glan-hafon
Afon Rhaeadr
Ochr Hen-fache
Y Garn
Cefnderwen
Gwern Sebon
Garn Uchaf
Tai-uchaf
Ochr-glan-hafon
Cefn-côch
Llwyn Onn
Ty'n-y-celyn
8 33 7 32 6 31 5 30 4 29 3 28 2 27 1 26
06 A 07 B 08 C 09 D 10 E 11 F
8
9
4

3

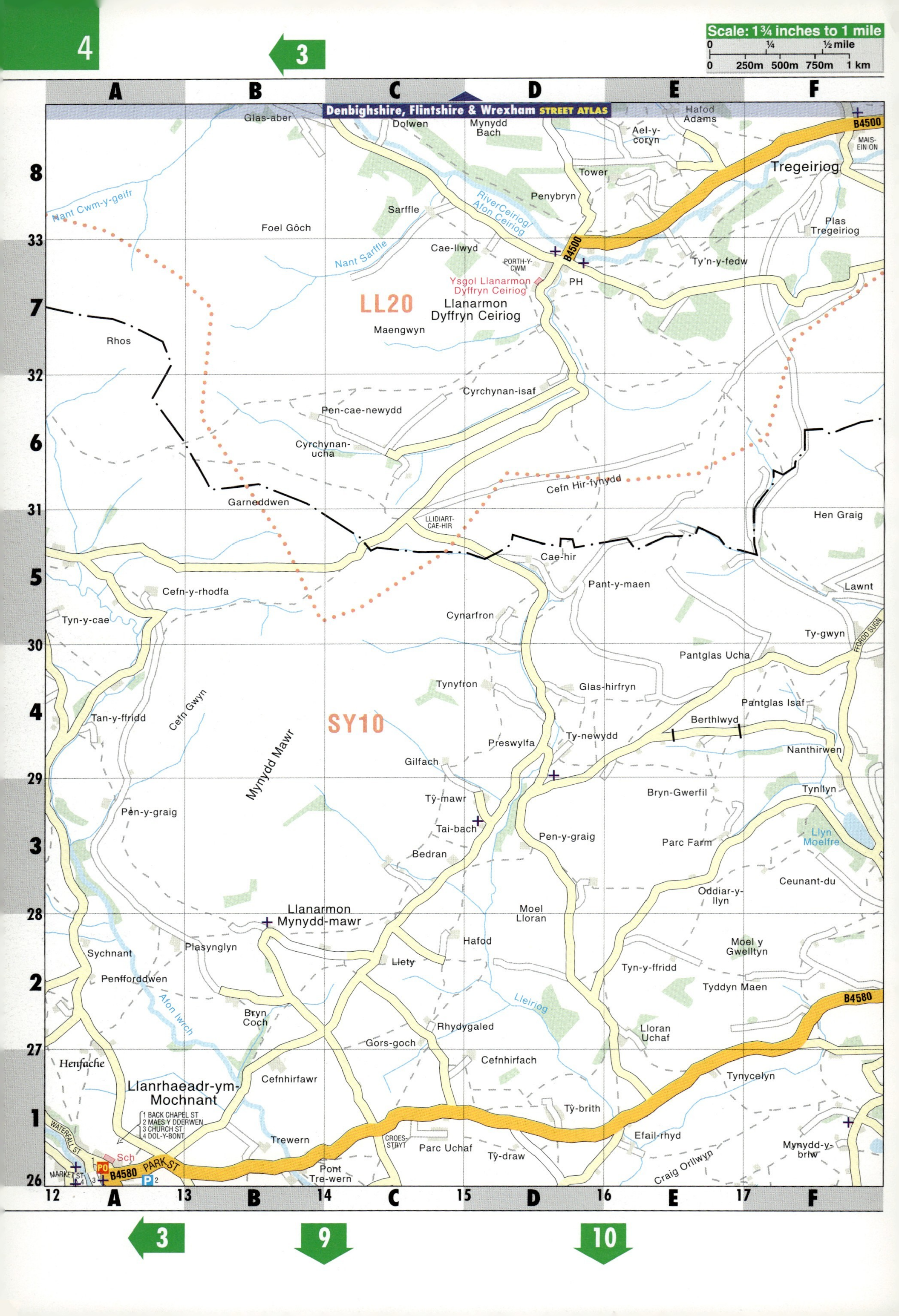
Scale: 1¾ inches to 1 mile
0
¼
½ mile
0
250m
500m
750m
1 km
Denbighshire, Flintshire & Wrexham STREET ATLAS
A
B
C
D
E
F
8
33
7
32
6
31
5
30
4
29
3
28
2
27
1
26
12
13
14
15
16
17
Glas-aber
Dolwen
Mynydd Bach
Hafod Adams
Ael-y-coryn
B4500
MAIS-EIN ON
Tregeiriog
Tower
Penybryn
Plas Tregeiriog
Nant Cwm-y-geifr
Sarffle
River Ceiriog/ Afon Ceiriog
Foel Gôch
Cae-llwyd
Nant Sarffle
PORTH-Y-CWM
B4500
Ty'n-y-fedw
Ysgol Llanarmon Dyffryn Ceiriog
PH
LL20
Llanarmon Dyffryn Ceiriog
Maengwyn
Rhos
Cyrchynan-isaf
Pen-cae-newydd
Cyrchynan-ucha
Cefn Hir-fynydd
Garneddwen
Hen Graig
LLIDIART-CAE-HIR
Cae-hir
Pant-y-maen
Lawnt
Cefn-y-rhodfa
Cynarfron
Tyn-y-cae
Ty-gwyn
FFORDD SUGN
Pantglas Ucha
Tynyfron
Glas-hirfryn
Pantglas Isaf
Cefn Gwyn
Tan-y-ffridd
SY10
Berthlwyd
Mynydd Mawr
Preswylfa
Ty-newydd
Nanthirwen
Gilfach
Tynllyn
Bryn-Gwerfil
Tŷ-mawr
Pen-y-graig
Tai-bach
Llyn Moelfre
Pen-y-graig
Parc Farm
Bedran
Ceunant-du
Oddiar-y-llyn
Moel Lloran
Llanarmon Mynydd-mawr
Hafod
Moel y Gwelltyn
Sychnant
Plasynglyn
Llety
Tyn-y-ffridd
Penfforddwen
Tyddyn Maen
Lleirìog
B4580
Afon Iwrch
Bryn Coch
Rhydygaled
Lloran Uchaf
Gors-goch
Henfache
Cefnhirfach
Tynycelyn
Cefnhirfawr
Llanrhaeadr-ym-Mochnant
Tŷ-brith
1 BACK CHAPEL ST
2 MAES Y DDERWEN
3 CHURCH ST
4 DOL-Y-BONT
WATERFALL ST
Trewern
Efail-rhyd
CROES-STRYT
Parc Uchaf
Tŷ-draw
Mynydd-y-briw
Craig Orllwyn
Sch
PO
PARK ST
Pont Tre-wern
MARKET ST
B4580
P

3
9
10

Scale: 1¾ inches to 1 mile
0 ¼ ½ mile
0 250m 500m 750m 1 km

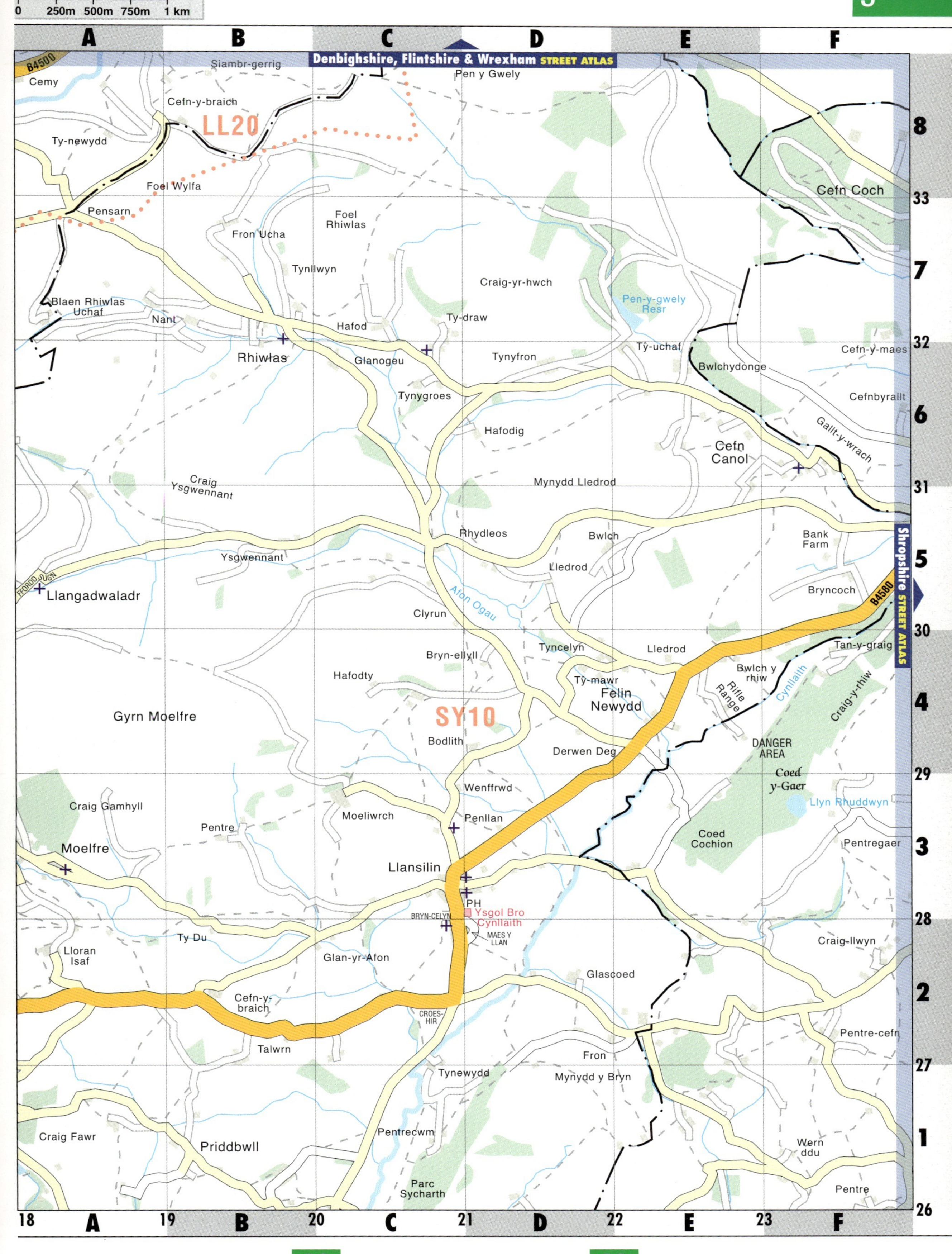

10
11

1

Scale: 1¾ inches to 1 mile

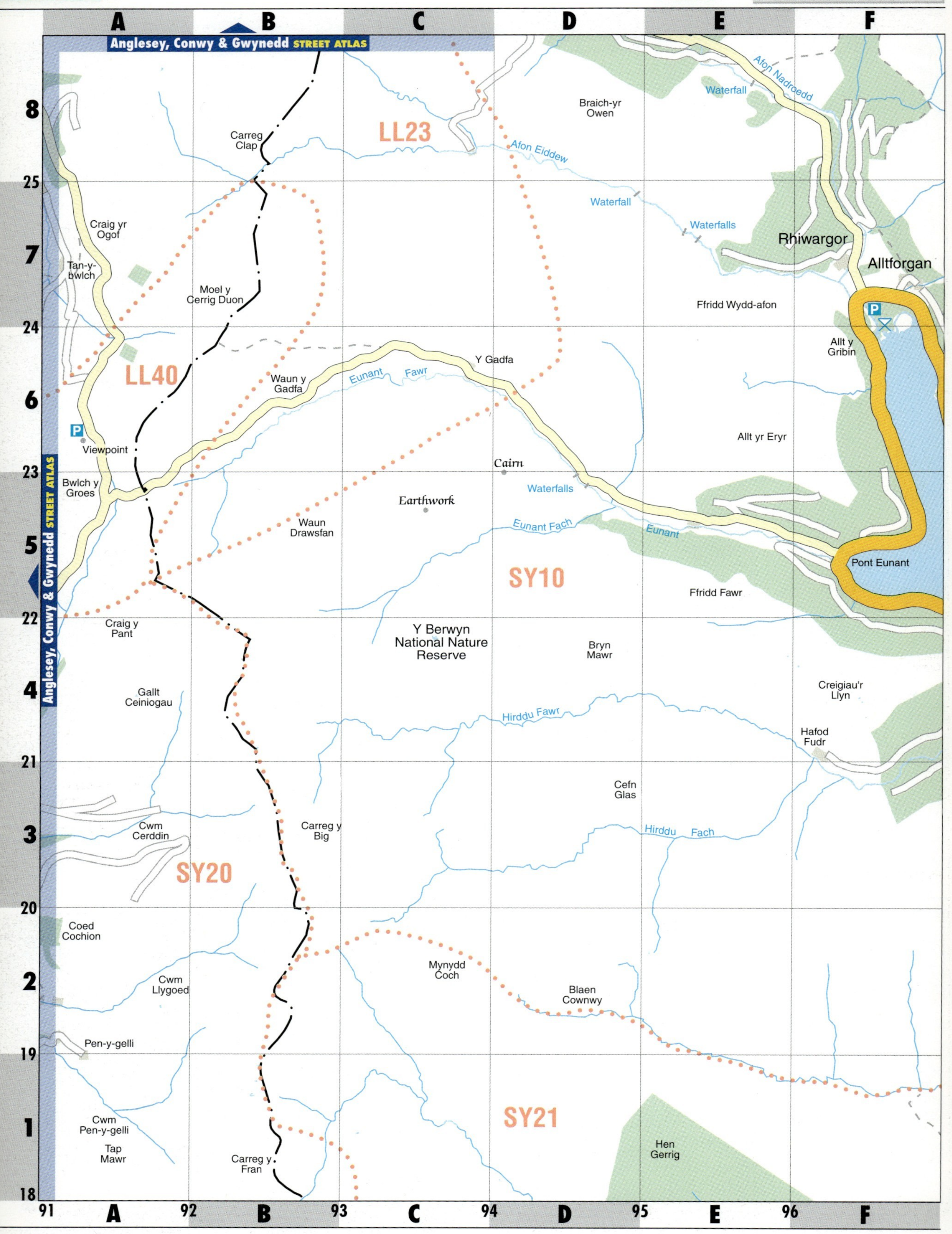

14

15

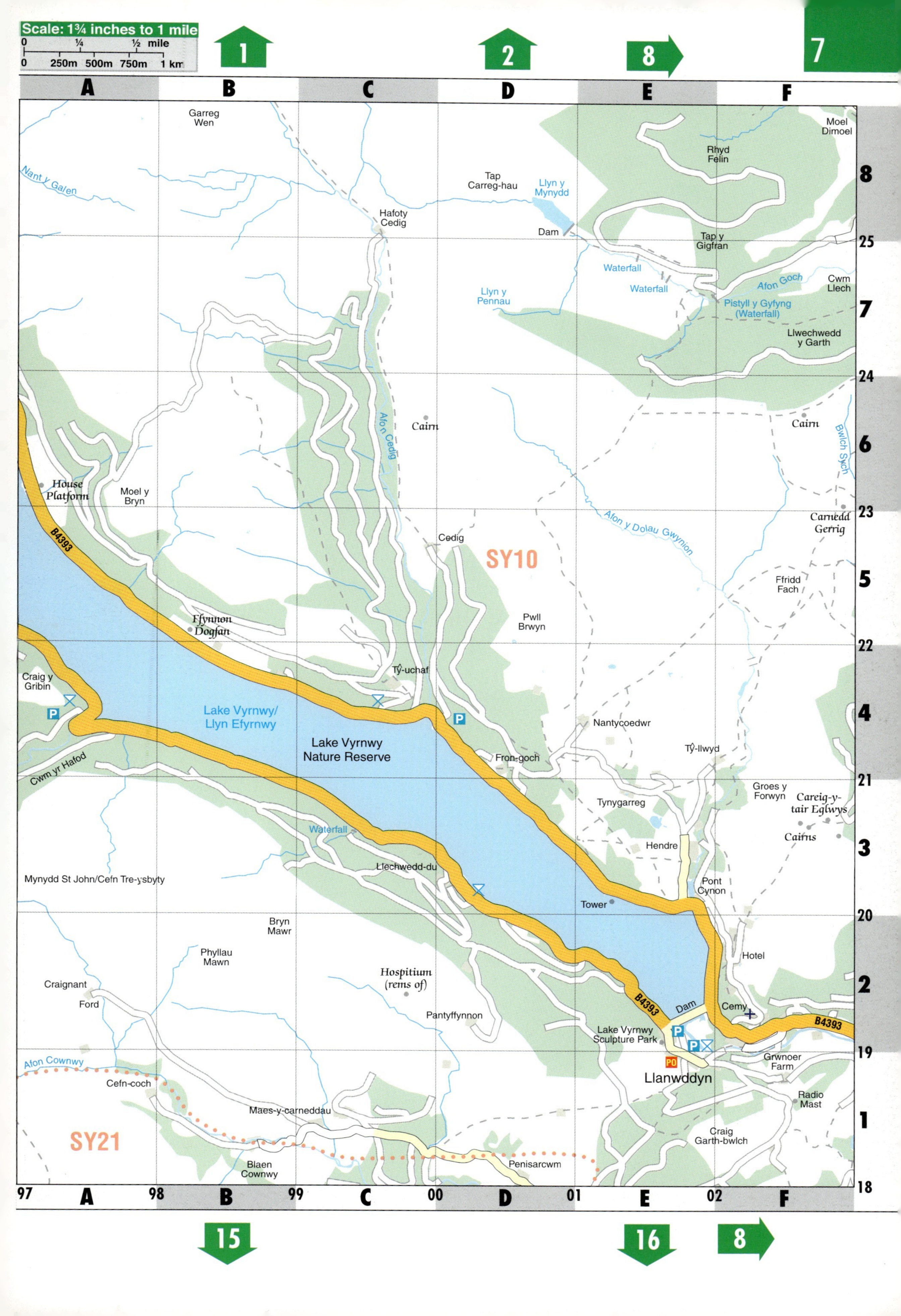
Scale: 1¾ inches to 1 mile
0 ¼ ½ mile
0 250m 500m 750m 1 km
1
2
8
A B C D E F
Garreg Wen
Nant y Galen
Tap Carreg-hau
Llyn y Mynydd
Dam
Hafoty Cedig
Rhyd Felin
Moel Dimoel
Tap y Gigfran
Waterfall
Waterfall
Afon Goch
Cwm Llech
Pistyll y Gyfyng (Waterfall)
Llyn y Pennau
Llwechwedd y Garth
Afon Cedig
Cairn
Cairn
Bwlch Sych
House Platform
Moel y Bryn
Afon y Dolau Gwynion
Carnedd Gerrig
B4393
Cedig
SY10
Ffridd Fach
Pwll Brwyn
Ffynnon Dogfan
Tŷ-uchaf
Craig y Gribin
Lake Vyrnwy/ Llyn Efyrnwy
Lake Vyrnwy Nature Reserve
Nantycoedwr
Tŷ-llwyd
Cwm yr Hafod
Fron-goch
Groes y Forwyn
Careig-y-tair Eglwys
Tynygarreg
Cairns
Waterfall
Hendre
Llechwedd-du
Pont Cynon
Mynydd St John/Cefn Tre-ysbyty
Tower
Bryn Mawr
Phyllau Mawn
Hotel
Craignant
Hospitium (rems of)
Ford
Pantyffynnon
Dam
Cemy
B4393
B4393
Lake Vyrnwy Sculpture Park
Grwnoer Farm
Afon Cownwy
PO
Llanwddyn
Cefn-coch
Radio Mast
Maes-y-carneddau
SY21
Craig Garth-bwlch
Blaen Cownwy
Penisarcwm
97 98 99 00 01 02
8 25 7 24 6 23 5 22 4 21 3 20 2 19 1 18
15
16
8

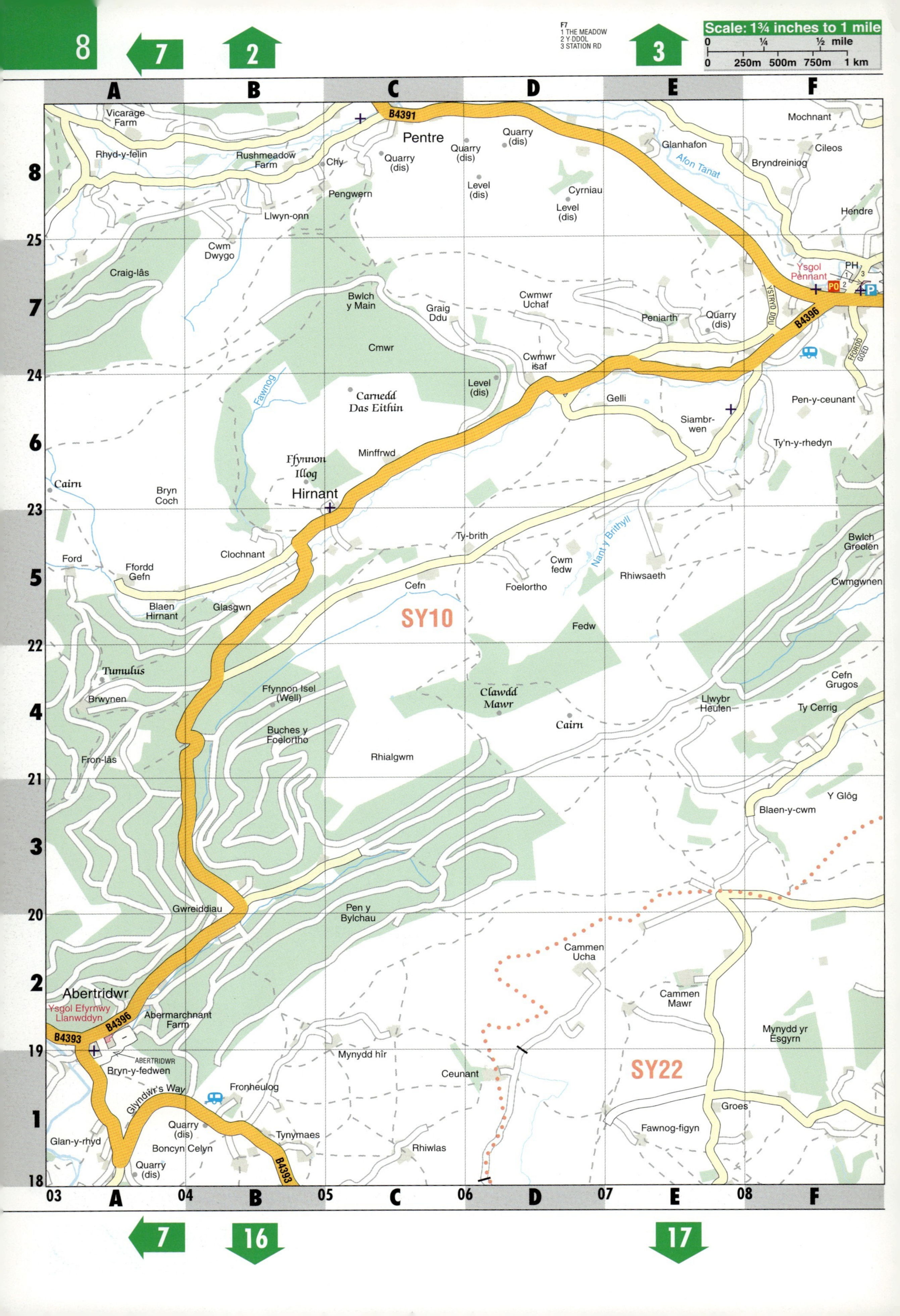
7
2
3
F7
1 THE MEADOW
2 Y DDOL
3 STATION RD
Scale: 1¾ inches to 1 mile
0 ¼ ½ mile
0 250m 500m 750m 1 km
A B C D E F
8 25 7 24 6 23 5 22 4 21 3 20 2 19 1 18
03 04 05 06 07 08
Vicarage Farm
Rhyd-y-felin
Rushmeadow Farm
Chy
B4391
Pentre
Quarry (dis)
Level (dis)
Pengwern
Llwyn-onn
Cwm Dwygo
Craig-lâs
Glanhafon
Afon Tanat
Mochnant
Cileos
Bryndreiniog
Cyrniau
Hendre
Ysgol Pennant
PH
PO
Bwlch y Main
Graig Ddu
Cwmwr Uchaf
Peniarth
YSTRYD DDU
B4396
Cmwr
Cwmwr isaf
FFORDD GOED
Fawnog
Carnedd Das Eithin
Gelli
Siambr-wen
Pen-y-ceunant
Ty'n-y-rhedyn
Minffrwd
Ffynnon Illog
Hirnant
Cairn
Bryn Coch
Ty-brith
Nant y Brithyll
Bwlch Greolen
Clochnant
Ford
Ffordd Gefn
Cwm fedw
Rhiwsaeth
Foelortho
Cefn
Cwmgwnen
Blaen Hirnant
Glasgwn
SY10
Fedw
Tumulus
Ffynnon Isel (Well)
Clawdd Mawr
Cefn Grugos
Brwynen
Llwybr Heulen
Ty Cerrig
Buches y Foelortho
Fron-lâs
Rhialgwm
Y Glôg
Blaen-y-cwm
Gwreiddiau
Pen y Bylchau
Cammen Ucha
Abertridwr
Ysgol Efyrnwy Llanwddyn
Abermarchnant Farm
B4393
ABERTRIDWR
Cammen Mawr
Mynydd yr Esgyrn
Mynydd hîr
Bryn-y-fedwen
Ceunant
SY22
Glyndŵr's Way
Fronheulog
Groes
Quarry (dis)
Fawnog-figyn
Glan-y-rhyd
Boncyn Celyn
Tynymaes
Rhiwlas
7
16
17

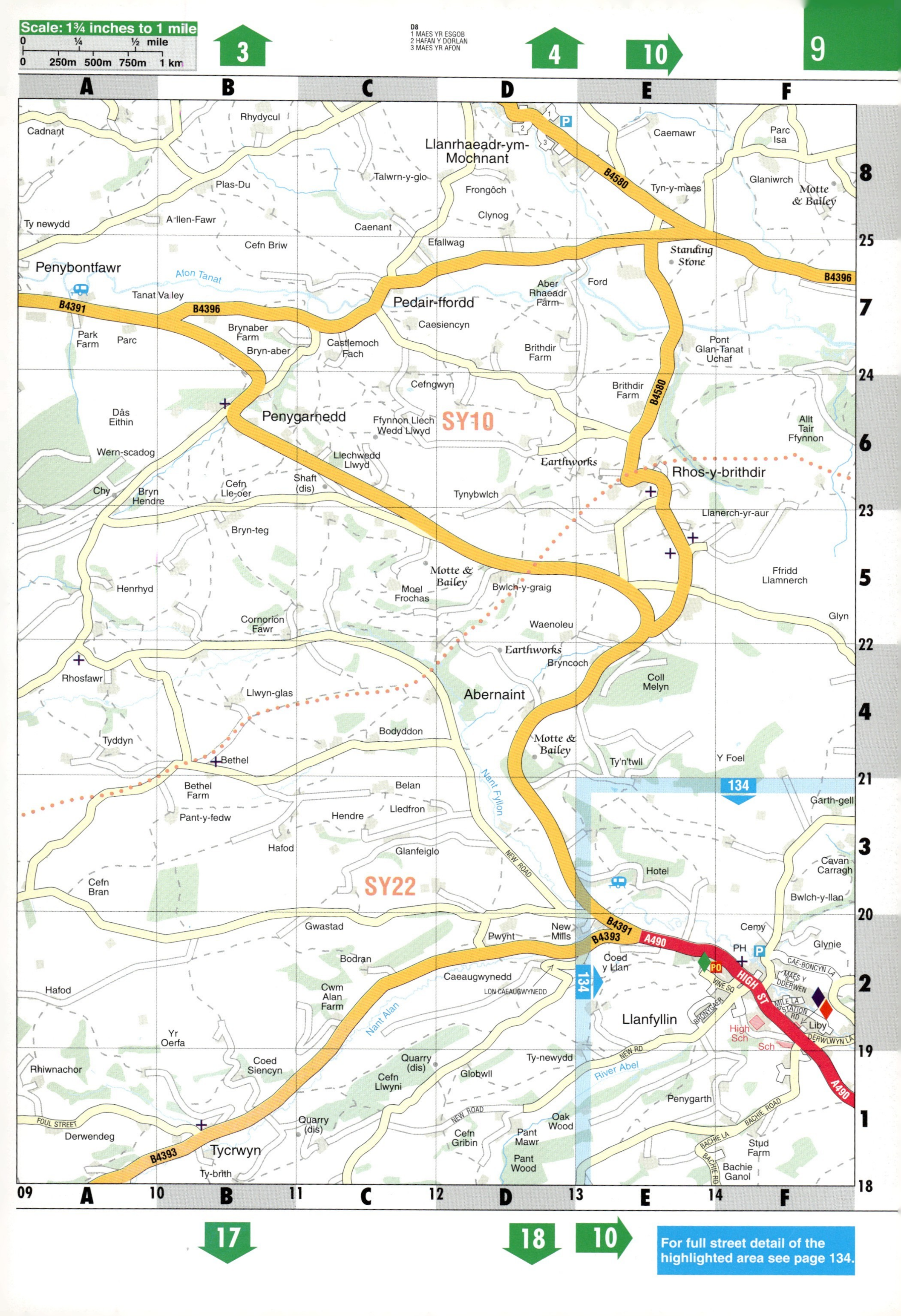

3
4
10
17
18
10
For full street detail of the highlighted area see page 134.

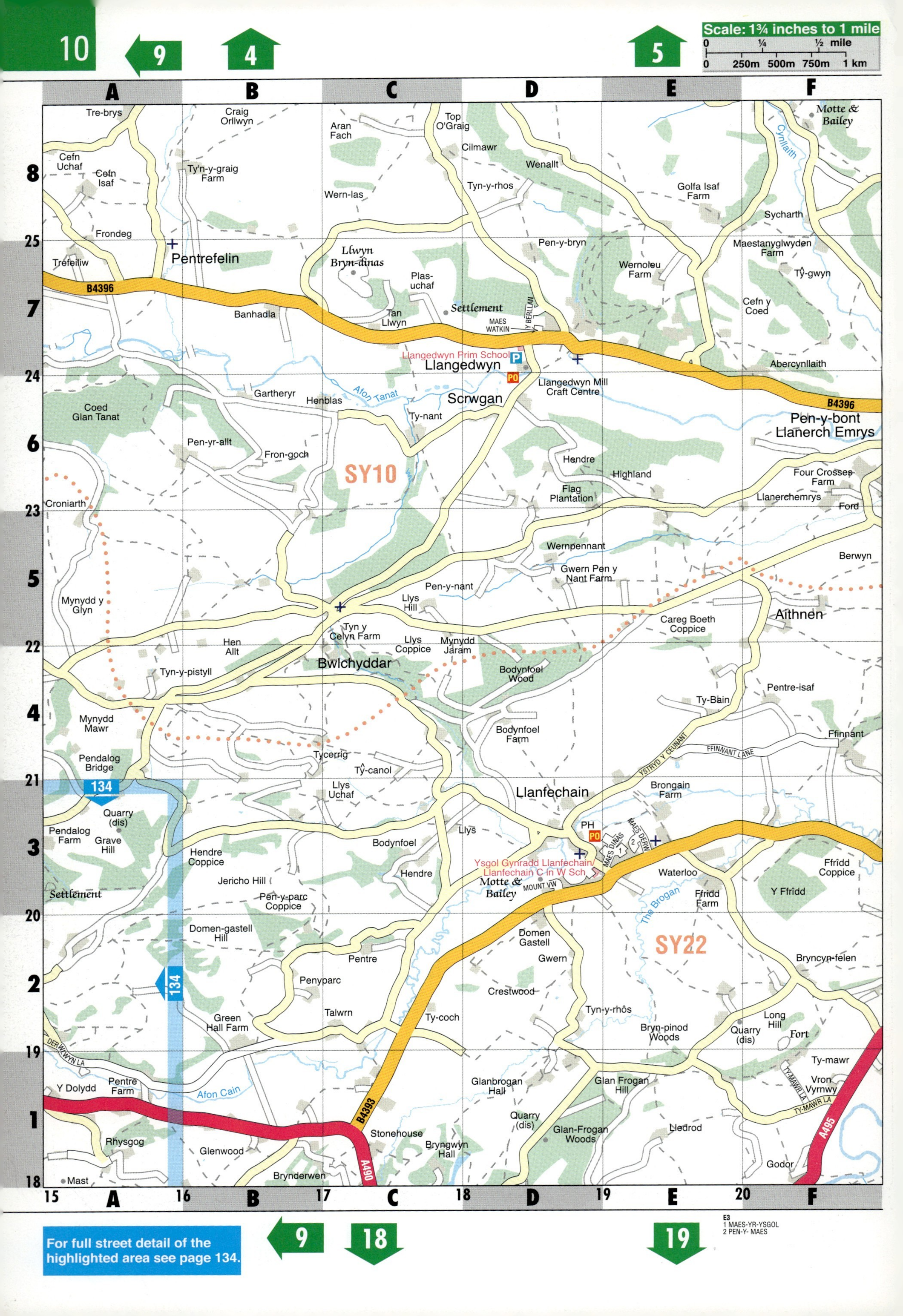
10
9
4
5
Scale: 1¾ inches to 1 mile
0
¼
½ mile
0
250m
500m
750m
1 km
A
B
C
D
E
F
Tre-brys
Craig Orllwyn
Aran Fach
Top O'Graig
Motte & Bailey
Cynllaith
Cilmawr
Cefn Uchaf
Cefn Isaf
Ty'n-y-graig Farm
Wenallt
Tyn-y-rhos
Golfa Isaf Farm
Wern-las
Sycharth
Frondeg
Pentrefelin
Trefeiliw
Llwyn Bryn-dinas
Pen-y-bryn
Maestanyglwyden Farm
Wernoleu Farm
Tŷ-gwyn
B4396
Plas-uchaf
Cefn y Coed
Banhadla
Tan Llwyn
Settlement
MAES WATKIN
Y BERLLAN
Llangedwyn Prim School
Llangedwyn
Abercynllaith
PO
Gartheryr
Henblas
Afon Tanat
Scrwgan
Llangedwyn Mill Craft Centre
Coed Glan Tanat
Ty-nant
Pen-y-bont Llanerch Emrys
Pen-yr-allt
Fron-goch
SY10
Hendre
Highland
Four Crosses Farm
Flag Plantation
Llanerchemrys
Croniarth
Ford
Wernpennant
Berwyn
Gwern Pen y Nant Farm
Pen-y-nant
Mynydd y Glyn
Llys Hill
Aithnen
Careg Boeth Coppice
Tyn y Celyn Farm
Hen Allt
Llys Coppice
Mynydd Jaram
Bwlchyddar
Tyn-y-pistyll
Bodynfoel Wood
Pentre-isaf
Ty-Bain
Mynydd Mawr
Bodynfoel Farm
Ffinnant
Pendalog Bridge
Tycerrig
Tŷ-canol
YSTRYD Y CEUNANT
FFINNANT LANE
134
Llys Uchaf
Llanfechain
Brongain Farm
Quarry (dis)
Pendalog Farm
Grave Hill
Llys
PH
Bodynfoel
MAES DINAS
MAES DERW
Hendre Coppice
Ysgol Gynradd Llanfechain/ Llanfechain C in W Sch
Waterloo
Ffridd Coppice
Jericho Hill
Hendre
Motte & Bailey
MOUNT VW
Settlement
Pen-y-parc Coppice
Ffridd Farm
Y Ffridd
The Brogan
Domen-gastell Hill
Domen Gastell
Pentre
SY22
Gwern
Bryncyn-felen
Penyparc
Crestwood
Tyn-y-rhôs
Long Hill
Talwrn
Ty-coch
Green Hall Farm
Bryn-pinod Woods
Quarry (dis)
Fort
DERWYNYN LA
Ty-mawr
Glanbrogan Hall
Glan Frogan Hill
Y Dolydd
Pentre Farm
Afon Cain
TY-MAWR LA
Vron Vyrnwy
B4393
Quarry (dis)
Lledrod
Rhysgog
Stonehouse
Glan-Frogan Woods
Bryngwyn Hall
A495
Glenwood
A490
Godor
Mast
Brynderwen
15
16
17
18
19
20
25
24
23
22
21
8
7
6
5
4
3
2
1
18
9
18
19
E3
1 MAES-YR-YSGOL
2 PEN-Y- MAES
For full street detail of the highlighted area see page 134.

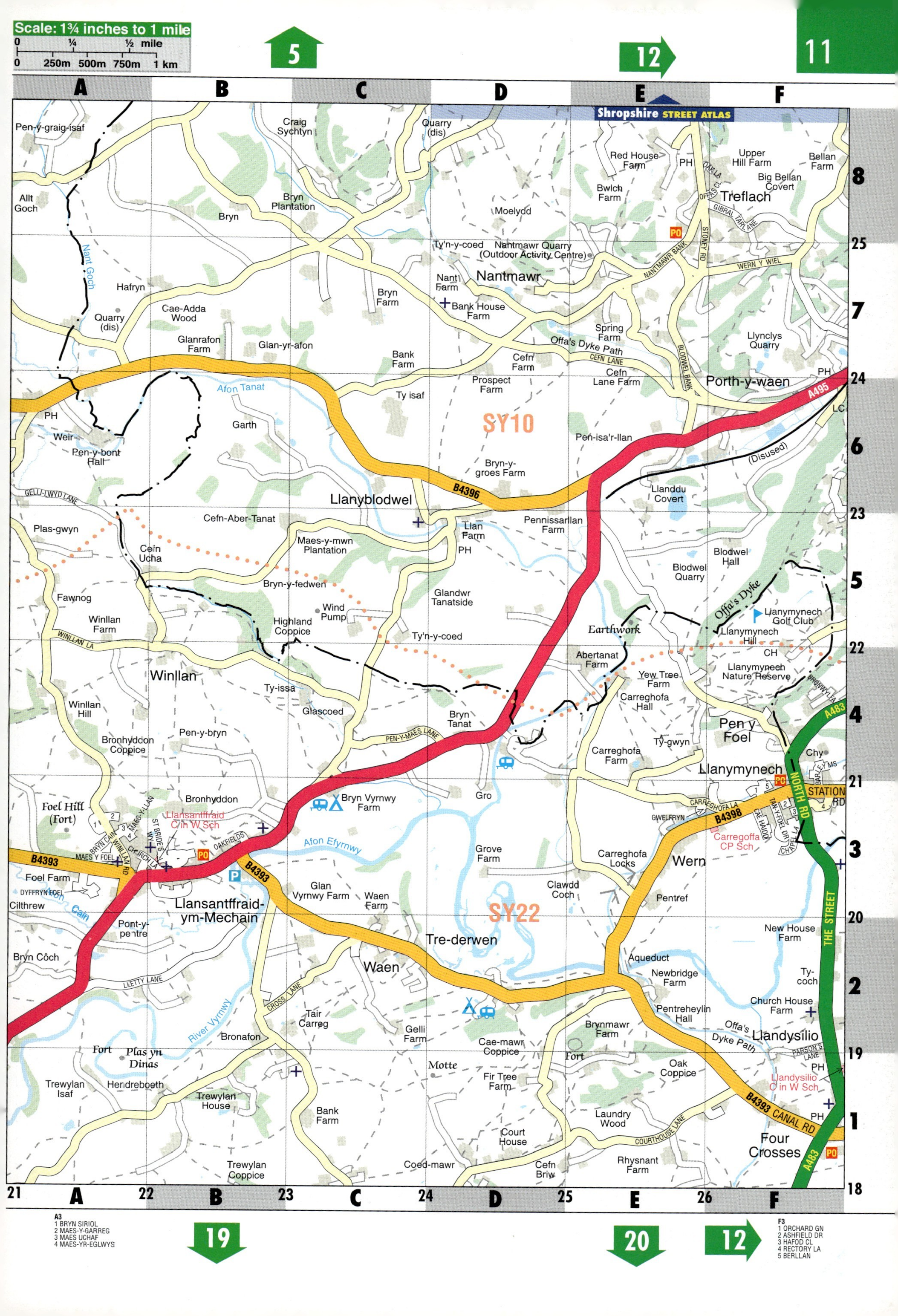

A3
1 BRYN SIRIOL
2 MAES-Y-GARREG
3 MAES UCHAF
4 MAES-YR-EGLWYS

F3
1 ORCHARD GN
2 ASHFIELD DR
3 HAFOD CL
4 RECTORY LA
5 BERLLAN

A5
1 PENYGARREG CLOSE
2 BROOKLYN ROAD
3 SMELT HOUSE LANE
4 ROSE MOUNT DRIVE
5 ROCKWELL LANE

11

Scale: 1¾ inches to 1 mile
0 ¼ ½ mile
0 250m 500m 750m 1 km

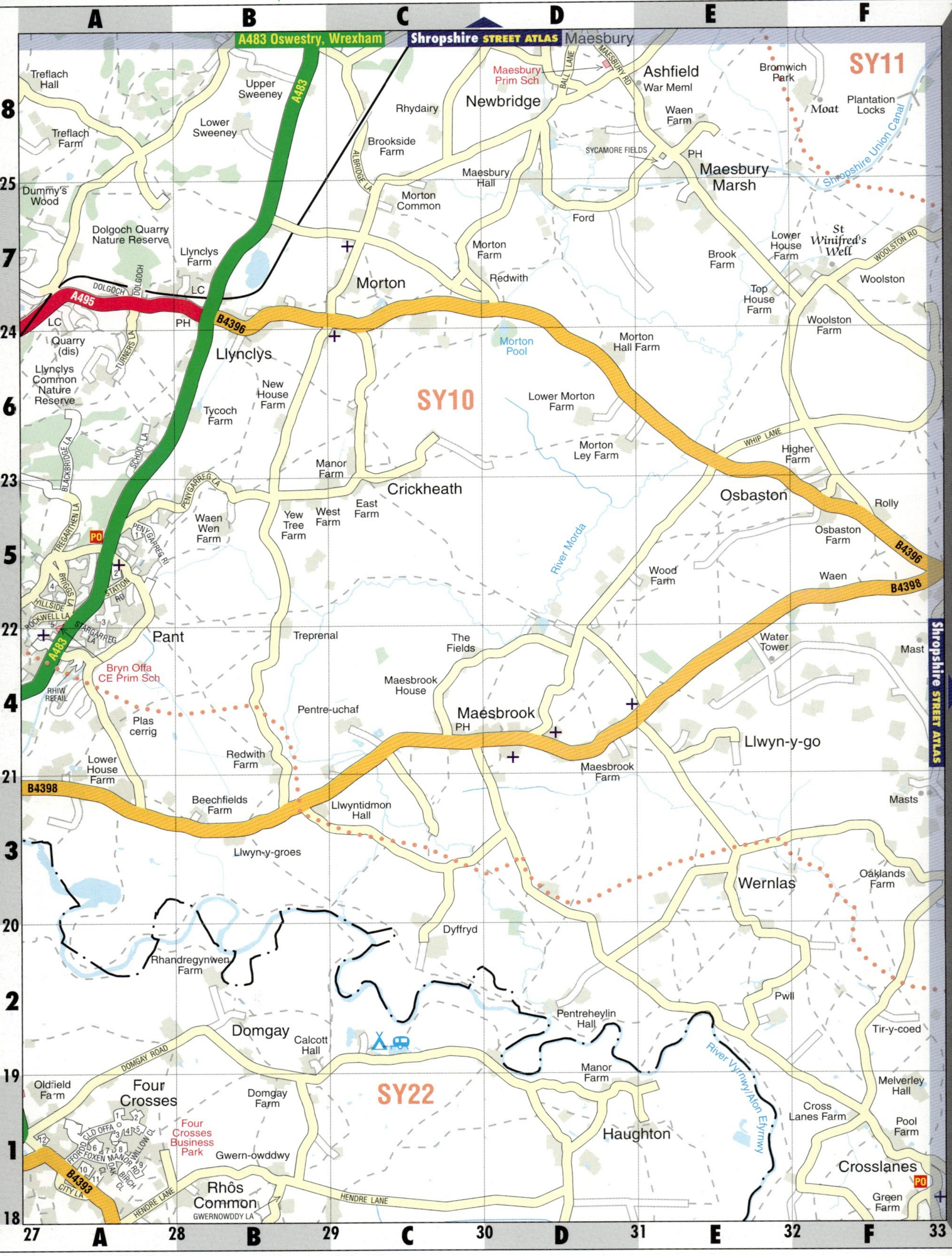

A B C D E F

A483 Oswestry, Wrexham
Shropshire STREET ATLAS
Maesbury

Treflach Hall
Upper Sweeney
A483
Maesbury Prim Sch
BALL LANE
MAESBURY RD
Ashfield
War Meml
Bromwich Park
SY11
Moat
Plantation Locks
8
Lower Sweeney
Rhydairy
Newbridge
Waen Farm
Treflach Farm
Brookside Farm
ALBRIDGE LA
SYCAMORE FIELDS
PH
Maesbury Marsh
Shropshire Union Canal
25
Dummy's Wood
Maesbury Hall
Morton Common
Ford
Dolgoch Quarry Nature Reserve
Llynclys Farm
Morton Farm
Brook Farm
Lower House Farm
St Winifred's Well
WOOLSTON RD
7
DOLGOCH
DOLGOCH
LC
Morton
Redwith
Woolston
A495
Top House Farm
LC
PH
B4396
24
Quarry (dis)
TURNERS LA
Llynclys
Morton Pool
Morton Hall Farm
Woolston Farm
Llynclys Common Nature Reserve
New House Farm
6
Tycoch Farm
SY10
Lower Morton Farm
SCHOOL LA
BLACKBRIDGE LA
WHIP LANE
Morton Ley Farm
Higher Farm
Manor Farm
23
PENYGARREG LA
Crickheath
Osbaston
Rolly
TREGARTHEN LA
Waen Wen Farm
Yew Tree Farm
West Farm
East Farm
Osbaston Farm
PO
PENYGARREG RI
River Morda
B4396
5
BRIGGS LA
STATION RD
Wood Farm
Waen
HILLSIDE
B4398
ROCKWELL LA
22
STARGARREG LA
Pant
Treprenal
The Fields
Water Tower
Mast
A483
Bryn Offa CE Prim Sch
Maesbrook House
RHIW REFAIL
4
Plas cerrig
Pentre-uchaf
Maesbrook
PH
Llwyn-y-go
Redwith Farm
Lower House Farm
Maesbrook Farm
21
B4398
Beechfields Farm
Llwyntidmon Hall
Masts
3
Llwyn-y-groes
Oaklands Farm
Wernlas
20
Dyffryd
Rhandregynwen Farm
2
Pwll
Pentreheylin Hall
Domgay
Calcott Hall
Tir-y-coed
River Vyrnwy/Afon Efyrnwy
DOMGAY ROAD
Manor Farm
19
Oldfield Farm
Four Crosses
Domgay Farm
SY22
Melverley Hall
Cross Lanes Farm
Pool Farm
OLD OFFA
WILLOW CL
Four Crosses Business Park
Haughton
1
FORD
FOXEN MANOR
OAK CL
BIRCH CL
Gwern-owddwy
Crosslanes
B4393
CITY LA
HENDRE LANE
Rhôs Common
HENDRE LANE
PO
Green Farm
18
GWERNOWDDY LA
27 A 28 B 29 C 30 D 31 E 32 F 33

Shropshire STREET ATLAS

A1
1 CRIGGION CL
2 VYRNWY CR
3 GOLYGFA RODNEY / RODNEY'S VIEW
4 SEVERN WY
5 DOMGAY PL
6 ROWAN CL
7 FERNDALE CL
8 SYCAMORE CL
9 CHESTNUT CL
10 DERWEN GN
11 LEIGH MEADOWS
12 PARC OFFA

20 11 21

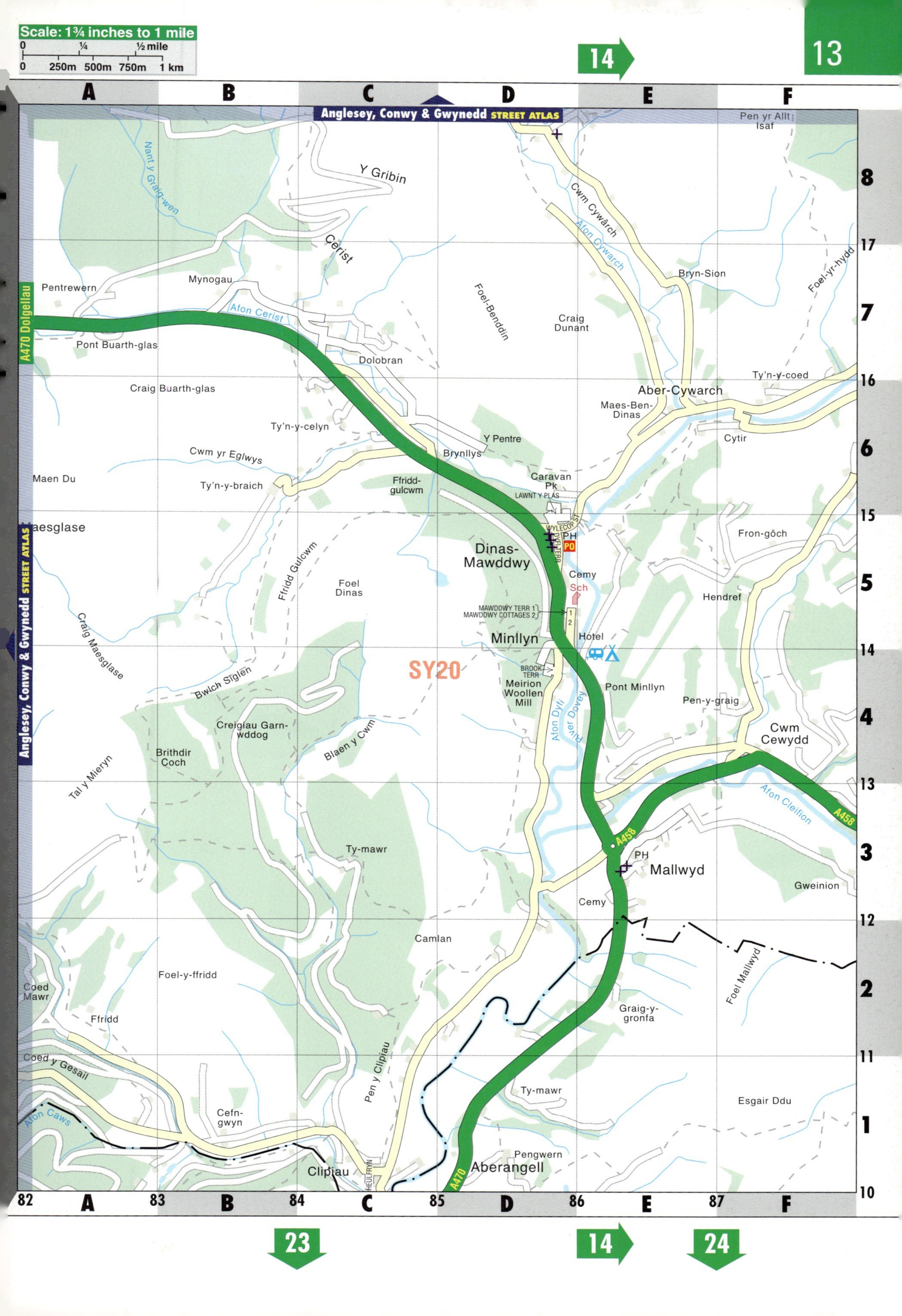
Scale: 1¾ inches to 1 mile
0 ¼ ½ mile
0 250m 500m 750m 1 km
14
Anglesey, Conwy & Gwynedd STREET ATLAS
A B C D E F
Pen yr Allt Isaf
Y Gribin
Nant y Graig-wen
Cwm Cywârch
Afon Cywarch
Cerist
Mynogau
Pentrewern
Afon Cerist
A470 Dolgellau
Pont Buarth-glas
Dolobran
Foel-Benddin
Craig Dunant
Bryn-Sion
Foel-yr-hydd
Ty'n-y-coed
Aber-Cywarch
Maes-Ben-Dinas
Craig Buarth-glas
Ty'n-y-celyn
Y Pentre
Brynllys
Cytir
Cwm yr Eglwys
Maen Du
Ty'n-y-braich
Ffridd-gulcwm
Caravan Pk
LAWNT Y PLAS
WYLECOP ST
DYFI TERR
PH
PO
Fron-gôch
Maesglase
Dinas-Mawddwy
Cemy
Sch
Ffridd Gulcwm
Foel Dinas
Hendref
MAWDDWY TERR 1
MAWDDWY COTTAGES 2
Craig Maesglase
Minllyn
Hotel
SY20
BROOK TERR
Meirion Woollen Mill
Pont Minllyn
Bwlch Siglen
Pen-y-graig
Creigiau Garn-wddog
Afon Dyfi
River Dovey
Cwm Cewydd
Brithdir Coch
Blaen y Cwm
Tal y Mieryn
Afon Cleifion
A458
Ty-mawr
PH
Mallwyd
Gweinion
Cemy
Camlan
Foel Mallwyd
Coed Mawr
Foel-y-ffridd
Graig-y-gronfa
Ffridd
Coed y Gesail
Pen y Clipiau
Ty-mawr
Esgair Ddu
Afon Caws
Cefn-gwyn
Pengwern
Clipiau
HEULFRYN
Aberangell
A470
82 83 84 85 86 87
8 17 7 16 6 15 5 14 4 13 3 12 2 11 1 10
23
14
24

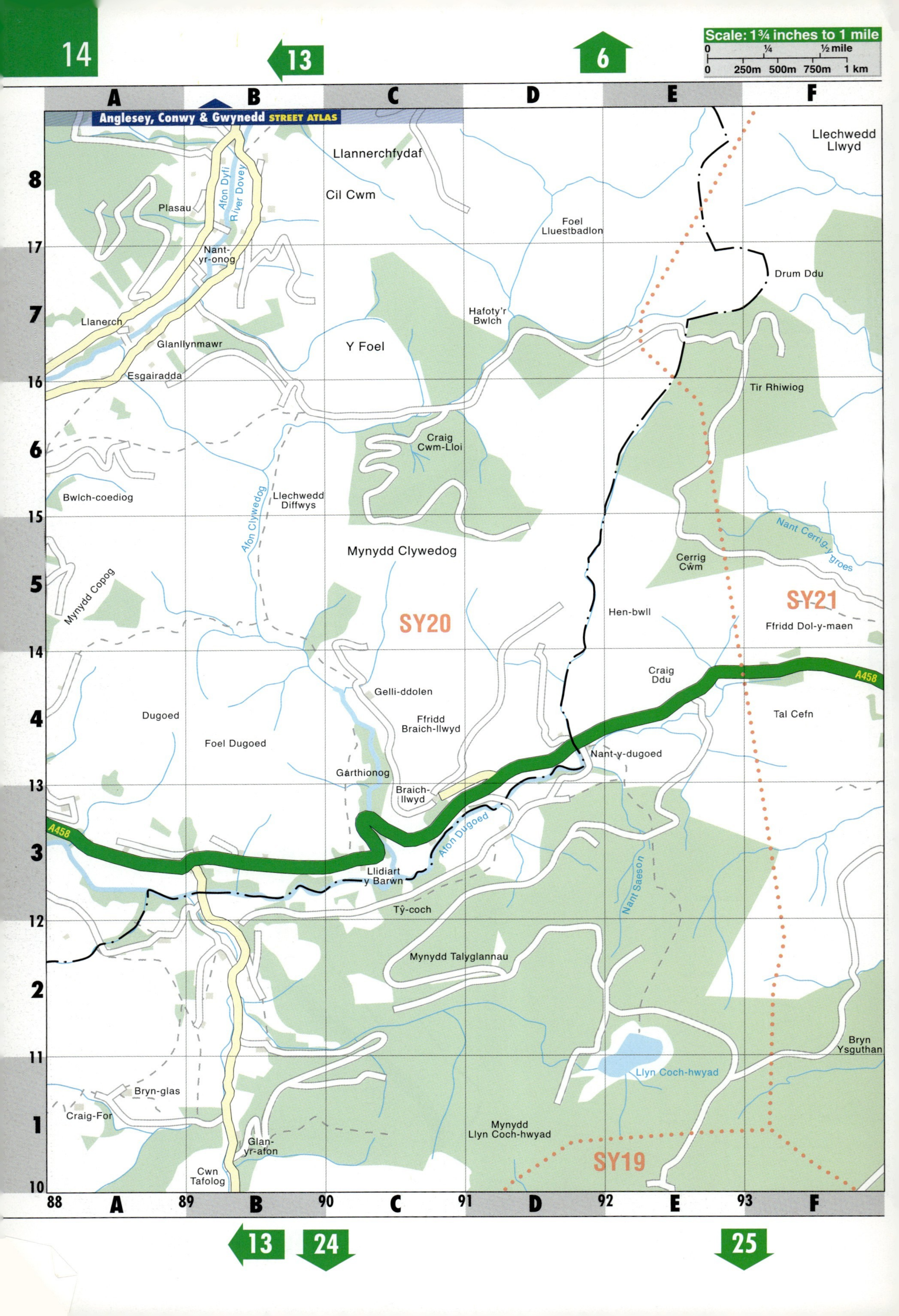
13
6
Scale: 1¾ inches to 1 mile
0 ¼ ½ mile
0 250m 500m 750m 1 km
A B C D E F
Anglesey, Conwy & Gwynedd STREET ATLAS
Llannerchfydaf
Llechwedd Llwyd
Cil Cwm
Plasau
Afon Dyfi
River Dovey
Foel Lluestbadlon
Nant-yr-onog
Drum Ddu
Hafoty'r Bwlch
Llanerch
Y Foel
Glanllynmawr
Esgairadda
Tir Rhiwiog
Craig Cwm-Lloi
Bwlch-coediog
Llechwedd Diffwys
Afon Clywedog
Nant Cerrig-y-groes
Mynydd Clywedog
Cerrig Cŵm
Mynydd Copog
SY21
Hen-bwll
SY20
Ffridd Dol-y-maen
Craig Ddu
A458
Gelli-ddolen
Dugoed
Ffridd Braich-llwyd
Tal Cefn
Foel Dugoed
Nant-y-dugoed
Garthionog
Braich-llwyd
Afon Dugoed
Llidiart y Barwn
Nant Saeson
Tŷ-coch
Mynydd Talyglannau
Bryn Ysguthan
Llyn Coch-hwyad
Bryn-glas
Craig-For
Mynydd Llyn Coch-hwyad
Glan-yr-afon
SY19
Cwn Tafolog
8 17 7 16 6 15 5 14 4 13 3 12 2 11 1 10
88 89 90 91 92 93
13 24 25

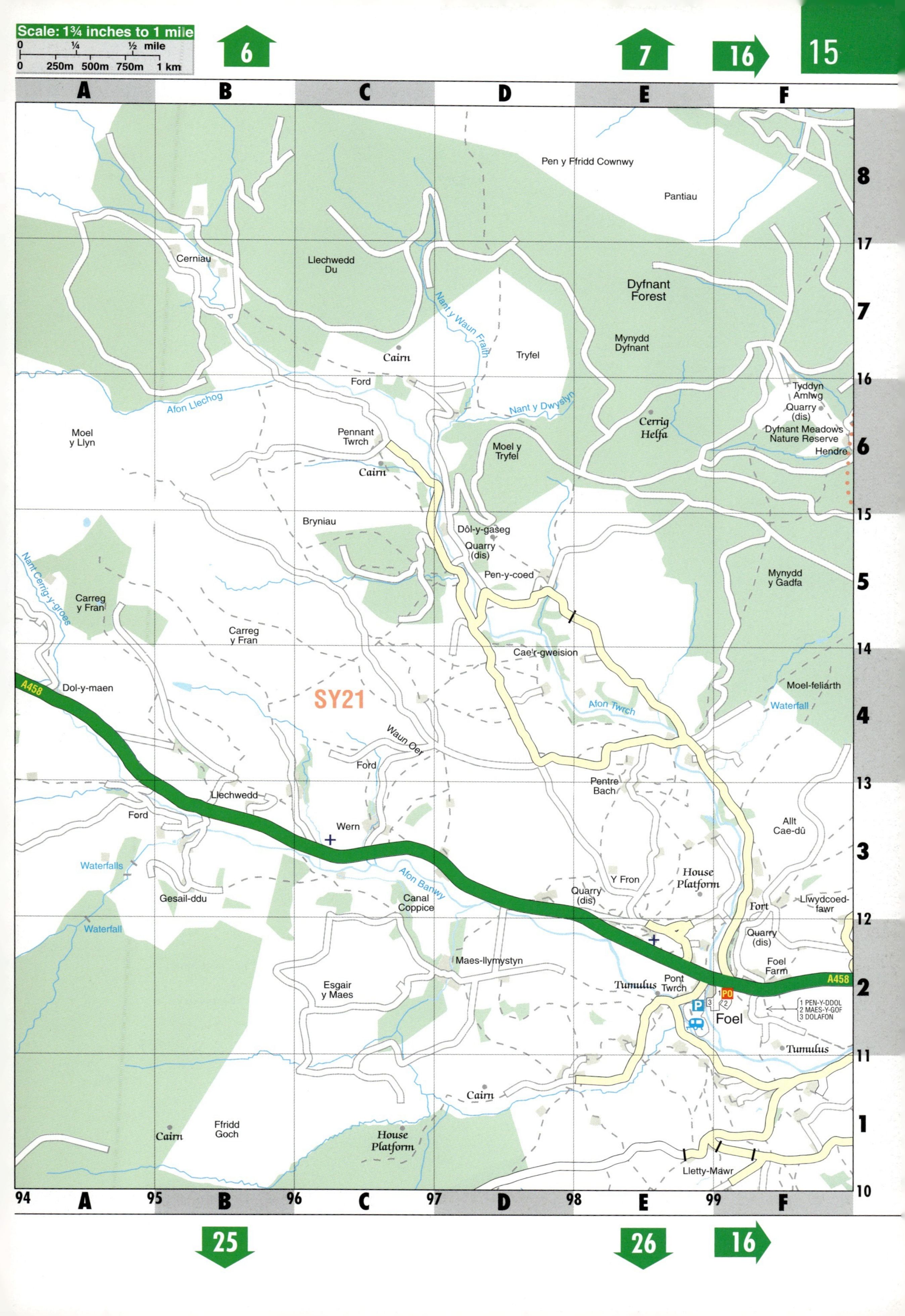

Scale: 1¾ inches to 1 mile
0 ¼ ½ mile
0 250m 500m 750m 1 km
6
7
16
A B C D E F
8 17 7 16 6 15 5 14 4 13 3 12 2 11 1 10
94 95 96 97 98 99
Pen y Ffridd Cownwy
Pantiau
Cerniau
Llechwedd Du
Dyfnant Forest
Nant y Waun Fraith
Mynydd Dyfnant
Cairn
Tryfel
Ford
Afon Llechog
Nant y Dwyslyn
Tyddyn Amlwg
Quarry (dis)
Cerrig Helfa
Dyfnant Meadows Nature Reserve
Hendre
Moel y Llyn
Pennant Twrch
Moel y Tryfel
Bryniau
Dôl-y-gaseg
Quarry (dis)
Pen-y-coed
Nant Cerrig-y-groes
Carreg y Fran
Mynydd y Gadfa
Carreg y Fran
Cae'r-gweisiion
Moel-feliarth
Dol-y-maen
A458
SY21
Afon Twrch
Waterfall
Waun Oer
Ford
Pentre Bach
Llechwedd
Ford
Wern
Allt Cae-dû
Waterfalls
Afon Banwy
House Platform
Y Fron
Gesail-ddu
Canal Coppice
Quarry (dis)
Fort
Llwydcoed-fawr
Waterfall
Quarry (dis)
Maes-llymystyn
Foel Farm
Esgair y Maes
Tumulus
Pont Twrch
PO
Foel
1 PEN-Y-DDOL
2 MAES-Y-GOF
3 DOLAFON
Tumulus
Cairn
Cairn
Ffridd Goch
House Platform
Llety-Mawr
25
26
16

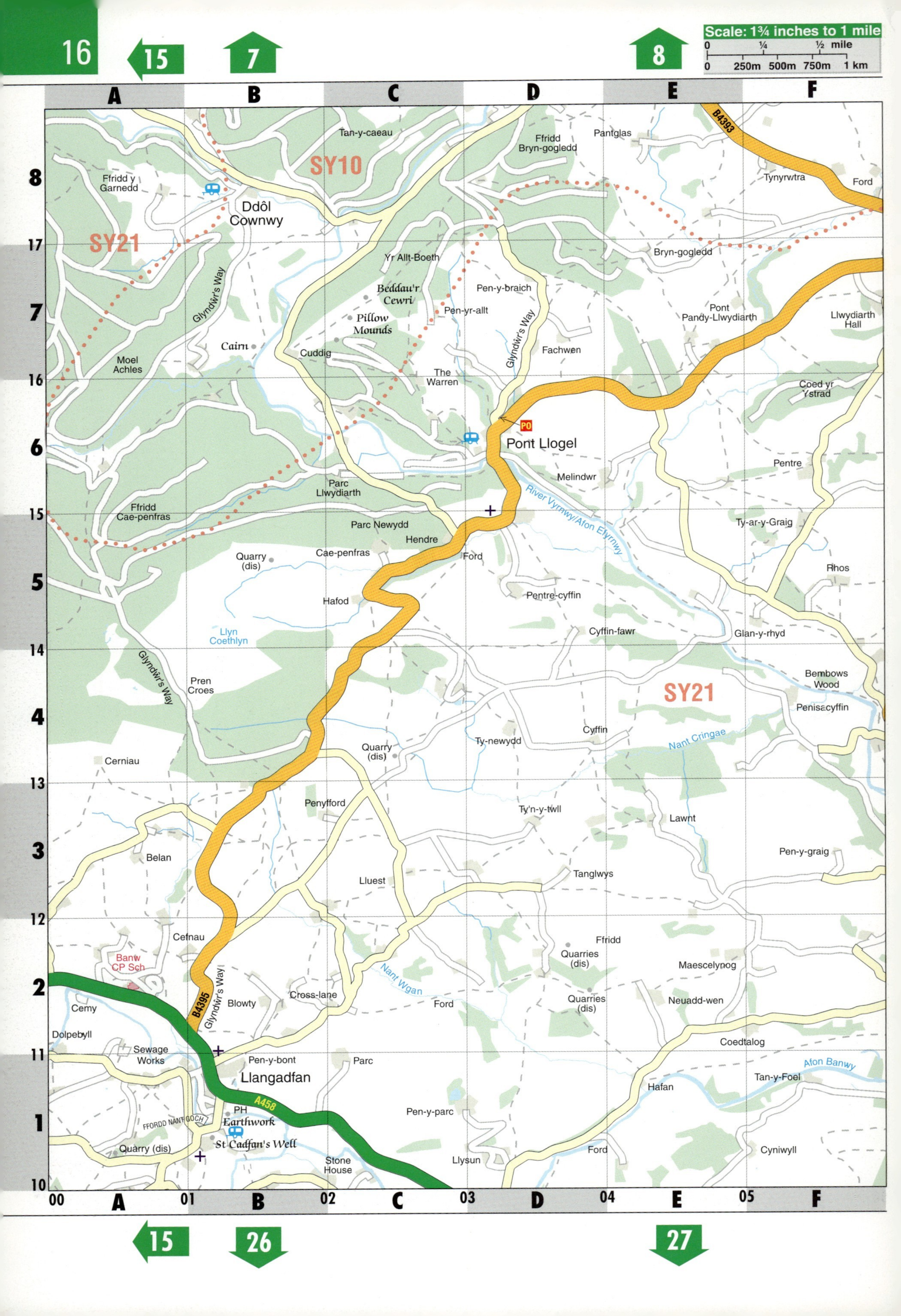
Tan-y-caeau
SY10
Ffridd Bryn-gogledd
Pantglas
B4393
Ffridd y Garnedd
Ddôl Cownwy
Tynyrwtra
Ford
SY21
Bryn-gogledd
Yr Allt-Boeth
Beddau'r Cewri
Pen-y-braich
Pen-yr-allt
Pont Pandy-Llwydiarth
Llwydiarth Hall
Glyndŵr's Way
Pillow Mounds
Cairn
Cuddig
Fachwen
Moel Achles
The Warren
Coed yr Ystrad
PO
Pont Llogel
Pentre
Melindwr
Parc Llwydiarth
River Vyrnwy/Afon Efyrnwy
Ffridd Cae-penfras
Ty-ar-y-Graig
Parc Newydd
Hendre
Quarry (dis)
Cae-penfras
Ford
Rhos
Pentre-cyffin
Hafod
Cyffin-fawr
Glan-y-rhyd
Llyn Coethlyn
Bembows Wood
Pren Croes
SY21
Penisacyffin
Cyffin
Ty-newydd
Nant Cringae
Quarry (dis)
Cerniau
Ty'n-y-twll
Penyfford
Lawnt
Belan
Pen-y-graig
Tanglwys
Lluest
Cefnau
Ffridd
Quarries (dis)
Banw CP Sch
Maescelynog
Nant Wgan
Quarries (dis)
Cross-lane
Neuadd-wen
B4395
Blowty
Ford
Cemy
Dolpebyll
Coedtalog
Sewage Works
Pen-y-bont
Parc
Afon Banwy
Llangadfan
Tan-y-Foel
Hafan
A458
PH
Earthwork
Pen-y-parc
FFORDD NANT GOCH
St Cadfan's Well
Quarry (dis)
Ford
Cyniwyll
Stone House
Llysun
A B C D E F
8 17 7 16 6 15 5 14 4 13 3 12 2 11 1 10
00 01 02 03 04 05

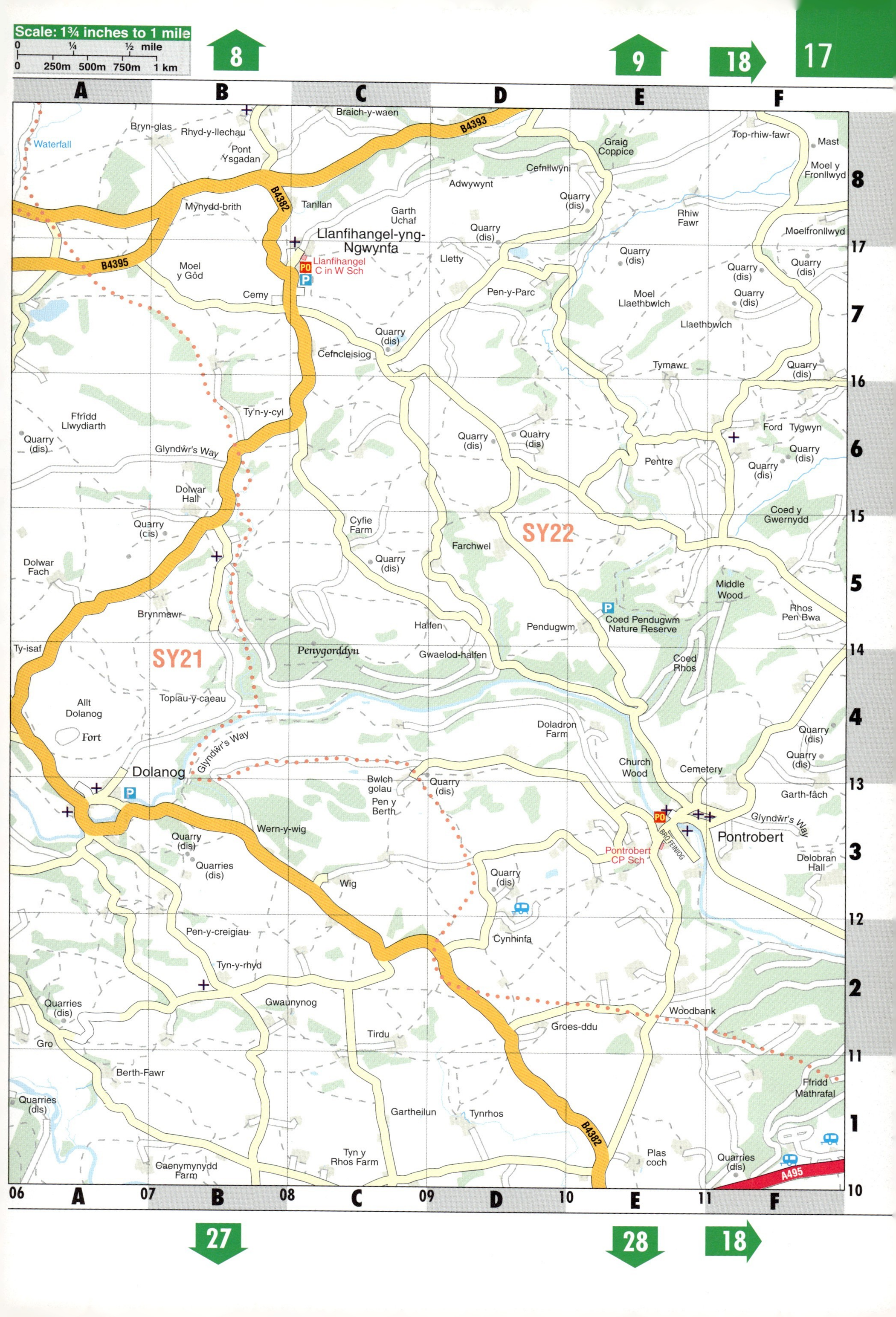
Scale: 1¾ inches to 1 mile
0 ¼ ½ mile
0 250m 500m 750m 1 km
8
9
18
A B C D E F
Braich-y-waen
B4393
Bryn-glas
Rhyd-y-llechau
Waterfall
Pont Ysgadan
Graig Coppice
Top-rhiw-fawr
Mast
Moel y Fronllwyd
Cefnllwyni
Adwywynt
Mynydd-brith
B4382
Tanllan
Garth Uchaf
Quarry (dis)
Rhiw Fawr
Moelfronllwyd
Llanfihangel-yng-Ngwynfa
Llanfihangel C in W Sch
Lletty
B4395
Moel y Gôd
Cemy
Pen-y-Parc
Moel Llaethbwlch
Llaethbwlch
Cefncleisiog
Tymawr
Ty'n-y-cyl
Ffridd Llwydiarth
Glyndŵr's Way
Ford
Tygwyn
Pentre
Dolwar Hall
Cyfie Farm
Coed y Gwernydd
SY22
Farchwel
Dolwar Fach
Middle Wood
Brynmawr
Halfen
Pendugwm
Coed Pendugwm Nature Reserve
Rhos Pen Bwa
Ty-isaf
SY21
Penygorddyn
Gwaelod-halfen
Coed Rhos
Allt Dolanog
Topiau-y-caeau
Doladron Farm
Fort
Dolanog
Church Wood
Cemetery
Bwlch golau
Pen y Berth
Garth-fâch
Wern-y-wig
Pontrobert
Bro Feiniog
Pontrobert CP Sch
Dolobran Hall
Quarries (dis)
Wig
Pen-y-creigiau
Cynhinfa
Tyn-y-rhyd
Gwaunynog
Woodbank
Gro
Tirdu
Groes-ddu
Berth-Fawr
Fridd Mathrafal
Gartheilun
Tynrhos
Tyn y Rhos Farm
Caenymynydd Farm
Plas coch
A495
17 16 15 14 13 12 11 10
8 7 6 5 4 3 2 1
06 07 08 09 10 11
27
28
18

17 9 134 10

Scale: 1¾ inches to 1 mile
0 ¼ ½ mile
0 250m 500m 750m 1 km

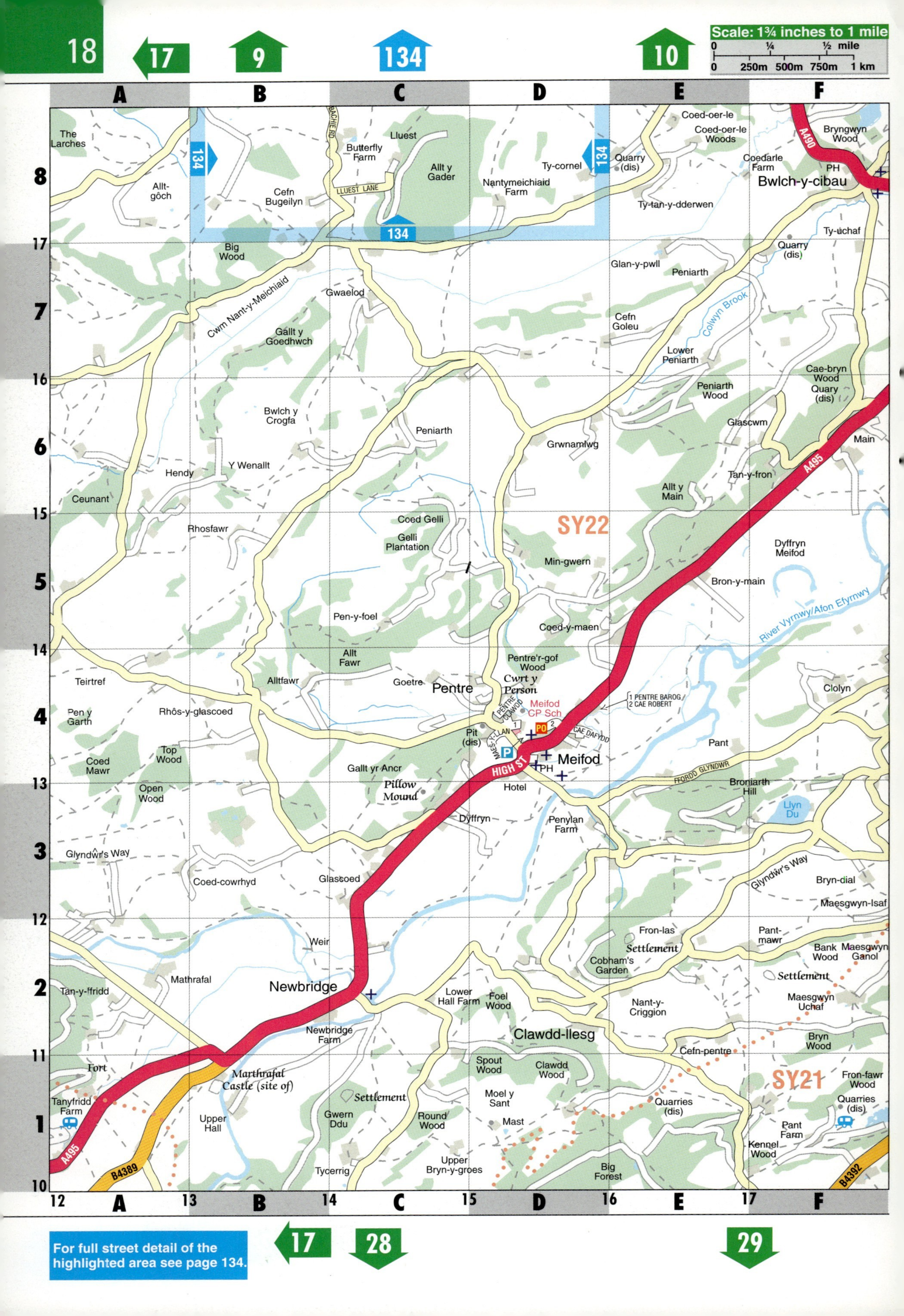

For full street detail of the highlighted area see page 134.
17 28 29

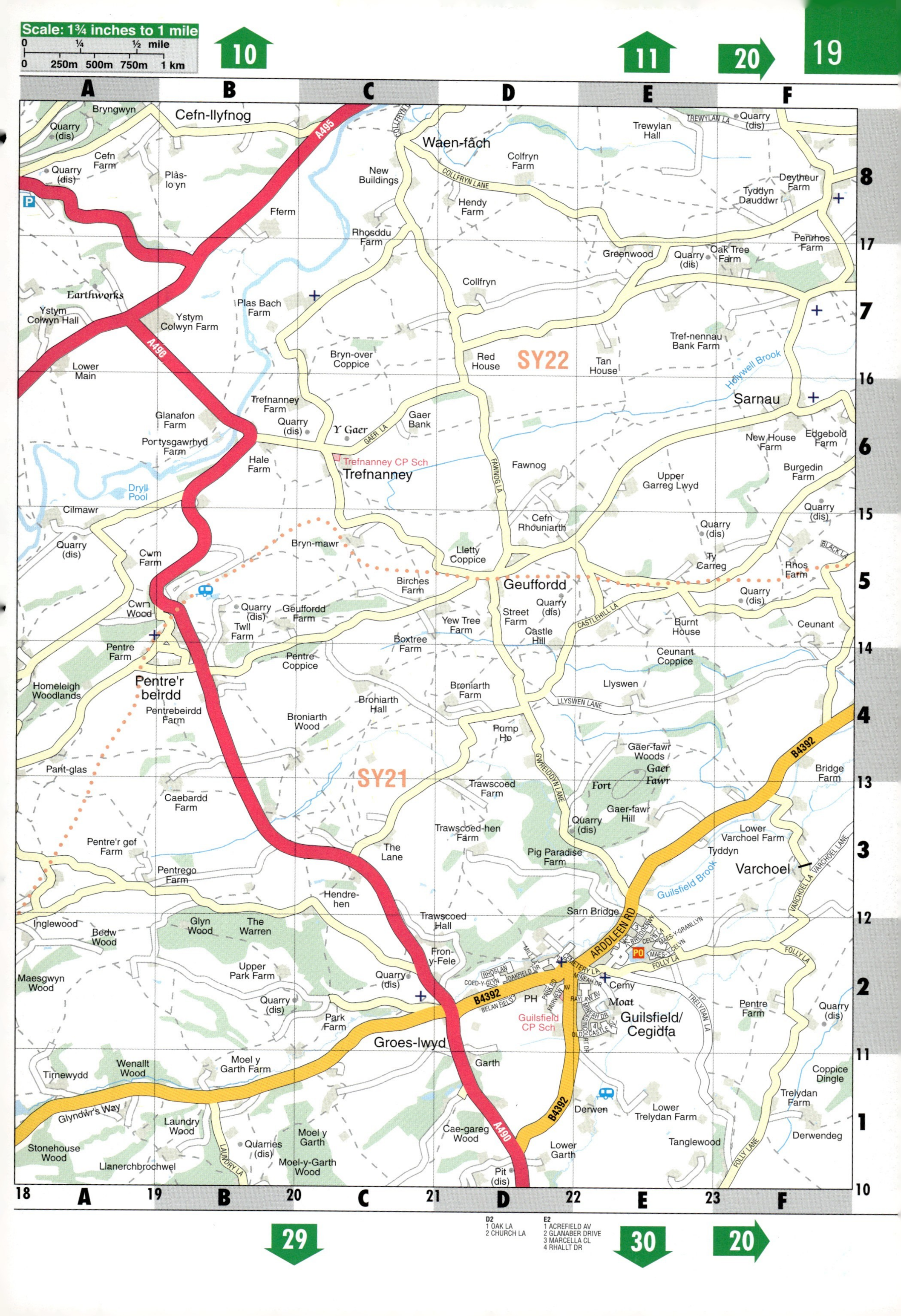

D2
1 OAK LA
2 CHURCH LA

E2
1 ACREFIELD AV
2 GLANABER DRIVE
3 MARCELLA CL
4 RHALLT DR

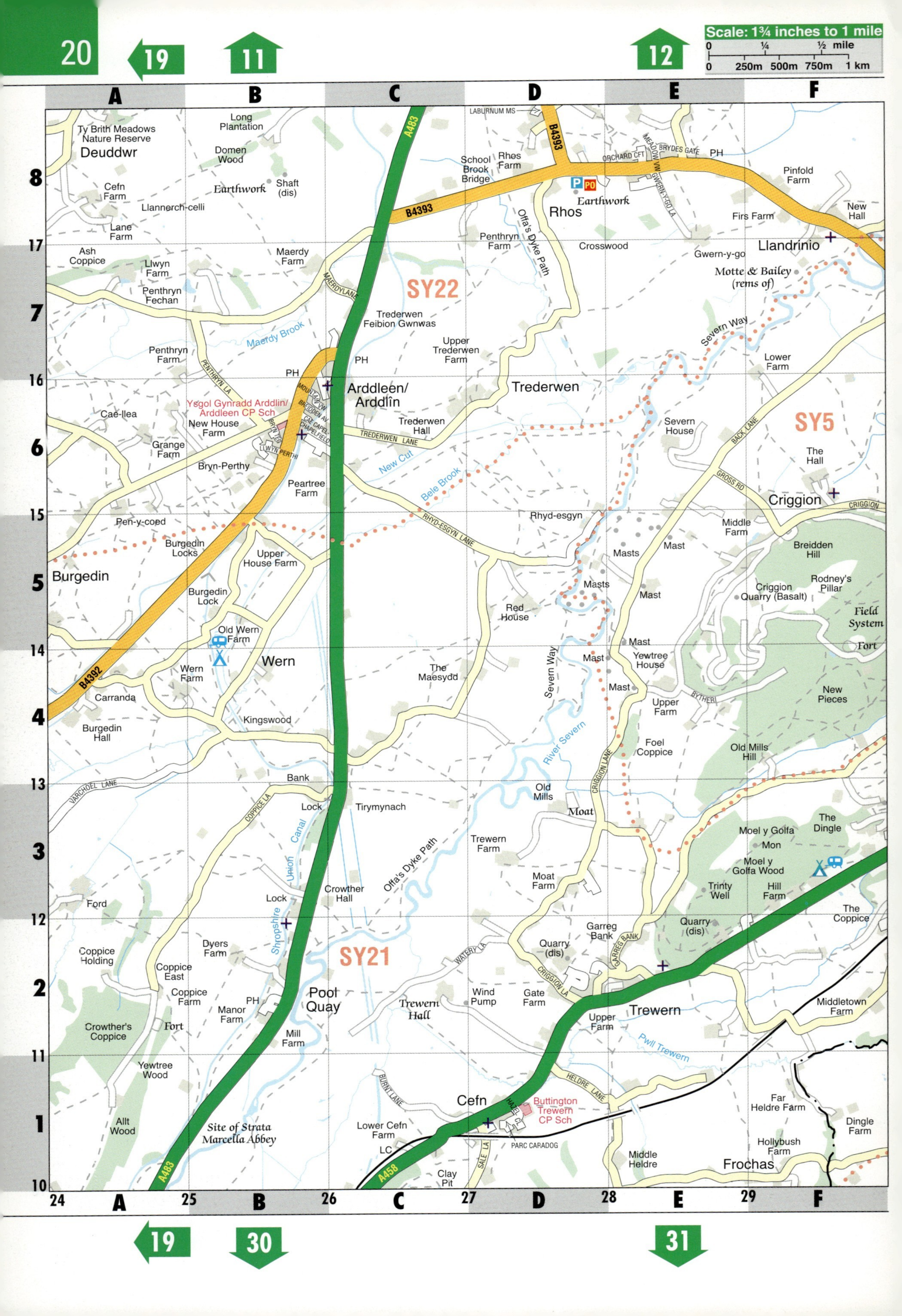

19
11
12
Scale: 1¾ inches to 1 mile
0 ¼ ½ mile
0 250m 500m 750m 1 km
Ty Brith Meadows Nature Reserve
Deuddwr
Long Plantation
Domen Wood
Earthwork
Shaft (dis)
Cefn Farm
Llannerch-celli
Lane Farm
Ash Coppice
Llwyn Farm
Penthryn Fechan
Maerdy Farm
MAERDY LANE
A483
B4393
LABURNUM MS
School Brook Bridge
Rhos Farm
ORCHARD CFT
MEADOW VW
BRYDES GATE
PH
GWERN-Y-GO LA
Earthwork
Rhos
Offa's Dyke Path
Penthryn Farm
Crosswood
Pinfold Farm
Firs Farm
New Hall
Gwern-y-go
Llandrinio
Motte & Bailey (rems of)
SY22
Trederwen Feibion Gwnwas
Upper Trederwen Farm
Maerdy Brook
Penthryn Farm
PENTHRYN LA
PH
PH
Arddleen/ Arddlîn
Trederwen
Severn Way
Lower Farm
Ysgol Gynradd Arddlin/ Arddleen CP Sch
Cae-llea
New House Farm
Grange Farm
Bryn-Perthy
MOUNT VW
BREIDDEN AV
CAE CAPEL
CHAPEL FIELD
BRYN LEG
LLWYN PERTHI
Trederwen Hall
TREDERWEN LANE
New Cut
Severn House
SY5
BACK LANE
The Hall
Peartree Farm
Bele Brook
CROSS RD
Criggion
CRIGGION
Pen-y-coed
Burgedin Locks
Upper House Farm
RHYD-ESGYN LANE
Rhyd-esgyn
Middle Farm
Breidden Hill
Burgedin
Mast
Masts
Masts
Mast
Criggion Quarry (Basalt)
Rodney's Pillar
Field System
Burgedin Lock
Old Wern Farm
Red House
Mast
Fort
Mast
Yewtree House
B4392
Wern Farm
Wern
The Maesydd
Severn Way
Mast
Carranda
BYTHEB
Upper Farm
New Pieces
Kingswood
Burgedin Hall
River Severn
Foel Coppice
Old Mills Hill
CRIGGION LANE
VARCHOEL LANE
Bank
COPPICE LA
Lock
Tirymynach
Old Mills
Moat
The Dingle
Moel y Golfa
Mon
Trewern Farm
Union Canal
Offa's Dyke Path
Moel y Golfa Wood
Ford
Moat Farm
Crowther Hall
Trinty Well
Hill Farm
Lock
The Coppice
Shropshire
Garreg Bank
Quarry (dis)
GARREG BANK
Coppice Holding
Dyers Farm
SY21
WATERY LA
Quarry (dis)
Coppice East
CRIGGION LA
Coppice Farm
Crowther's Coppice
PH
Manor Farm
Fort
Pool Quay
Trewern Hall
Wind Pump
Gate Farm
Upper Farm
Trewern
Middletown Farm
Mill Farm
Pwll Trewern
Yewtree Wood
BURNT LANE
HELDRE LANE
Cefn
Buttington Trewern CP Sch
HAZEL CL
Far Heldre Farm
Allt Wood
Site of Strata Marcella Abbey
Lower Cefn Farm
LC
PARC CARADOG
Hollybush Farm
Dingle Farm
SALE LA
A458
Clay Pit
Middle Heldre
Frochas
A
B
C
D
E
F
8
17
7
16
6
15
5
14
4
13
3
12
2
11
1
10
24
25
26
27
28
29
19
30
31

Scale: 1¾ inches to 1 mile

12

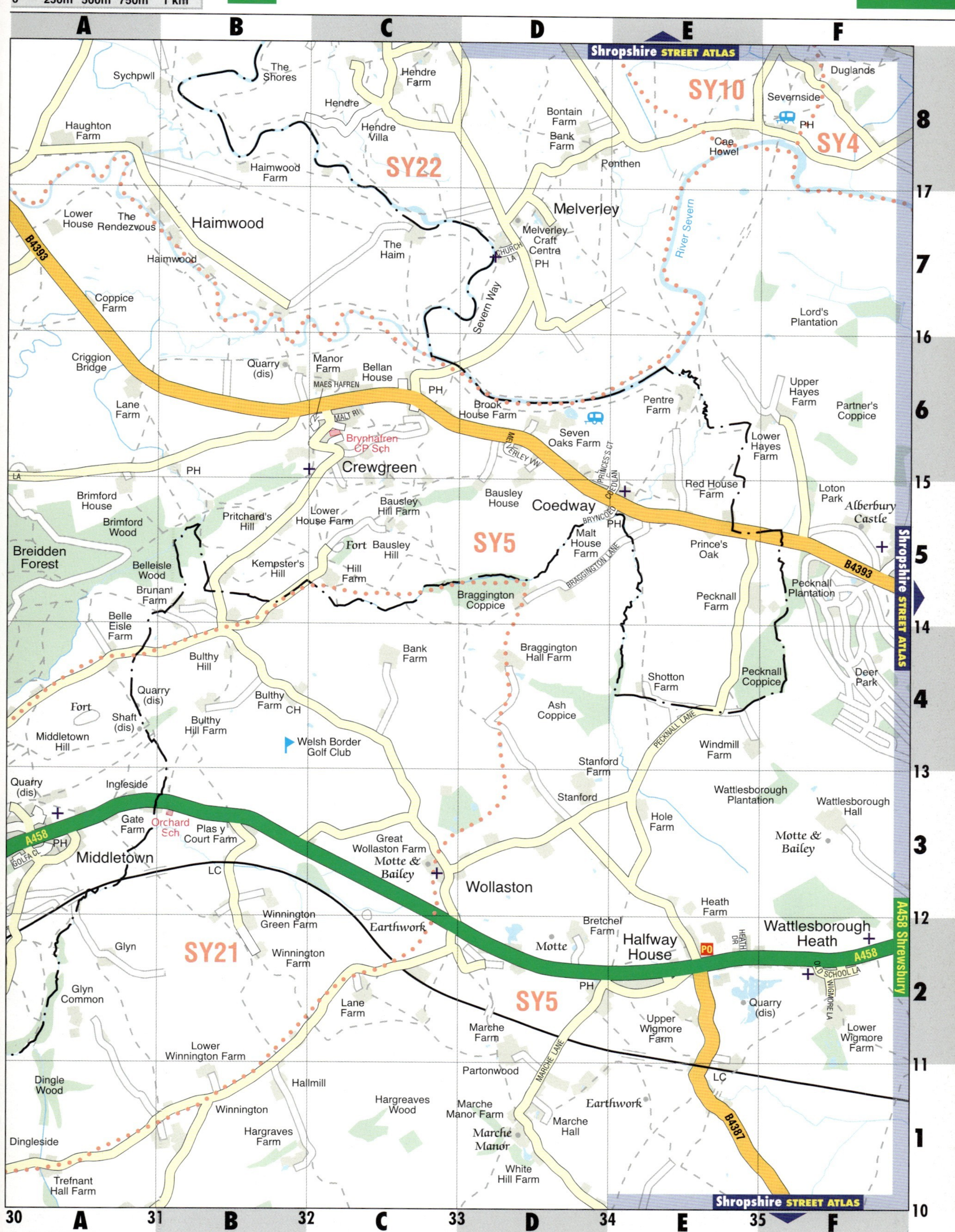

Sychpwll
The Shores
Hendre Farm
Hendre
Hendre Villa
Haughton Farm
Haimwood Farm
SY22
Bontain Farm
Bank Farm
Ponthen
SY10
Duglands
Severnside
PH
Cae Howel
SY4
Lower House
The Rendezvous
Haimwood
Melverley
Melverley Craft Centre
PH
The Haim
River Severn
B4393
Coppice Farm
Severn Way
Lord's Plantation
Criggion Bridge
Quarry (dis)
Manor Farm
Bellan House
MAES HAFREN
PH
Upper Hayes Farm
Lane Farm
Brook House Farm
Pentre Farm
Partner's Coppice
Brynhafren CP Sch
Seven Oaks Farm
Lower Hayes Farm
PH
Crewgreen
Brimford House
Bausley House
Red House Farm
Loton Park
Alberbury Castle
Brimford Wood
Pritchard's Hill
Lower House Farm
Bausley Hill Farm
Coedway
PH
Breidden Forest
Fort
Bausley Hill
SY5
Malt House Farm
Prince's Oak
Belleisle Wood
Kempster's Hill
Hill Farm
Brunant Farm
Braggington Coppice
Pecknall Farm
Pecknall Plantation
Belle Eisle Farm
Bank Farm
Braggington Hall Farm
Bulthy Hill
Quarry (dis)
Shotton Farm
Pecknall Coppice
Deer Park
Fort
Bulthy Farm
CH
Ash Coppice
Shaft (dis)
Bulthy Hill Farm
Middletown Hill
Welsh Border Golf Club
Windmill Farm
Stanford Farm
Quarry (dis)
Ingleside
Stanford
Wattlesborough Plantation
Wattlesborough Hall
Gate Farm
Orchard Sch
Plas y Court Farm
Hole Farm
A458
PH
Great Wollaston Farm
Motte & Bailey
Motte & Bailey
Middletown
LC
Wollaston
Heath Farm
Winnington Green Farm
Earthwork
Bretchel Farm
Wattlesborough Heath
Glyn
SY21
Winnington Farm
Motte
Halfway House
PO
A458
PH
Glyn Common
Lane Farm
SY5
Quarry (dis)
Upper Wigmore Farm
Marche Farm
Lower Wigmore Farm
Lower Winnington Farm
Dingle Wood
Hallmill
Partonwood
LC
Hargreaves Wood
Marche Manor Farm
Earthwork
Marche Hall
Winnington
Marche Manor
Dingleside
Hargraves Farm
B4387
White Hill Farm
Trefnant Hall Farm
Shropshire STREET ATLAS
A458 Shrewsbury

31

Scale: 1¾ inches to 1 mile

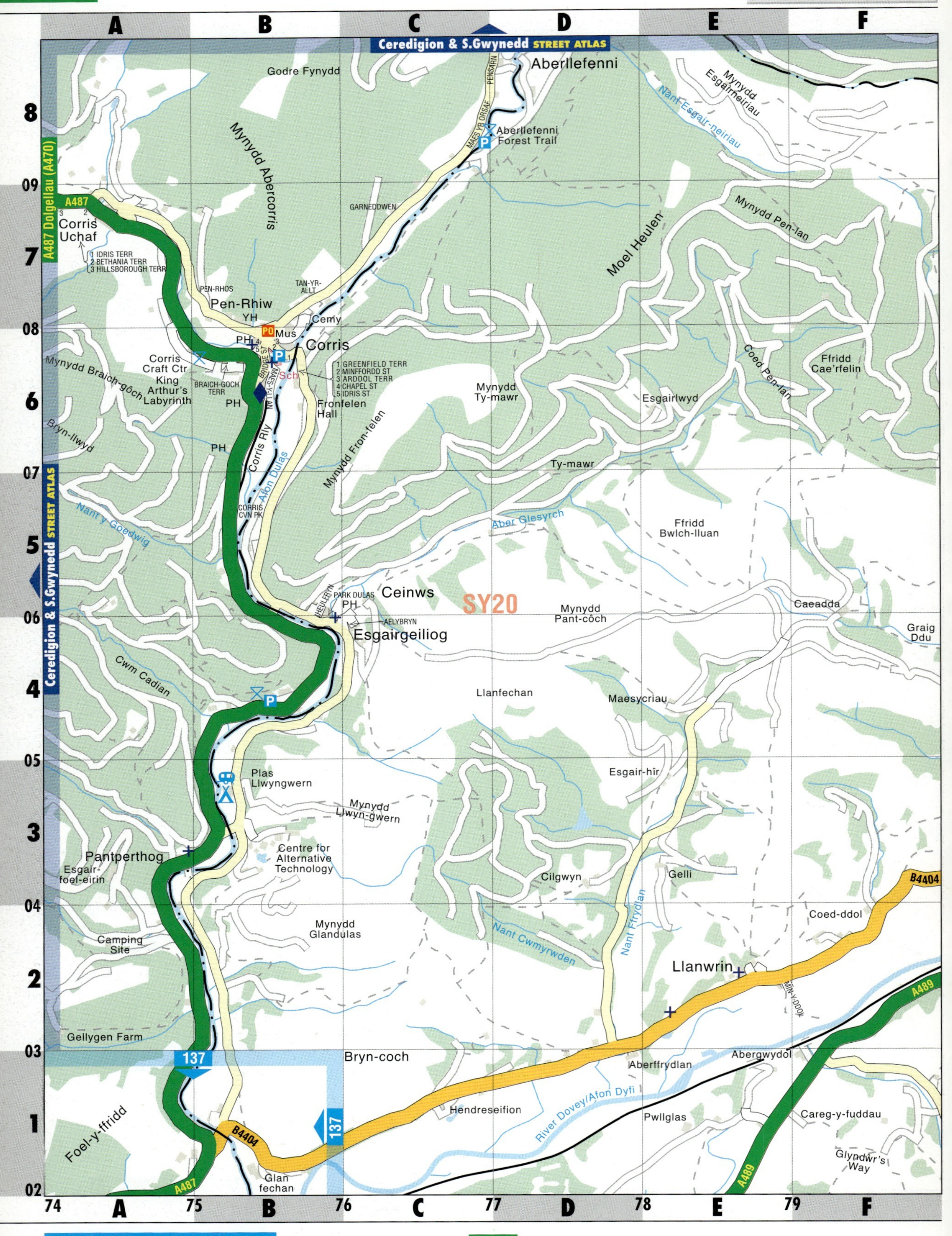

For full street detail of the highlighted area see page 137.

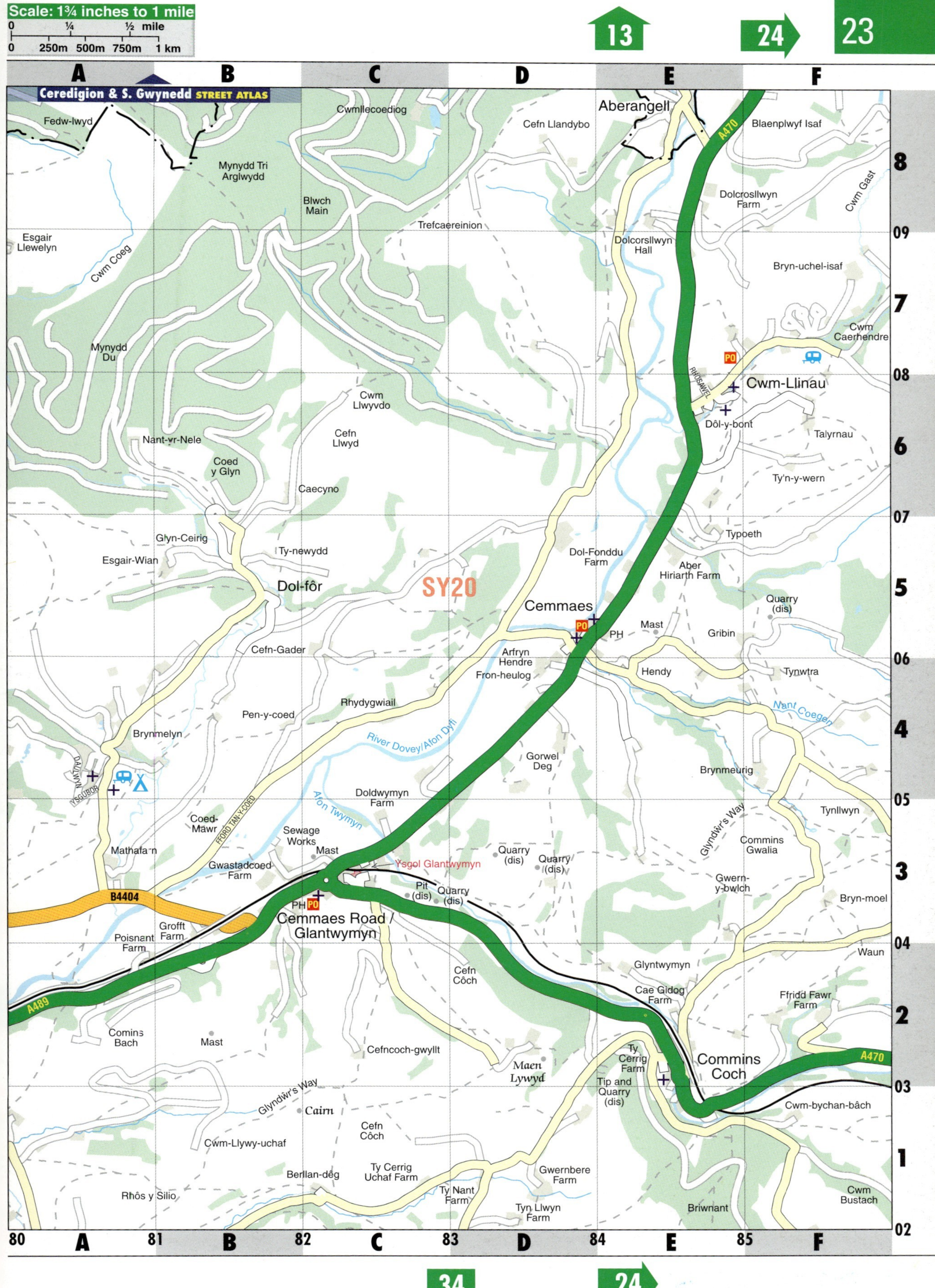
A
B
C
D
E
F
Ceredigion & S. Gwynedd STREET ATLAS
Fedw-lwyd
Cwmllecoediog
Aberangell
Cefn Llandybo
A470
Blaenplwyf Isaf
8
Mynydd Tri Arglwydd
Blwch Main
Trefcaereinion
Dolcroslllwyn Farm
Cwm Gast
09
Esgair Llewelyn
Cwm Coeg
Dolcorsllwyn Hall
Bryn-uchel-isaf
7
Mynydd Du
Cwm Caerhendre
PO
08
RHOSAFEL
Cwm-Llinau
Cwm Llwyvdo
Cefn Llwyd
Dôl-y-bont
Talyrnau
Nant-yr-Nele
6
Coed y Glyn
Ty'n-y-wern
Caecyno
07
Glyn-Ceirig
Typoeth
Esgair-Wian
Ty-newydd
Dol-Fonddu Farm
Aber Hiriarth Farm
Dol-fôr
SY20
5
Quarry (dis)
Cemmaes
Mast
PO
PH
Gribin
Cefn-Gader
Arfryn
Hendre
Hendy
06
Fron-heulog
Tynwtra
Rhydygwiail
Nant Coegen
Pen-y-coed
4
Brynmelyn
River Dovey/Afon Dyfi
Gorwel Deg
Brynmeurig
DAULWYN
YSGUBOR
Doldwymyn Farm
05
Coed-Mawr
Afon Twymyn
Tynllwyn
FFORDD TAN-Y-COED
Glyndŵr's Way
Sewage Works
Commins Gwalia
Mathafarn
Mast
Quarry (dis)
Quarry (dis)
Ysgol Glantwymyn
3
Gwastadcoed Farm
Gwern-y-bwlch
B4404
Pit (dis)
Quarry (dis)
Bryn-moel
PH
PO
Cemmaes Road / Glantwymyn
Poisnant Farm
Grofft Farm
04
Waun
Glyntwymyn
Cefn Côch
Cae Gidog Farm
Ffridd Fawr Farm
A489
2
Comins Bach
Mast
Cefncoch-gwyllt
Maen Lywyd
Ty Cerrig Farm
Commins Coch
A470
Tip and Quarry (dis)
03
Glyndŵr's Way
Cairn
Cwm-bychan-bâch
Cefn Côch
Cwm-Llywy-uchaf
1
Ty Cerrig Uchaf Farm
Berllan-dêg
Gwernbere Farm
Rhôs y Silio
Ty Nant Farm
Tyn Llwyn Farm
Briwnant
Cwm Bustach
02
80
81
82
83
84
85

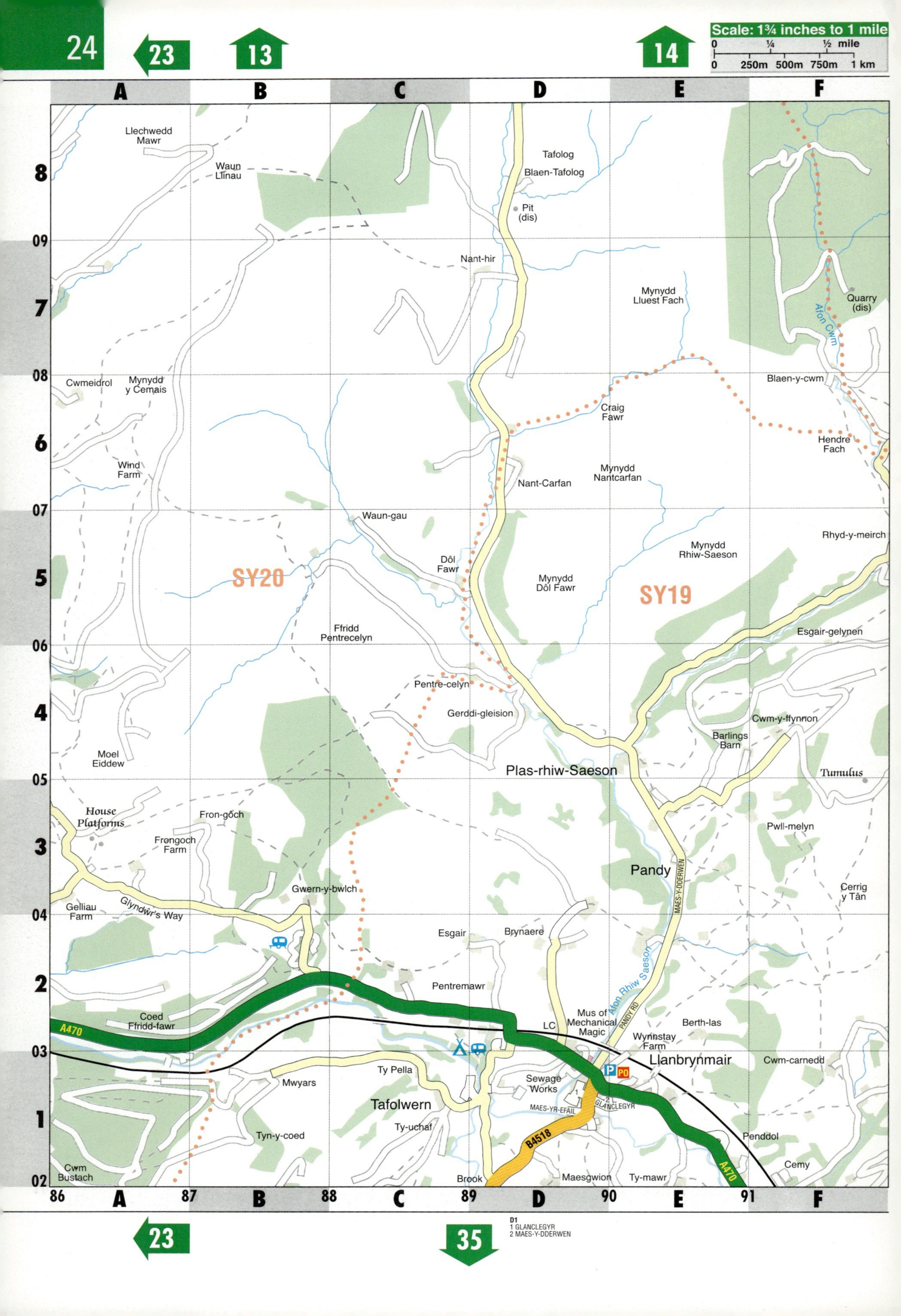

23
35
D1
1 GLANCLEGYR
2 MAES-Y-DDERWEN

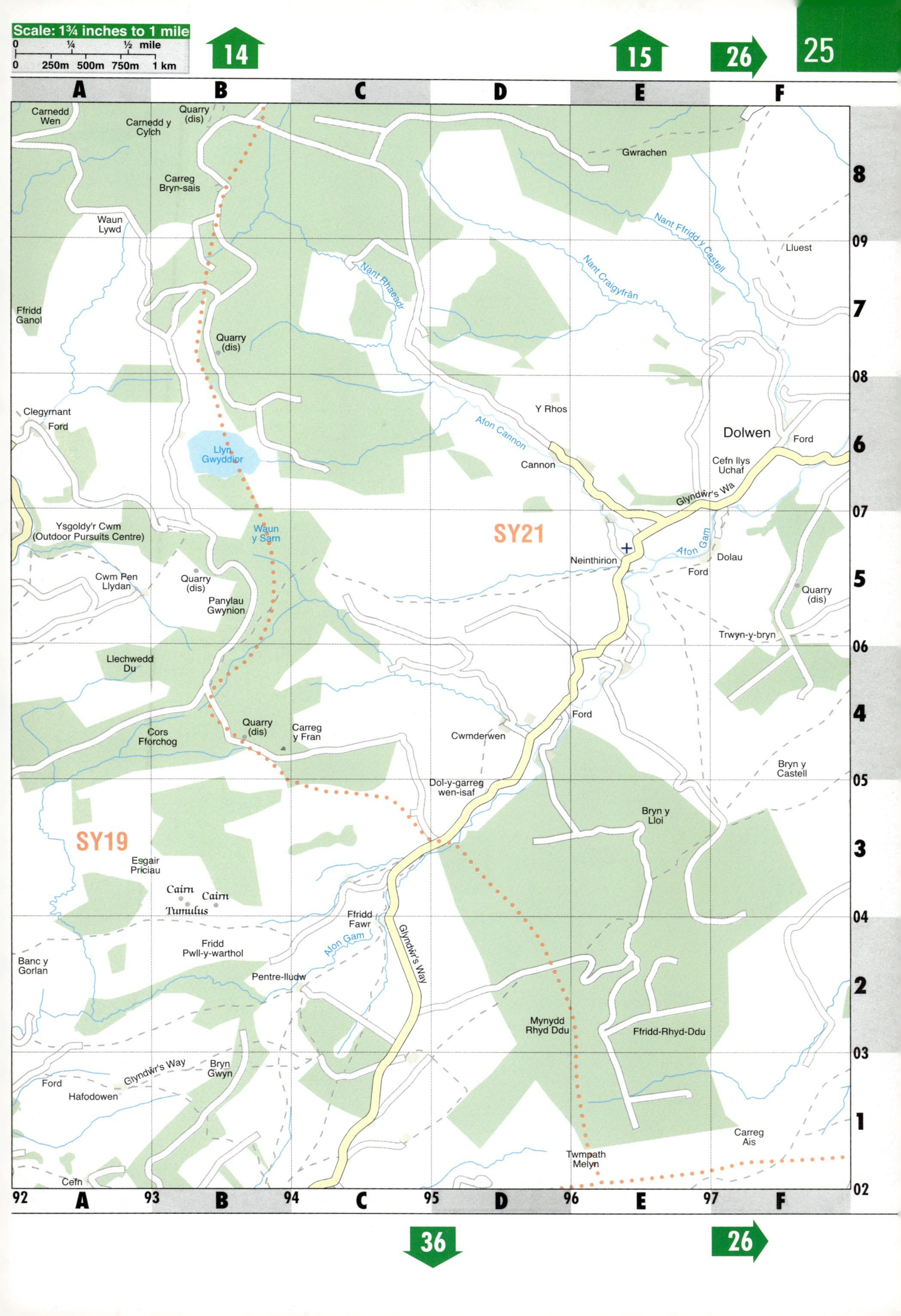

Scale: 1¾ inches to 1 mile
0 ¼ ½ mile
0 250m 500m 750m 1 km
14
15
26
A B C D E F
Carnedd Wen
Carnedd y Cylch
Quarry (dis)
Gwrachen
Carreg Bryn-sais
Waun Lywd
Nant Ffridd y Castell
Lluest
Nant Rhaeadr
Nant Craigyfrân
Ffridd Ganol
Quarry (dis)
Clegyrnant
Ford
Y Rhos
Dolwen
Ford
Afon Cannon
Llyn Gwyddior
Cannon
Cefn llys Uchaf
Glyndŵr's Way
Ysgoldy'r Cwm (Outdoor Pursuits Centre)
Waun y Sarn
SY21
Afon Gam
Neinthirion
Dolau
Ford
Cwm Pen Llydan
Quarry (dis)
Panylau Gwynion
Quarry (dis)
Trwyn-y-bryn
Llechwedd Du
Ford
Quarry (dis)
Carreg y Fran
Cors Fforchog
Cwmderwen
Bryn y Castell
Dol-y-garreg wen-isaf
Bryn y Lloi
SY19
Esgair Priciau
Cairn
Cairn
Tumulus
Ffridd Fawr
Afon Gam
Glyndŵr's Way
Fridd Pwll-y-warthol
Banc y Gorlan
Pentre-lludw
Mynydd Rhyd Ddu
Ffridd-Rhyd-Ddu
Glyndŵr's Way
Bryn Gwyn
Ford
Hafodowen
Carreg Ais
Twmpath Melyn
Cefn
8 09 7 08 6 07 5 06 4 05 3 04 2 03 1 02
92 93 94 95 96 97
36
26

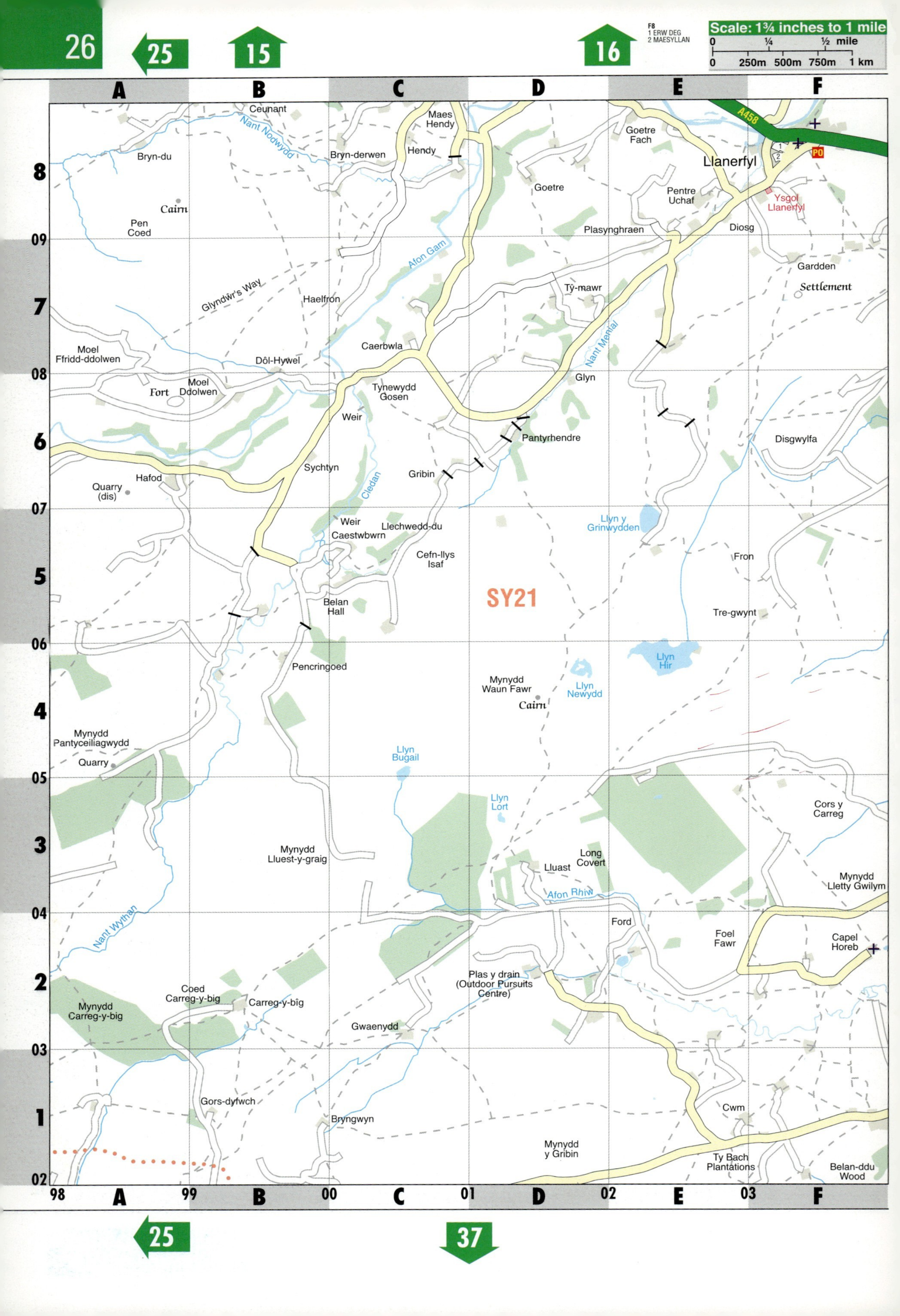
F8
1 ERW DEG
2 MAESYLLAN
Scale: 1¾ inches to 1 mile
0 ¼ ½ mile
0 250m 500m 750m 1 km
A B C D E F
8 09 7 08 6 07 5 06 4 05 3 04 2 03 1 02
98 99 00 01 02 03
Ceunant
Nant Nodwydd
Maes Hendy
Hendy
Bryn-derwen
Bryn-du
Cairn
Pen Coed
Goetre Fach
A458
Llanerfyl
PO
Goetre
Pentre Uchaf
Ysgol Llanerfyl
Plasynghraen
Diosg
Afon Gam
Gardden
Settlement
Tŷ-mawr
Glyndŵr's Way
Haelfron
Moel Ffridd-ddolwen
Dôl-Hywel
Caerbwla
Nant Menial
Glyn
Fort
Moel Ddolwen
Tynewydd Gosen
Weir
Pantyrhendre
Disgwylfa
Sychtyn
Gribin
Hafod
Quarry (dis)
Cledan
Weir
Caestwbwrn
Llechwedd-du
Llyn y Grinwydden
Cefn-llys Isaf
Fron
SY21
Belan Hall
Tre-gwynt
Llyn Hir
Pencringoed
Mynydd Waun Fawr
Cairn
Llyn Newydd
Mynydd Pantyceiliagwydd
Quarry
Llyn Bugail
Llyn Lort
Cors y Carreg
Mynydd Lluest-y-graig
Lluast
Long Covert
Mynydd Lletty Gwilym
Afon Rhiw
Nant Wythan
Ford
Foel Fawr
Capel Horeb
Plas y drain (Outdoor Pursuits Centre)
Coed Carreg-y-big
Carreg-y-bîg
Mynydd Carreg-y-big
Gwaenydd
Gors-dyfwch
Bryngwyn
Cwm
Mynydd y Gribin
Ty Bach Plantations
Belan-ddu Wood

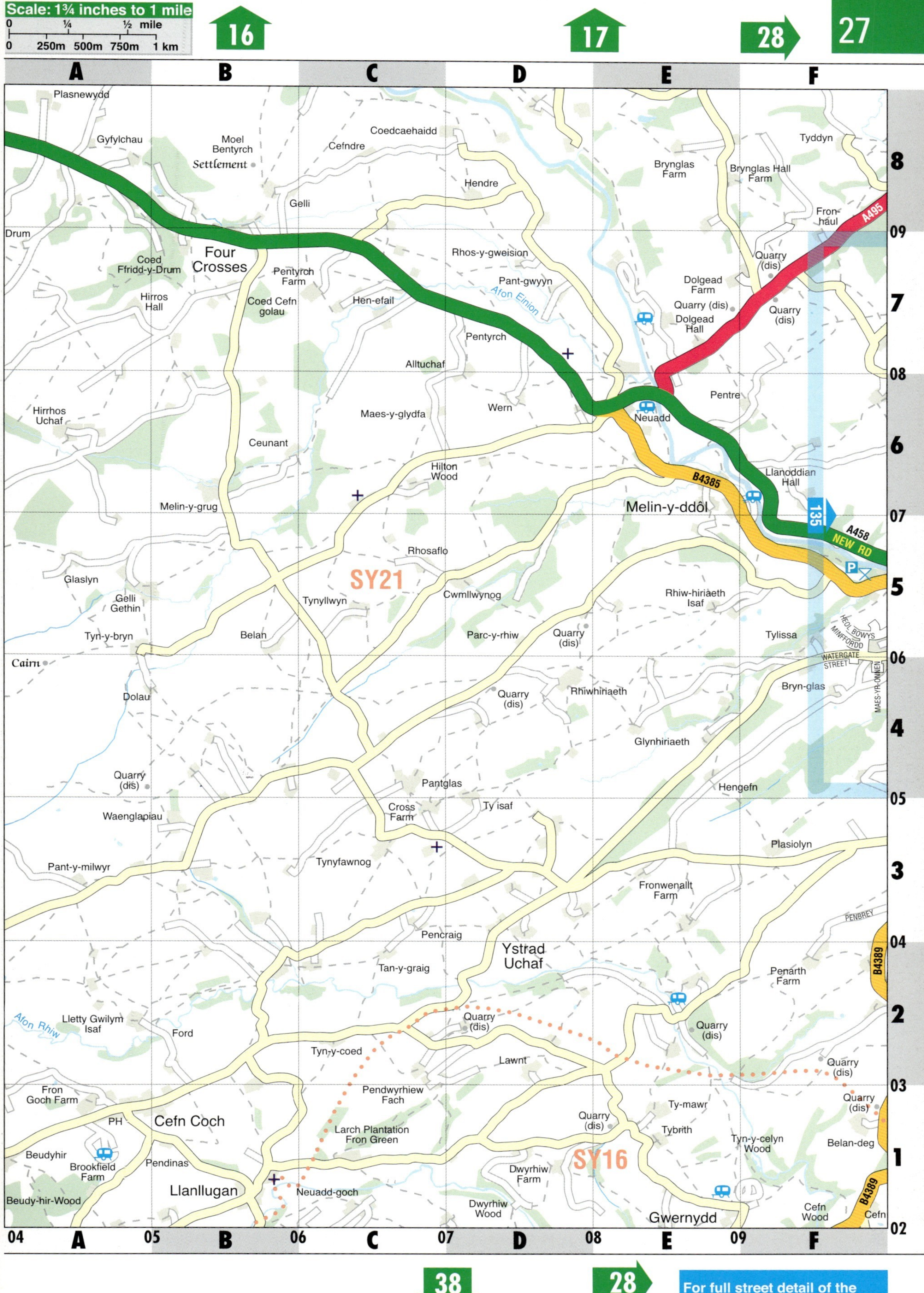

For full street detail of the highlighted area see page 135.

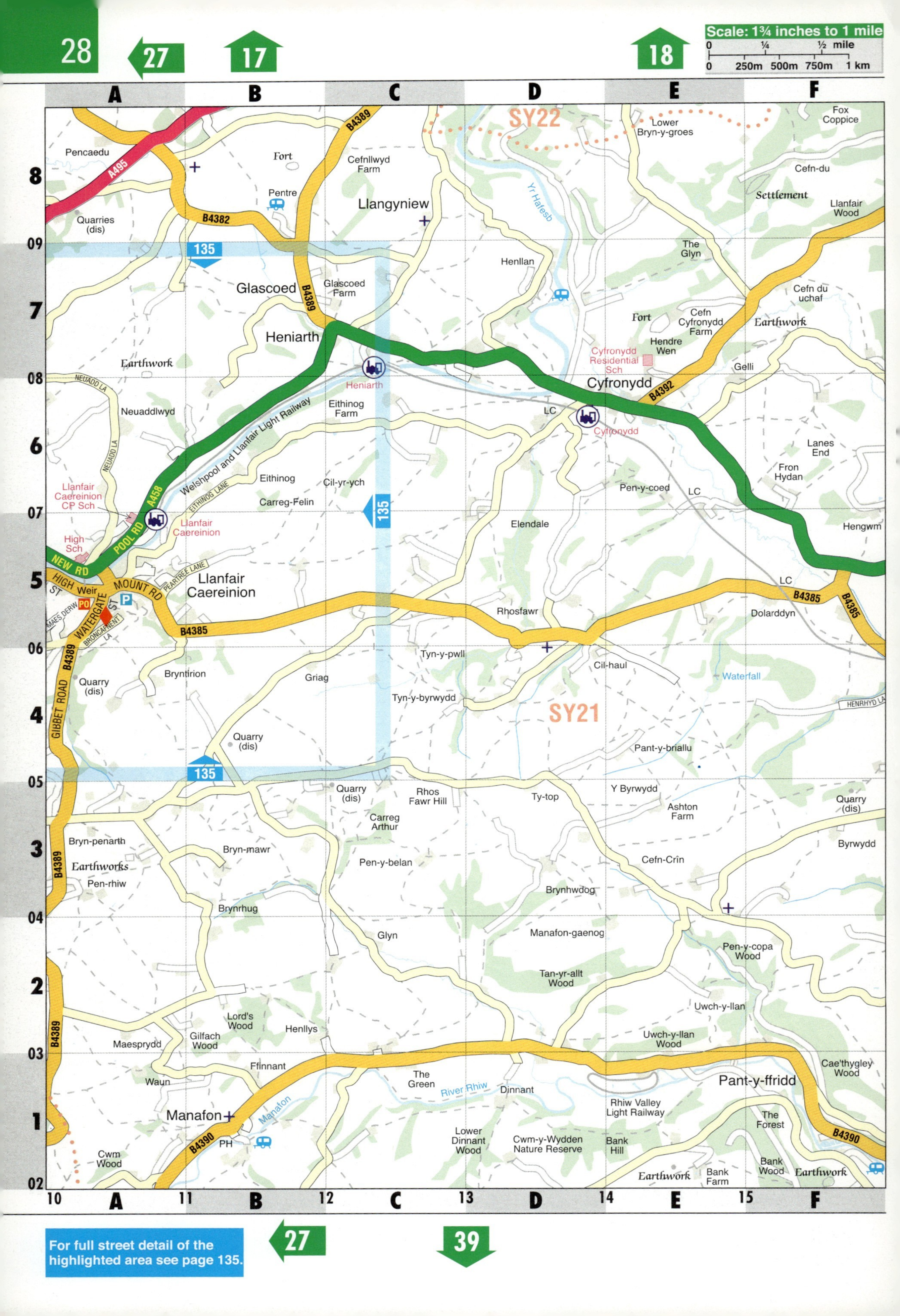

For full street detail of the highlighted area see page 135.

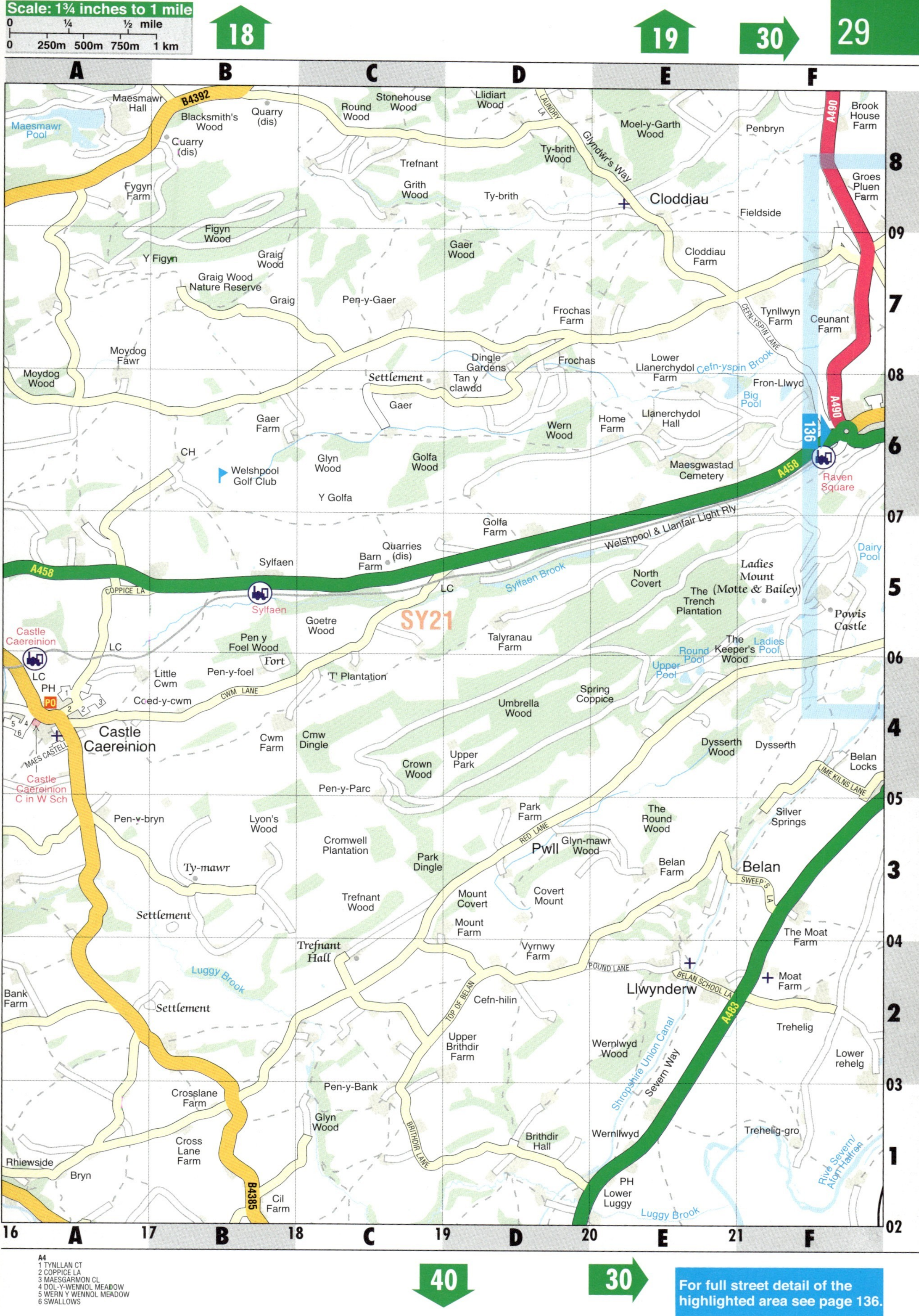
Scale: 1¾ inches to 1 mile
0 ¼ ½ mile
0 250m 500m 750m 1 km
18
19
30
A B C D E F
Maesmawr Hall
B4392
Maesmawr Pool
Blacksmith's Wood
Quarry (dis)
Round Wood
Stonehouse Wood
Llidiart Wood
LAUNDRY LA
Moel-y-Garth Wood
Penbryn
Brook House Farm
A490
Cuarry (dis)
Trefnant
Ty-brith Wood
Glyndŵr's Way
Groes Pluen Farm
Fygyn Farm
Grith Wood
Ty-brith
Cloddiau
Fieldside
Figyn Wood
Y Figyn
Graig Wood
Gaer Wood
Cloddiau Farm
Graig Wood Nature Reserve
Graig
Pen-y-Gaer
Frochas Farm
CEN-YSPIN LANE
Tynllwyn Farm
Ceunant Farm
Moydog Fawr
Dingle Gardens
Frochas
Lower Llanerchydol Farm
Cefn-yspin Brook
Moydog Wood
Settlement
Tan y clawdd
Fron-Llwyd
Big Pool
Gaer
Llanerchydol Hall
Gaer Farm
Wern Wood
Home Farm
136
CH
Glyn Wood
Golfa Wood
Maesgwastad Cemetery
A458
Raven Square
Welshpool Golf Club
Y Golfa
Golfa Farm
Welshpool & Llanfair Light Rly
Dairy Pool
Quarries (dis)
Barn Farm
Sylfaen
Ladies Mount (Motte & Bailey)
North Covert
COPPICE LA
Sylfaen Brook
The Trench Plantation
Sylfaen
LC
SY21
Powis Castle
Goetre Wood
Castle Caereinion
LC
Pen y Foel Wood
Talyranau Farm
The Keeper's Wood
Ladies Pool
Round Pool
Fort
Upper Pool
LC
PH
PO
Little Cwm
Pen-y-foel
'T' Plantation
Spring Coppice
Coed-y-cwm
CWM LANE
Umbrella Wood
Castle Caereinion
Cwm Farm
Cmw Dingle
Dysserth Wood
Dysserth
Belan Locks
MAES CASTELL
Crown Wood
Upper Park
LIME KILNS LANE
Castle Caereinion C in W Sch
Pen-y-Parc
Park Farm
The Round Wood
Silver Springs
Pen-y-bryn
Lyon's Wood
RED LANE
Cromwell Plantation
Pwll
Glyn-mawr Wood
Park Dingle
Belan Farm
Belan
Ty-mawr
SWEEP'S LA
Trefnant Wood
Mount Covert
Covert Mount
Settlement
Mount Farm
The Moat Farm
Trefnant Hall
Vyrnwy Farm
POUND LANE
Luggy Brook
Moat Farm
BELAN SCHOOL LA
Bank Farm
Llwynderw
TOP OF BELAN
Cefn-hilin
A483
Settlement
Trehelig
Upper Brithdir Farm
Wernlwyd Wood
Shropshire Union Canal
Severn Way
Lower rehelg
Pen-y-Bank
Crosslane Farm
Glyn Wood
Cross Lane Farm
BRITHDIR LANE
Brithdir Hall
Wernllwyd
Trehelig-gro
River Severn/ Afon Hafren
Rhiewside
Bryn
B4385
PH
Lower Luggy
Cil Farm
Luggy Brook
8 09 7 08 6 07 5 06 4 05 3 04 2 03 1 02
16 17 18 19 20 21
A4
1 TYNLLAN CT
2 COPPICE LA
3 MAESGARMON CL
4 DOL-Y-WENNOL MEADOW
5 WERN Y WENNOL MEADOW
6 SWALLOWS
40
30
For full street detail of the highlighted area see page 136.

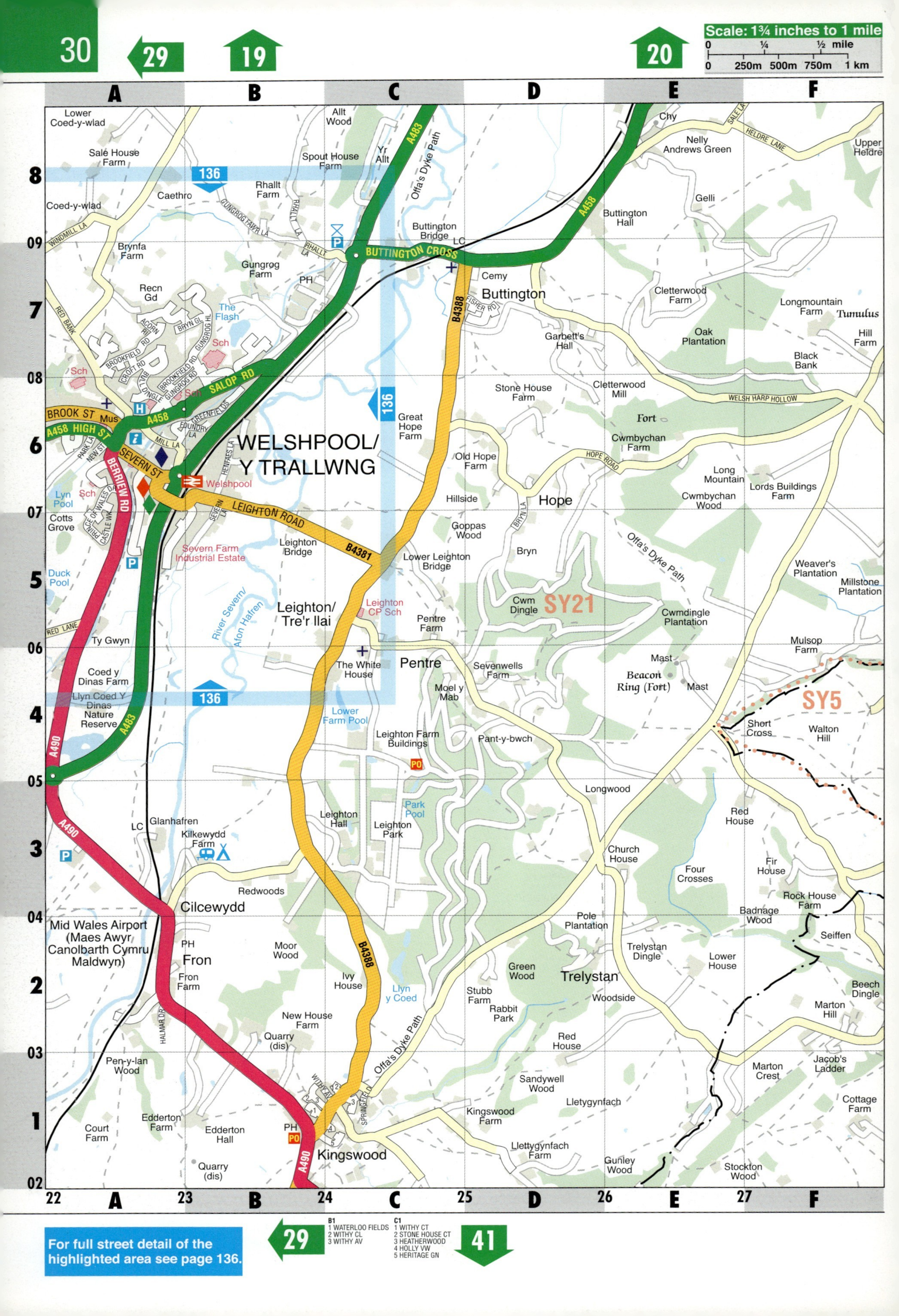
30
29
19
20
Scale: 1¾ inches to 1 mile
0
¼
½ mile
0
250m
500m
750m
1 km
A
B
C
D
E
F
8
09
7
08
6
07
5
06
4
05
3
04
2
03
1
02
22
23
24
25
26
27
Lower Coed-y-wlad
Sale House Farm
Coed-y-wlad
Caethro
WINDMILL LA
Brynfa Farm
Recn Gd
RED BANK
Sch
The Flash
Allt Wood
Spout House Farm
Yr Allt
A483
Offa's Dyke Path
Rhallt Farm
GUNGROG FAWR LA
RHALLT LA
Gungrog Farm
PH
136
Buttington Bridge
LC
BUTTINGTON CROSS
Cemy
Buttington
FISHER RD
B4388
A458
Buttington Hall
Chy
Nelly Andrews Green
SALE LA
HELDRE LANE
Upper Heldre
Gelli
Cletterwood Farm
Longmountain Farm
Tumulus
Oak Plantation
Hill Farm
Black Bank
Garbett's Hall
Stone House Farm
Cletterwood Mill
WELSH HARP HOLLOW
Fort
Cwmbychan Farm
HOPE ROAD
Long Mountain
Lords Buildings Farm
Cwmbychan Wood
Hope
Old Hope Farm
Hillside
Great Hope Farm
Goppas Wood
BRYN LA
Bryn
Offa's Dyke Path
Weaver's Plantation
Millstone Plantation
ACORN
BRYN GL
GUNGROG HL
BROOKFIELD RD
CROFT RD
BULLDINGLE
BROOKFIELD RD
GUNGROG RD
GREENFIELDS
FOUNDRY LA
SALOP RD
Sch
BROOK ST
Mus
H
A458
A458 HIGH ST
MILL LA
PARK LA
NEW ST
SEVERN ST
BERRIEW RD
Welshpool
WELSHPOOL/ Y TRALLWNG
HENFAES LA
SEVERN LA
LEIGHTON ROAD
B4381
Lyn Pool
Sch
Cotts Grove
PRINCE OF WALES DR
CASTLE WK
Severn Farm Industrial Estate
Leighton Bridge
Lower Leighton Bridge
Duck Pool
P
River Severn/ Afon Hafren
Leighton/ Tre'r llai
Leighton CP Sch
Pentre Farm
Cwm Dingle
SY21
Cwmdingle Plantation
RED LANE
Ty Gwyn
Pentre
The White House
Sevenwells Farm
Mulsop Farm
Mast
Beacon Ring (Fort)
Mast
Coed y Dinas Farm
Llyn Coed Y Dinas Nature Reserve
Moel y Mab
SY5
Short Cross
Walton Hill
Lower Farm Pool
Leighton Farm Buildings
Pant-y-bwch
A483
A490
PO
Longwood
Park Pool
Red House
Leighton Hall
Leighton Park
LC
Glanhafren
Kilkewydd Farm
A490
Church House
Fir House
Four Crosses
Rock House Farm
Redwoods
Cilcewydd
Badnage Wood
Pole Plantation
Seiffen
Mid Wales Airport (Maes Awyr Canolbarth Cymru Maldwyn)
PH
Fron
Moor Wood
Trelystan Dingle
Lower House
Green Wood
Trelystan
Fron Farm
Ivy House
B4388
Llyn y Coed
Stubb Farm
Woodside
Beech Dingle
Rabbit Park
Marton Hill
HALMAR DR
New House Farm
Quarry (dis)
Offa's Dyke Path
Red House
Pen-y-lan Wood
Jacob's Ladder
Marton Crest
Sandywell Wood
WITHY AV
SPRINGFIELD
Lletygynfach
Cottage Farm
Court Farm
Edderton Farm
Edderton Hall
PH
PO
Kingswood Farm
A490
Kingswood
Llettygynfach Farm
Quarry (dis)
Gunley Wood
Stockton Wood
B1
1 WATERLOO FIELDS
2 WITHY CL
3 WITHY AV
C1
1 WITHY CT
2 STONE HOUSE CT
3 HEATHERWOOD
4 HOLLY VW
5 HERITAGE GN
29
41
For full street detail of the highlighted area see page 136.

Scale: 1¾ inches to 1 mile
0 ¼ ½ mile
0 250m 500m 750m 1 km

20
21

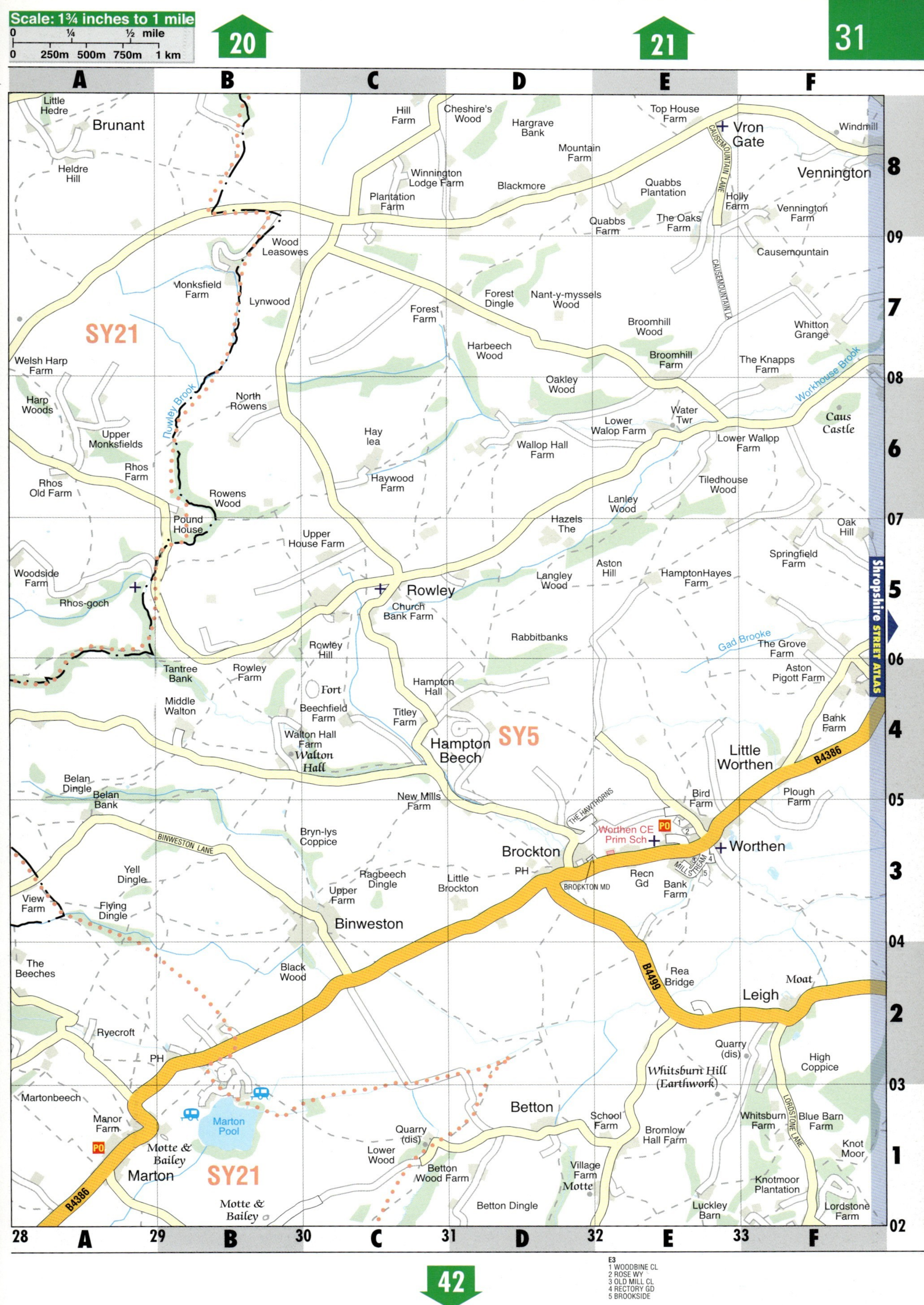

42

E3
1 WOODBINE CL
2 ROSE WY
3 OLD MILL CL
4 RECTORY GD
5 BROOKSIDE

Scale: 1¾ inches to 1 mile

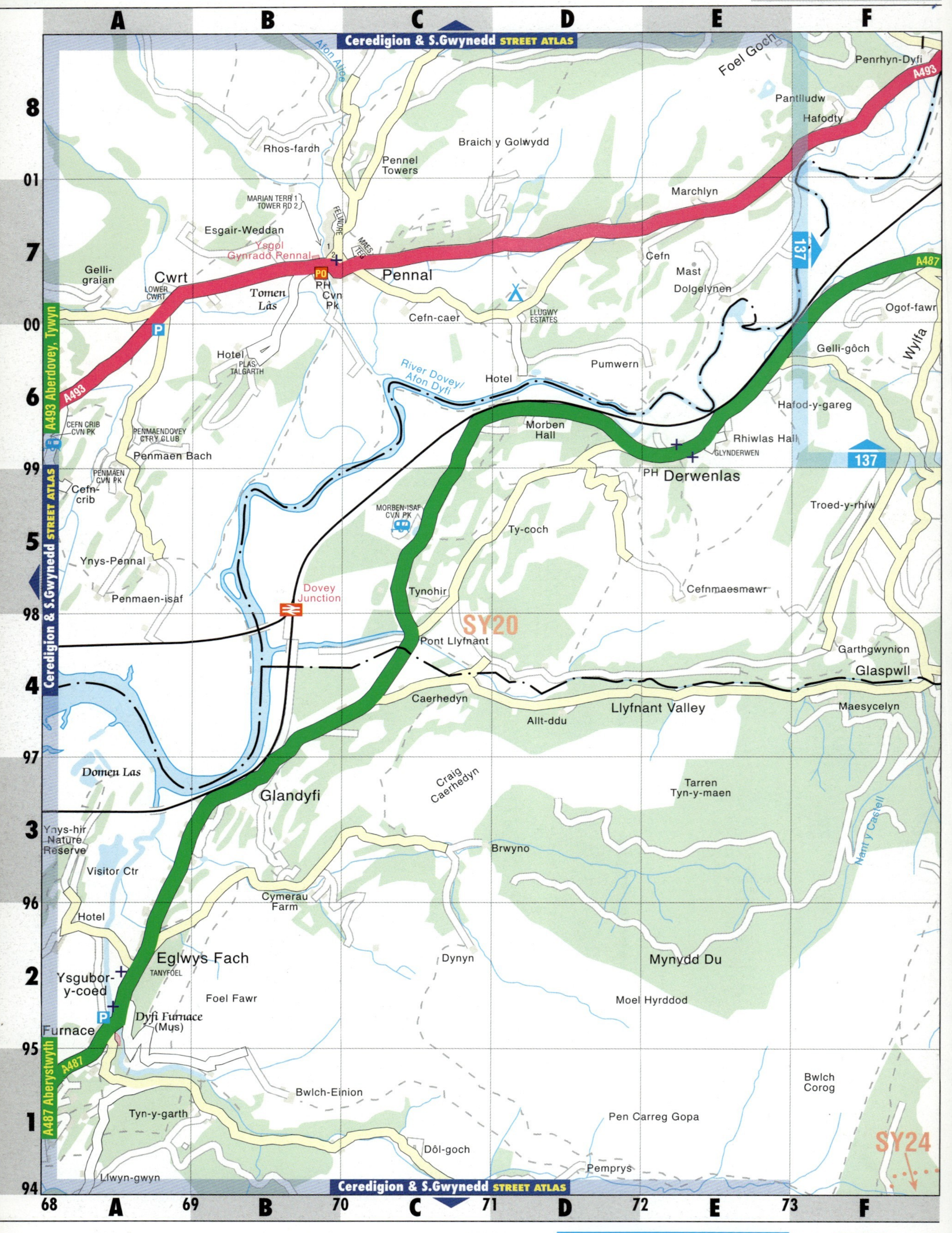

For full street detail of the highlighted area see page 137.

43

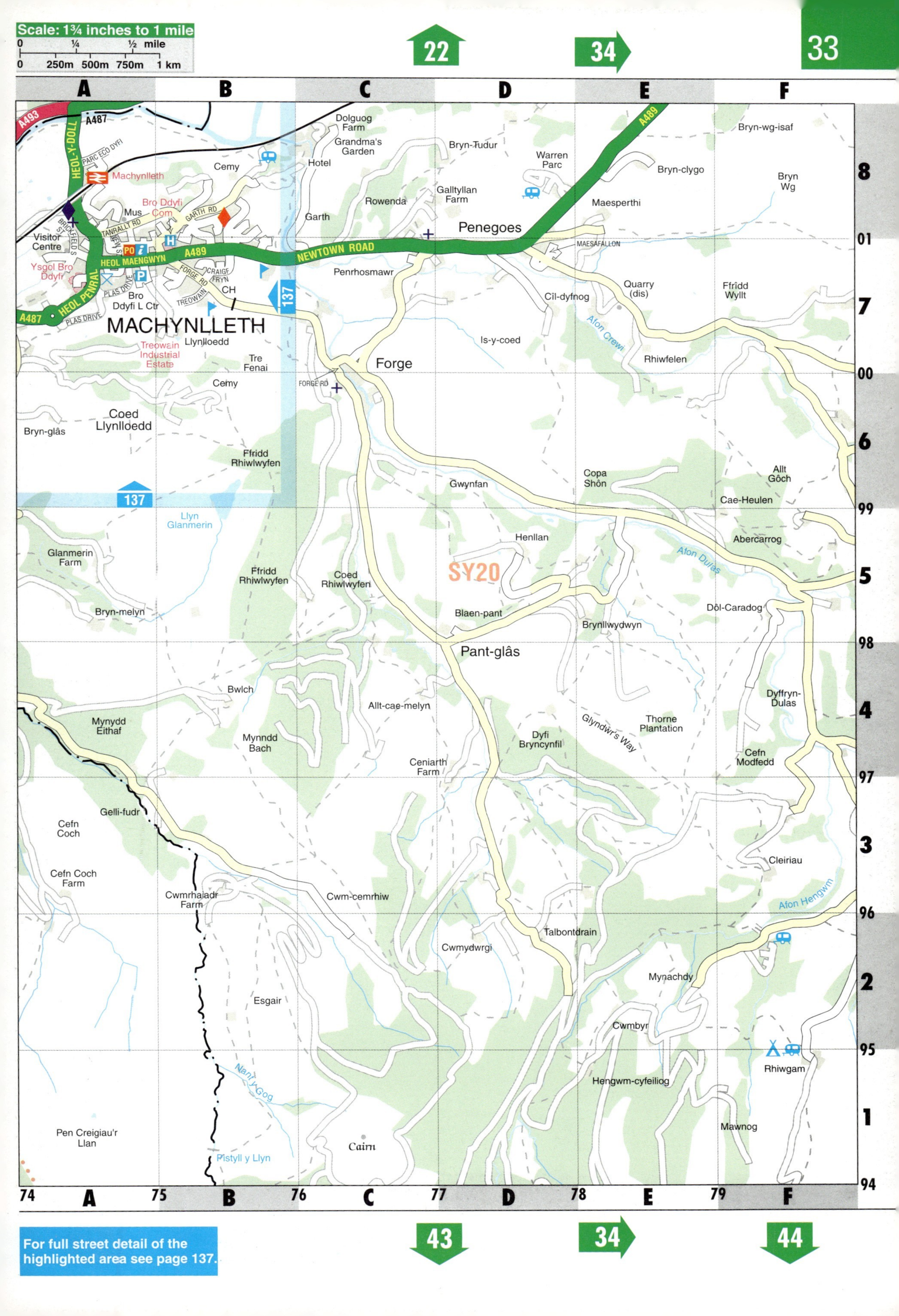

For full street detail of the highlighted area see page 137.

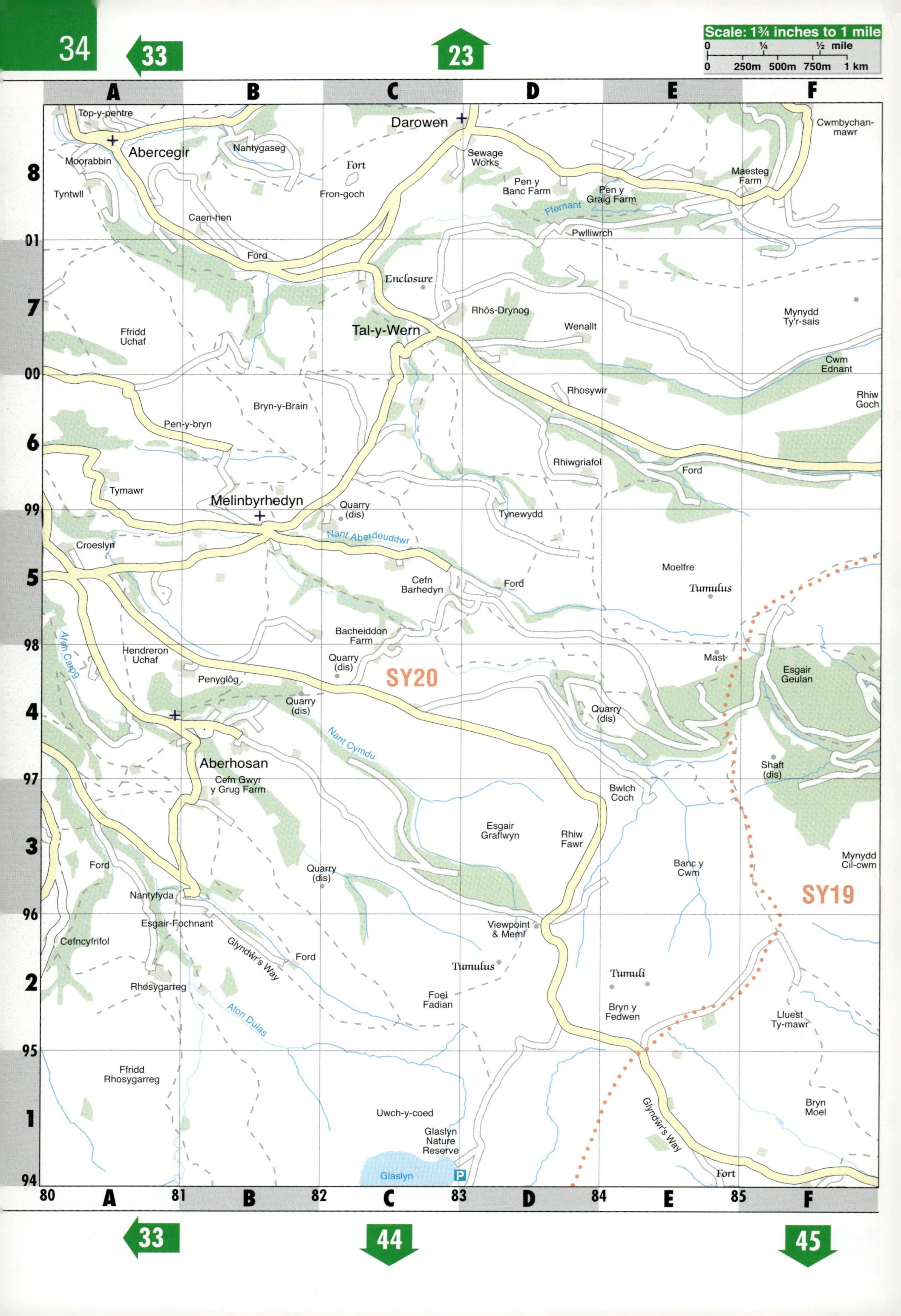

33
23
Scale: 1¾ inches to 1 mile
0 ¼ ½ mile
0 250m 500m 750m 1 km
A B C D E F
8
01
7
00
6
99
5
98
4
97
3
96
2
95
1
94
80 81 82 83 84 85
Top-y-pentre
Abercegir
Moorabbin
Tyntwll
Nantygaseg
Fort
Fron-goch
Darowen
Sewage Works
Pen y Banc Farm
Pen y Graig Farm
Ffernant
Pwlliwrch
Maesteg Farm
Cwmbychan-mawr
Caen-hen
Ford
Enclosure
Rhôs-Drynog
Wenallt
Mynydd Ty'r-sais
Ffridd Uchaf
Tal-y-Wern
Cwm Ednant
Rhiw Goch
Rhosywir
Bryn-y-Brain
Pen-y-bryn
Rhiwgriafol
Ford
Tymawr
Melinbyrhedyn
Quarry (dis)
Tynewydd
Nant Aberdeuddwr
Croeslyn
Moelfre
Tumulus
Cefn Barhedyn
Ford
Afon Canog
Bacheiddon Farm
Hendreron Uchaf
Quarry (dis)
Mast
SY20
Esgair Geulan
Penyglôg
Quarry (dis)
Quarry (dis)
Nant Cymdu
Aberhosan
Cefn Gwyr y Grug Farm
Shaft (dis)
Bwlch Coch
Esgair Graflwyn
Rhiw Fawr
Ford
Quarry (dis)
Banc y Cwm
Mynydd Cil-cwm
SY19
Nantyfyda
Esgair-Fochnant
Cefncyfrifol
Viewpoint & Meml
Glyndŵr's Way
Ford
Tumulus
Tumuli
Rhosygarreg
Foel Fadian
Bryn y Fedwen
Afon Dulas
Lluest Ty-mawr
Ffridd Rhosygarreg
Glyndŵr's Way
Uwch-y-coed
Glaslyn Nature Reserve
Bryn Moel
Glaslyn
P
Fort
33
44
45

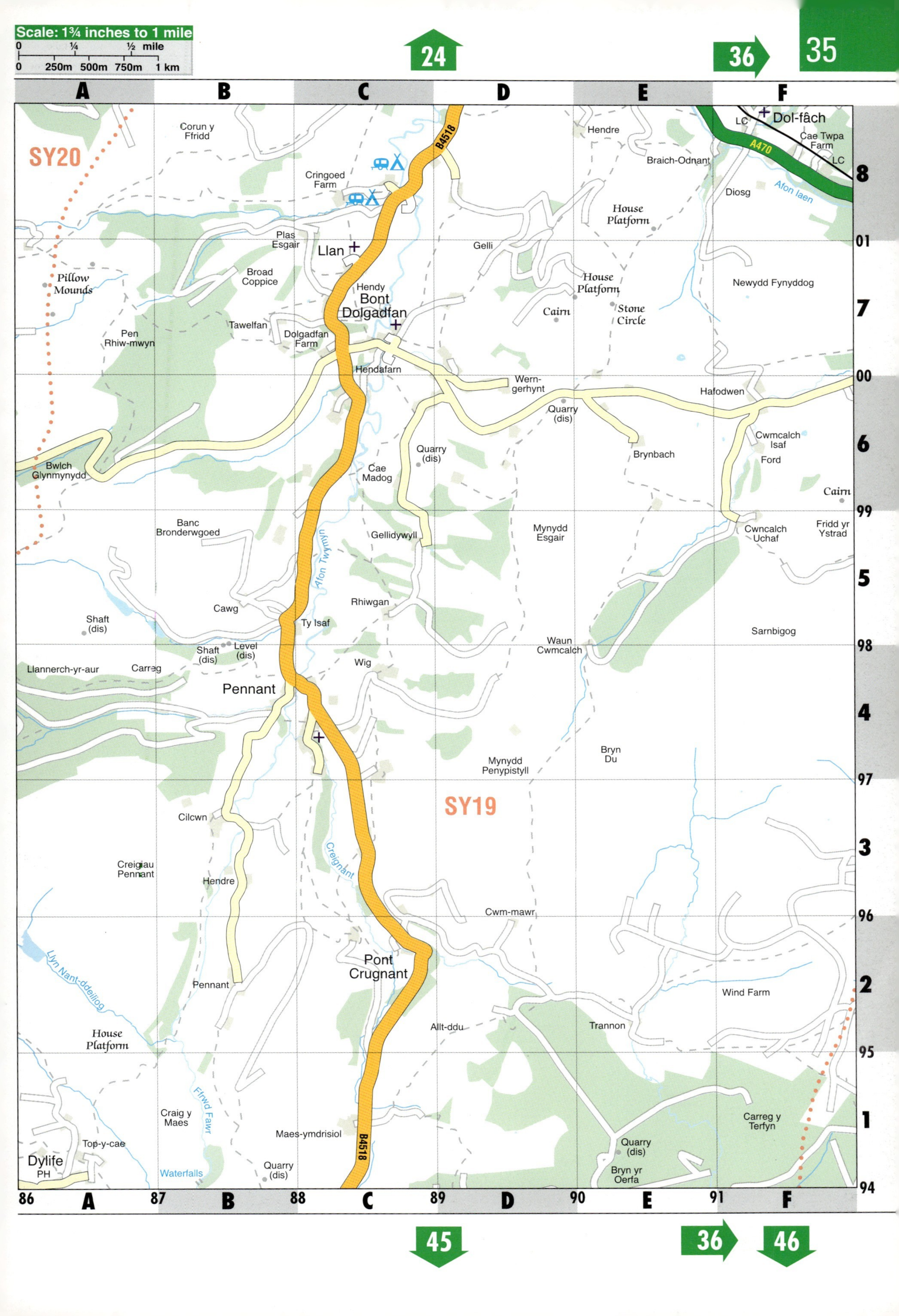
Scale: 1¾ inches to 1 mile
0 ¼ ½ mile
0 250m 500m 750m 1 km
24
36
A B C D E F
SY20
Corun y Ffridd
Cringoed Farm
Hendre
Braich-Odnant
Dol-fâch
Cae Twpa Farm
LC
A470
B4518
Diosg
Afon Iaen
House Platform
Plas Esgair
Llan
Gelli
Pillow Mounds
Broad Coppice
Hendy
Bont Dolgadfan
Cairn
Stone Circle
Newydd Fynyddog
Tawelfan
Dolgadfan Farm
Pen Rhiw-mwyn
Hendafarn
Wern-gerhynt
Hafodwen
Quarry (dis)
Brynbach
Cwmcalch Isaf
Ford
Bwlch Glynmynydd
Cae Madog
Banc Bronderwgoed
Gellidywyll
Mynydd Esgair
Cwncalch Uchaf
Fridd yr Ystrad
Afon Twymyn
Rhiwgan
Cawg
Shaft (dis)
Ty Isaf
Sarnbigog
Level (dis)
Waun Cwmcalch
Llannerch-yr-aur
Carreg
Wig
Pennant
Bryn Du
Mynydd Penypistyll
SY19
Cilcwn
Creigiau Pennant
Hendre
Creignant
Cwm-mawr
Pont Crugnant
Wind Farm
Llyn Nant-ddeiliog
Allt-ddu
Trannon
Craig y Maes
Ffrwd Fawr
Carreg y Terfyn
Top-y-cae
Maes-ymdrisiol
Dylife
PH
Waterfalls
Bryn yr Oerfa
8
01
7
00
6
99
5
98
4
97
3
96
2
95
1
94
86
87
88
89
90
91
45
46

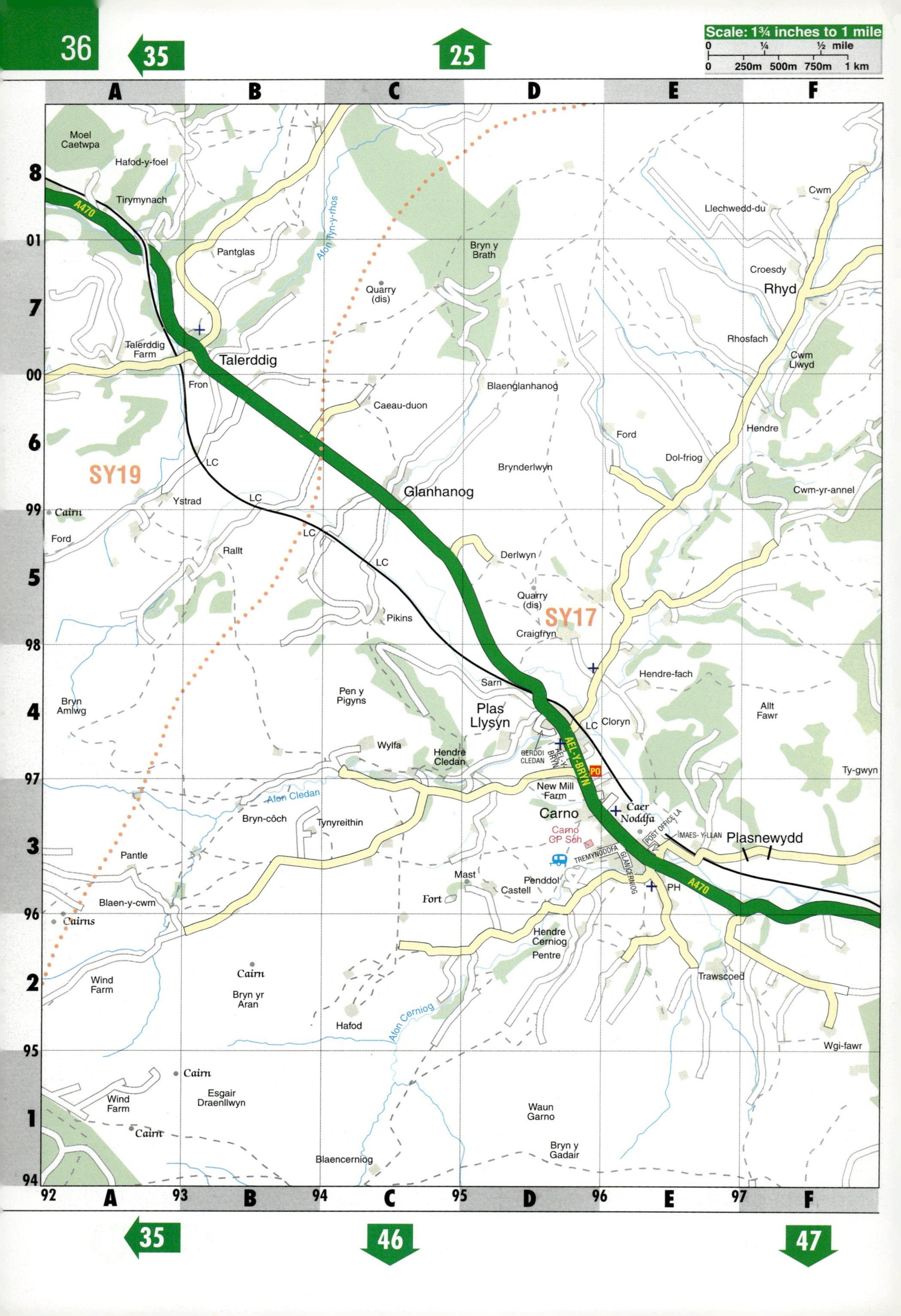
35
25
Scale: 1¾ inches to 1 mile
0
¼
½ mile
0
250m
500m
750m
1 km
A
B
C
D
E
F
8
01
7
00
6
99
5
98
4
97
3
96
2
95
1
94
92
93
94
95
96
97
Moel Caetwpa
Hafod-y-foel
Tirymynach
A470
Pantglas
Afon Iryn-y-rhos
Quarry (dis)
Bryn y Brath
Talerddig Farm
Talerddig
Fron
Caeau-duon
Blaenglanhanog
LC
SY19
Ystrad
Cairn
Ford
Rallt
Glanhanog
Derlwyn
Brynderlwyn
Pikins
Quarry (dis)
SY17
Craigfryn
Sarn
Bryn Amlwg
Pen y Pigyns
Wylfa
Hendre Cledan
Plas Llysyn
GERDDI CLEDAN
AEL-Y-BRYN
PO
Cloryn
Hendre-fach
Allt Fawr
Ty-gwyn
Afon Cledan
Bryn-côch
Tynyreithin
New Mill Farm
Carno
Caer Noddfa
Carno CP Sch
POST OFFICE LA
MAES-Y-LLAN
Plasnewydd
TREMYNODDFA
GLAN CERNIOG
PH
Pantle
Blaen-y-cwm
Mast
Fort
Castell
Penddol
Cairns
Hendre Cerniog
Pentre
Trawscoed
Wind Farm
Cairn
Bryn yr Aran
Hafod
Afon Cerniog
Wgi-fawr
Esgair Draenllwyn
Wind Farm
Waun Garno
Bryn y Gadair
Blaencerniog
Cwm
Llechwedd-du
Croesdy
Rhyd
Rhosfach
Cwm Llwyd
Hendre
Ford
Dol-friog
Cwm-yr-annel
35
46
47

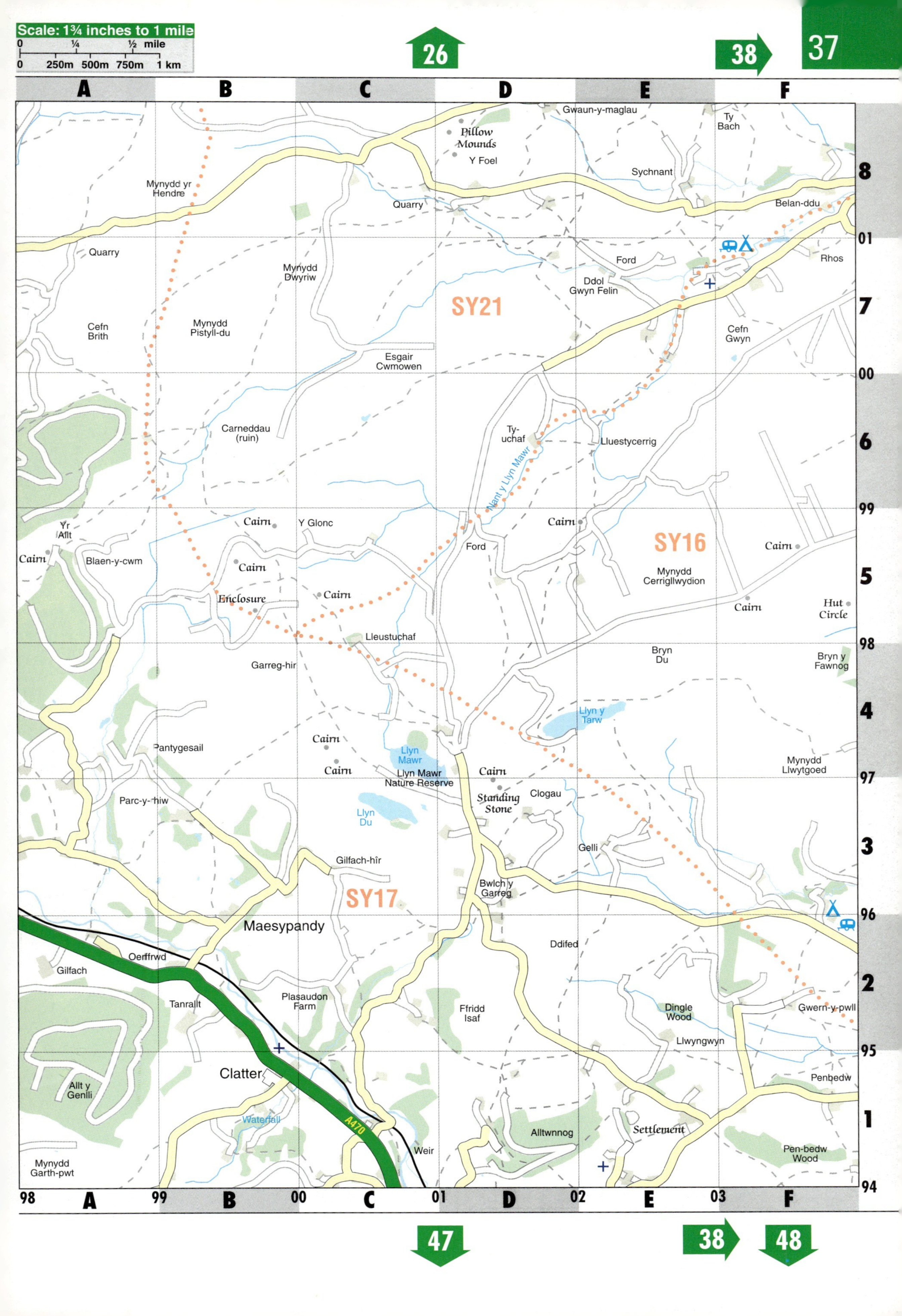

Scale: 1¾ inches to 1 mile
0 ¼ ½ mile
0 250m 500m 750m 1 km
26
38
A
B
C
D
E
F
Gwaun-y-maglau
Ty Bach
Pillow Mounds
Y Foel
Sychnant
Mynydd yr Hendre
Quarry
Belan-ddu
Quarry
Ford
Rhos
Mynydd Dwyriw
Ddol Gwyn Felin
SY21
Cefn Brith
Mynydd Pistyll-du
Cefn Gwyn
Esgair Cwmowen
Carneddau (ruin)
Ty-uchaf
Lluestycerrig
Nant y Llyn Mawr
Yr Allt
Cairn
Y Glonc
Cairn
SY16
Cairn
Blaen-y-cwm
Cairn
Ford
Mynydd Cerrigllwydion
Enclosure
Cairn
Cairn
Hut Circle
Lleustuchaf
Garreg-hir
Bryn Du
Bryn y Fawnog
Llyn y Tarw
Pantygesail
Cairn
Llyn Mawr
Cairn
Llyn Mawr Nature Reserve
Cairn
Mynydd Llwytgoed
Parc-y-rhiw
Standing Stone
Clogau
Llyn Du
Gelli
Gilfach-hîr
Bwlch y Garreg
SY17
Maesypandy
Ddifed
Oerffrwd
Gilfach
Tanrallt
Plasaudon Farm
Ffridd Isaf
Dingle Wood
Gwern-y-pwll
Llwyngwyn
Clatter
Penbedw
Allt y Genlli
Waterfall
A470
Alltwnnog
Settlement
Pen-bedw Wood
Weir
Mynydd Garth-pwt
8
01
7
00
6
99
5
98
4
97
3
96
2
95
1
94
98
99
00
01
02
03
47
38
48

F5
1 LON RHOSMARI
2 CAE MELYN
3 PARC HAFOD
4 TAN-Y-LLAN
5 TAN-YR-EGLWYS

Scale: 1¾ inches to 1 mile

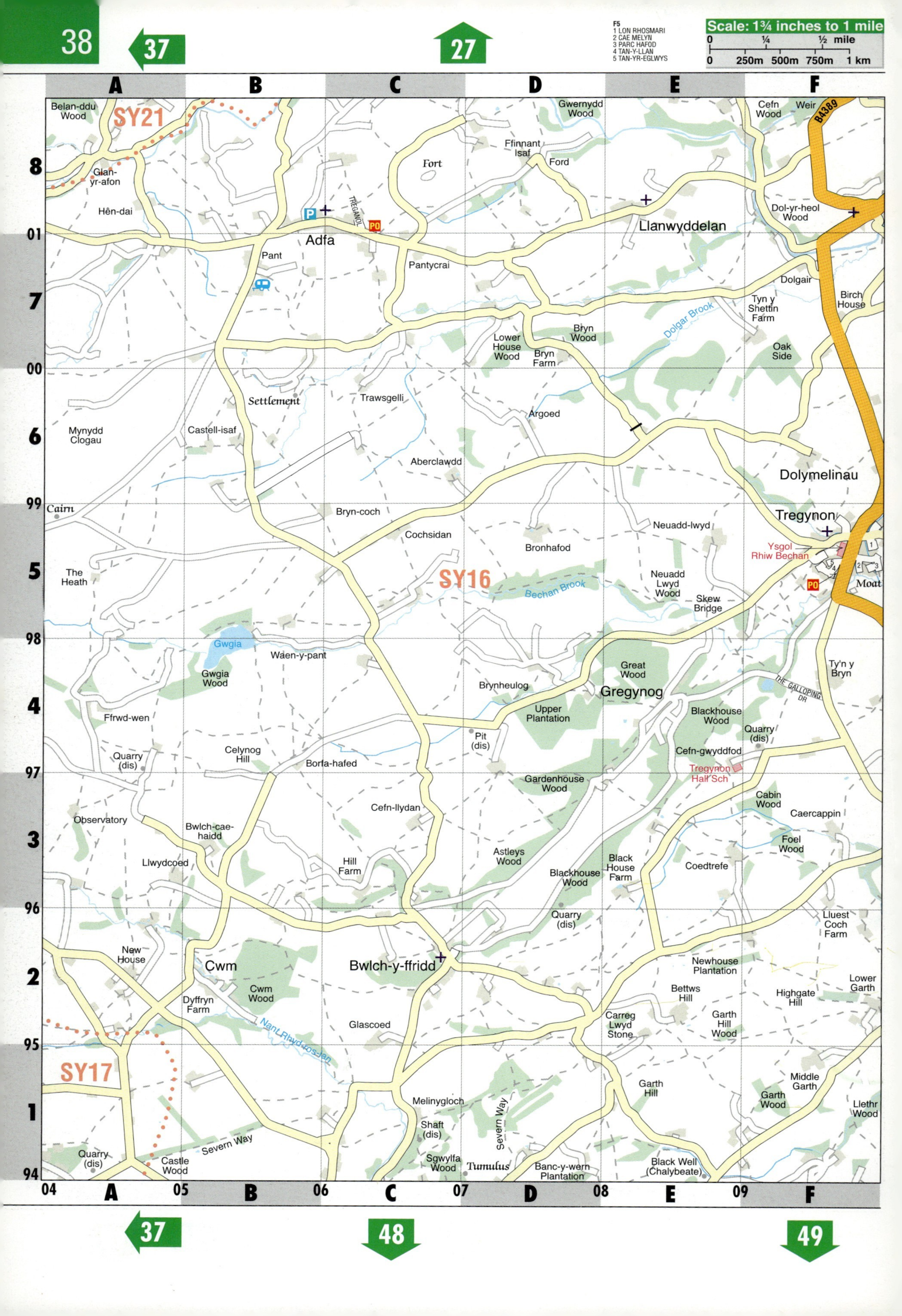

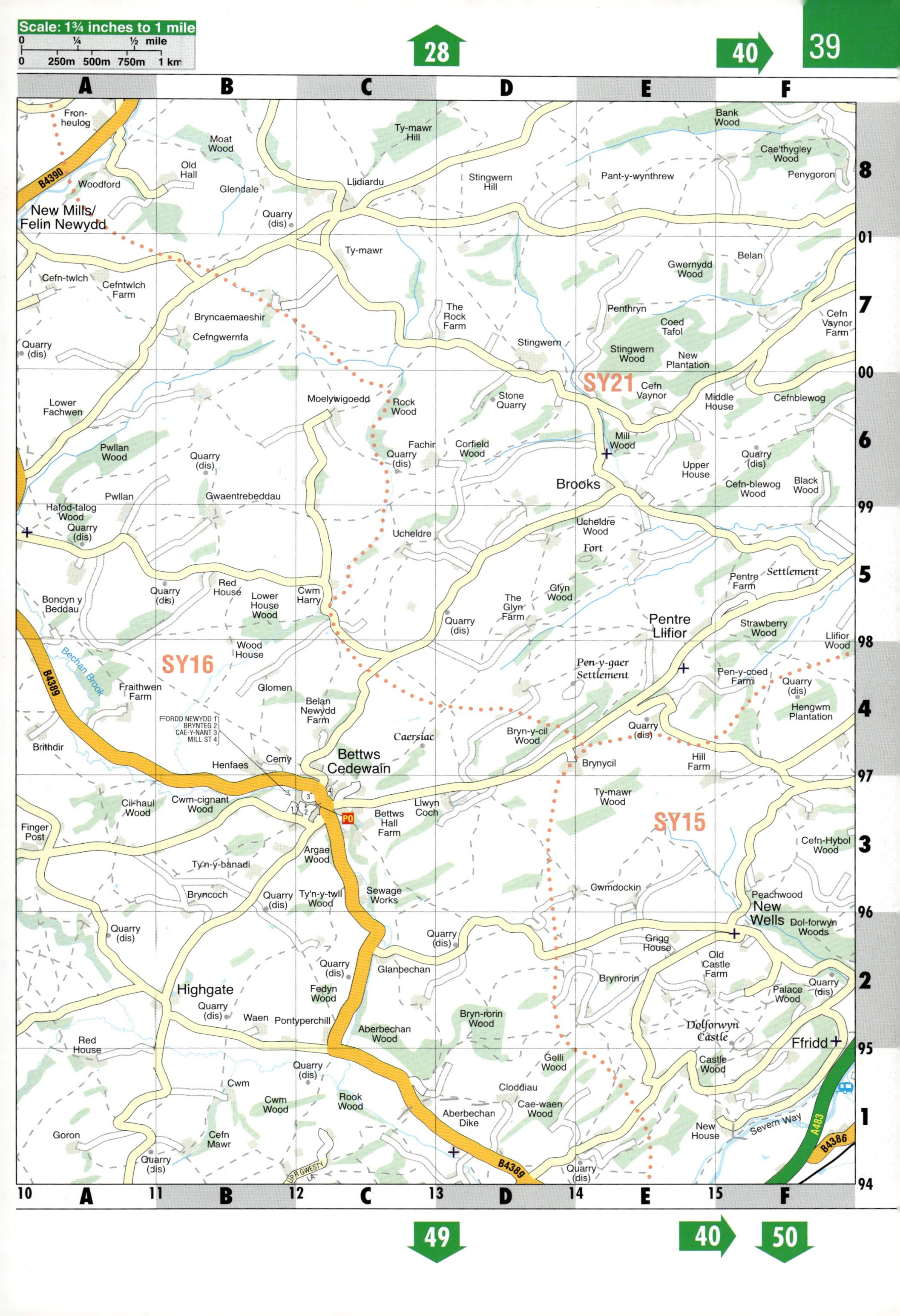
Scale: 1¾ inches to 1 mile
0 ¼ ½ mile
0 250m 500m 750m 1 km
28
40
A B C D E F
Fron-heulog
Moat Wood
Ty-mawr Hill
Bank Wood
Cae'thygley Wood
Old Hall
Glendale
Llidiardu
Stingwern Hill
Pant-y-wynthrew
Penygoron
Woodford
B4390
New Mills/ Felin Newydd
Quarry (dis)
Ty-mawr
Gwernydd Wood
Belan
Cefn-twlch
Cefntwlch Farm
The Rock Farm
Penthryn
Coed Tafol
Cefn Vaynor Farm
Bryncaemaeshir
Cefngwernfa
Stingwern
Stingwern Wood
New Plantation
Quarry (dis)
SY21
Cefn Vaynor
Middle House
Cefnblewog
Lower Fachwen
Moelywigoedd
Rock Wood
Stone Quarry
Mill Wood
Fachir
Corfield Wood
Pwllan Wood
Quarry (dis)
Quarry (dis)
Upper House
Quarry (dis)
Brooks
Cefn-blewog Wood
Black Wood
Pwllan
Gwaentrebeddau
Hafod-talog Wood
Quarry (dis)
Ucheldre
Ucheldre Wood
Fort
Settlement
Pentre Farm
Boncyn y Beddau
Quarry (dis)
Red House
Lower House Wood
Cwm Harry
The Glyn Farm
Glyn Wood
Quarry (dis)
Pentre Llifior
Strawberry Wood
Llifior Wood
Bechan Brook
Wood House
SY16
B4389
Pen-y-gaer Settlement
Pen-y-coed Farm
Quarry (dis)
Fraithwen Farm
Glomen
Belan Newydd Farm
Hengwm Plantation
FORDD NEWYDD 1
BRYNTEG 2
CAE-Y-NANT 3
MILL ST 4
Caersiac
Bryn-y-cil Wood
Quarry (dis)
Brithdir
Bettws Cedewain
Cemy
Henfaes
Brynycil
Hill Farm
Cil-haul Wood
Cwm-cignant Wood
PO
Llwyn Coch
Bettws Hall Farm
Ty-mawr Wood
SY15
Finger Post
Argae Wood
Cefn-Hybol Wood
Ty'n-y-banadi
Bryncoch
Quarry (dis)
Ty'n-y-twll Wood
Sewage Works
Cwmdockin
Peachwood
New Wells
Dol-forwyn Woods
Quarry (dis)
Quarry (dis)
Grigg House
Old Castle Farm
Glanbechan
Quarry (dis)
Brynrorin
Quarry (dis)
Palace Wood
Highgate
Fedyn Wood
Quarry (dis)
Waen
Pontyperchill
Aberbechan Wood
Bryn-rorin Wood
Dolforwyn Castle
Ffridd
Red House
Quarry (dis)
Gelli Wood
Castle Wood
Cwm
Cwm Wood
Rook Wood
Clodd̂iau
Cae-waen Wood
Aberbechan Dike
New House
Severn Way
A483
B4386
Goron
Cefn Mawr
Quarry (dis)
UPR GWESTY LA
B4389
Quarry (dis)
8
01
7
00
6
99
5
98
4
97
3
96
2
95
1
94
10 11 12 13 14 15
49
40
50

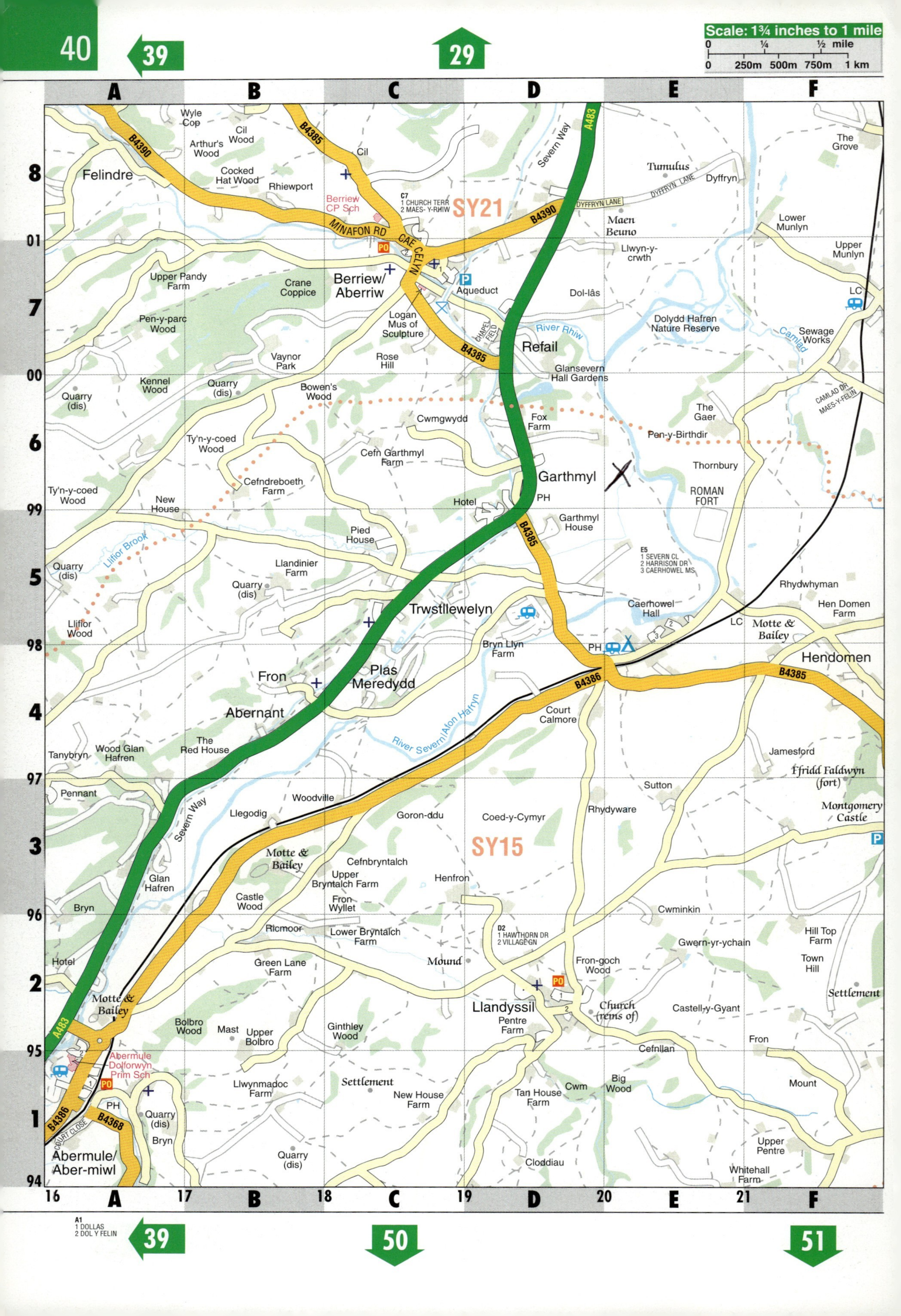
39
29
Scale: 1¾ inches to 1 mile
0 ¼ ½ mile
0 250m 500m 750m 1 km
A B C D E F
8 01 7 00 6 99 5 98 4 97 3 96 2 95 1 94
16 17 18 19 20 21
Felindre
Wyle Cop
Cil Wood
Arthur's Wood
Cocked Hat Wood
Rhiewport
Cil
B4390
B4385
Berriew CP Sch
C7
1 CHURCH TERR
2 MAES-Y-RHIW
SY21
MINAFON RD
CAE CELYN
PO
Upper Pandy Farm
Crane Coppice
Berriew/ Aberriw
Aqueduct
Logan Mus of Sculpture
Pen-y-parc Wood
Vaynor Park
Rose Hill
CHAPEL FIELD
Refail
River Rhiw
Glansevern Hall Gardens
Severn Way
A483
Tumulus
Dyffryn
DYFFRYN LANE
Maen Beuno
Llwyn-y-crwth
Dol-lâs
Dolydd Hafren Nature Reserve
The Grove
Lower Munlyn
Upper Munlyn
LC
Camlad
Sewage Works
Kennel Wood
Quarry (dis)
Bowen's Wood
Cwmgwydd
Fox Farm
The Gaer
CAMLAD DR
MAES-Y-FELIN
Pen-y-Birthdir
Ty'n-y-coed Wood
Cefn Garthmyl Farm
Garthmyl
PH
Thornbury
ROMAN FORT
Cefndreboeth Farm
New House
Hotel
Garthmyl House
Llifior Brook
Pied House
Llandinier Farm
E5
1 SEVERN CL
2 HARRISON DR
3 CAERHOWEL MS
Rhydwhyman
Hen Domen Farm
Llifior Wood
Trwstllewelyn
Caerhowel Hall
Motte & Bailey
Hendomen
Bryn Llyn Farm
Fron
Plas Meredydd
B4386
Abernant
Court Calmore
River Severn/Afon Hafren
Tanybryn
Wood Glan Hafren
The Red House
Jamesford
Ffridd Faldwyn (fort)
Pennant
Woodville
Sutton
Llegodig
Goron-ddu
Coed-y-Cymyr
Rhydyware
Montgomery Castle
SY15
Cefnbryntalch
Upper Bryntalch Farm
Henfron
Glan Hafren
Fron Wyllet
Castle Wood
Bryn
Cwminkin
Ricmoor
Lower Bryntalch Farm
D2
1 HAWTHORN DR
2 VILLAGE GN
Gwern-yr-ychain
Hill Top Farm
Town Hill
Green Lane Farm
Mound
Fron-goch Wood
Settlement
Llandyssil
Church (rems of)
Castell-y-Gyant
Pentre Farm
Bolbro Wood
Mast
Upper Bolbro
Ginthley Wood
Cefnllan
Fron
Abermule Dolforwyn Prim Sch
Llwynmadoc Farm
New House Farm
Big Wood
Cwm
Mount
Tan House Farm
B4368
COURT CLOSE
Quarry (dis)
Upper Pentre
Cloddiau
Abermule/ Aber-miwl
Whitehall Farm
A1
1 DOLLAS
2 DOL Y FELIN
50
51

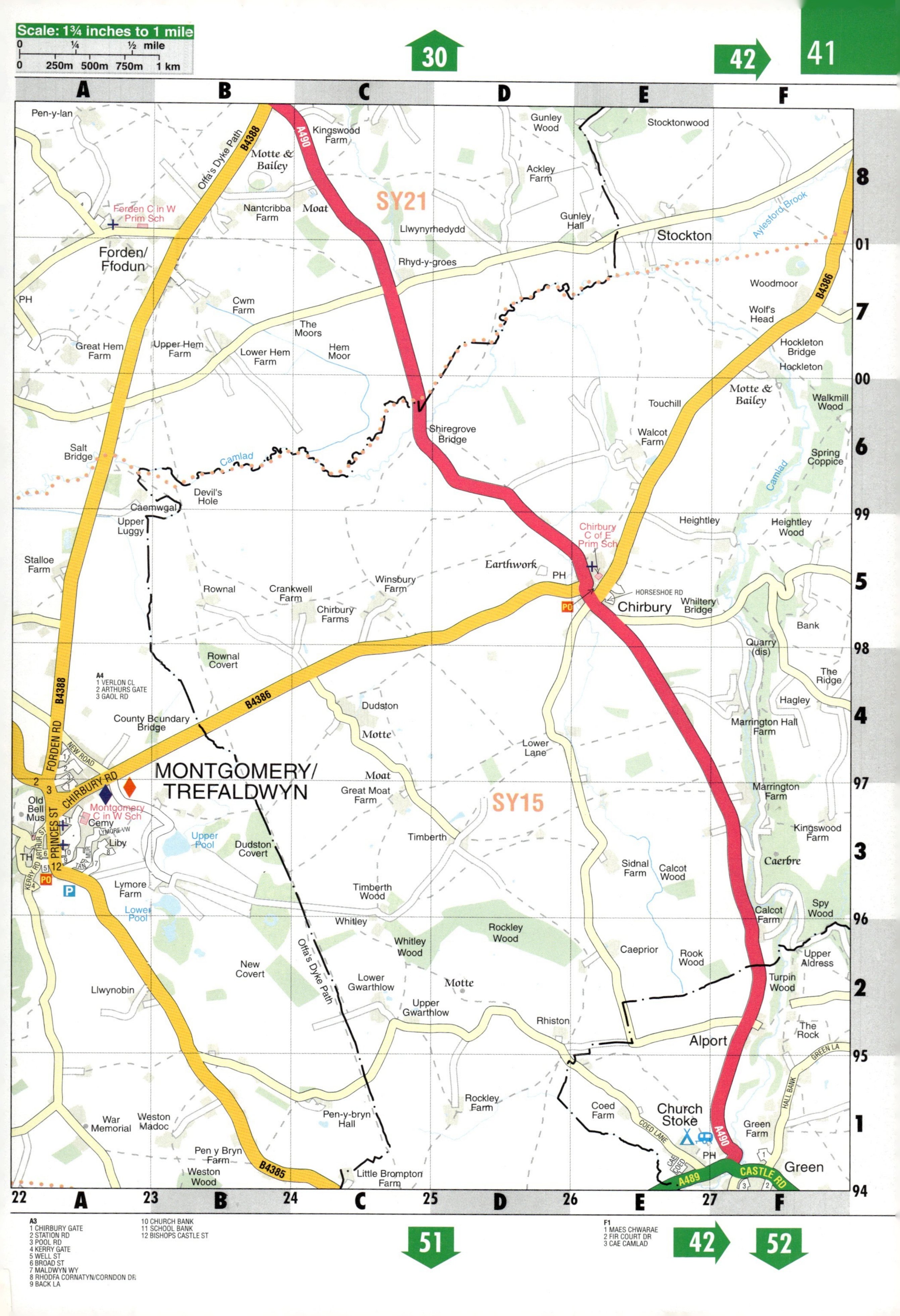

Scale: 1¾ inches to 1 mile
0 ¼ ½ mile
0 250m 500m 750m 1 km
30
42
A B C D E F
8 01 7 00 6 99 5 98 4 97 3 96 2 95 1 94
22 23 24 25 26 27
Pen-y-lan
Offa's Dyke Path
B4388
A490
Kingswood Farm
Motte & Bailey
Gunley Wood
Stocktonwood
Ackley Farm
SY21
Forden C in W Prim Sch
Nantcribba Farm
Moat
Gunley Hall
Stockton
Aylestord Brook
Llwynyrhedydd
Forden/ Ffodun
Rhyd-y-groes
PH
Cwm Farm
Woodmoor
Wolf's Head
B4386
The Moors
Great Hem Farm
Upper Hem Farm
Lower Hem Farm
Hem Moor
Hockleton Bridge
Hockleton
Motte & Bailey
Walkmill Wood
Touchill
Shiregrove Bridge
Walcot Farm
Salt Bridge
Camlad
Spring Coppice
Devil's Hole
Caemwgal
Upper Luggy
Heightley
Heightley Wood
Chirbury C of E Prim Sch
Stalloe Farm
Earthwork
PH
Rownal
Crankwell Farm
Winsbury Farm
HORSESHOE RD
Chirbury
Whiltery Bridge
PO
Chirbury Farms
Bank
Quarry (dis)
Rownal Covert
The Ridge
A4
1 VERLON CL
2 ARTHURS GATE
3 GAOL RD
Dudston
Hagley
County Boundary Bridge
Marrington Hall Farm
Motte
Lower Lane
NEW ROAD
FORDEN RD
MONTGOMERY/ TREFALDWYN
Moat
CHIRBURY RD
Great Moat Farm
Marrington Farm
SY15
Old Bell Mus
Montgomery C in W Sch
Cemy
LYMORE VW
Kingswood Farm
PRINCES ST
Upper Pool
Timberth
Liby
Dudston Covert
Caerbre
TH
ARTHUR ST
KERRY RD
Sidnal Farm
Calcot Wood
PO
Lymore Farm
Timberth Wood
Lower Pool
Spy Wood
Calcot Farm
Whitley
Rockley Wood
Whitley Wood
Upper Aldress
Caeprior
Rook Wood
New Covert
Turpin Wood
Lower Gwarthlow
Motte
Llwynobin
Upper Gwarthlow
Rhiston
The Rock
Alport
GREEN LA
HALL BANK
Rockley Farm
Coed Farm
Church Stoke
War Memorial
Weston Madoc
Pen-y-bryn Hall
COED LANE
Green Farm
Pen y Bryn Farm
PH
Weston Wood
B4385
Little Brompton Farm
A489
CASTLE RD
Green

41
31

Scale: 1¾ inches to 1 mile

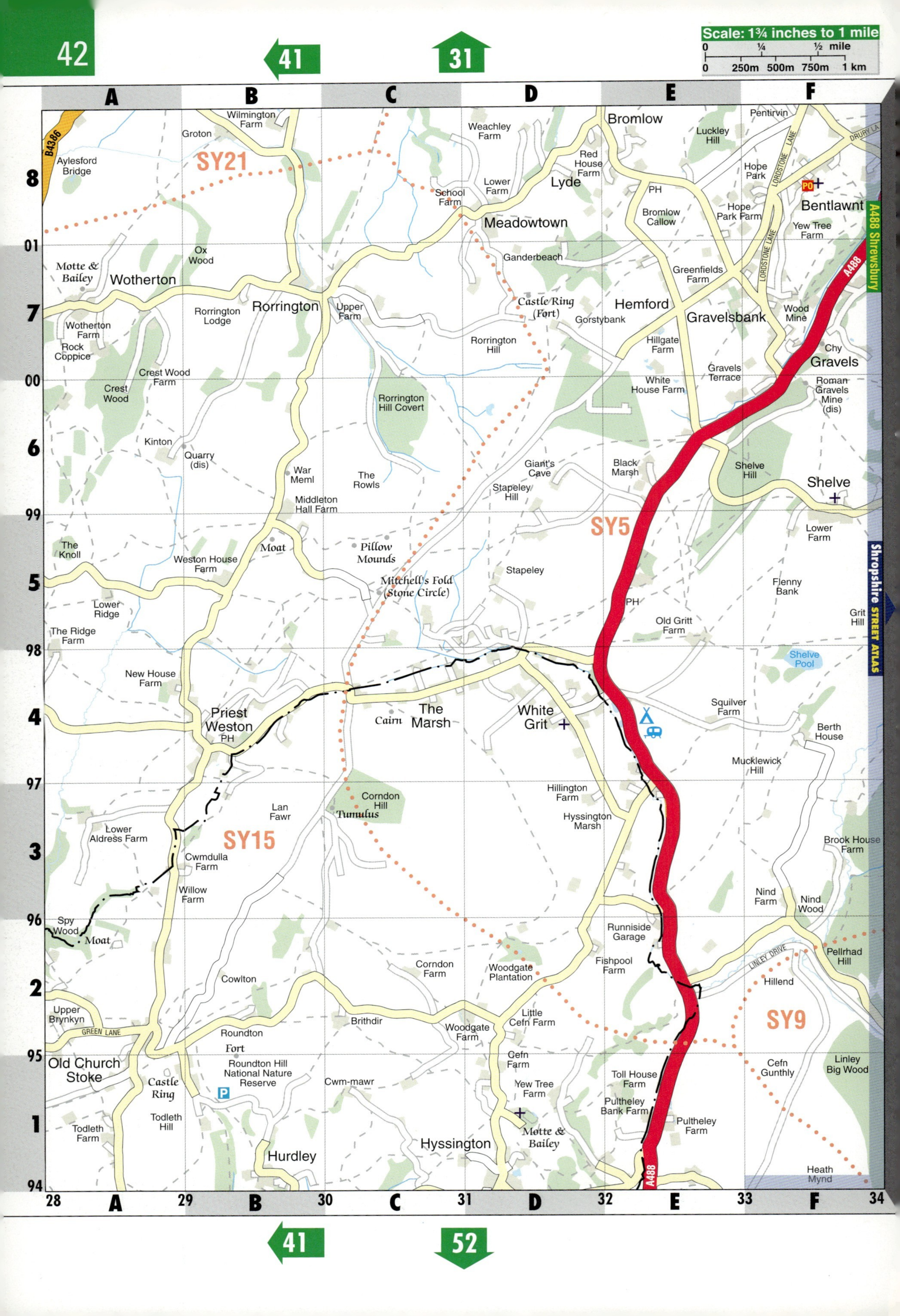

41
52

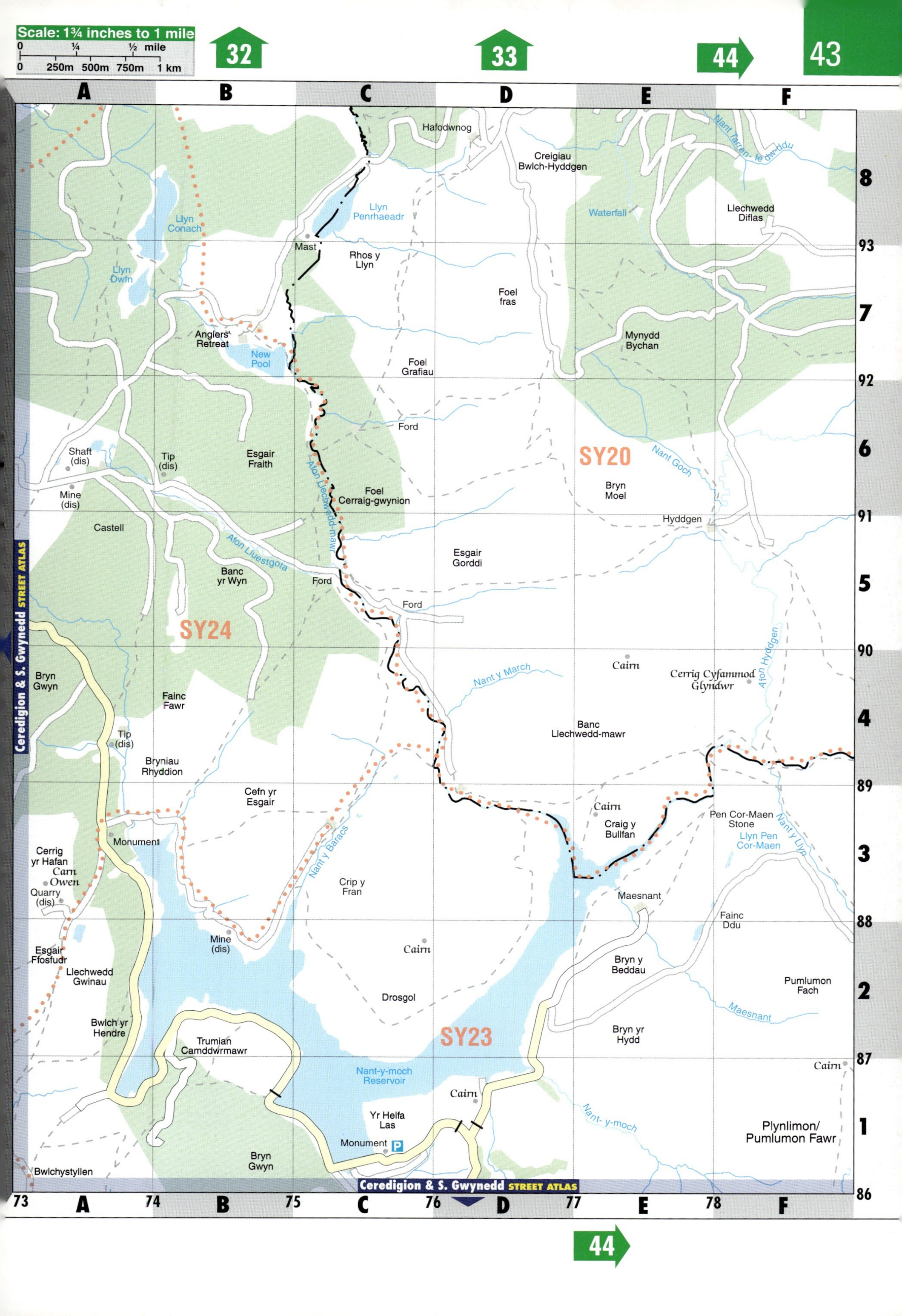
Scale: 1¾ inches to 1 mile
0 ¼ ½ mile
0 250m 500m 750m 1 km
32
33
44
A B C D E F
Hafodwnog
Creigiau Bwlch-Hyddgen
Nant Taren-fe dw-ddu
Llyn Penrhaeadr
Waterfall
Llechwedd Diflas
Llyn Conach
Mast
Rhos y Llyn
Llyn Dwfn
Foel fras
Anglers' Retreat
New Pool
Mynydd Bychan
Foel Grafiau
Ford
Shaft (dis)
Tip (dis)
Esgair Fraith
SY20
Nant Goch
Mine (dis)
Afon Llechwedd-mawr
Foel Cerraig-gwynion
Bryn Moel
Hyddgen
Castell
Afon Lluestgota
Esgair Gorddi
Banc yr Wyn
Ford
Ford
SY24
Cairn
Cerrig Cyfammod Glyndwr
Afon Hyddgen
Nant y March
Bryn Gwyn
Fainc Fawr
Banc Llechwedd-mawr
Tip (dis)
Bryniau Rhyddion
Cefn yr Esgair
Cairn
Craig y Bullfan
Pen Cor-Maen Stone
Llyn Pen Cor-Maen
Nant y Llyn
Monument
Cerrig yr Hafan
Carn Owen
Nant y Baracs
Crip y Fran
Quarry (dis)
Maesnant
Fainc Ddu
Mine (dis)
Cairn
Esgair Ffosfudr
Llechwedd Gwinau
Bryn y Beddau
Pumlumon Fach
Drosgol
Maesnant
Bwlch yr Hendre
Bryn yr Hydd
Trumian Camddwrmawr
SY23
Nant-y-moch Reservoir
Cairn
Cairn
Yr Helfa Las
Nant- y-moch
Plynlimon/ Pumlumon Fawr
Monument
Bryn Gwyn
Bwlchystyllen
Ceredigion & S. Gwynedd STREET ATLAS
8 93 7 92 6 91 5 90 4 89 3 88 2 87 1 86
73 74 75 76 77 78
44

33 43 34

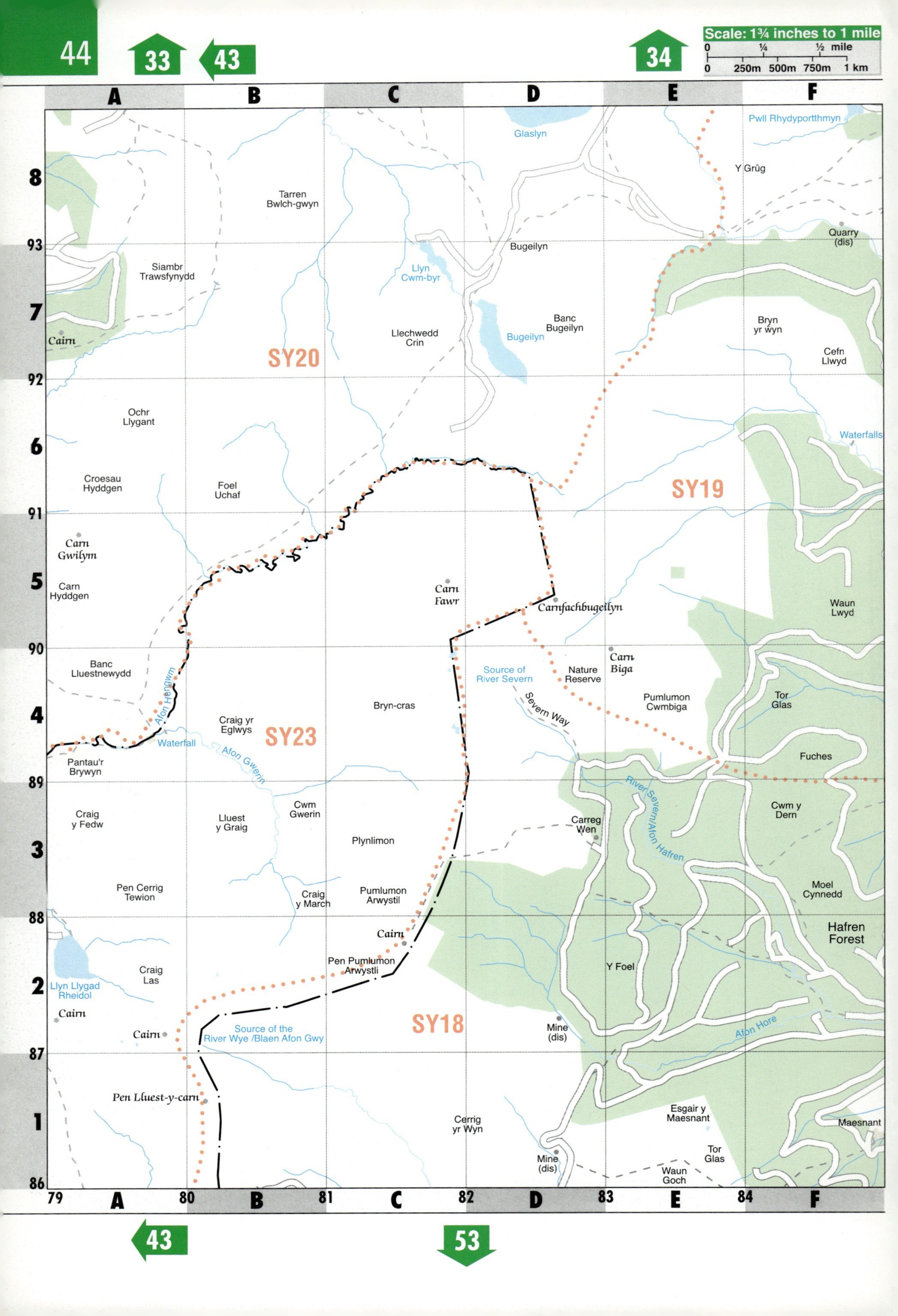

Scale: 1¾ inches to 1 mile
0 ¼ ½ mile
0 250m 500m 750m 1 km
A B C D E F
8
93
7
92
6
91
5
90
4
89
3
88
2
87
1
86
79 80 81 82 83 84
Glaslyn
Pwll Rhydyportthmyn
Y Grûg
Tarren Bwlch-gwyn
Quarry (dis)
Bugeilyn
Siambr Trawsfynydd
Llyn Cwm-byr
Banc Bugeilyn
Bryn yr wyn
Cairn
Llechwedd Crin
Bugeilyn
SY20
Cefn Llwyd
Ochr Llygant
Waterfalls
Croesau Hyddgen
Foel Uchaf
SY19
Carn Gwilym
Carn Hyddgen
Carn Fawr
Carnfachbugeilyn
Waun Llwyd
Banc Lluestnewydd
Carn Biga
Source of River Severn
Nature Reserve
Afon Hengwm
Pumlumon Cwmbiga
Severn Way
Tor Glas
Bryn-cras
Craig yr Eglwys
SY23
Waterfall
Afon Gwerin
Fuches
Pantau'r Brywyn
River Severn/Afon Hafren
Craig y Fedw
Lluest y Graig
Cwm Gwerin
Carreg Wen
Cwm y Dern
Plynlimon
Pen Cerrig Tewion
Craig y March
Pumlumon Arwystil
Moel Cynnedd
Hafren Forest
Cairn
Pen Pumlumon Arwystli
Y Foel
Craig Las
Llyn Llygad Rheidol
Cairn
Cairn
Source of the River Wye /Blaen Afon Gwy
SY18
Mine (dis)
Afon Hore
Pen Lluest-y-carn
Cerrig yr Wyn
Esgair y Maesnant
Maesnant
Mine (dis)
Tor Glas
Waun Goch

43 53

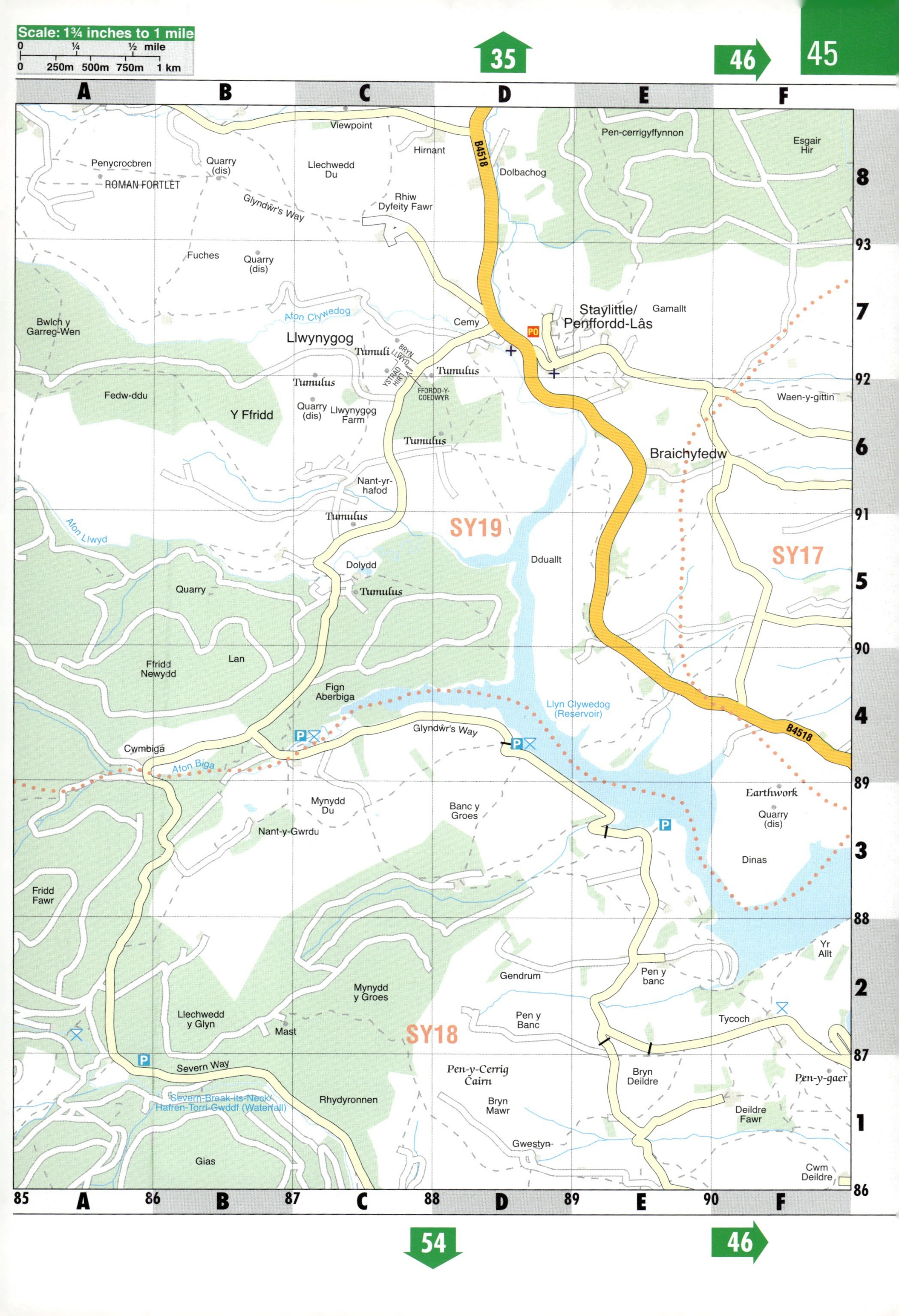
Scale: 1¾ inches to 1 mile
0 ¼ ½ mile
0 250m 500m 750m 1 km
35
46
A B C D E F
Viewpoint
Hirnant
B4518
Pen-cerrigyffynnon
Esgair Hir
Penycrocbren
ROMAN FORTLET
Quarry (dis)
Llechwedd Du
Dolbachog
Glyndŵr's Way
Rhiw Dyfeity Fawr
Fuches
Quarry (dis)
Afon Clywedog
Cemy
Staylittle/ Penffordd-Lâs
Gamallt
PO
Bwlch y Garreg-Wen
Llwynygog
Tumuli
BRYN LLWYD
YSTRAD HIR
FFORDD-Y-COEDWYR
Tumulus
Fedw-ddu
Y Ffridd
Quarry (dis)
Llwynygog Farm
Waen-y-gittin
Braichyfedw
Nant-yr-hafod
Afon Llwyd
SY19
SY17
Dolydd
Dduallt
Quarry
Lan
Ffridd Newydd
Fign Aberbiga
Llyn Clywedog (Reservoir)
B4518
Cwmbiga
Afon Biga
Glyndŵr's Way
P
Earthwork
Quarry (dis)
Mynydd Du
Banc y Groes
Nant-y-Gwrdu
Dinas
Fridd Fawr
Yr Allt
Gendrum
Pen y banc
Mynydd y Groes
Llechwedd y Glyn
Pen y Banc
Tycoch
Mast
SY18
Severn Way
Pen-y-Cerrig Cairn
Bryn Deildre
Pen-y-gaer
Severn-Break-its-Neck/ Hafren-Torri-Gwddf (Waterfall)
Rhydyronnen
Bryn Mawr
Deildre Fawr
Gwestyn
Gias
Cwm Deildre
8 93 7 92 6 91 5 90 4 89 3 88 2 87 1 86
85 86 87 88 89 90
54
46

35 45 36

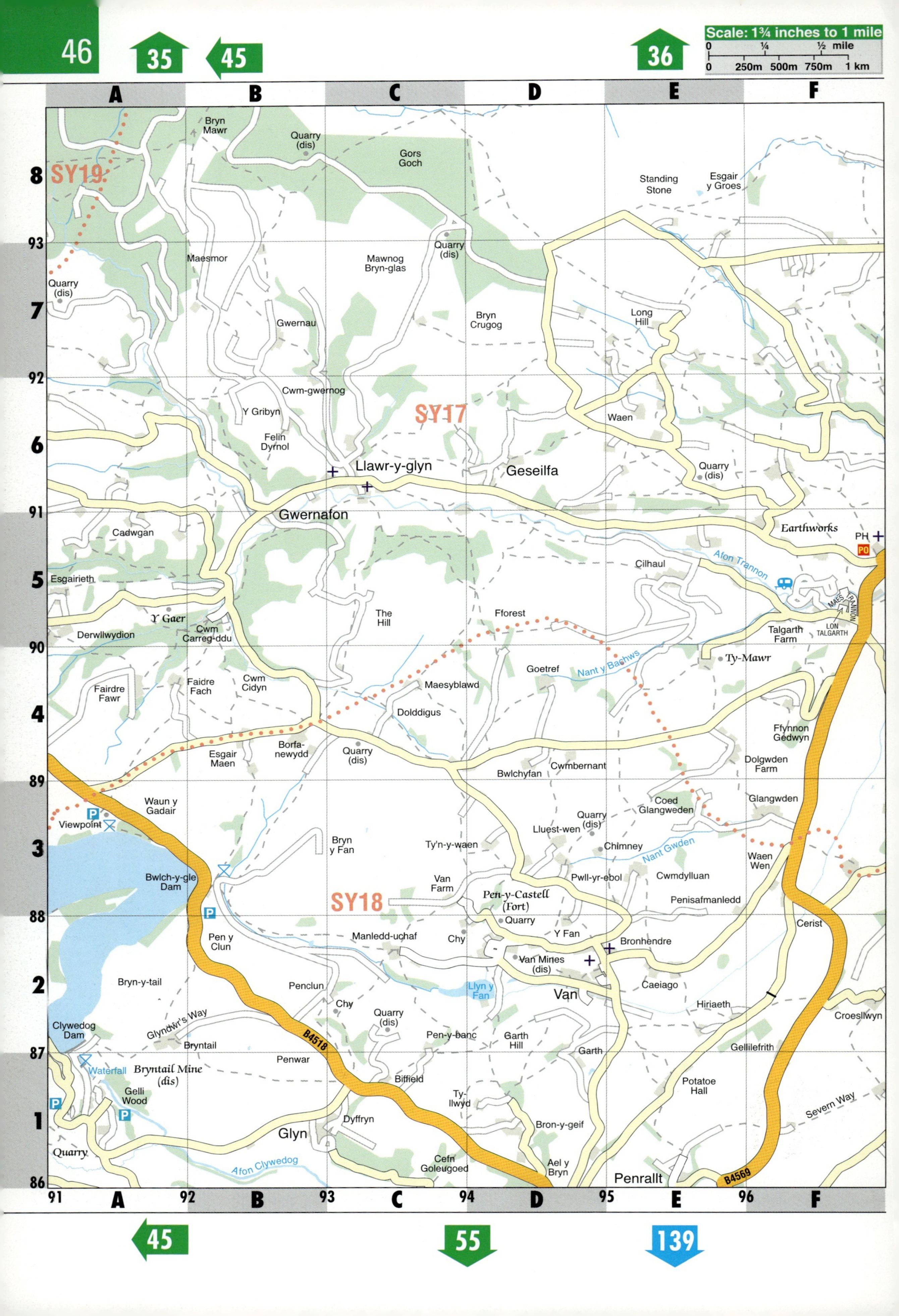

45 55 139

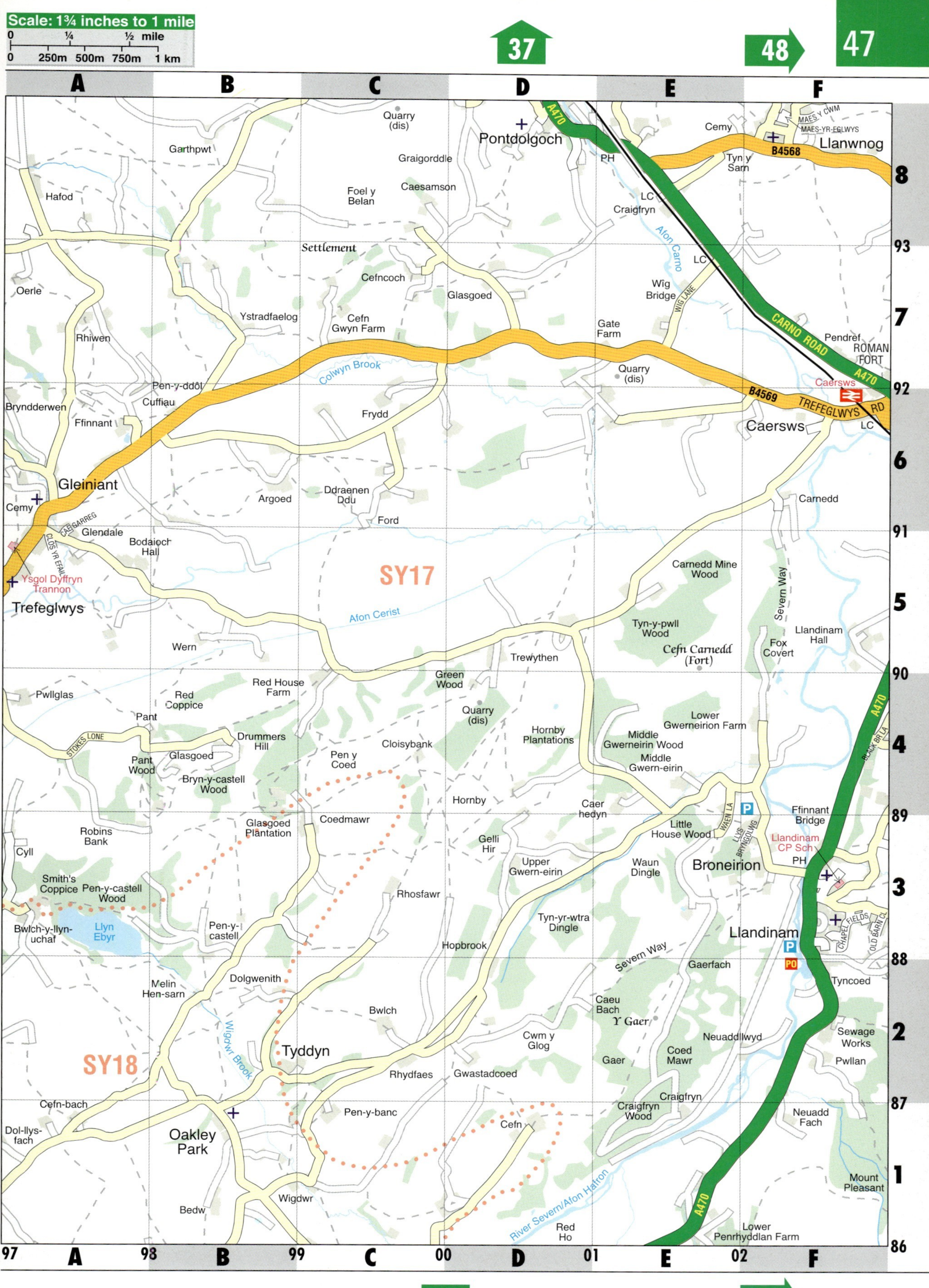
Scale: 1¾ inches to 1 mile
0 ¼ ½ mile
0 250m 500m 750m 1 km
37
48
A B C D E F
Quarry (dis)
Pontdolgoch
PH
A470
Cemy
MAES Y CWM
MAES-YR-EGLWYS
Llanwnog
Tyn y Sarn
B4568
Garthpwt
Graigorddle
Hafod
Foel y Belan
Caesamson
LC
Craigfryn
Settlement
Afon Carno
Cefncoch
Glasgoed
Wig Bridge
WIG LANE
Oerle
Ystradfaelog
Cefn Gwyn Farm
Gate Farm
CARNO ROAD
Rhiwen
Pendref
ROMAN FORT
Colwyn Brook
Quarry (dis)
Pen-y-ddôl
Cuffiau
Caersws
Bryndderwen
Frydd
B4569
TREFEGLWYS RD
Ffinnant
Caersws
LC
Gleiniant
Argoed
Ddraenen Ddu
Carnedd
Cemy
Ford
CAE GARREG
Glendale
CLOS YR EFAIL
Bodaioch Hall
Carnedd Mine Wood
Ysgol Dyffryn Trannon
SY17
Trefeglwys
Afon Cerist
Severn Way
Tyn-y-pwll Wood
Llandinam Hall
Wern
Cefn Carnedd (Fort)
Fox Covert
Trewythen
Green Wood
Red House Farm
Pwllglas
Red Coppice
Quarry (dis)
Lower Gwerneirion Farm
Pant
Hornby Plantations
Middle Gwerneirin Wood
STOKES LANE
Drummers Hill
Cloisybank
Middle Gwern-eirin
BLACK BR LA
Pant Wood
Glasgoed
Pen y Coed
Bryn-y-castell Wood
Hornby
Caer hedyn
Ffinnant Bridge
Robins Bank
Glasgoed Plantation
Coedmawr
Little House Wood
WAEN LA
LLYS BRYNGOLWG
Llandinam CP Sch
Cyll
Gelli Hir
Upper Gwern-eirin
Waun Dingle
Broneirion
PH
Smith's Coppice
Pen-y-castell Wood
Rhosfawr
Tyn-yr-wtra Dingle
CHAPEL FIELDS
OLD BARN CL
Bwlch-y-llyn-uchaf
Llyn Ebyr
Pen-y-castell
Llandinam
Hopbrook
Severn Way
Gaerfach
Melin Hen-sarn
Dolgwenith
Tyncoed
Caeu Bach
Y Gaer
Bwlch
Wigowr Brook
Sewage Works
Cwm y Glog
Neuaddllwyd
SY18
Tyddyn
Coed Mawr
Gaer
Pwllan
Rhydfaes
Gwastadcoed
Craigfryn
Cefn-bach
Craigfryn Wood
Neuadd Fach
Pen-y-banc
Dol-llys-fach
Oakley Park
Cefn
Mount Pleasant
River Severn/Afon Hafren
Wigdwr
Bedw
Red Ho
Lower Penrhyddlan Farm
8 93 7 92 6 91 5 90 4 89 3 88 2 87 1 86
97 98 99 00 01 02
56
48

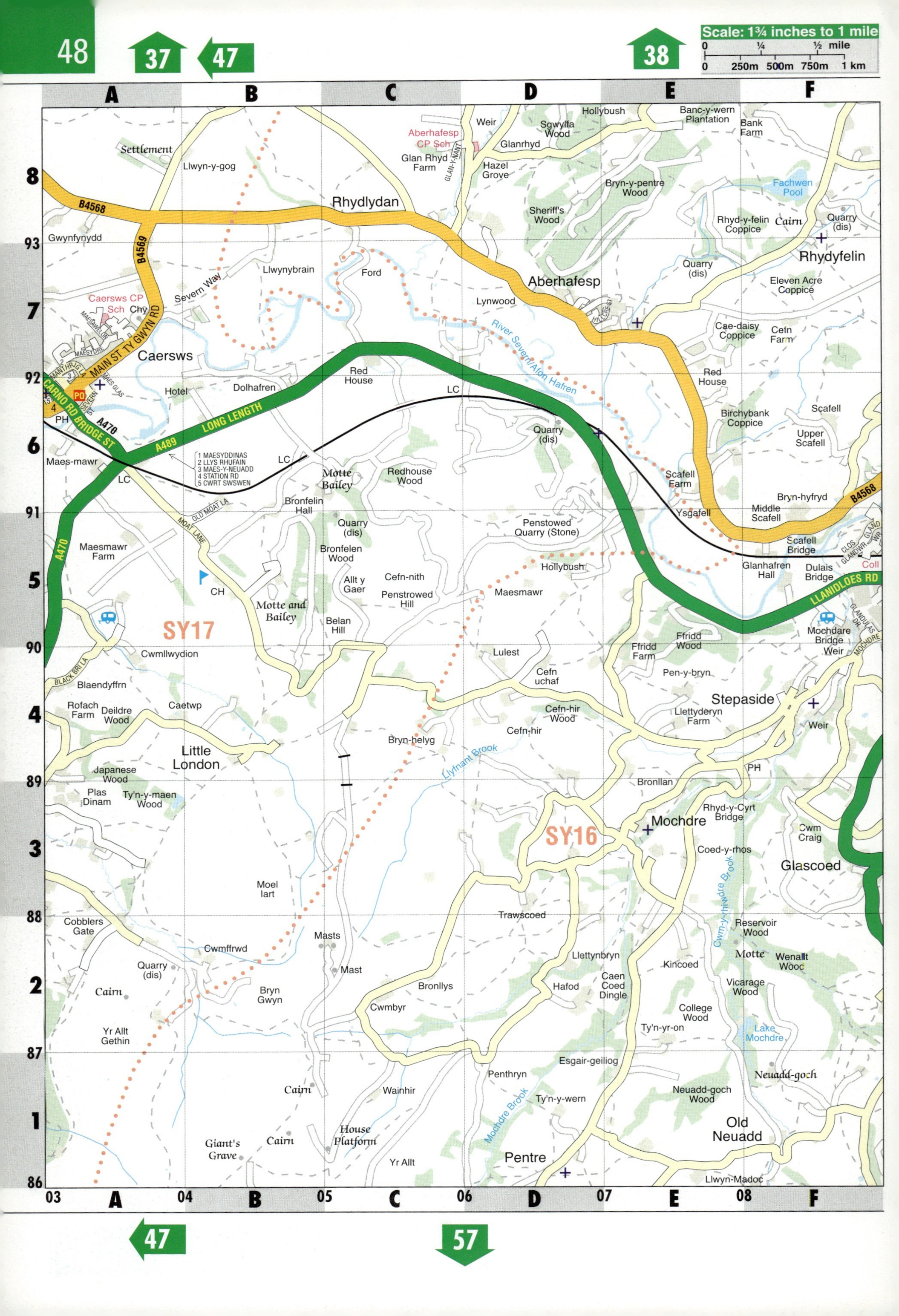

37
47
38
Scale: 1¾ inches to 1 mile
0 ¼ ½ mile
0 250m 500m 750m 1 km
A B C D E F
8 93 7 92 6 91 5 90 4 89 3 88 2 87 1 86
03 04 05 06 07 08
Settlement
Llwyn-y-gog
Weir
Aberhafesp CP Sch
Glan Rhyd Farm
Glanrhyd
Hazel Grove
Sgwylfa Wood
Hollybush
Banc-y-wern Plantation
Bank Farm
Fachwen Pool
Bryn-y-pentre Wood
Sheriff's Wood
Rhyd-y-felin Coppice
Cairn
Quarry (dis)
Rhydyfelin
B4568
B4569
Rhydlydan
Gwynfynydd
Llwynybrain
Ford
Aberhafesp
Lynwood
Eleven Acre Coppice
Caersws CP Sch
Chy
Severn Way
MAIN ST TY GWYN RD
Caersws
River Severn/Afon Hafren
Cae-daisy Coppice
Cefn Farm
Red House
Hotel
Dolhafren
LONG LENGTH
A489
A470
CARNO RD BRIDGE ST
PO
PH
LC
Quarry (dis)
Birchybank Coppice
Scafell
Upper Scafell
Maes-mawr
1 MAESYDDINAS
2 LLYS RHUFAIN
3 MAES-Y-NEUADD
4 STATION RD
5 CWRT SWSWEN
Motte Bailey
Redhouse Wood
Scafell Farm
Bryn-hyfryd
Middle Scafell
Ysgafell
Bronfelin Hall
OLD MOAT LA
MOAT LANE
Quarry (dis)
Penstowed Quarry (Stone)
Scafell Bridge
Glanhafren Hall
Dulais Bridge
Coll
LLANIDLOES RD
Maesmawr Farm
Bronfelen Wood
Hollybush
Allt y Gaer
Cefn-nith
Penstrowed Hill
Maesmawr
CH
Motte and Bailey
Belan Hill
SY17
Ffridd Farm
Ffridd Wood
Mochdare Bridge
Weir
Cwmllwydion
Lulest
Cefn uchaf
Pen-y-bryn
BLACK BRI LA
Blaendyffrn
Stepaside
Rofach Farm
Deildre Wood
Caetwp
Cefn-hir Wood
Lletyderyn Farm
Cefn-hir
Weir
Bryn-helyg
Llyfnant Brook
Little London
Japanese Wood
PH
Bronllan
Plas Dinam
Ty'n-y-maen Wood
Rhyd-y-Cyrt Bridge
Mochdre
SY16
Cwm Craig
Coed-y-rhos
Glascoed
Moel Iart
Trawscoed
Cwm-y-rhiwdre Brook
Reservoir Wood
Cobblers Gate
Masts
Cwmffrwd
Llettynbryn
Motte
Wenallt Wood
Quarry (dis)
Mast
Kincoed
Caen Coed Dingle
Cairn
Bryn Gwyn
Bronllys
Hafod
Vicarage Wood
Cwmbyr
College Wood
Ty'n-yr-on
Lake Mochdre
Yr Allt Gethin
Esgair-geiliog
Neuadd-goch
Penthryn
Cairn
Wainhir
Neuadd-goch Wood
Ty'n-y-wern
Mochdre Brook
Old Neuadd
House Platform
Giant's Grave
Cairn
Yr Allt
Pentre
Llwyn-Madoc

47
57

Scale: 1¾ inches to 1 mile

39
D7
1 CAMPION CL
2 BRAMBLE CL
3 WOODLAND WY/Y LON GOED
50

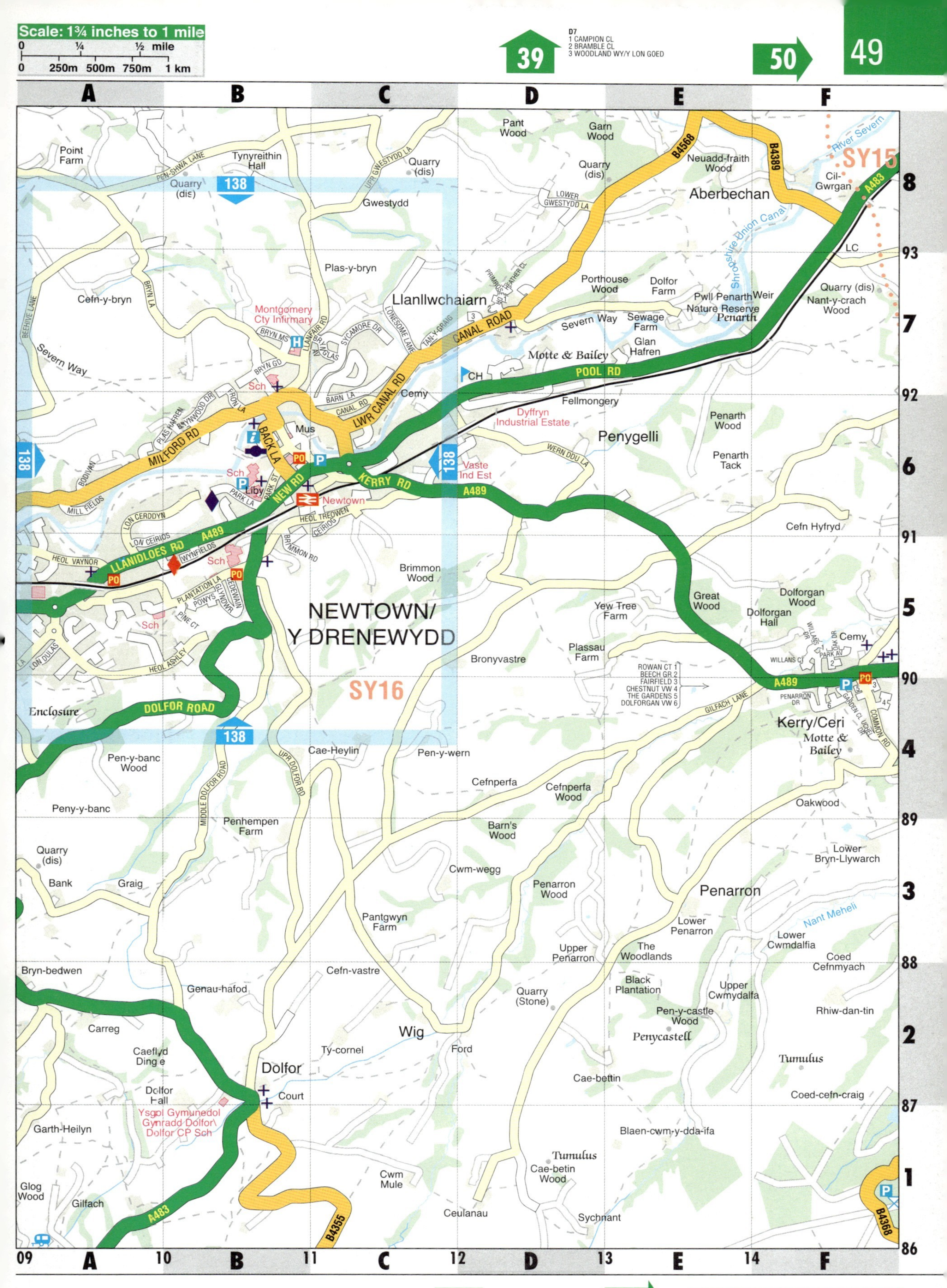

58
50
For full street detail of the highlighted area see page 138.

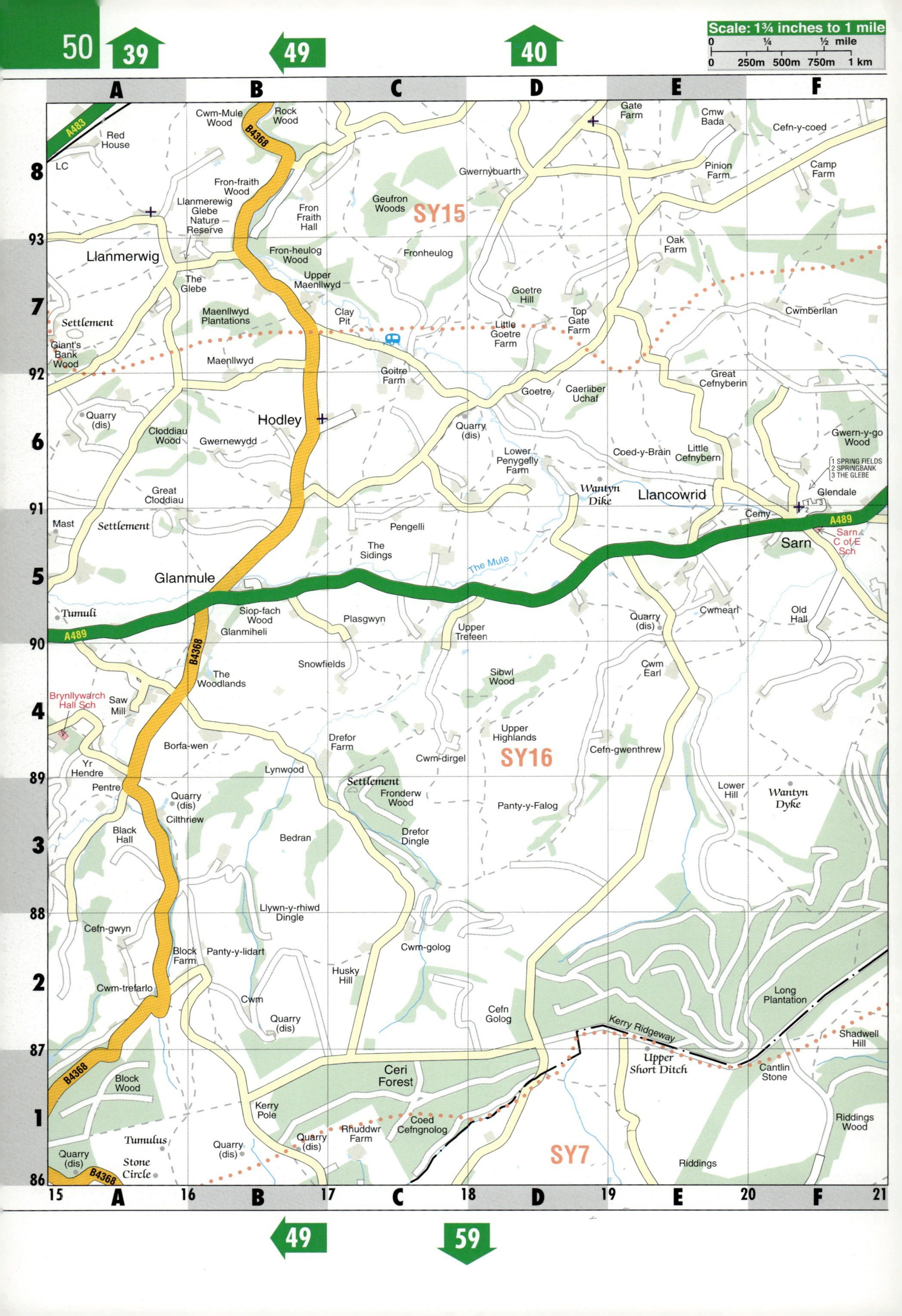

39
49
40
Scale: 1¾ inches to 1 mile
0 ¼ ½ mile
0 250m 500m 750m 1 km
A B C D E F
A483
Red House
LC
Cwm-Mule Wood
Rock Wood
B4368
Fron-fraith Wood
Llanmerewig Glebe Nature Reserve
Llanmerwig
Fron Fraith Hall
Geufron Woods
SY15
Gwernybuarth
Gate Farm
Cmw Bada
Cefn-y-coed
Pinion Farm
Camp Farm
Fron-heulog Wood
Fronheulog
Oak Farm
The Glebe
Upper Maenllwyd
Goetre Hill
Settlement
Maenllwyd Plantations
Clay Pit
Little Goetre Farm
Top Gate Farm
Cwmberllan
Giant's Bank Wood
Maenllwyd
Goitre Farm
Goetre
Caerliber Uchaf
Great Cefnyberin
Quarry (dis)
Hodley
Cloddiau Wood
Gwernewydd
Quarry (dis)
Lower Penygelly Farm
Coed-y-Brain
Little Cefnybern
Gwern-y-go Wood
1 SPRING FIELDS
2 SPRINGBANK
3 THE GLEBE
Glendale
Wantyn Dike
Llancowrid
Great Cloddiau
Mast
Settlement
Pengelli
Cemy
A489
Sarn C of E Sch
Sarn
The Sidings
The Mule
Glanmule
Tumuli
Siop-fach Wood
Glanmiheli
Plasgwyn
Quarry (dis)
Cwmearl
Old Hall
Upper Trefeen
Snowfields
Sibwl Wood
Cwm Earl
The Woodlands
Brynllywarch Hall Sch
Saw Mill
Borfa-wen
Drefor Farm
Upper Highlands
Cwm-dirgel
SY16
Cefn-gwenthrew
Yr Hendre
Lynwood
Pentre
Quarry (dis)
Cilthriew
Settlement
Fronderw Wood
Panty-y-Falog
Lower Hill
Wantyn Dyke
Black Hall
Bedran
Drefor Dingle
Llywn-y-rhiwd Dingle
Cefn-gwyn
Block Farm
Panty-y-lidart
Cwm-golog
Husky Hill
Long Plantation
Cwm-trefarlo
Cwm
Quarry (dis)
Cefn Golog
Kerry Ridgeway
Shadwell Hill
Upper Short Ditch
Cantlin Stone
Block Wood
Ceri Forest
Kerry Pole
Coed Cefngnolog
Riddings Wood
Tumulus
Quarry (dis)
Quarry (dis)
Rhuddwr Farm
Stone Circle
SY7
Riddings
8 93 7 92 6 91 5 90 4 89 3 88 2 87 1 86
15 16 17 18 19 20 21
49
59

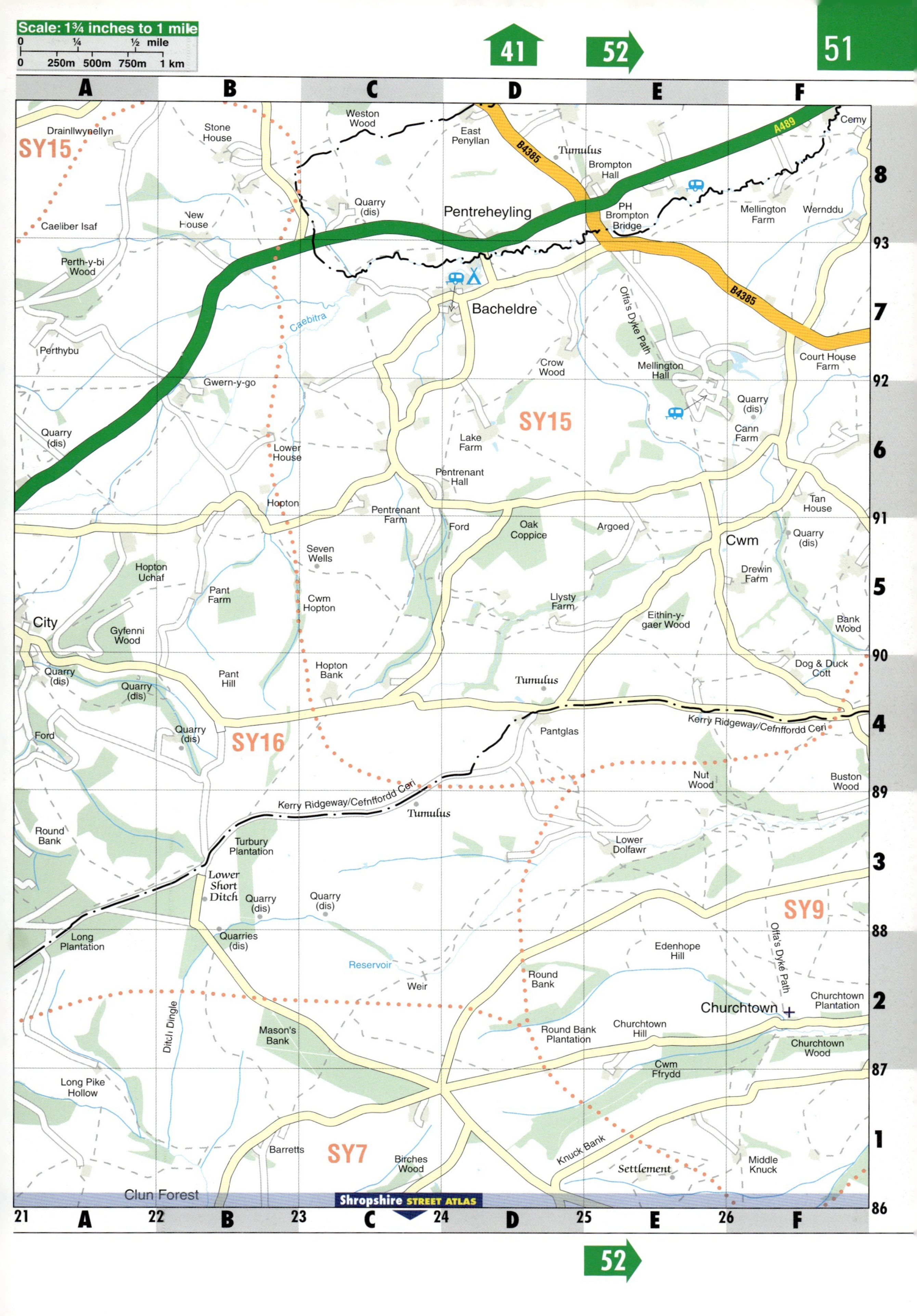
Scale: 1¾ inches to 1 mile
0 ¼ ½ mile
0 250m 500m 750m 1 km
41
52
A B C D E F
8 93 7 92 6 91 5 90 4 89 3 88 2 87 1 86
21 22 23 24 25 26
Drainllwynellyn
SY15
Stone House
Weston Wood
East Penyllan
B4385
Tumulus
Brompton Hall
A489
Cemy
Mellington Farm
Wernddu
Caeliber Isaf
New House
Quarry (dis)
Pentreheyling
PH Brompton Bridge
Perth-y-bi Wood
Bacheldre
Caebitra
Offa's Dyke Path
B4385
Perthybu
Crow Wood
Mellington Hall
Court House Farm
Gwern-y-go
Quarry (dis)
Cann Farm
SY15
Quarry (dis)
Lower House
Lake Farm
Pentrenant Hall
Tan House
Hopton
Pentrenant Farm
Ford
Oak Coppice
Argoed
Cwm
Quarry (dis)
Seven Wells
Hopton Uchaf
Drewin Farm
Pant Farm
Cwm Hopton
Llysty Farm
City
Gyfenni Wood
Eithin-y-gaer Wood
Bank Wood
Quarry (dis)
Quarry (dis)
Pant Hill
Hopton Bank
Tumulus
Dog & Duck Cott
Ford
Quarry (dis)
SY16
Pantglas
Kerry Ridgeway/Cefnffordd Ceri
Nut Wood
Buston Wood
Kerry Ridgeway/Cefnffordd Ceri
Tumulus
Round Bank
Turbury Plantation
Lower Dolfawr
Lower Short Ditch
Quarry (dis)
Quarry (dis)
SY9
Long Plantation
Quarries (dis)
Edenhope Hill
Offa's Dyke Path
Reservoir
Round Bank
Weir
Ditch Dingle
Churchtown Plantation
Churchtown
Mason's Bank
Round Bank Plantation
Churchtown Hill
Churchtown Wood
Cwm Ffrydd
Long Pike Hollow
Knuck Bank
Barretts
SY7
Birches Wood
Settlement
Middle Knuck
Clun Forest
Shropshire STREET ATLAS
52

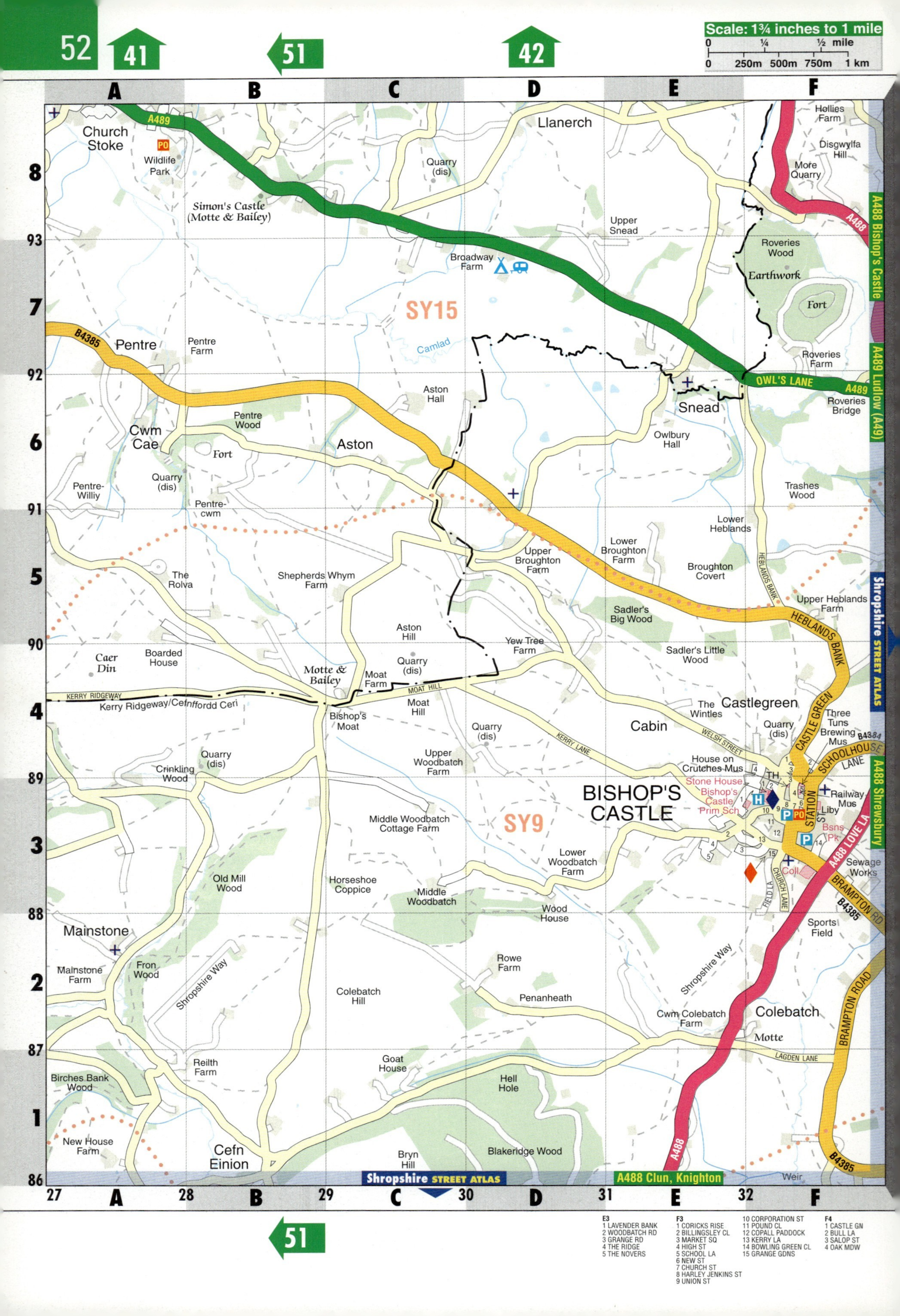
41
51
42
Scale: 1¾ inches to 1 mile
0
¼
½ mile
250m
500m
750m
1 km
Church Stoke
A489
PO
Wildlife Park
Simon's Castle (Motte & Bailey)
Quarry (dis)
Llanerch
Hollies Farm
Disgwylfa Hill
More Quarry
Upper Snead
Broadway Farm
Roveries Wood
Earthwork
Fort
SY15
B4385
Pentre
Pentre Farm
Camlad
Roveries Farm
OWL'S LANE
Aston Hall
Snead
Roveries Bridge
Pentre Wood
Cwm Cae
Fort
Aston
Owlbury Hall
Quarry (dis)
Pentre-Williy
Pentre-cwm
Trashes Wood
Lower Heblands
Lower Broughton Farm
Upper Broughton Farm
The Rolva
Shepherds Whym Farm
Broughton Covert
HEBLANDS BANK
Upper Heblands Farm
Sadler's Big Wood
Aston Hill
Yew Tree Farm
Sadler's Little Wood
Caer Din
Boarded House
Motte & Bailey
Moat Farm
Quarry (dis)
KERRY RIDGEWAY
Kerry Ridgeway/Cefnffordd Ceri
MOAT HILL
Moat Hill
Bishop's Moat
The Wintles
Castlegreen
Cabin
CASTLE GREEN
Three Tuns Brewing Mus
Quarry (dis)
KERRY LANE
WELSH STREET
SCHOOLHOUSE LANE
B4384
Crinkling Wood
Quarry (dis)
Upper Woodbatch Farm
House on Crutches Mus
TH
Stone House
Bishop's Castle Prim Sch
BISHOP'S CASTLE
Railway Mus
Liby
STATION ST
PO
Bsns Pk
SY9
Middle Woodbatch Cottage Farm
Lower Woodbatch Farm
Coll
A488 LOVE LA
Sewage Works
Old Mill Wood
Horseshoe Coppice
Middle Woodbatch
CHURCH LANE
FIELD LA
BRAMPTON RD
B4385
Wood House
Sports Field
Mainstone
Mainstone Farm
Fron Wood
Shropshire Way
Rowe Farm
Shropshire Way
Colebatch Hill
Penanheath
Cwm Colebatch Farm
Colebatch
BRAMPTON ROAD
Motte
LAGDEN LANE
Reilth Farm
Goat House
Birches Bank Wood
Hell Hole
New House Farm
Cefn Einion
Bryn Hill
Blakeridge Wood
A488
Weir
B4385
Shropshire STREET ATLAS
A488 Clun, Knighton
A488 Bishop's Castle
A489 Ludlow (A49)
Shropshire STREET ATLAS
A488 Shrewsbury
A
B
C
D
E
F
8
93
7
92
6
91
5
90
4
89
3
88
2
87
1
86
27
28
29
30
31
32
E3
1 LAVENDER BANK
2 WOODBATCH RD
3 GRANGE RD
4 THE RIDGE
5 THE NOVERS
F3
1 CORICKS RISE
2 BILLINGSLEY CL
3 MARKET SQ
4 HIGH ST
5 SCHOOL LA
6 NEW ST
7 CHURCH ST
8 HARLEY JENKINS ST
9 UNION ST
10 CORPORATION ST
11 POUND CL
12 COPALL PADDOCK
13 KERRY LA
14 BOWLING GREEN CL
15 GRANGE GDNS
F4
1 CASTLE GN
2 BULL LA
3 SALOP ST
4 OAK MDW
51

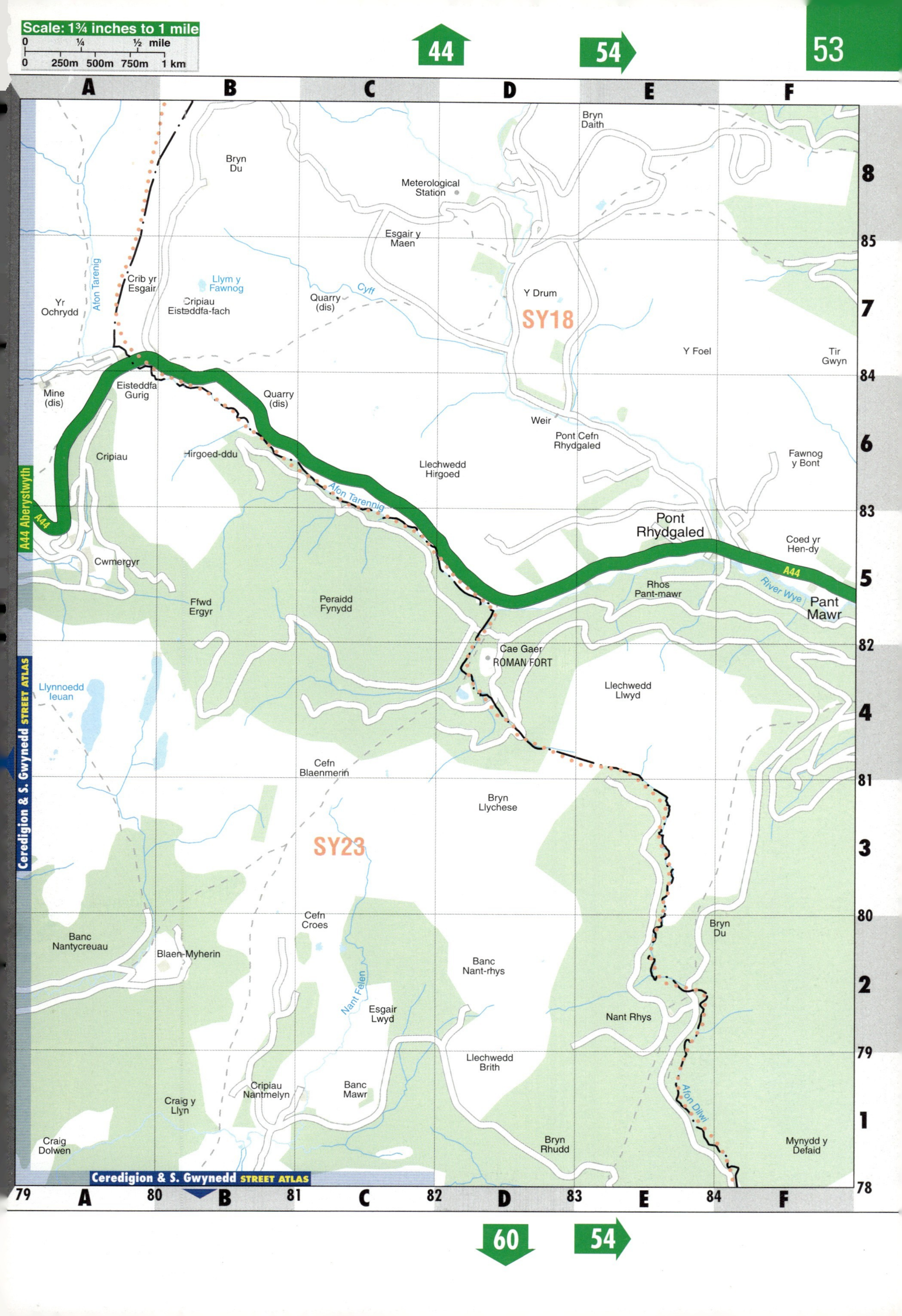

Scale: 1¾ inches to 1 mile
0 ¼ ½ mile
0 250m 500m 750m 1 km
44
54
A B C D E F
Bryn Daith
Bryn Du
Meterological Station
8
Esgair y Maen
85
Crib yr Esgair
Llym y Fawnog
Afon Tarenig
Cyff
Yr Ochrydd
Cripiau Eisteddfa-fach
Quarry (dis)
Y Drum
SY18
7
Y Foel
Tir Gwyn
Mine (dis)
Eisteddfa Gurig
Quarry (dis)
84
Weir
Pont Cefn Rhydgaled
Cripiau
Hirgoed-ddu
Llechwedd Hirgoed
Fawnog y Bont
6
A44 Aberystwyth
A44
Afon Tarennig
83
Pont Rhydgaled
Coed yr Hen-dy
Cwmergyr
A44
Rhos Pant-mawr
River Wye
Pant Mawr
5
Ffwd Ergyr
Peraidd Fynydd
Cae Gaer
ROMAN FORT
82
Llynnoedd Ieuan
Llechwedd Llwyd
Ceredigion & S. Gwynedd STREET ATLAS
4
Cefn Blaenmerin
81
Bryn Llychese
SY23
3
Cefn Croes
80
Bryn Du
Banc Nantycreuau
Blaen-Myherin
Banc Nant-rhys
2
Nant Felen
Esgair Lwyd
Nant Rhys
79
Llechwedd Brith
Afon Dilwi
Cripiau Nantmelyn
Banc Mawr
Craig y Llyn
1
Craig Dolwen
Bryn Rhudd
Mynydd y Defaid
Ceredigion & S. Gwynedd STREET ATLAS
78
79 A 80 B 81 C 82 D 83 E 84 F
60
54

53
45

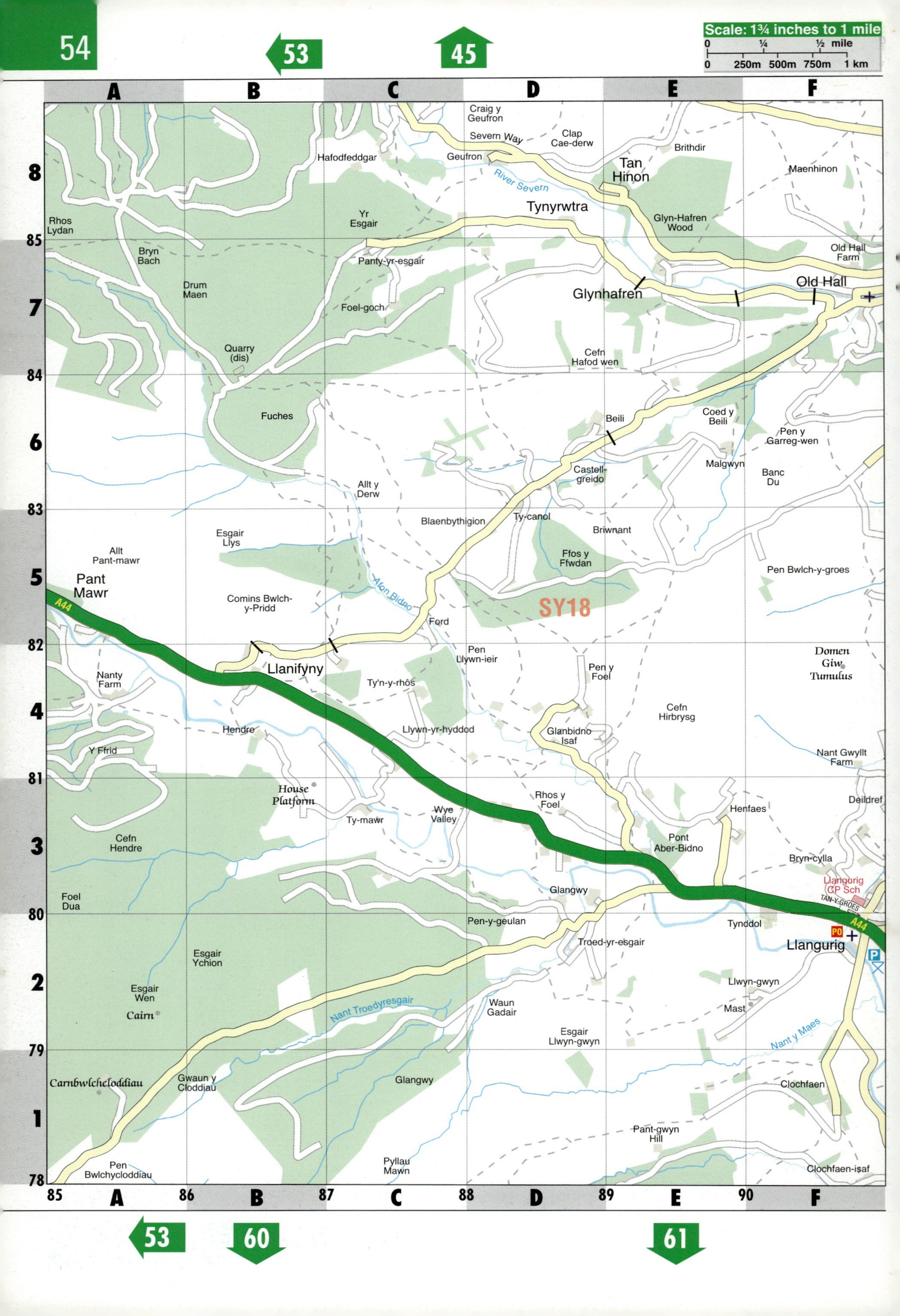
Scale: 1¾ inches to 1 mile
0 ¼ ½ mile
0 250m 500m 750m 1 km
Craig y Geufron
Severn Way
Clap Cae-derw
Geufron
Hafodfeddgar
Brithdir
Tan Hinon
Maenhinon
River Severn
Tynyrwtra
Rhos Lydan
Yr Esgair
Glyn-Hafren Wood
Old Hall Farm
Bryn Bach
Panty-yr-esgair
Old Hall
Drum Maen
Glynhafren
Foel-goch
Quarry (dis)
Cefn Hafod wen
Fuches
Beili
Coed y Beili
Pen y Garreg-wen
Castell-greido
Malgwyn
Banc Du
Allt y Derw
Blaenbythigion
Ty-canol
Briwnant
Esgair Llys
Allt Pant-mawr
Ffos y Ffwdan
Pen Bwlch-y-groes
Pant Mawr
Comins Bwlch-y-Pridd
Afon Bidno
SY18
A44
Ford
Pen Llywn-ieir
Domen Giw Tumulus
Llanifyny
Nanty Farm
Pen y Foel
Ty'n-y-rhôs
Cefn Hirbrysg
Hendre
Llywn-yr-hyddod
Glanbidno Isaf
Y Ffrid
Nant Gwyllt Farm
House Platform
Rhos y Foel
Deildref
Ty-mawr
Wye Valley
Henfaes
Cefn Hendre
Pont Aber-Bidno
Bryn-cylla
Glangwy
Llangurig CP Sch
TAN-Y-GROES
Foel Dua
Pen-y-geulan
Tynddol
PO
Troed-yr-esgair
Llangurig
Esgair Ychion
Llwyn-gwyn
Esgair Wen
Waun Gadair
Mast
Nant Troedyresgair
Cairn
Esgair Llwyn-gwyn
Nant y Maes
Carnbwlcheloddiau
Gwaun y Cloddiau
Glangwy
Clochfaen
Pant-gwyn Hill
Pen Bwlchycloddiau
Pyllau Mawn
Clochfaen-isaf
A B C D E F
8 85 7 84 6 83 5 82 4 81 3 80 2 79 1 78
85 86 87 88 89 90

53
60
61

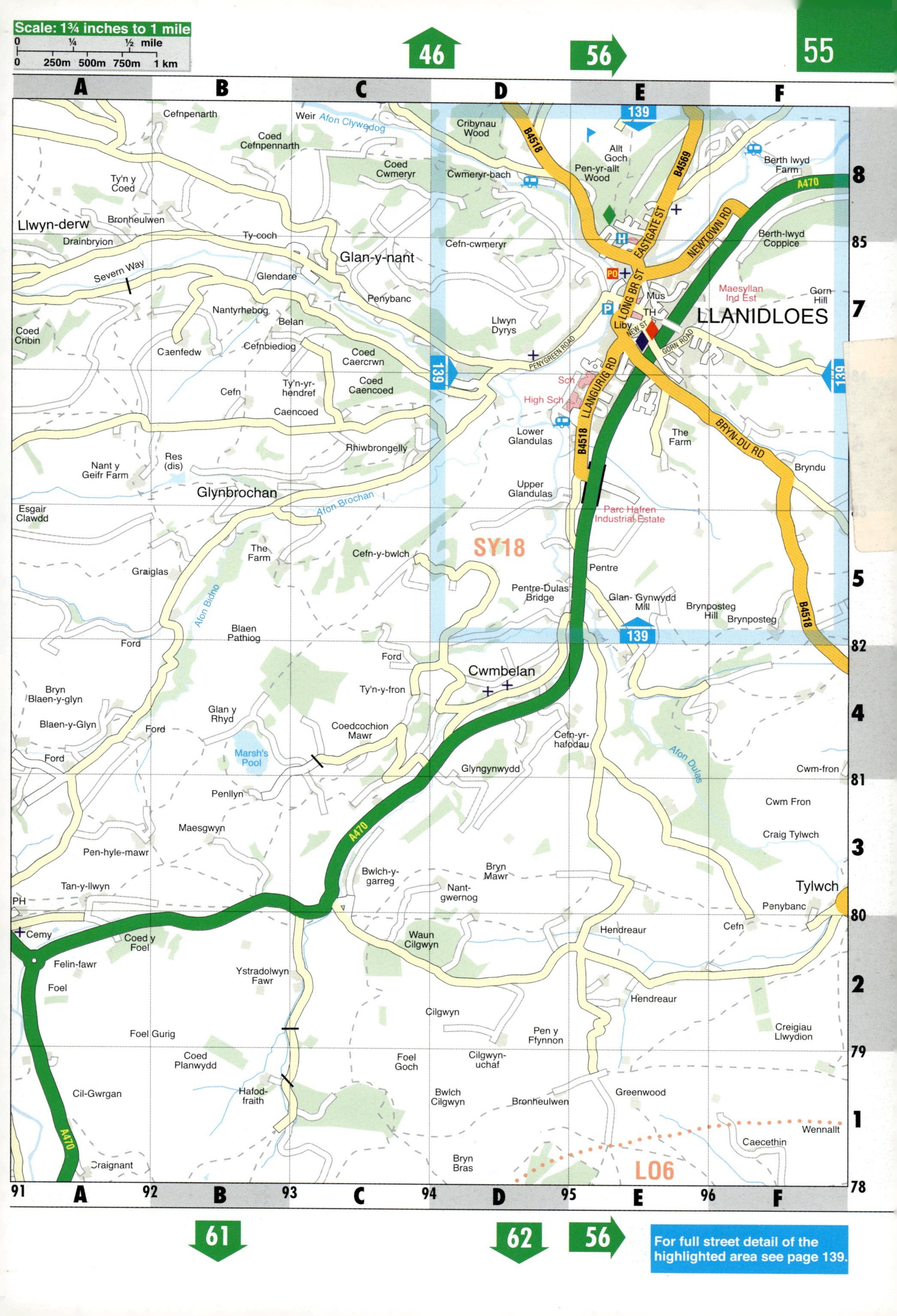

For full street detail of the highlighted area see page 139.

139 55 47

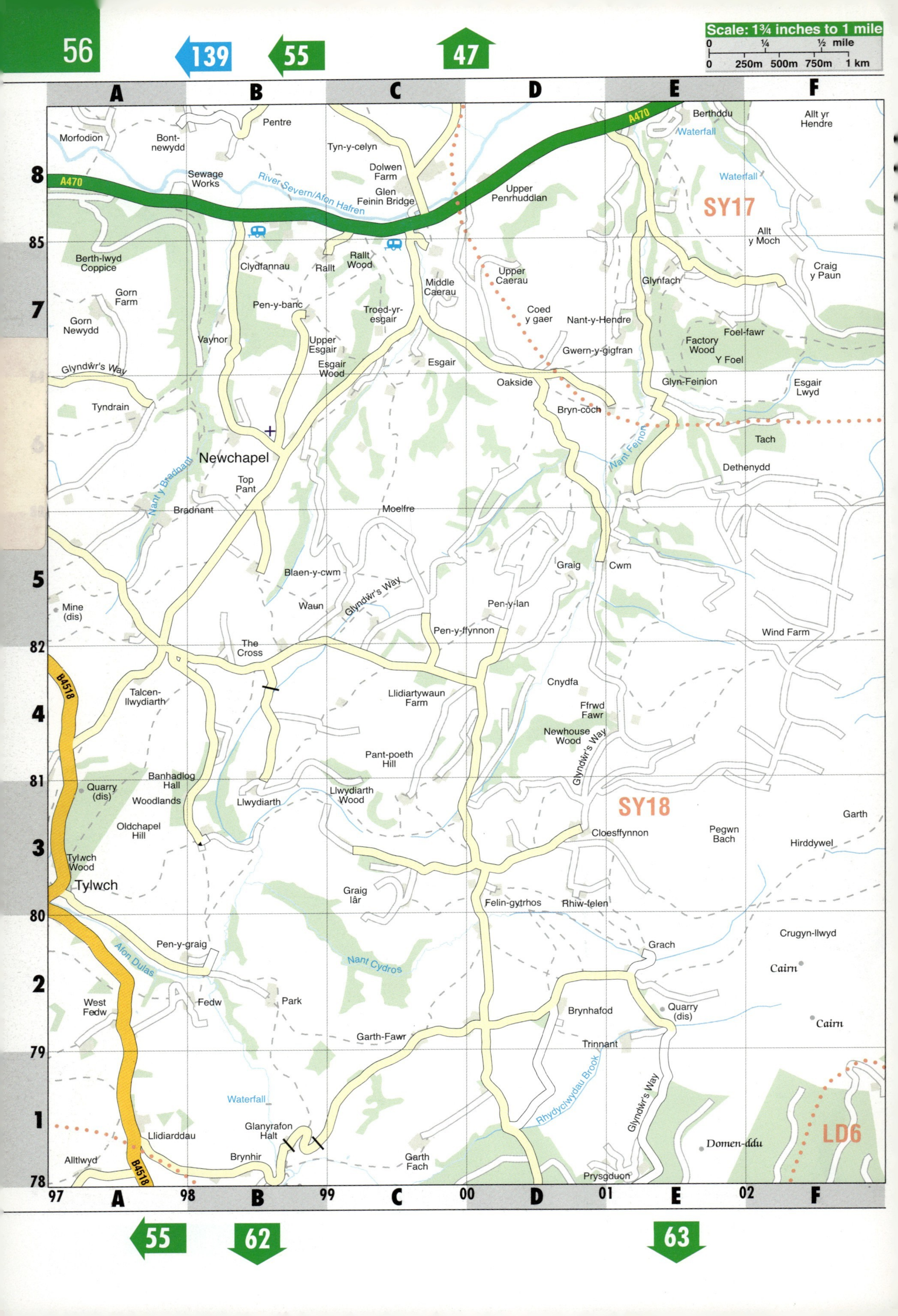

55 62 63

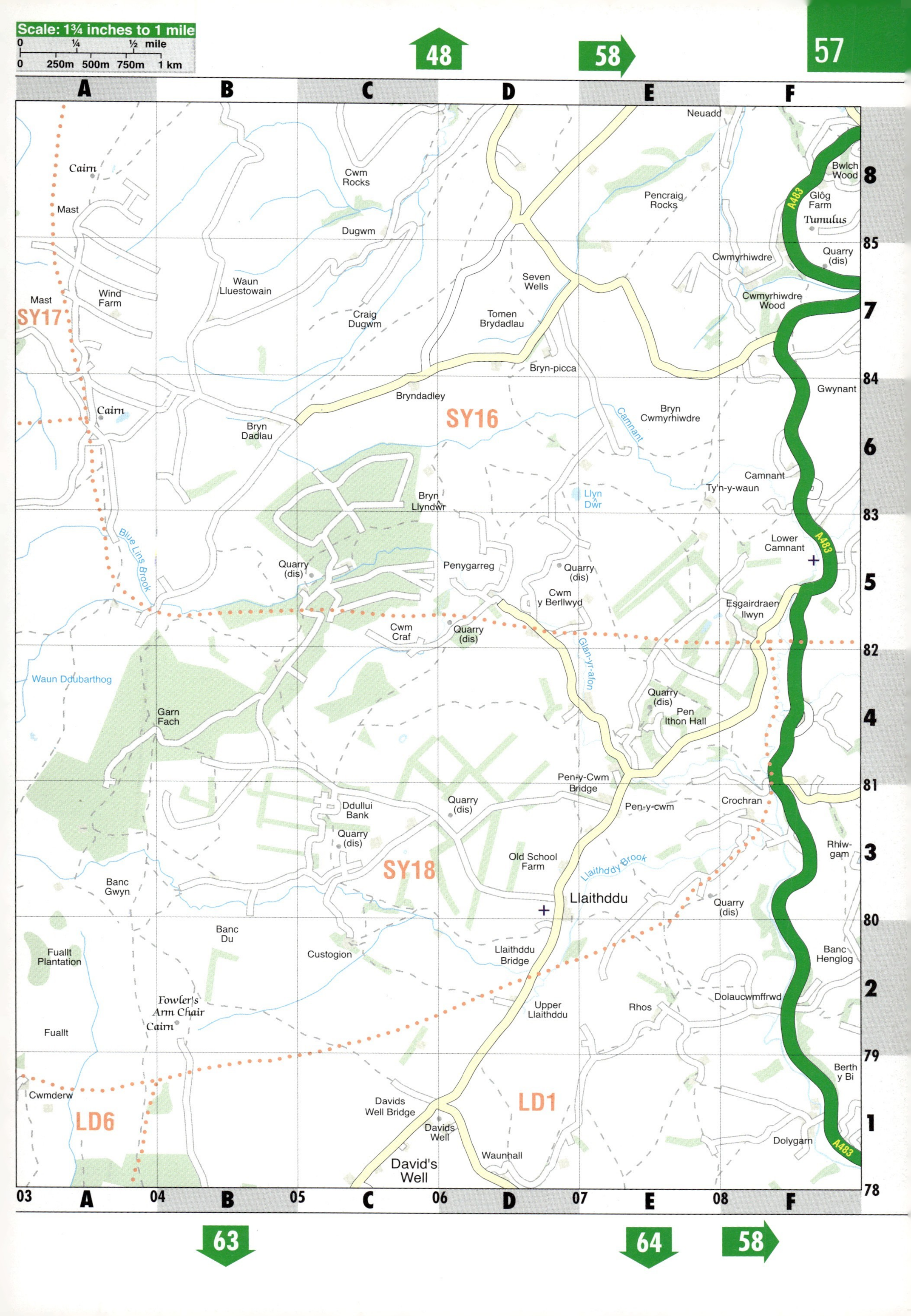
Scale: 1¾ inches to 1 mile
0 ¼ ½ mile
0 250m 500m 750m 1 km
A B C D E F
Neuadd
Cairn
Cwm Rocks
Bwlch Wood
Mast
Pencraig Rocks
A483
Glôg Farm
Tumulus
Dugwm
Cwmyrhiwdre
Quarry (dis)
Waun Lluestowain
Seven Wells
Mast
Wind Farm
Cwmyrhiwdre Wood
SY17
Craig Dugwm
Tomen Brydadlau
Bryn-picca
Bryndadley
Gwynant
Cairn
SY16
Bryn Cwmyrhiwdre
Cannant
Bryn Dadlau
Camnant
Ty'n-y-waun
Bryn Llyndŵr
Llyn Dŵr
Blue Lins Brook
Lower Camnant
Quarry (dis)
Penygarreg
Quarry (dis)
Cwm y Berllwyd
Esgairdraen Ilwyn
Cwm Craf
Quarry (dis)
Glan-yr-afon
Waun Ddubarthog
Quarry (dis)
Pen Ithon Hall
Garn Fach
Pen-y-Cwm Bridge
Quarry (dis)
Pen-y-cwm
Crochran
Ddullui Bank
Quarry (dis)
Rhiw-gam
Old School Farm
SY18
Llaithddy Brook
Banc Gwyn
Llaithddu
Quarry (dis)
Banc Du
Custogion
Llaithddu Bridge
Fuallt Plantation
Banc Henglog
Fowler's Arm Chair
Upper Llaithddu
Rhos
Dolaucwmffrwd
Cairn
Fuallt
Berth y Bi
Cwmderw
Davids Well Bridge
LD1
LD6
Davids Well
Dolygarn
A483
David's Well
Waunhall
03 04 05 06 07 08
85 84 83 82 81 80 79 78
8 7 6 5 4 3 2 1

48
58
63
64
58

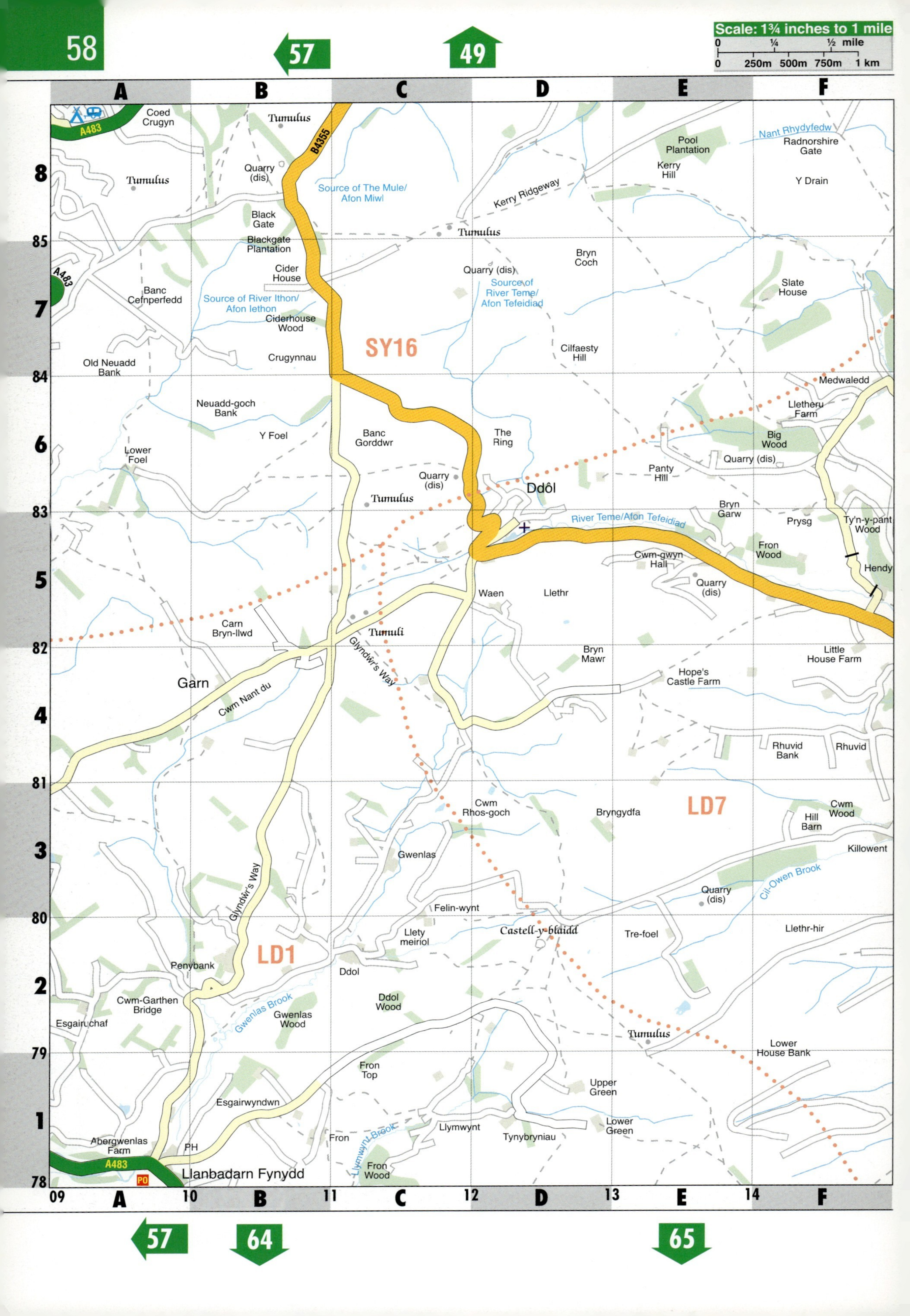
57
49
Scale: 1¾ inches to 1 mile
0 ¼ ½ mile
0 250m 500m 750m 1 km
A B C D E F
Coed Crugyn
A483
Tumulus
B4355
Quarry (dis)
Source of The Mule/ Afon Miwl
Kerry Ridgeway
Pool Plantation
Kerry Hill
Nant Rhydyfedw
Radnorshire Gate
Y Drain
Black Gate
Blackgate Plantation
Cider House
Banc Cefnperfedd
Source of River Ithon/ Afon Iethon
Ciderhouse Wood
Bryn Coch
Quarry (dis)
Source of River Teme/ Afon Tefeidiad
Slate House
SY16
Cilfaesty Hill
Old Neuadd Bank
Crugynnau
Medwaledd
Neuadd-goch Bank
Y Foel
Banc Gorddwr
The Ring
Lletheru Farm
Big Wood
Lower Foel
Quarry (dis)
Panty Hill
Ddôl
Bryn Garw
Prysg
Ty'n-y-pant Wood
River Teme/Afon Tefeidiad
Cwm-gwyn Hall
Fron Wood
Hendy
Quarry (dis)
Waen
Llethr
Carn Bryn-llwd
Tumuli
Glyndŵr's Way
Bryn Mawr
Little House Farm
Garn
Cwm Nant du
Hope's Castle Farm
Rhuvid Bank
Rhuvid
Cwm Rhos-goch
Bryngydfa
LD7
Hill Barn
Cwm Wood
Killowent
Gwenlas
Cil-Owen Brook
Quarry (dis)
Felin-wynt
Llety meiriol
Castell-y-blaidd
Tre-foel
Llethr-hir
LD1
Penybank
Ddol
Ddol Wood
Cwm-Garthen Bridge
Gwenlas Brook
Gwenlas Wood
Esgairuchaf
Lower House Bank
Fron Top
Upper Green
Esgairwyndwn
Lower Green
Llymwynt
Tynybryniau
Abergwenlas Farm
PH
Fron
Llymwynt Brook
Fron Wood
PO
Llanbadarn Fynydd
8 85 7 84 6 83 5 82 4 81 3 80 2 79 1 78
09 10 11 12 13 14
57
64
65

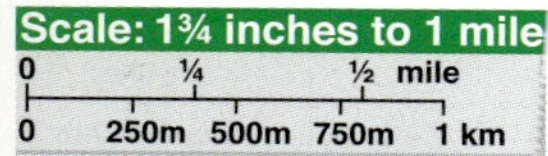
Scale: 1¾ inches to 1 mile
0
¼
½ mile
0
250m
500m
750m
1 km

50

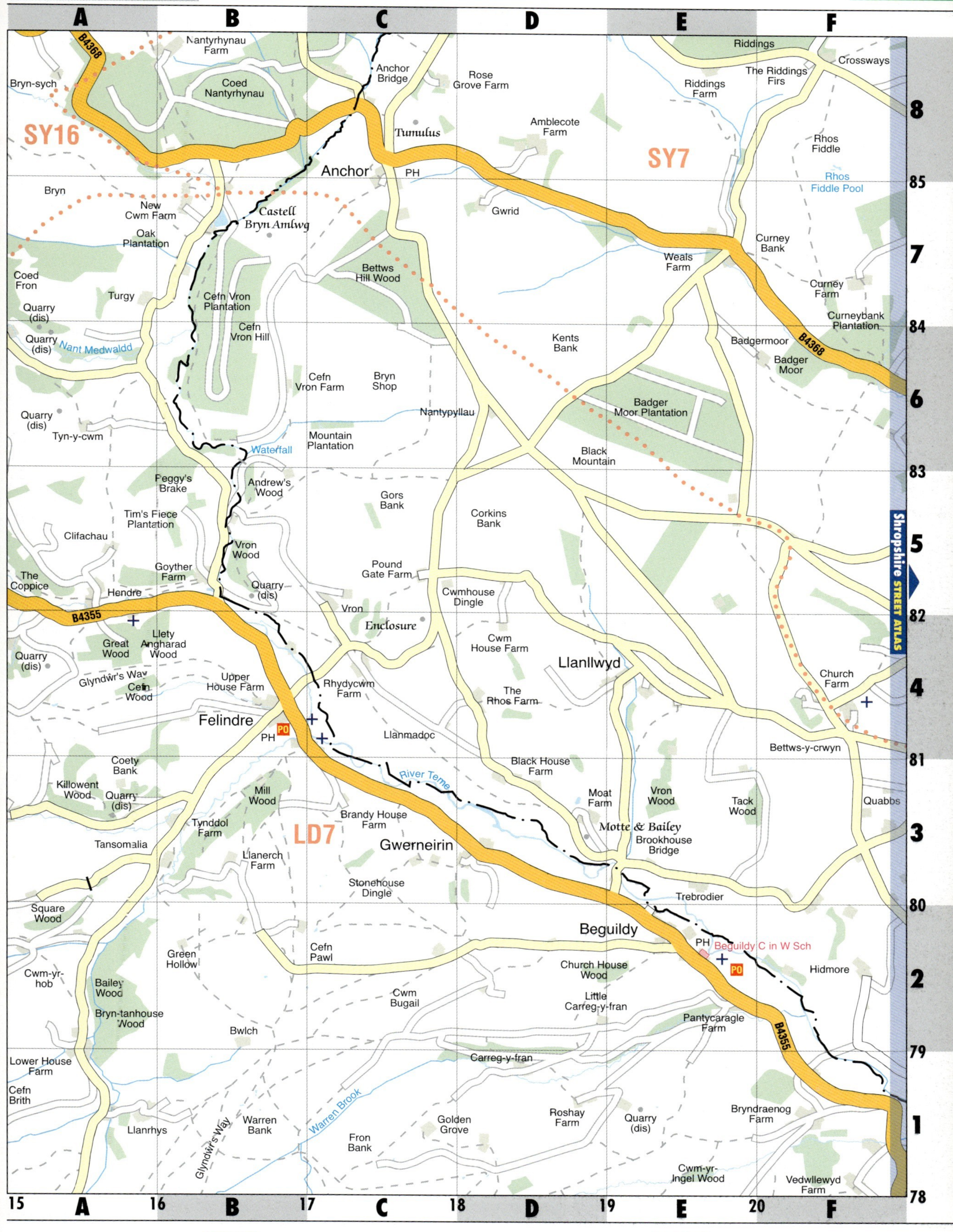
A
B
C
D
E
F
Nantyrhynau Farm
Coed Nantyrhynau
Bryn-sych
B4368
SY16
Anchor Bridge
Rose Grove Farm
Tumulus
Anchor
PH
Amblecote Farm
Riddings
Crossways
The Riddings Firs
Riddings Farm
SY7
Rhos Fiddle
Rhos Fiddle Pool
Bryn
New Cwm Farm
Castell Bryn Amlwg
Gwrid
Oak Plantation
Coed Fron
Turgy
Bettws Hill Wood
Weals Farm
Curney Bank
Curney Farm
Curneybank Plantation
Quarry (dis)
Cefn Vron Plantation
Cefn Vron Hill
Nant Medwaldd
Kents Bank
Badgermoor
Badger Moor
Cefn Vron Farm
Bryn Shop
Nantypyllau
Badger Moor Plantation
Tyn-y-cwm
Mountain Plantation
Waterfall
Black Mountain
Peggy's Brake
Andrew's Wood
Gors Bank
Corkins Bank
Tim's Fiece Plantation
Clifachau
Vron Wood
Pound Gate Farm
The Coppice
Goyther Farm
Hendre
Cwmhouse Dingle
B4355
Vron
Enclosure
Llety Angharad Wood
Great Wood
Cwm House Farm
Llanllwyd
Glyndŵr's Way
Cefn Wood
Upper House Farm
Rhydycwm Farm
The Rhos Farm
Church Farm
Felindre
PH
PO
Llanmadoc
Bettws-y-crwyn
Coety Bank
Black House Farm
Killowent Wood
Mill Wood
River Teme
Moat Farm
Vron Wood
Tack Wood
Quabbs
Tynddol Farm
Brandy House Farm
LD7
Motte & Bailey
Brookhouse Bridge
Tansomalia
Gwerneirin
Llanerch Farm
Stonehouse Dingle
Trebrodier
Square Wood
Beguildy
Green Hollow
Cefn Pawl
PH
Beguildy C in W Sch
Cwm-yr-hob
Bailey Wood
Church House Wood
Hidmore
Bryn-tanhouse Wood
Cwm Bugail
Little Carreg-y-fran
Bwlch
Pantycaragle Farm
Lower House Farm
Carreg-y-fran
Cefn Brith
Bryndraenog Farm
Warren Bank
Warren Brook
Golden Grove
Roshay Farm
Quarry (dis)
Llanrhys
Fron Bank
Cwm-yr-Ingel Wood
Vedwllewyd Farm
8
85
7
84
6
83
5
82
4
81
3
80
2
79
1
78
15
16
17
18
19
20
Shropshire STREET ATLAS

65

66

53
54

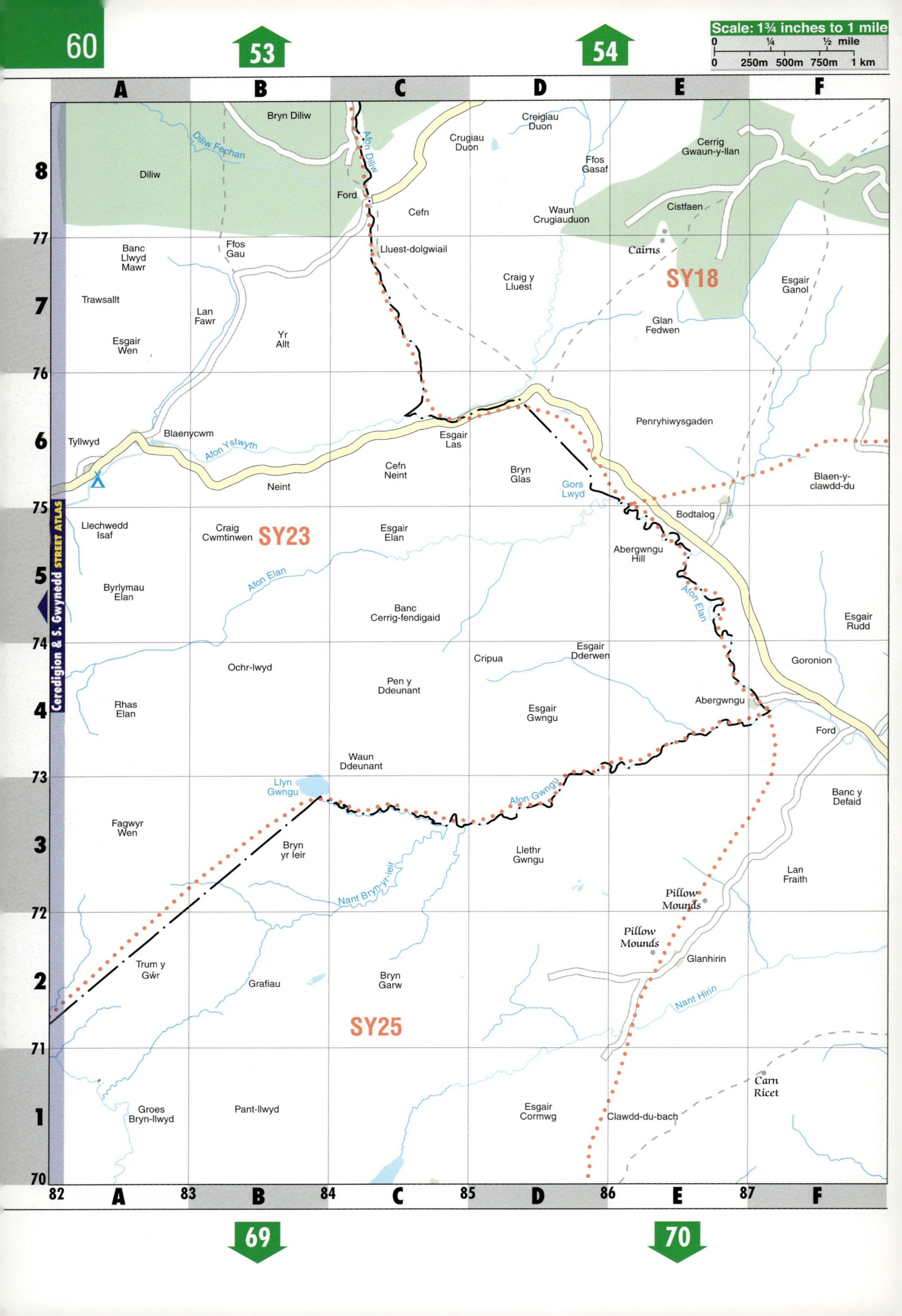
Scale: 1¾ inches to 1 mile
0 ¼ ½ mile
0 250m 500m 750m 1 km
A B C D E F
8 77 7 76 6 75 5 74 4 73 3 72 2 71 1 70
82 83 84 85 86 87
Bryn Diliw
Diliw Fechan
Diliw
Afon Diliw
Ford
Crugiau Duon
Creigiau Duon
Ffos Gasaf
Cerrig Gwaun-y-llan
Cefn
Waun Crugiauduon
Cistfaen
Cairns
SY18
Banc Llwyd Mawr
Ffos Gau
Lluest-dolgwiail
Craig y Lluest
Esgair Ganol
Trawsallt
Lan Fawr
Yr Allt
Glan Fedwen
Esgair Wen
Penryhiwysgaden
Tyllwyd
Blaenycwm
Afon Ystwyth
Esgair Las
Cefn Neint
Neint
Bryn Glas
Gors Lwyd
Blaen-y-clawdd-du
Bodtalog
Llechwedd Isaf
Craig Cwmtinwen
SY23
Esgair Elan
Abergwngu Hill
Byrlymau Elan
Afon Elan
Banc Cerrig-fendigaid
Esgair Rudd
Cripua
Esgair Dderwen
Goronion
Ochr-lwyd
Pen y Ddeunant
Rhas Elan
Esgair Gwngu
Abergwngu
Ford
Waun Ddeunant
Llyn Gwngu
Afon Gwngu
Banc y Defaid
Fagwyr Wen
Bryn yr Ieir
Llethr Gwngu
Lan Fraith
Nant Bryn-yr-ieir
Pillow Mounds
Pillow Mounds
Glanhirin
Trum y Gŵr
Grafiau
Bryn Garw
Nant Hirin
SY25
Carn Ricet
Groes Bryn-llwyd
Pant-llwyd
Esgair Cormwg
Clawdd-du-bach
Ceredigion & S. Gwynedd STREET ATLAS

69
70

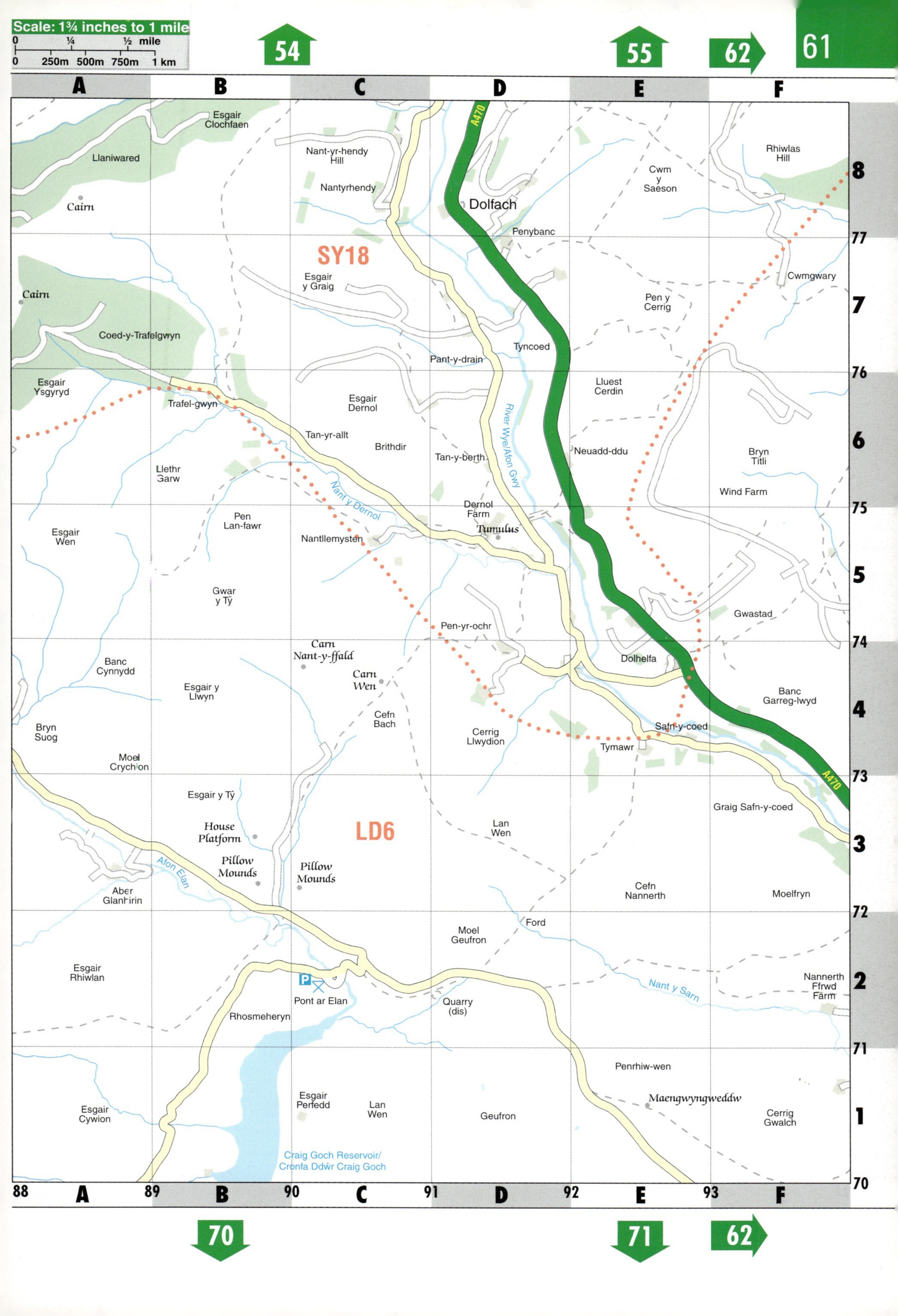

Scale: 1¾ inches to 1 mile
0 ¼ ½ mile
0 250m 500m 750m 1 km
54
55
62
A
B
C
D
E
F
Esgair Clochfaen
Llaniwared
Cairn
Nant-yr-hendy Hill
Nantyrhendy
A470
Dolfach
Penybanc
Cwm y Saeson
Rhiwlas Hill
SY18
Esgair y Graig
Cairn
Coed-y-Trafelgwyn
Pant-y-drain
Tyncoed
Pen y Cerrig
Cwmgwary
Esgair Ysgyryd
Trafel-gwyn
Esgair Dernol
Lluest Cerdin
Tan-yr-allt
Brithdir
Tan-y-berth
River Wye/Afon Gwy
Neuadd-ddu
Bryn Titli
Llethr Garw
Nant y Dernol
Wind Farm
Pen Lan-fawr
Dernol Farm
Tumulus
Esgair Wen
Nantllemysten
Gwar y Tŷ
Pen-yr-ochr
Gwastad
Carn Nant-y-ffald
Dolhelfa
Banc Cynnydd
Carn Wen
Esgair y Llwyn
Banc Garreg-lwyd
Cefn Bach
Bryn Suog
Cerrig Llwydion
Safn-y-coed
Tymawr
Moel Crychion
Esgair y Tŷ
Graig Safn-y-coed
House Platform
LD6
Lan Wen
Afon Elan
Pillow Mounds
Pillow Mounds
Aber Glanfirin
Cefn Nannerth
Moelfryn
Ford
Moel Geufron
Esgair Rhiwlan
Nant y Sarn
Nannerth Ffrwd Farm
Pont ar Elan
Quarry (dis)
Rhosmeheryn
Penrhiw-wen
Esgair Perfedd
Lan Wen
Maengwyngweddw
Esgair Cywion
Geufron
Cerrig Gwalch
Craig Goch Reservoir/ Cronfa Ddŵr Craig Goch
8
77
7
76
6
75
5
74
4
73
3
72
2
71
1
70
88
89
90
91
92
93
70
71
62

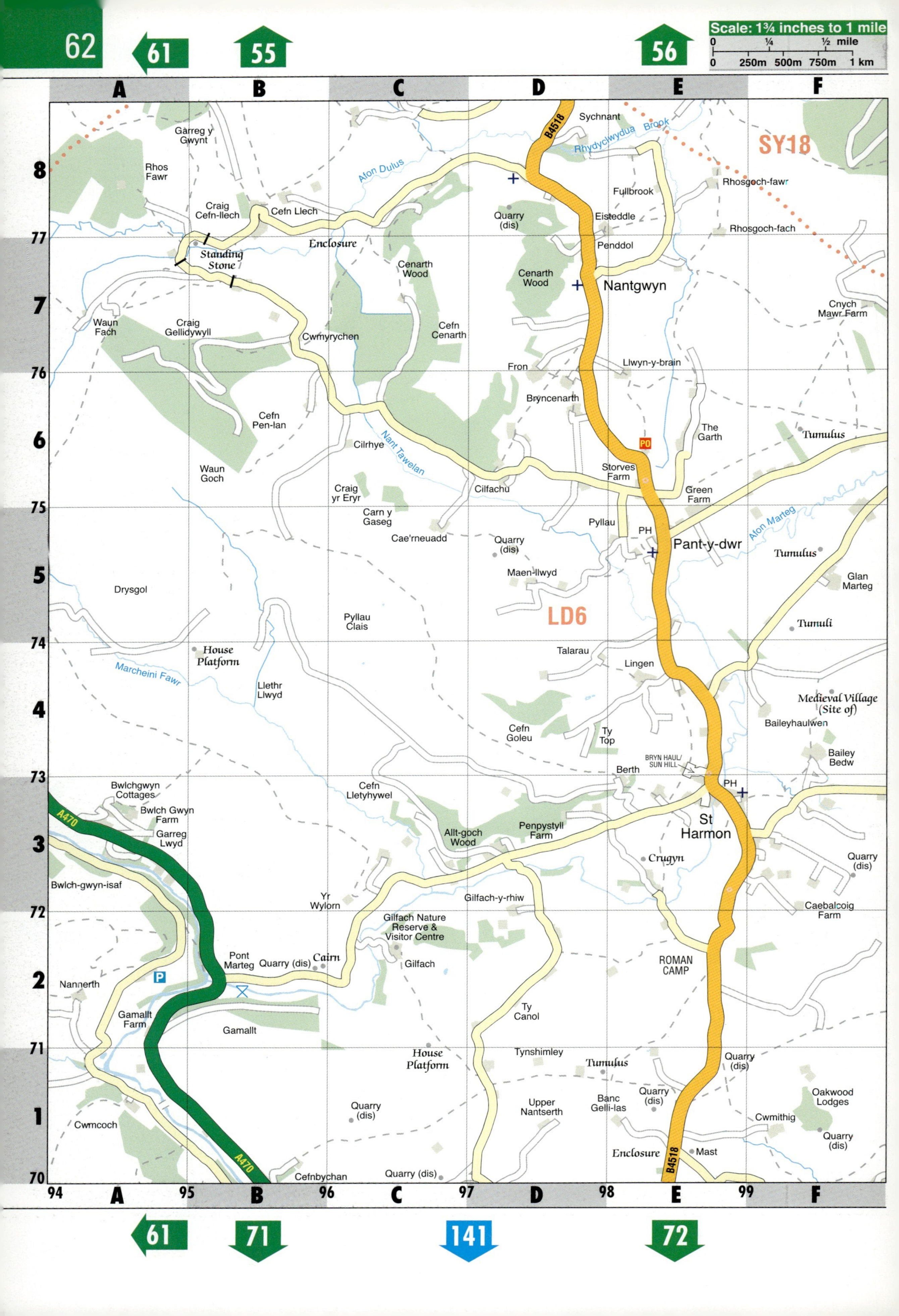
61
55
56
Scale: 1¾ inches to 1 mile
0 ¼ ½ mile
0 250m 500m 750m 1 km
A B C D E F
8 77 7 76 6 75 5 74 4 73 3 72 2 71 1 70
94 95 96 97 98 99
SY18
LD6
B4518
A470
Sychnant
Rhydyclwydua Brook
Garreg y Gwynt
Rhos Fawr
Afon Dulus
Rhosgoch-fawr
Fullbrook
Craig Cefn-llech
Cefn Llech
Quarry (dis)
Eisteddle
Rhosgoch-fach
Standing Stone
Enclosure
Penddol
Cenarth Wood
Nantgwyn
Cnych Mawr Farm
Waun Fach
Craig Gellidywyll
Cwmyrychen
Cefn Cenarth
Llwyn-y-brain
Fron
Bryncenarth
Cefn Pen-lan
The Garth
Tumulus
Cilrhye
Nant Tawelan
PO
Waun Goch
Craig yr Eryr
Cilfachu
Storves Farm
Green Farm
Carn y Gaseg
Pyllau
Afon Marteg
Cae'rneuadd
PH
Pant-y-dwr
Maen-llwyd
Glan Marteg
Drysgol
Pyllau Clais
Tumuli
House Platform
Talarau
Lingen
Marcheini Fawr
Llethr Llwyd
Medieval Village (Site of)
Baileyhaulwen
Cefn Goleu
Ty Top
Bailey Bedw
BRYN HAUL/ SUN HILL
Berth
Bwlchgwyn Cottages
Cefn Lletyhywel
Bwlch Gwyn Farm
St Harmon
Garreg Lwyd
Allt-goch Wood
Penpystyll Farm
Crugyn
Quarry (dis)
Bwlch-gwyn-isaf
Yr Wylorn
Gilfach-y-rhiw
Caebalcoig Farm
Gilfach Nature Reserve & Visitor Centre
Pont Marteg
Quarry (dis)
Cairn
Gilfach
ROMAN CAMP
P
Nannerth
Gamallt Farm
Gamallt
Ty Canol
Tynshimley
Tumulus
Quarry (dis)
Cwmcoch
Quarry (dis)
Upper Nantserth
Banc Gelli-las
Cwmithig
Oakwood Lodges
Enclosure
Mast
Cefnbychan
Quarry (dis)
61
71
141
72

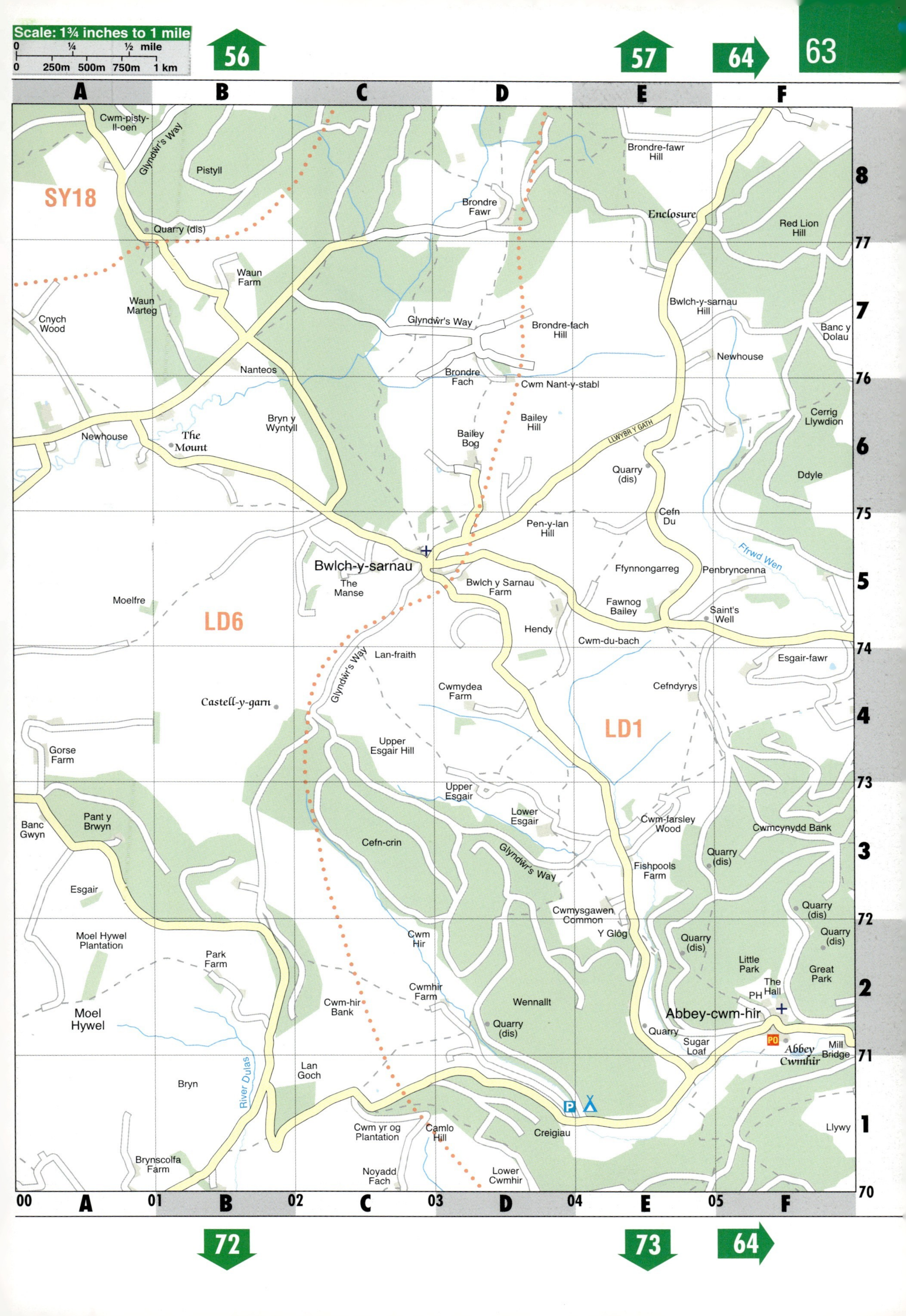
Scale: 1¾ inches to 1 mile
0 ¼ ½ mile
0 250m 500m 750m 1 km
56
57
64
A B C D E F
8 77 7 76 6 75 5 74 4 73 3 72 2 71 1 70
00 01 02 03 04 05
Cwm-pisty-ll-oen
Glyndŵr's Way
Pistyll
SY18
Quarry (dis)
Waun Farm
Waun Marteg
Cnych Wood
Nanteos
Newhouse
The Mount
Bryn y Wyntyll
Brondre Fawr
Brondre-fawr Hill
Enclosure
Red Lion Hill
Glyndŵr's Way
Brondre-fach Hill
Brondre Fach
Cwm Nant-y-stabl
Bwlch-y-sarnau Hill
Banc y Dolau
Newhouse
Bailey Bog
Bailey Hill
LLWYBR Y GATH
Quarry (dis)
Cerrig Llywdion
Ddyle
Cefn Du
Pen-y-lan Hill
Bwlch-y-sarnau
The Manse
Bwlch y Sarnau Farm
Ffynnongarreg
Penbryncenna
Ffrwd Wen
Moelfre
LD6
Fawnog Bailey
Saint's Well
Hendy
Cwm-du-bach
Lan-fraith
Glyndŵr's Way
Esgair-fawr
Castell-y-garn
Cwmydea Farm
Cefndyrys
LD1
Gorse Farm
Upper Esgair Hill
Upper Esgair
Lower Esgair
Banc Gwyn
Pant y Brwyn
Cefn-crin
Cwm-farsley Wood
Cwmcynydd Bank
Glyndŵr's Way
Fishpools Farm
Quarry (dis)
Esgair
Cwmysgawen Common
Y Glôg
Quarry (dis)
Quarry (dis)
Moel Hywel Plantation
Park Farm
Cwm Hir
Quarry (dis)
Little Park
Great Park
The Hall
PH
Cwmhir Farm
Wennallt
Abbey-cwm-hir
Moel Hywel
Cwm-hir Bank
Quarry (dis)
Quarry
Sugar Loaf
PO
Abbey Cwmhir
Mill Bridge
River Dulas
Lan Goch
Bryn
P
Cwm yr og Plantation
Camlo Hill
Creigiau
Llywy
Brynscolfa Farm
Noyadd Fach
Lower Cwmhir
72
73
64

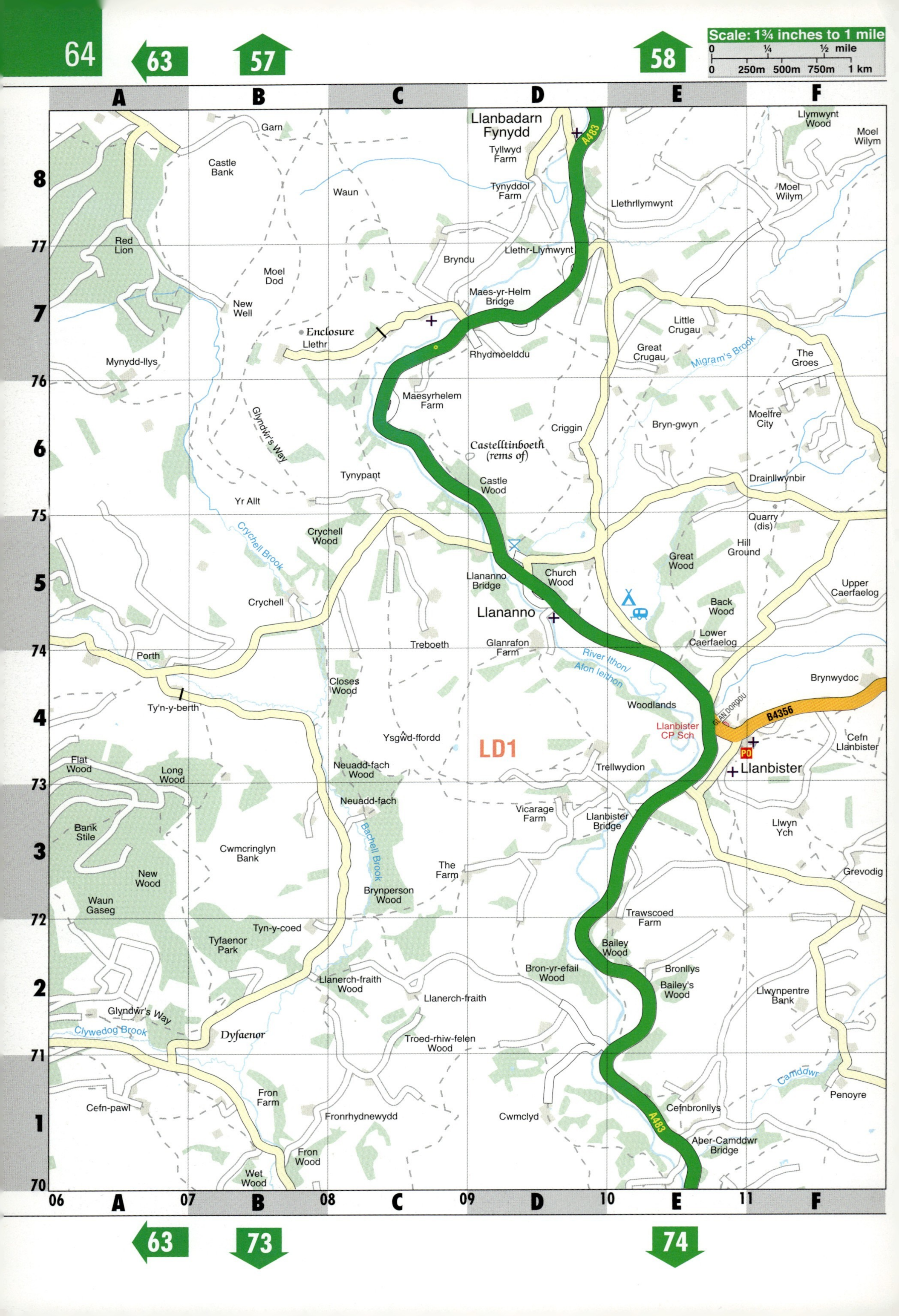
63
57
58
Scale: 1¾ inches to 1 mile
0 ¼ ½ mile
0 250m 500m 750m 1 km
A B C D E F
Llanbadarn Fynydd
Garn
Castle Bank
Tyllwyd Farm
Llymwynt Wood
Moel Wilym
Waun
Tynyddol Farm
Moel Wilym
Llethrllymwynt
Red Lion
Bryndu
Llethr-Llymwynt
Moel Dod
Maes-yr-Helm Bridge
New Well
Little Crugau
Enclosure
Llethr
Great Crugau
Migram's Brook
The Groes
Mynydd-llys
Rhydmoelddu
Maesyrhelem Farm
Moelfre City
Bryn-gwyn
Criggin
Glyndŵr's Way
Castelltinboeth (rems of)
Tynypant
Castle Wood
Drainllwynbir
Yr Allt
Quarry (dis)
Crychell Wood
Crychell Brook
Hill Ground
Great Wood
Llananno Bridge
Church Wood
Upper Caerfaelog
Crychell
Llananno
Back Wood
Lower Caerfaelog
Treboeth
Glanrafon Farm
Porth
River Ithon/ Afon Ieithon
Brynwydoc
Closes Wood
Woodlands
Ty'n-y-berth
GLAN DORDDU
B4356
Llanbister CP Sch
Ysgwd-ffordd
LD1
Cefn Llanbister
Flat Wood
PO
Llanbister
Long Wood
Neuadd-fach Wood
Trellwydion
Neuadd-fach
Vicarage Farm
Llanbister Bridge
Bank Stile
Bachell Brook
Llwyn Ych
Cwmcringlyn Bank
The Farm
New Wood
Grevodig
Brynperson Wood
Waun Gaseg
Trawscoed Farm
Tyn-y-coed
Tyfaenor Park
Bailey Wood
Bron-yr-efail Wood
Bronllys
Llanerch-fraith Wood
Bailey's Wood
Llanerch-fraith
Llwynpentre Bank
Glyndŵr's Way
Clywedog Brook
Dyfaenor
Troed-rhiw-felen Wood
Camddwr
Fron Farm
Penoyre
Cefn-pawl
Fronrhydnewydd
Cwmclyd
Cefnbronllys
A483
Aber-Camddwr Bridge
Fron Wood
Wet Wood
8
77
7
76
6
75
5
74
4
73
3
72
2
71
1
70
06
07
08
09
10
11
63
73
74

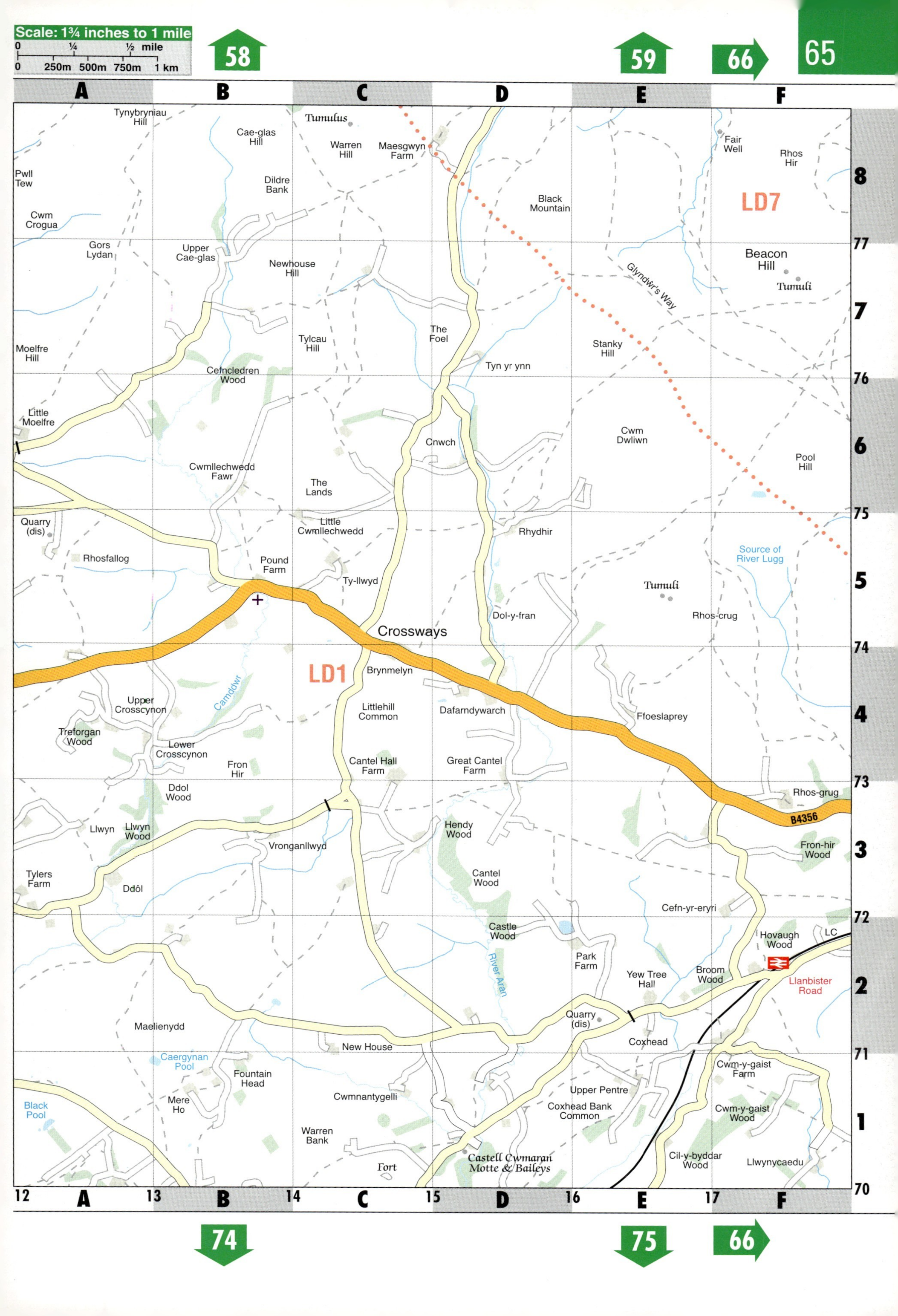
Scale: 1¾ inches to 1 mile
0 ¼ ½ mile
0 250m 500m 750m 1 km
58
59
66
A B C D E F
Tynybryniau Hill
Tumulus
Cae-glas Hill
Warren Hill
Maesgwyn Farm
Pwll Tew
Dildre Bank
Fair Well
Rhos Hir
Black Mountain
LD7
Cwm Crogua
Gors Lydan
Upper Cae-glas
Newhouse Hill
Beacon Hill
Tumuli
Glyndŵr's Way
The Foel
Tylcau Hill
Stanky Hill
Moelfre Hill
Cefncledren Wood
Tyn yr ynn
Little Moelfre
Cnwch
Cwm Dwliwn
Pool Hill
Cwmllechwedd Fawr
The Lands
Quarry (dis)
Little Cwmllechwedd
Rhydhir
Source of River Lugg
Rhosfallog
Pound Farm
Ty-llwyd
Tumuli
Dol-y-fran
Rhos-crug
Crossways
LD1
Brynmelyn
Camddwr
Upper Crosscynon
Littlehill Common
Dafarndywarch
Ffoeslaprey
Treforgan Wood
Lower Crosscynon
Fron Hir
Cantel Hall Farm
Great Cantel Farm
Ddol Wood
Rhos-grug
B4356
Llwyn
Llwyn Wood
Hendy Wood
Vronganllwyd
Fron-hir Wood
Tylers Farm
Ddôl
Cantel Wood
Cefn-yr-eryri
Castle Wood
Hovaugh Wood
LC
Park Farm
River Aran
Yew Tree Hall
Broom Wood
Llanbister Road
Quarry (dis)
Maelienydd
New House
Coxhead
Caergynan Pool
Fountain Head
Cwm-y-gaist Farm
Upper Pentre
Black Pool
Mere Ho
Cwmnantygelli
Coxhead Bank Common
Cwm-y-gaist Wood
Warren Bank
Fort
Castell Cwmaran Motte & Baileys
Cil-y-byddar Wood
Llwynycaedu
8
77
7
76
6
75
5
74
4
73
3
72
2
71
1
70
12 13 14 15 16 17
74
75
66

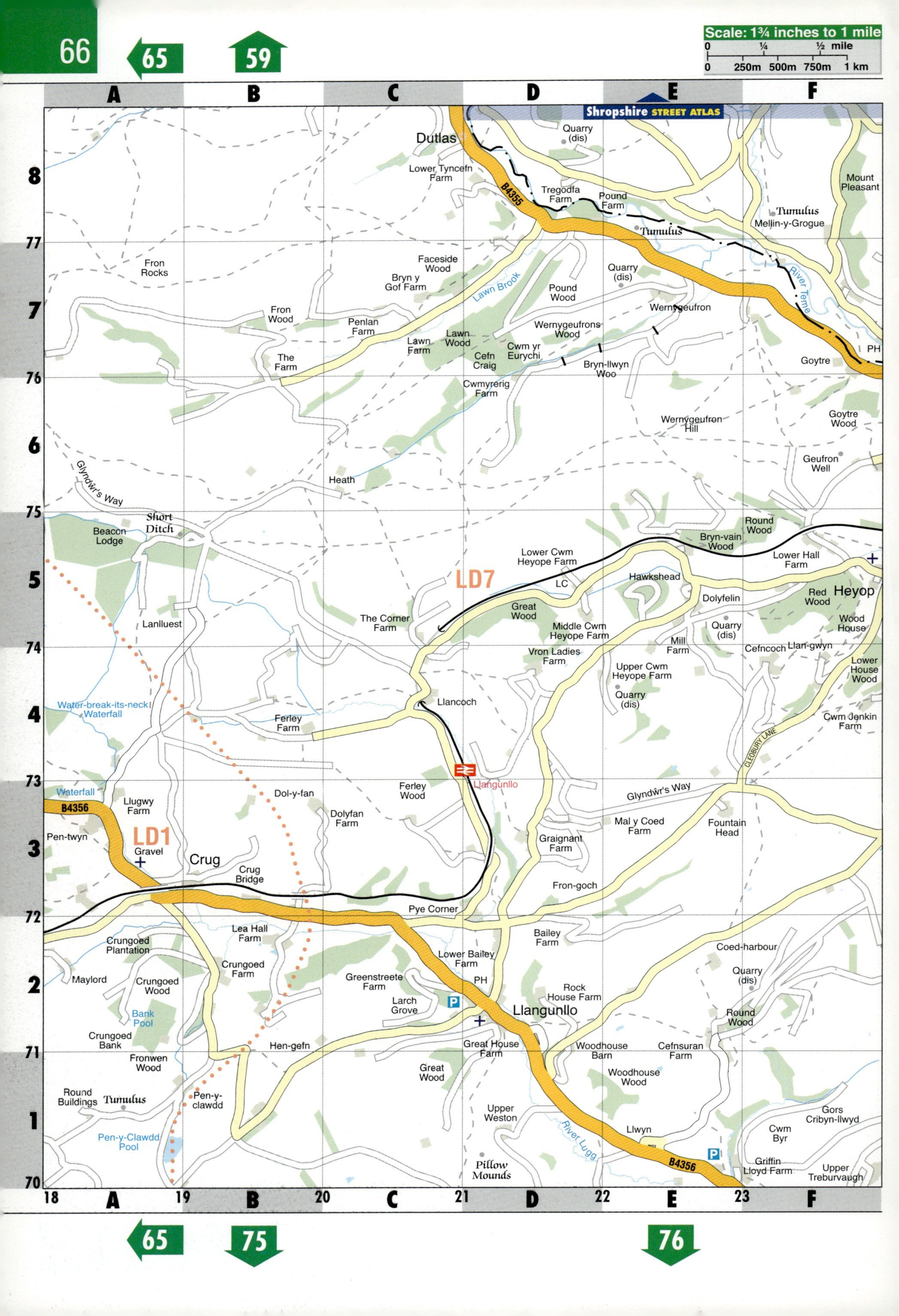
Scale: 1¾ inches to 1 mile
0 ¼ ½ mile
0 250m 500m 750m 1 km
Shropshire STREET ATLAS
A B C D E F
8 77 7 76 6 75 5 74 4 73 3 72 2 71 1 70
18 19 20 21 22 23
Dutlas
Quarry (dis)
Lower Tyncefn Farm
B4355
Tregodfa Farm
Pound Farm
Mount Pleasant
Tumulus
Mellin-y-Grogue
Tumulus
Fron Rocks
Faceside Wood
Bryn y Gof Farm
Lawn Brook
Quarry (dis)
Pound Wood
River Teme
Wernygeufron
Fron Wood
Penlan Farm
Lawn Farm
Lawn Wood
Wernygeufrons Wood
Cefn Craig
Cwm yr Eurychi
Bryn-llwyn Woo
The Farm
Goytre
PH
Cwmyrerig Farm
Wernygeufron Hill
Goytre Wood
Geufron Well
Glyndŵr's Way
Heath
Short Ditch
Beacon Lodge
Round Wood
Bryn-vain Wood
Lower Cwm Heyope Farm
Lower Hall Farm
LD7
LC
Hawkshead
Heyop
Red Wood
Dolyfelin
Great Wood
The Corner Farm
Lanlluest
Middle Cwm Heyope Farm
Quarry (dis)
Wood House
Mill Farm
Cefncoch
Llan-gwyn
Vron Ladies Farm
Upper Cwm Heyope Farm
Lower House Wood
Quarry (dis)
Water-break-its-neck Waterfall
Llancoch
Ferley Farm
Cwm Jenkin Farm
CLEOBURY LANE
Llangunllo
Waterfall
Dol-y-fan
Ferley Wood
Glyndŵr's Way
B4356
Llugwy Farm
Dolyfan Farm
Mal y Coed Farm
Fountain Head
LD1
Pen-twyn
Graignant Farm
Gravel
Crug
Crug Bridge
Fron-goch
Pye Corner
Lea Hall Farm
Bailey Farm
Crungoed Plantation
Lower Bailey Farm
Coed-harbour
Crungoed Farm
Quarry (dis)
Maylord
Crungoed Wood
Greenstreete Farm
PH
Rock House Farm
Bank Pool
Larch Grove
P
Llangunllo
Round Wood
Crungoed Bank
Great House Farm
Hen-gefn
Woodhouse Barn
Cefnsuran Farm
Fronwen Wood
Great Wood
Woodhouse Wood
Round Buildings
Tumulus
Pen-y-clawdd
Upper Weston
Gors Cribyn-llwyd
Pen-y-Clawdd Pool
River Lugg
Llwyn
Cwm Byr
P
Pillow Mounds
B4356
Griffin Lloyd Farm
Upper Treburvaugh

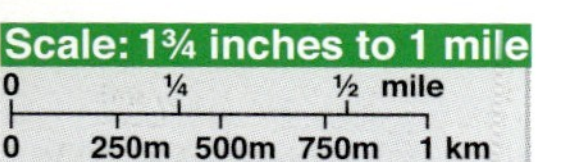

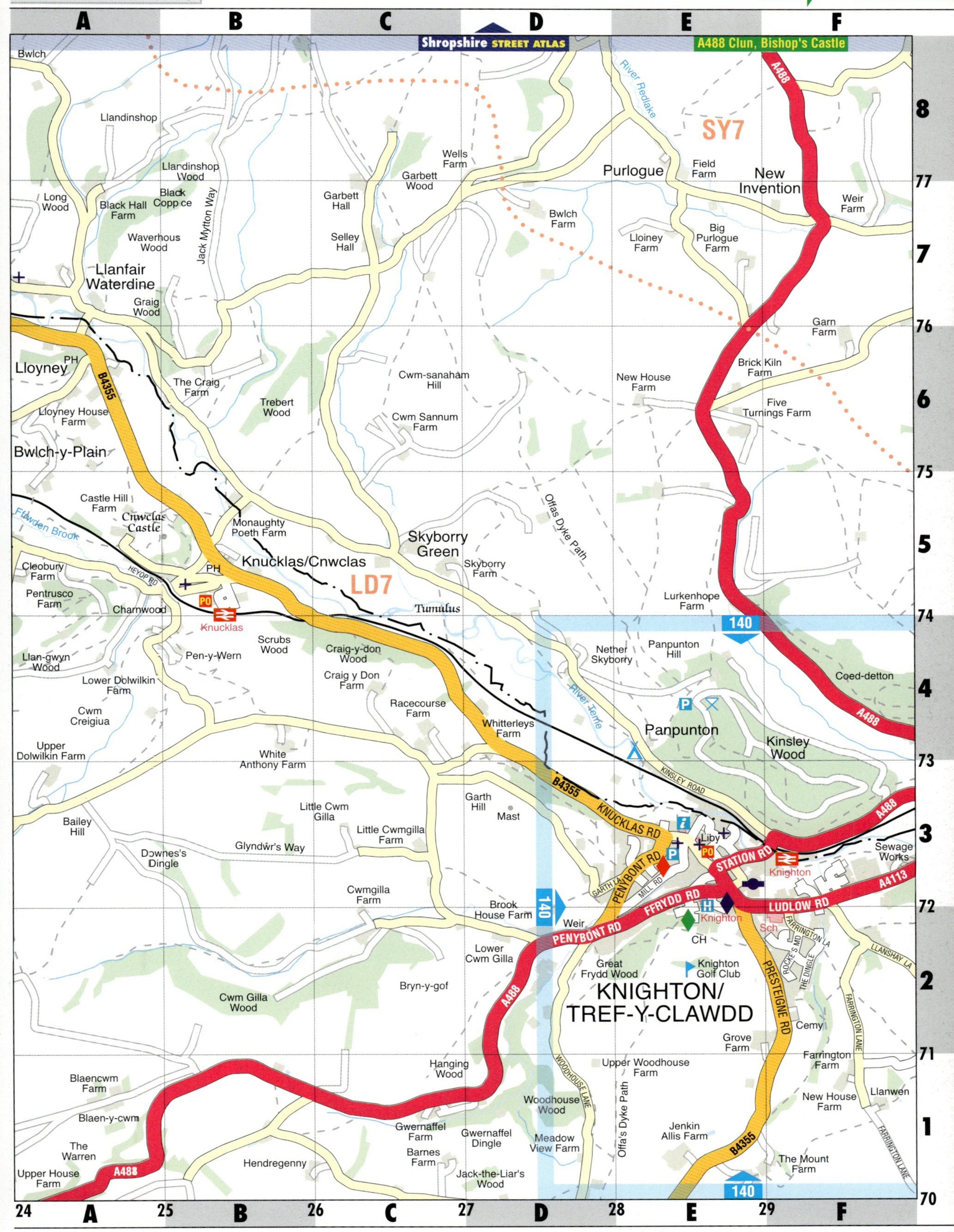

76
77
68
For full street detail of the highlighted area see page 140.

67

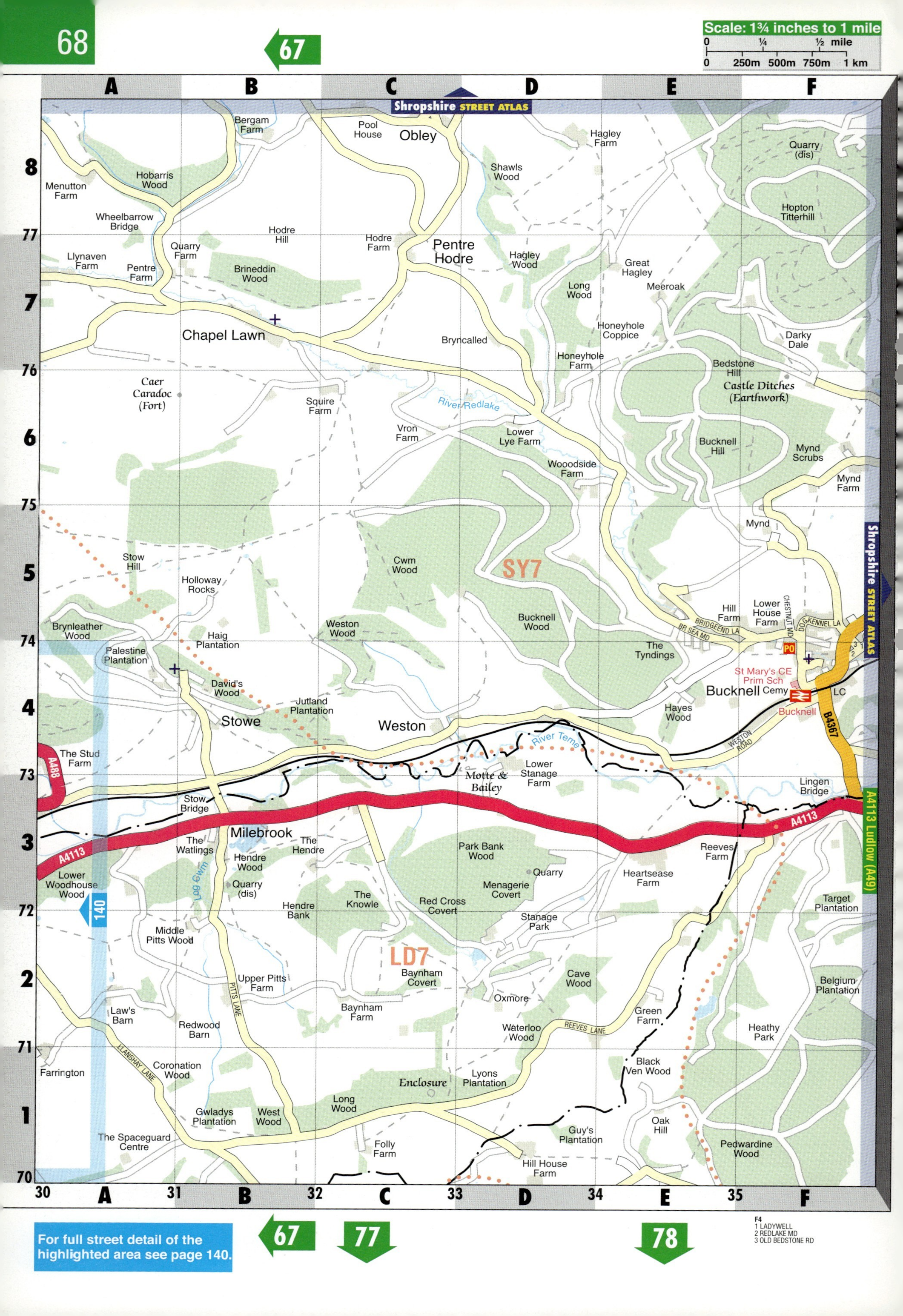

For full street detail of the highlighted area see page 140.
67
77
78

F4
1 LADYWELL
2 REDLAKE MD
3 OLD BEDSTONE RD

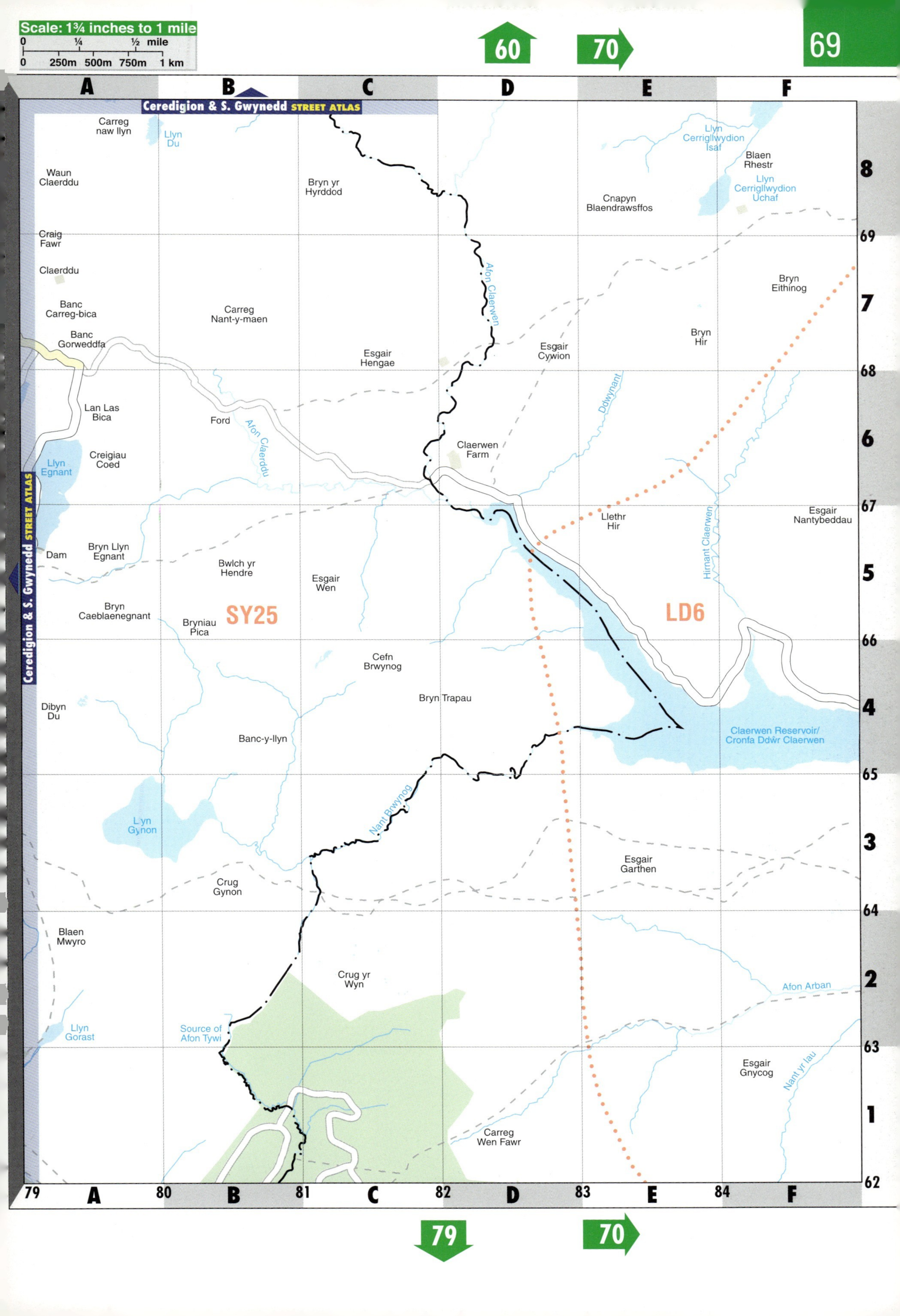
0
¼
½ mile
0
250m
500m
750m
1 km
A
B
C
D
E
F
Ceredigion & S. Gwynedd STREET ATLAS
Carreg naw llyn
Llyn Du
Waun Claerddu
Bryn yr Hyrddod
Llyn Cerrigllwydion Isaf
Blaen Rhestr
Llyn Cerrigllwydion Uchaf
Cnapyn Blaendrawsffos
Craig Fawr
Claerddu
Afon Claerwen
Bryn Eithinog
Banc Carreg-bica
Carreg Nant-y-maen
Banc Gorweddfa
Esgair Hengae
Esgair Cywion
Bryn Hir
Lan Las Bica
Ford
Afon Claerddu
Ddwynant
Claerwen Farm
Creigiau Coed
Llyn Egnant
Llethr Hir
Esgair Nantybeddau
Dam
Bryn Llyn Egnant
Bwlch yr Hendre
Esgair Wen
Hirnant Claerwen
Bryn Caeblaenegnant
Bryniau Pica
SY25
LD6
Cefn Brwynog
Bryn Trapau
Dibyn Du
Banc-y-llyn
Claerwen Reservoir/ Cronfa Ddŵr Claerwen
Nant Brwynog
Llyn Gynon
Esgair Garthen
Crug Gynon
Blaen Mwyro
Crug yr Wyn
Afon Arban
Llyn Gorast
Source of Afon Tywi
Esgair Gnycog
Nant yr Iau
Carreg Wen Fawr
8
69
7
68
6
67
5
66
4
65
3
64
2
63
1
62
79
80
81
82
83
84

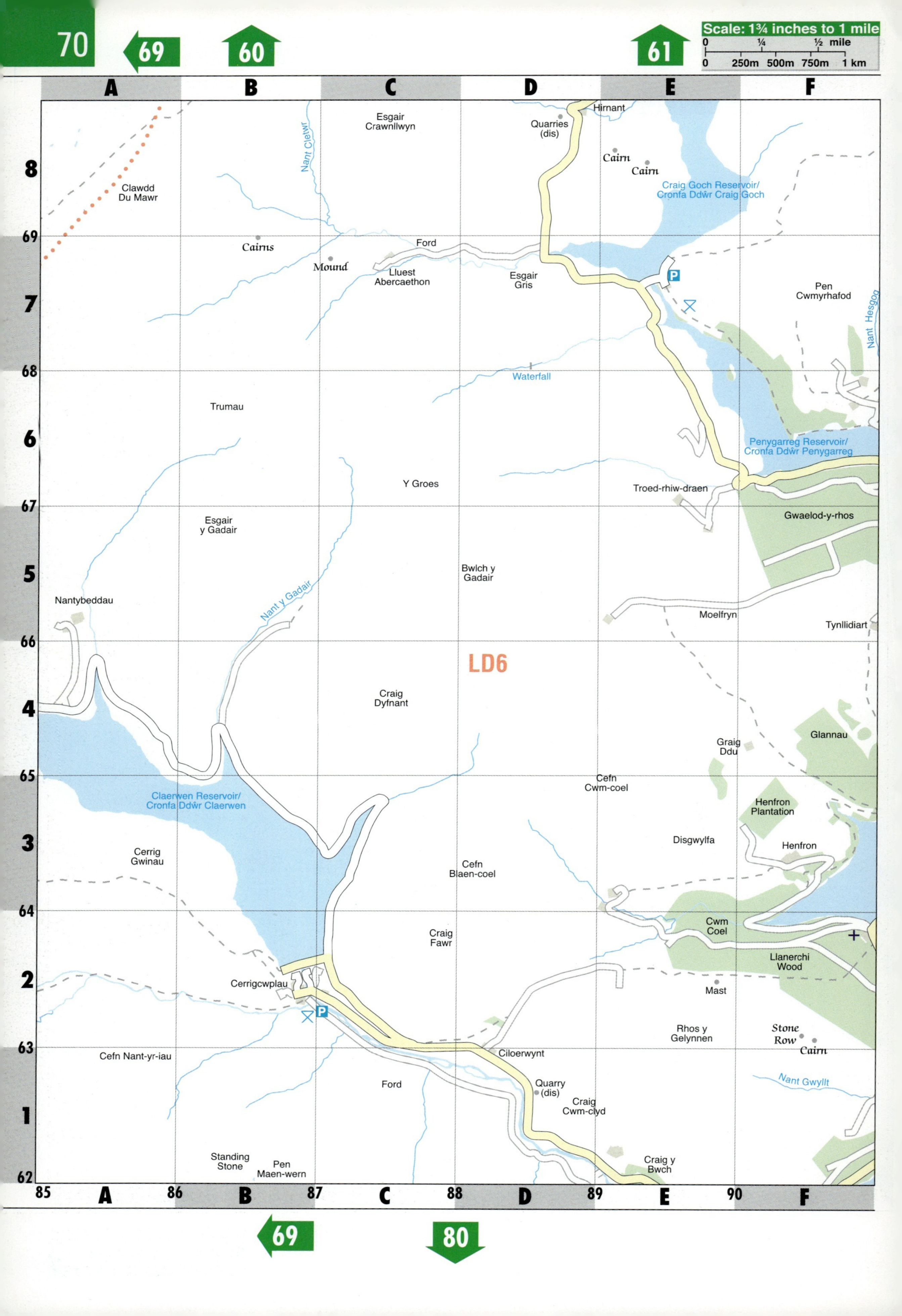
69
60
61
Scale: 1¾ inches to 1 mile
0 ¼ ½ mile
0 250m 500m 750m 1 km
A B C D E F
Hirnant
Esgair Crawnllwyn
Quarries (dis)
Nant Cletwr
Cairn
Cairn
Craig Goch Reservoir/ Cronfa Ddŵr Craig Goch
Clawdd Du Mawr
Cairns
Ford
Mound
Lluest Abercaethon
Esgair Gris
Pen Cwmyrhafod
Nant Hesgog
Waterfall
Trumau
Penygarreg Reservoir/ Cronfa Ddŵr Penygarreg
Y Groes
Troed-rhiw-draen
Esgair y Gadair
Gwaelod-y-rhos
Bwlch y Gadair
Nantybeddau
Nant y Gadair
Moelfryn
Tynllidiart
LD6
Craig Dyfnant
Graig Ddu
Glannau
Cefn Cwm-coel
Claerwen Reservoir/ Cronfa Ddŵr Claerwen
Henfron Plantation
Cerrig Gwinau
Disgwylfa
Henfron
Cefn Blaen-coel
Craig Fawr
Cwm Coel
Llanerchi Wood
Cerrigcwplau
Mast
Rhos y Gelynnen
Stone Row
Cairn
Cefn Nant-yr-iau
Ciloerwynt
Nant Gwyllt
Ford
Quarry (dis)
Craig Cwm-clyd
Standing Stone
Pen Maen-wern
Craig y Bwch
8 69 7 68 6 67 5 66 4 65 3 64 2 63 1 62
85 86 87 88 89 90

Scale: 1¾ inches to 1 mile
0 ¼ ½ mile
0 250m 500m 750m 1 km

61
62
72

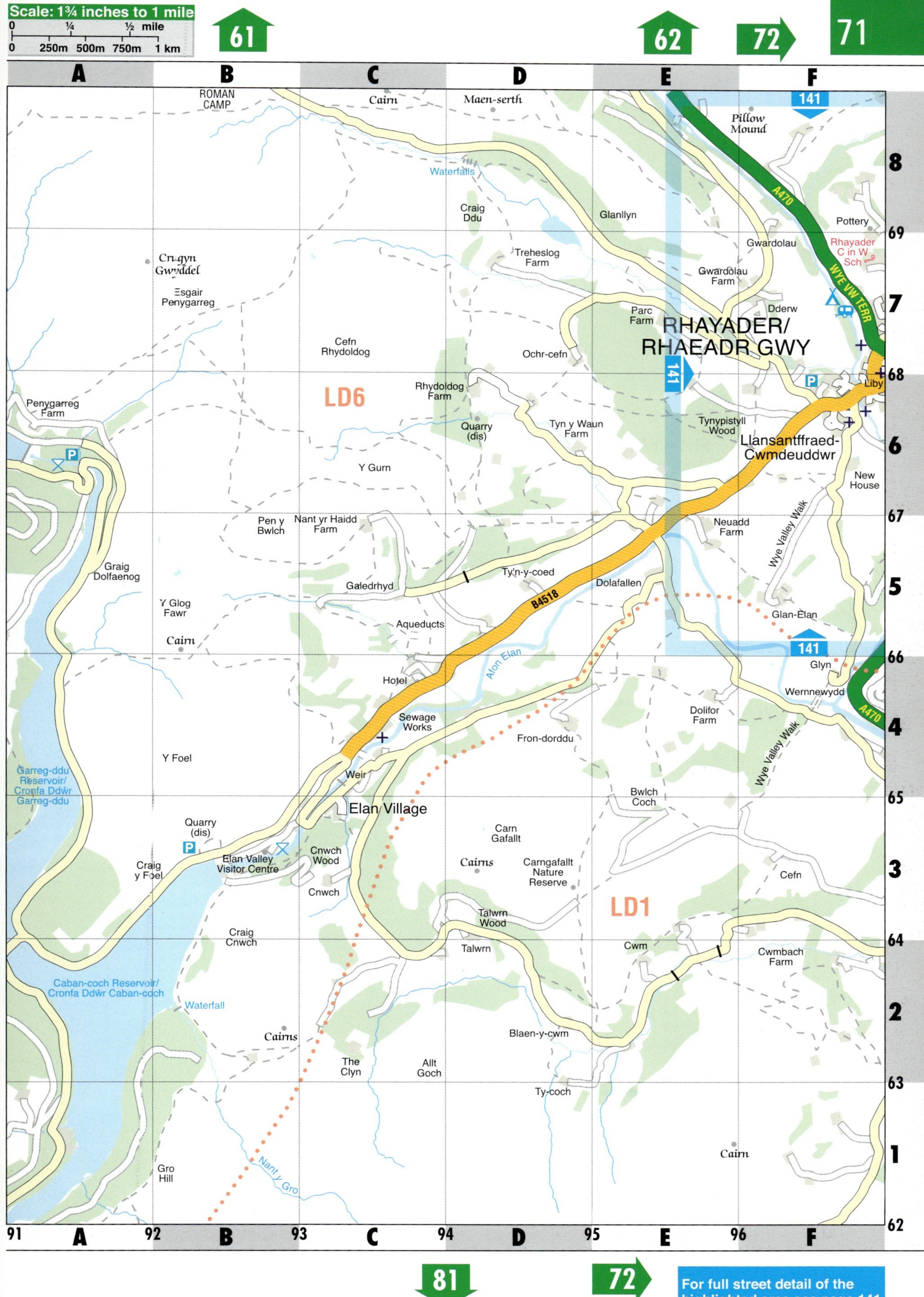

81
72
For full street detail of the highlighted area see page 141.

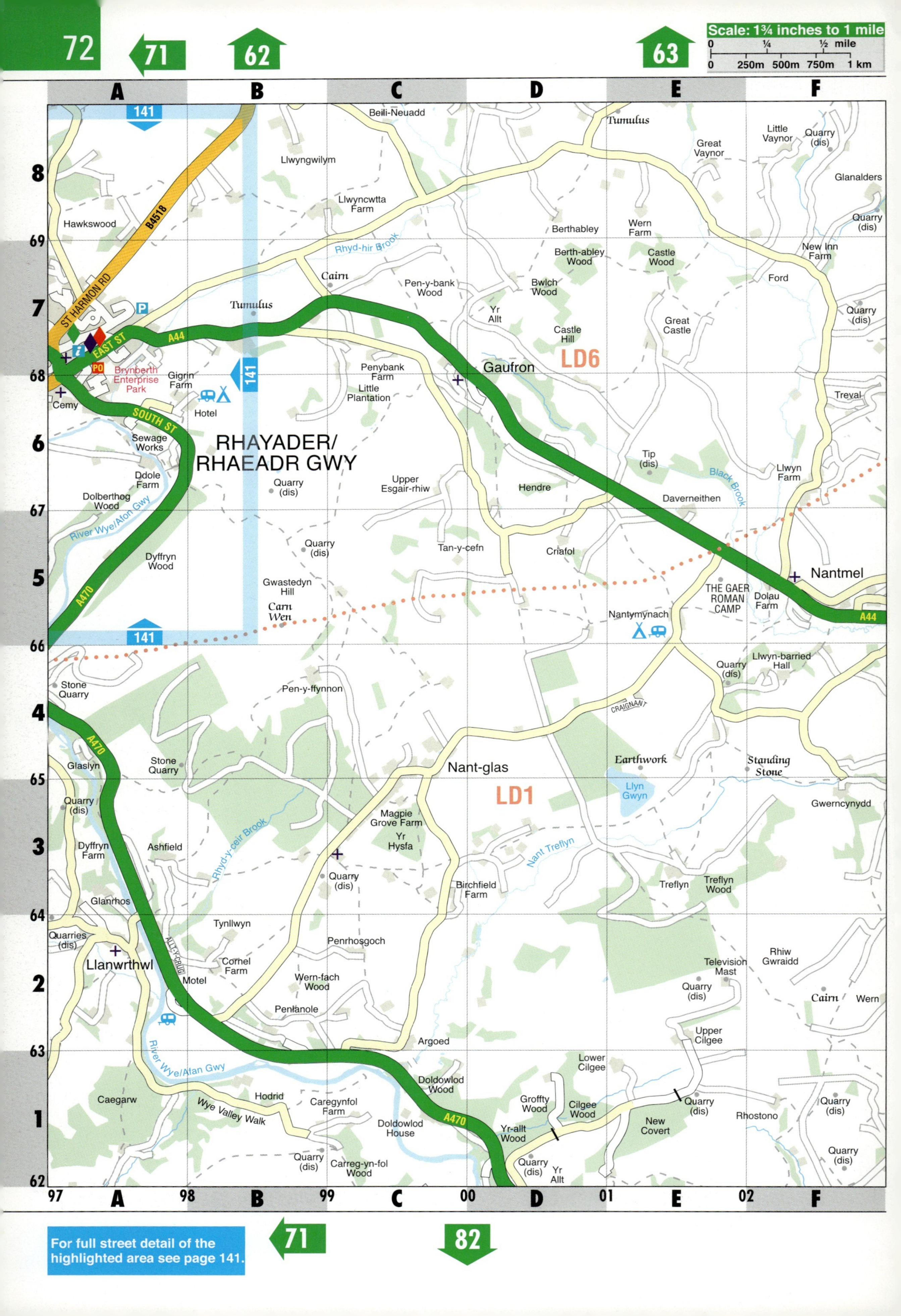

For full street detail of the highlighted area see page 141.

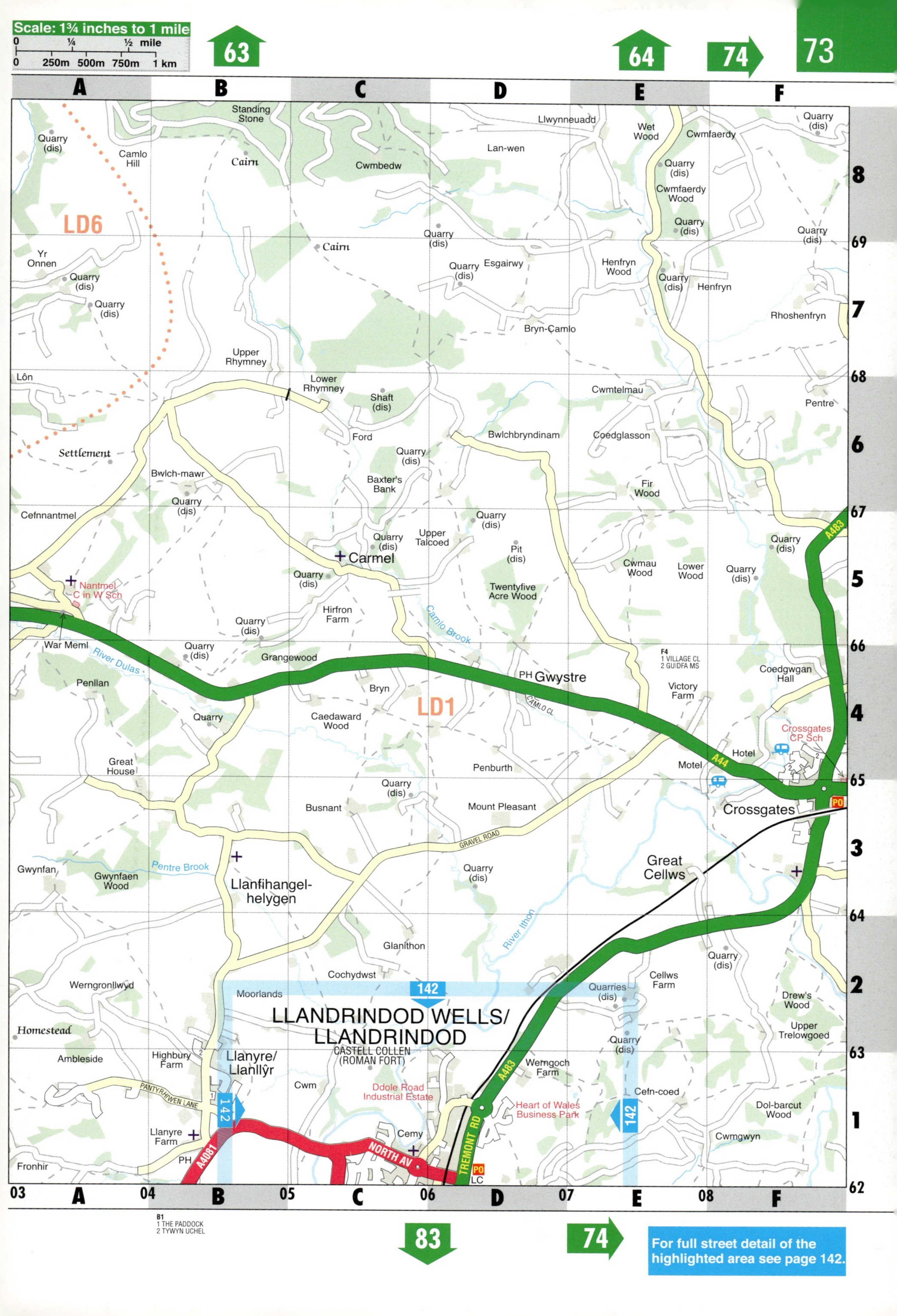

B1
1 THE PADDOCK
2 TYWYN UCHEL

83
74
For full street detail of the highlighted area see page 142.

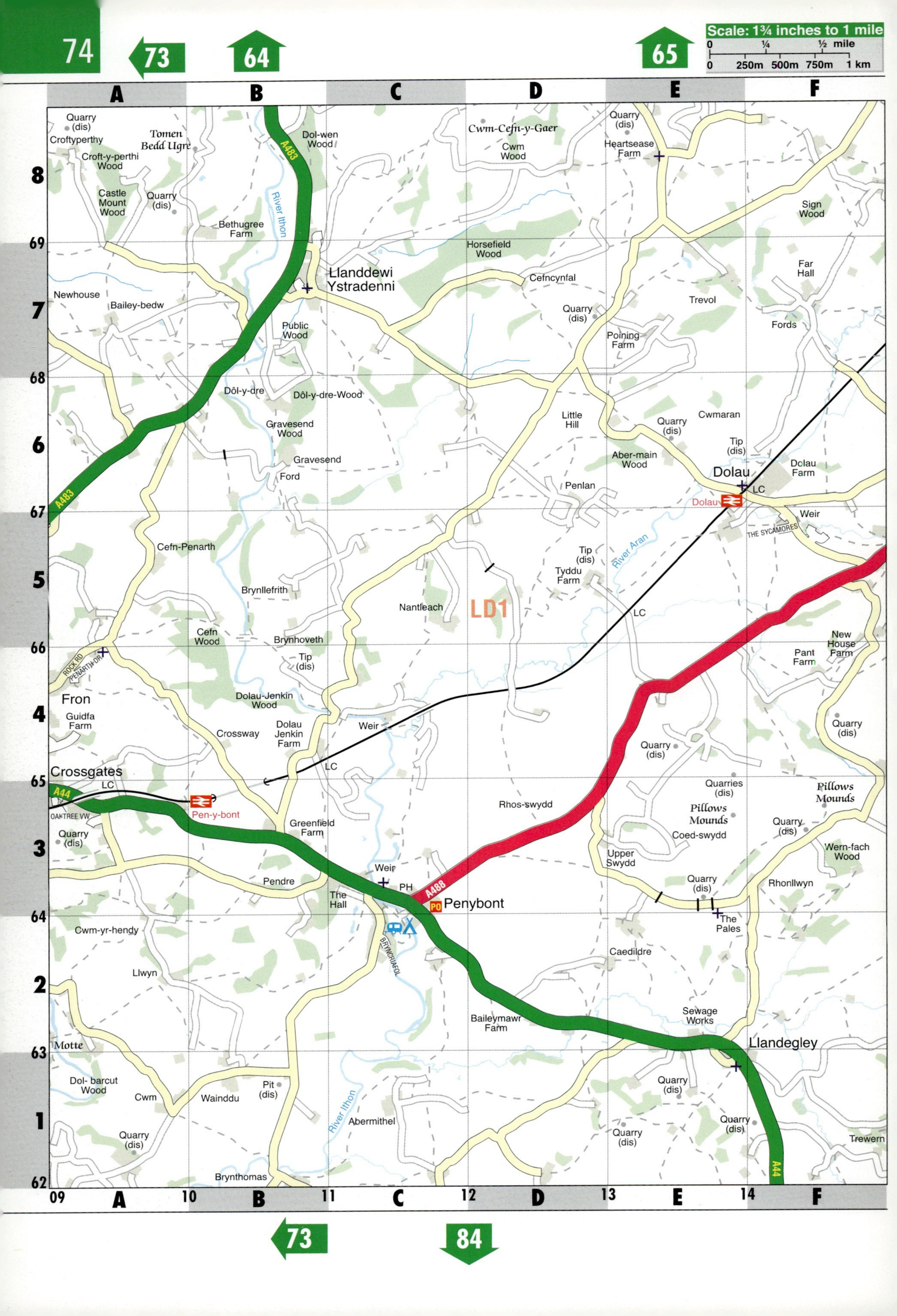
73
64
65
Scale: 1¾ inches to 1 mile
0 ¼ ½ mile
0 250m 500m 750m 1 km
A B C D E F
Quarry (dis)
Croftyperthy
Tomen Bedd Ugre
Croft-y-perthi Wood
Castle Mount Wood
Quarry (dis)
Dol-wen Wood
River Ithon
Bethugree Farm
Cwm-Cefn-y-Gaer
Cwm Wood
Quarry (dis)
Heartsease Farm
Sign Wood
Horsefield Wood
Llanddewi Ystradenni
Cefncynfal
Far Hall
Newhouse
Bailey-bedw
Public Wood
Quarry (dis)
Trevol
Poining Farm
Fords
Dôl-y-dre
Dôl-y-dre-Wood
Gravesend Wood
Little Hill
Cwmaran
Quarry (dis)
Tip (dis)
Aber-main Wood
Gravesend
Ford
Penlan
Dolau
Dolau Farm
LC
Dolau
Weir
THE SYCAMORES
Cefn-Penarth
Tip (dis)
Tyddu Farm
River Aran
Brynllefrith
Nantleach
LD1
LC
Cefn Wood
Brynhoveth
Tip (dis)
New House Farm
Pant Farm
ROCK RD
PENARTH DR
Fron
Dolau-Jenkin Wood
Guidfa Farm
Weir
Quarry (dis)
Crossway
Dolau Jenkin Farm
Quarry (dis)
Crossgates
LC
Quarries (dis)
Pillows Mounds
A44
LC
Pen-y-bont
Rhos-swydd
Pillows Mounds
OAKTREE VW
Quarry (dis)
Greenfield Farm
Coed-swydd
Quarry (dis)
Wern-fach Wood
Upper Swydd
Weir
Pendre
PH
A488
Quarry (dis)
Rhonllwyn
The Hall
PO
Penybont
The Pales
Cwm-yr-hendy
BRYNCRIAFOL
Caedildre
Llwyn
Sewage Works
Baileymawr Farm
Motte
Llandegley
Dol-barcut Wood
Cwm
Wainddu
Pit (dis)
Quarry (dis)
River Ithon
Abermithel
Quarry (dis)
Quarry (dis)
Quarry (dis)
Trewern
Brynthomas
A483
A44
8 69 7 68 6 67 5 66 4 65 3 64 2 63 1 62
09 10 11 12 13 14
73
84

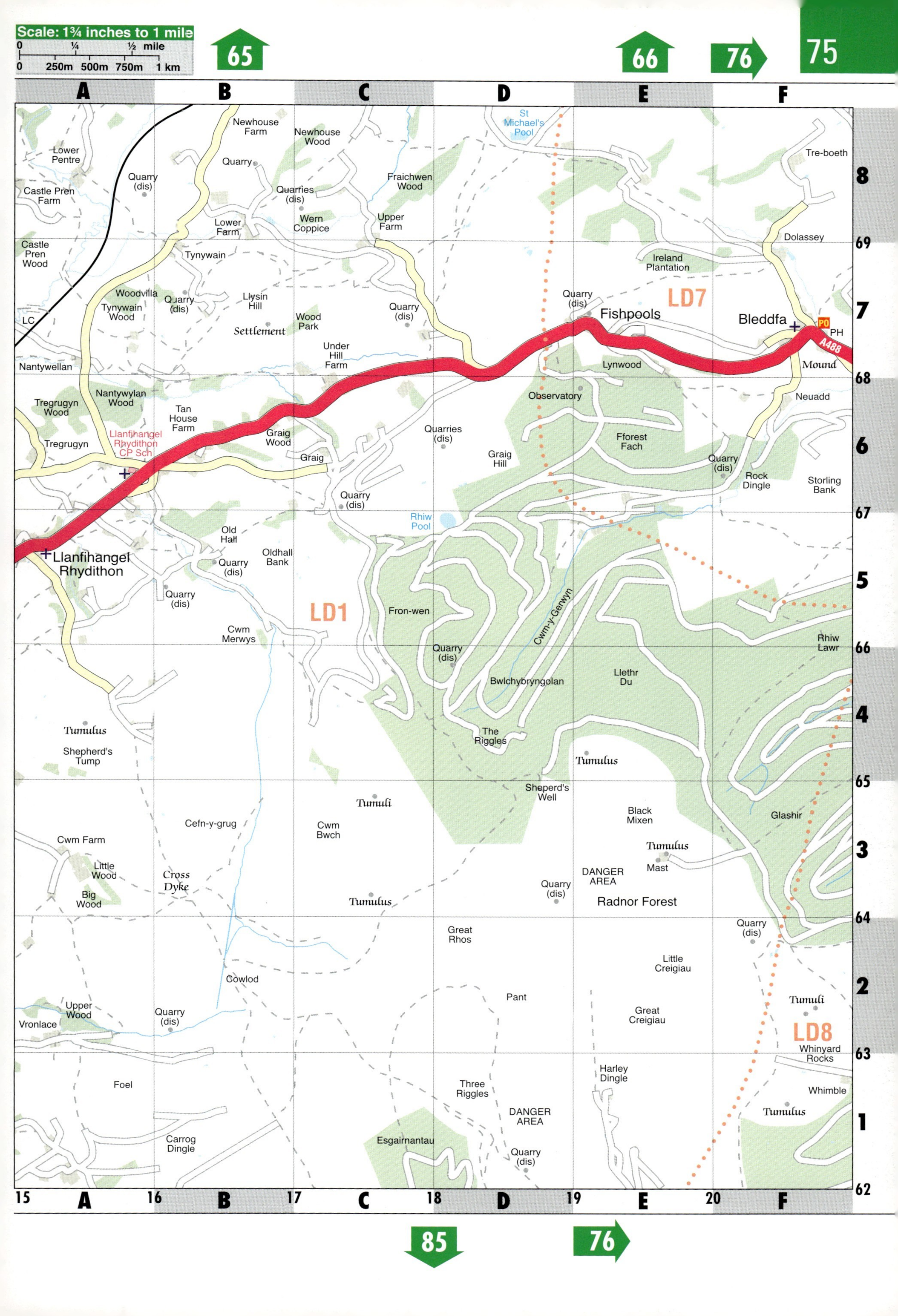
Scale: 1¾ inches to 1 mile
0 ¼ ½ mile
0 250m 500m 750m 1 km
65
66
76
A B C D E F
Newhouse Farm
Newhouse Wood
St Michael's Pool
Tre-boeth
Lower Pentre
Quarry (dis)
Quarry
Castle Pren Farm
Quarries (dis)
Fraichwen Wood
Wern Coppice
Upper Farm
Lower Farm
Castle Pren Wood
Tynywain
Dolassey
Ireland Plantation
Woodvilla
Tynywain Wood
Quarry (dis)
Llysin Hill
Settlement
Wood Park
Quarry (dis)
Quarry (dis)
Fishpools
LD7
Bleddfa
PO
PH
A488
Mound
LC
Under Hill Farm
Nantywellan
Lynwood
Nantywylan Wood
Tregrugyn Wood
Tan House Farm
Observatory
Neuadd
Llanfihangel Rhydithon CP Sch
Graig Wood
Quarries (dis)
Fforest Fach
Tregrugyn
Graig
Graig Hill
Quarry (dis)
Rock Dingle
Storling Bank
Quarry (dis)
Rhiw Pool
Old Hall
Llanfihangel Rhydithon
Oldhall Bank
Quarry (dis)
Quarry (dis)
LD1
Fron-wen
Cwm-y-Gerwyn
Cwm Merwys
Rhiw Lawr
Quarry (dis)
Bwlchybryngolan
Llethr Du
Tumulus
The Riggles
Shepherd's Tump
Tumulus
Sheperd's Well
Tumuli
Cefn-y-grug
Cwm Bwch
Black Mixen
Glashir
Cwm Farm
Tumulus
Little Wood
Cross Dyke
DANGER AREA
Mast
Big Wood
Quarry (dis)
Tumulus
Radnor Forest
Great Rhos
Quarry (dis)
Little Creigiau
Cowlod
Pant
Upper Wood
Quarry (dis)
Great Creigiau
Tumuli
Vronlace
LD8
Whinyard Rocks
Harley Dingle
Foel
Three Riggles
Whimble
DANGER AREA
Tumulus
Carrog Dingle
Esgairnantau
Quarry (dis)
8 69 7 68 6 67 5 66 4 65 3 64 2 63 1 62
15 16 17 18 19 20
85
76

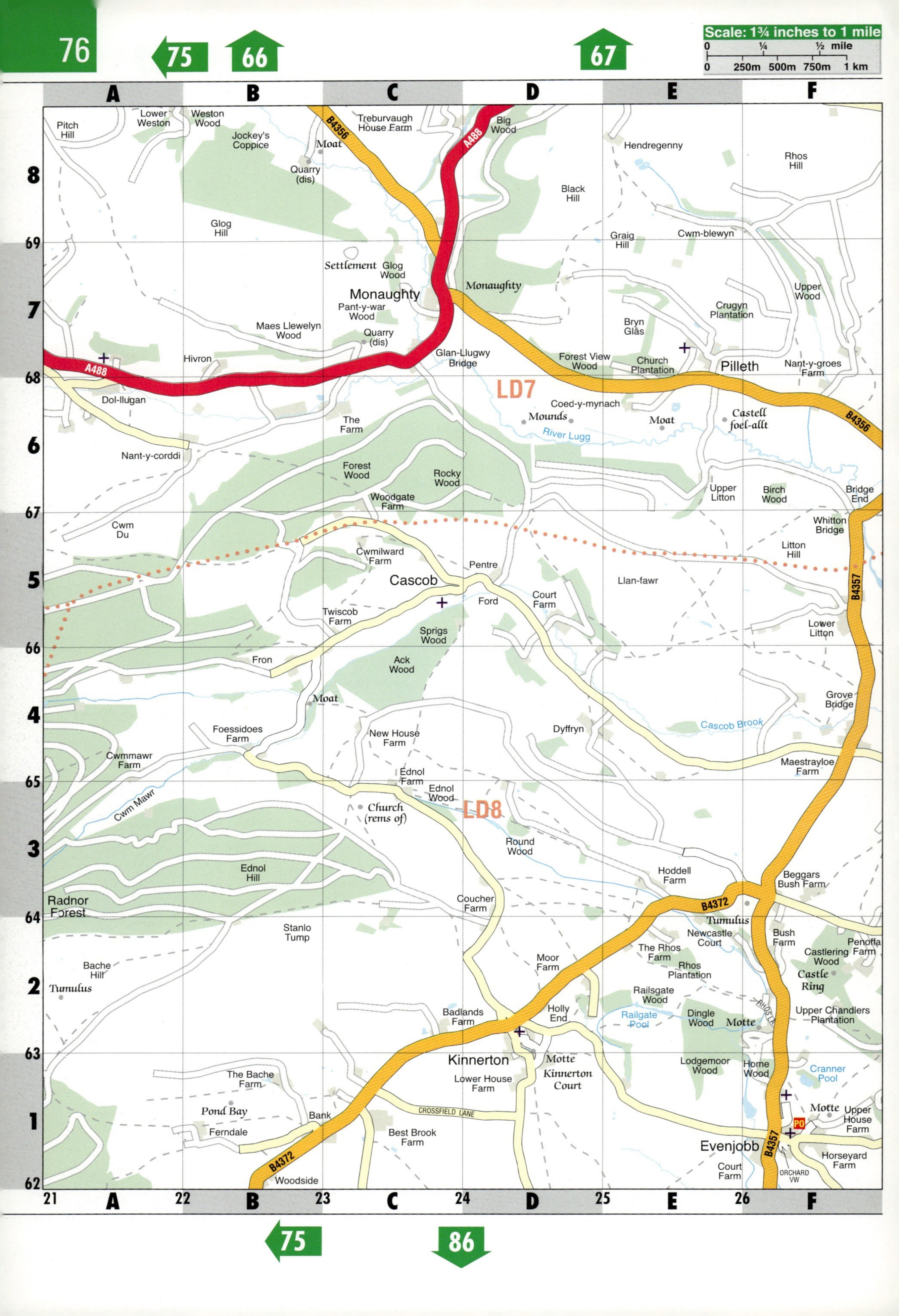

75
66
67
Scale: 1¾ inches to 1 mile
0 ¼ ½ mile
0 250m 500m 750m 1 km
A B C D E F
8 69 7 68 6 67 5 66 4 65 3 64 2 63 1 62
21 22 23 24 25 26
Pitch Hill
Lower Weston
Weston Wood
Jockey's Coppice
Moat
Quarry (dis)
Treburvaugh House Farm
B4356
A488
Big Wood
Hendregenny
Rhos Hill
Black Hill
Glog Hill
Graig Hill
Cwm-blewyn
Settlement
Glog Wood
Monaughty
Upper Wood
Monaughty
Pant-y-war Wood
Crugyn Plantation
Bryn Glâs
Maes Llewelyn Wood
Quarry (dis)
Hivron
Glan-Llugwy Bridge
Forest View Wood
Church Plantation
Pilleth
Nant-y-groes Farm
A488
Dol-llugan
LD7
Coed-y-mynach
Mounds
Moat
Castell foel-allt
The Farm
River Lugg
B4356
Nant-y-corddi
Forest Wood
Rocky Wood
Upper Litton
Birch Wood
Bridge End
Woodgate Farm
Whitton Bridge
Cwm Du
Cwmilward Farm
Litton Hill
Pentre
Cascob
Llan-fawr
B4357
Ford
Court Farm
Twiscob Farm
Sprigs Wood
Lower Litton
Fron
Ack Wood
Moat
Grove Bridge
Cascob Brook
Foessidoes Farm
Dyffryn
New House Farm
Cwmmawr Farm
Maestrayloe Farm
Ednol Farm
Ednol Wood
Cwm Mawr
Church (rems of)
LD8
Round Wood
Ednol Hill
Hoddell Farm
Beggars Bush Farm
Radnor Forest
Coucher Farm
B4372
Tumulus
Stanlo Tump
Newcastle Court
Bush Farm
Penoffa Farm
The Rhos Farm
Castlering Wood
Bache Hill
Moor Farm
Rhos Plantation
Castle Ring
Tumulus
Railsgate Wood
Upper Chandlers Plantation
Badlands Farm
Holly End
Railgate Pool
Dingle Wood
Motte
RHOS LA
Kinnerton
Motte
Kinnerton Court
Lodgemoor Wood
Home Wood
Cranner Pool
The Bache Farm
Lower House Farm
Pond Bay
Bank
CROSSFIELD LANE
Motte
Upper House Farm
PO
Ferndale
Best Brook Farm
Evenjobb
B4357
Horseyard Farm
B4372
Court Farm
ORCHARD VW
Woodside

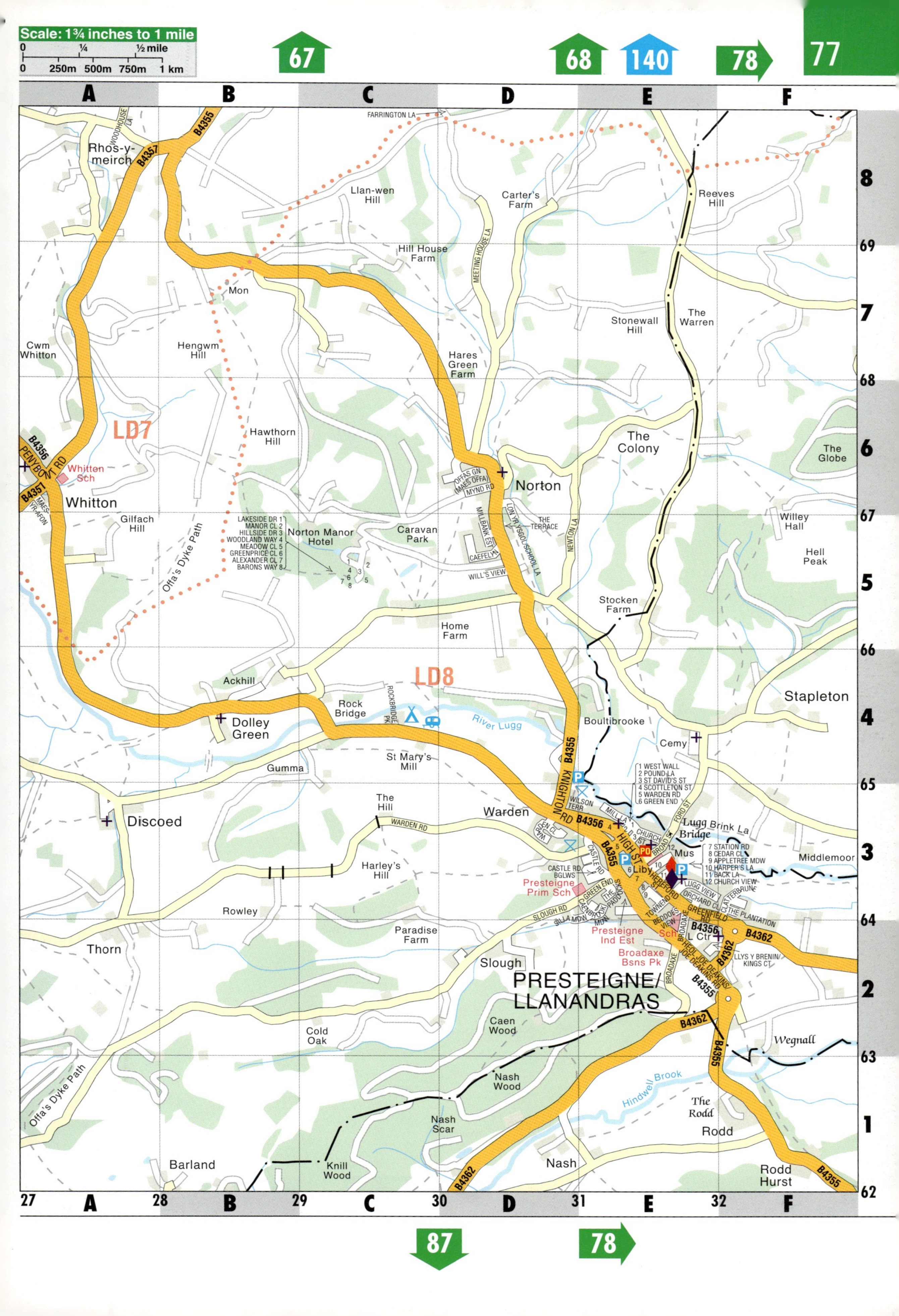

Scale: 1¾ inches to 1 mile
0 ¼ ½ mile
0 250m 500m 750m 1 km
67
68
140
78
Rhos-y-meirch
Llan-wen Hill
Carter's Farm
Reeves Hill
Hill House Farm
Mon
Stonewall Hill
The Warren
Cwm Whitton
Hengwm Hill
Hares Green Farm
LD7
Hawthorn Hill
The Colony
The Globe
Whitton Sch
Whitton
Norton
Gilfach Hill
Norton Manor Hotel
Caravan Park
Willey Hall
Hell Peak
Offa's Dyke Path
Stocken Farm
Home Farm
Ackhill
LD8
Stapleton
Rock Bridge
Dolley Green
River Lugg
Boultibrooke
Cemy
Gumma
St Mary's Mill
The Hill
Warden
Discoed
Lugg Bridge
Mus
Middlemoor
Harley's Hill
Liby
Presteigne Prim Sch
Rowley
Presteigne Ind Est
L Ctr
Paradise Farm
Broadaxe Bsns Pk
Thorn
Slough
PRESTEIGNE/ LLANANDRAS
Caen Wood
Cold Oak
Wegnall
Nash Wood
Hindwell Brook
The Rodd
Nash Scar
Rodd
Knill Wood
Barland
Nash
Rodd Hurst
87
78

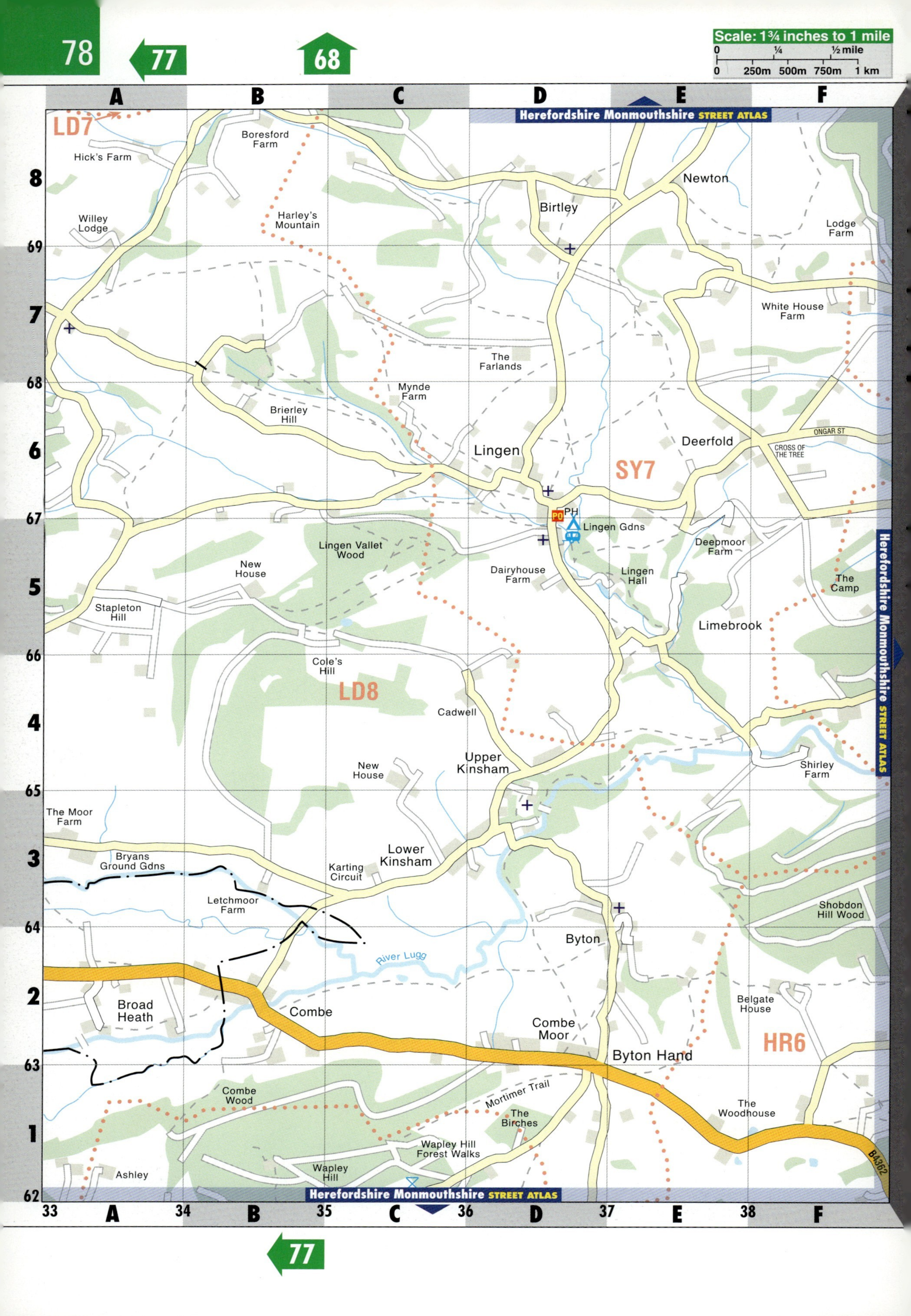
A B C D E F
Herefordshire Monmouthshire STREET ATLAS
LD7
Hick's Farm
Boresford Farm
Newton
Birtley
Willey Lodge
Harley's Mountain
Lodge Farm
White House Farm
The Farlands
Mynde Farm
Brierley Hill
Lingen
Deerfold
ONGAR ST
CROSS OF THE TREE
SY7
PH
PO
Lingen Gdns
Lingen Vallet Wood
New House
Deepmoor Farm
Dairyhouse Farm
Lingen Hall
The Camp
Stapleton Hill
Limebrook
Cole's Hill
LD8
Cadwell
Upper Kinsham
New House
Shirley Farm
The Moor Farm
Lower Kinsham
Bryans Ground Gdns
Karting Circuit
Letchmoor Farm
Shobdon Hill Wood
Byton
River Lugg
Broad Heath
Combe
Combe Moor
Belgate House
HR6
Byton Hand
Combe Wood
Mortimer Trail
The Birches
The Woodhouse
Wapley Hill Forest Walks
Wapley Hill
Ashley
B4362
8 69 7 68 6 67 5 66 4 65 3 64 2 63 1 62
33 34 35 36 37 38

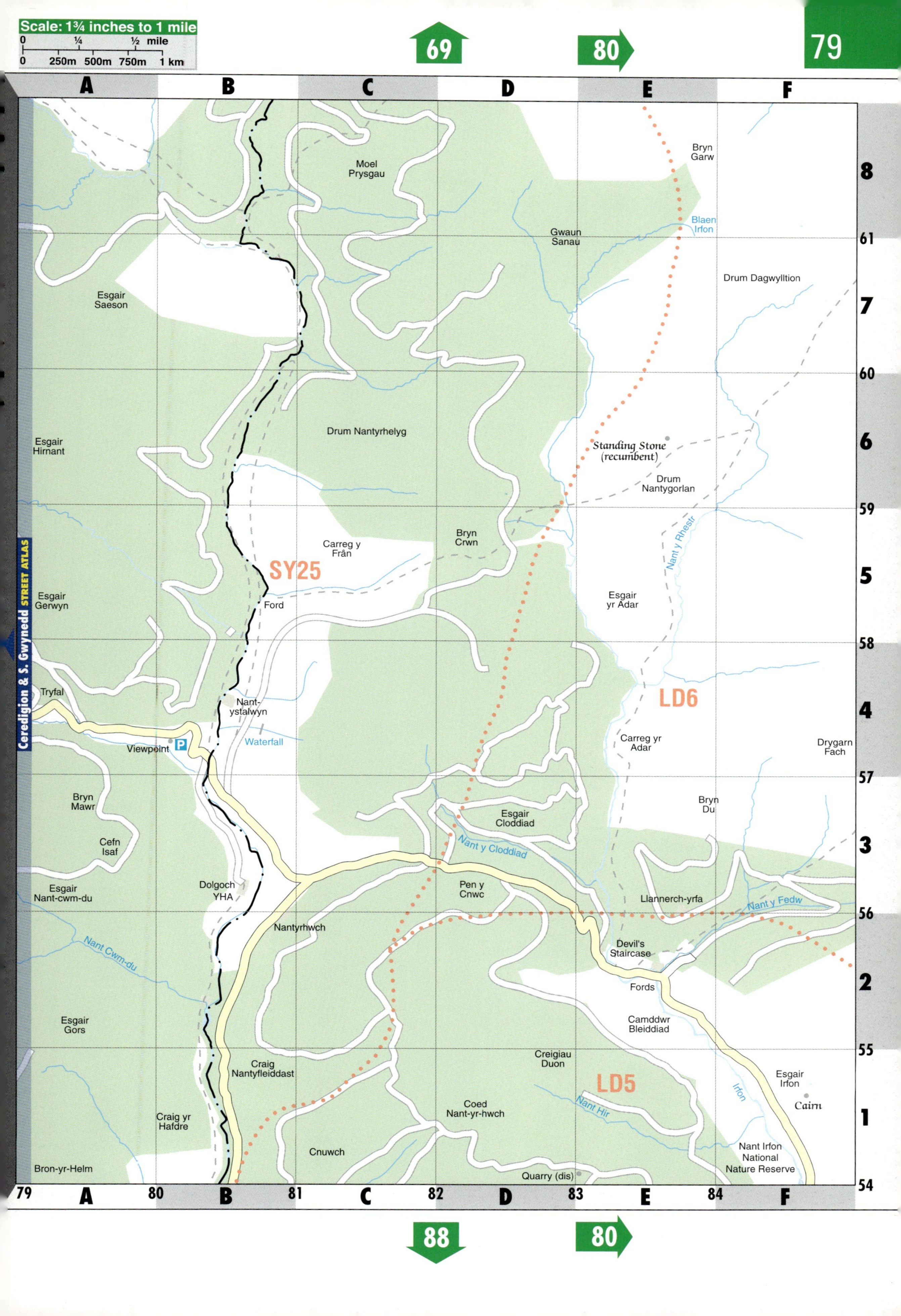
Scale: 1¾ inches to 1 mile
0 ¼ ½ mile
0 250m 500m 750m 1 km
69
80
A B C D E F
Moel Prysgau
Bryn Garw
Blaen Irfon
Gwaun Sanau
Drum Dagwylltion
Esgair Saeson
Drum Nantyrhelyg
Esgair Hirnant
Standing Stone (recumbent)
Drum Nantygorlan
Bryn Crwn
Carreg y Frân
SY25
Nant y Rhestr
Esgair Gerwyn
Ford
Esgair yr Adar
Tryfal
Nant-ystalwyn
LD6
Viewpoint
Waterfall
Carreg yr Adar
Drygarn Fach
Bryn Mawr
Bryn Du
Esgair Cloddiad
Nant y Cloddiad
Cefn Isaf
Pen y Cnwc
Dolgoch YHA
Esgair Nant-cwm-du
Llannerch-yrfa
Nant y Fedw
Nantyrhwch
Nant Cwm-du
Devil's Staircase
Fords
Esgair Gors
Camddwr Bleiddiad
Craig Nantyfleiddast
Creigiau Duon
LD5
Esgair Irfon
Irfon
Cairn
Nant Hir
Coed Nant-yr-hwch
Craig yr Hafdre
Cnuwch
Nant Irfon National Nature Reserve
Bron-yr-Helm
Quarry (dis)
61
60
59
58
57
56
55
54
8 7 6 5 4 3 2 1
79 80 81 82 83 84
Ceredigion & S. Gwynedd STREET ATLAS
88
80

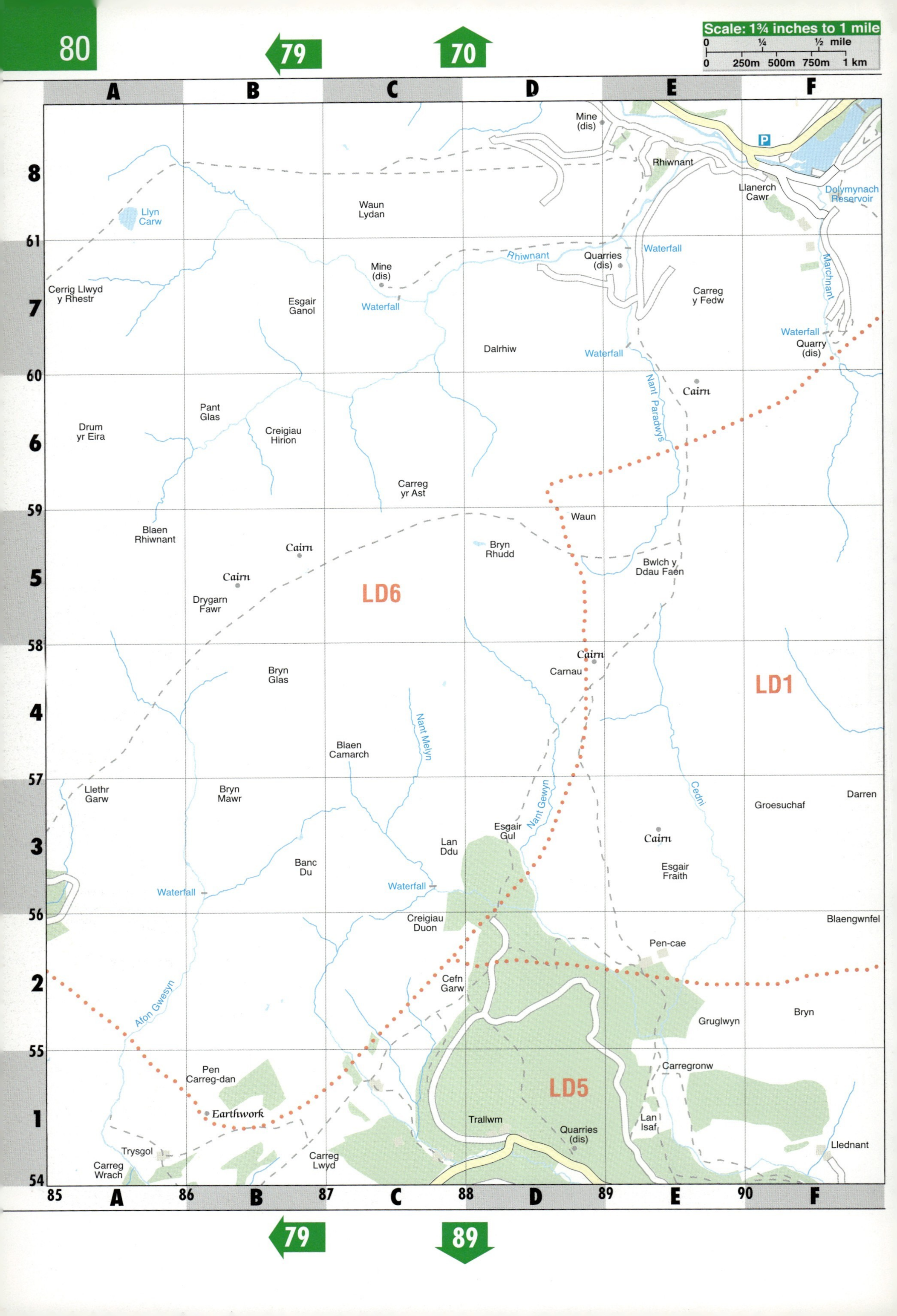

79
70
Scale: 1¾ inches to 1 mile
0 ¼ ½ mile
0 250m 500m 750m 1 km
A B C D E F
8
61
7
60
6
59
5
58
4
57
3
56
2
55
1
54
85 86 87 88 89 90
Mine (dis)
Rhiwnant
Llanerch Cawr
Dolymynach Reservoir
Llyn Carw
Waun Lydan
Rhiwnant
Quarries (dis)
Waterfall
Mine (dis)
Cerrig Llwyd y Rhestr
Esgair Ganol
Waterfall
Carreg y Fedw
Marchnant
Waterfall
Quarry (dis)
Dalrhiw
Waterfall
Cairn
Nant Paradwys
Pant Glas
Drum yr Eira
Creigiau Hirion
Carreg yr Ast
Waun
Blaen Rhiwnant
Cairn
Bryn Rhudd
Bwlch y Ddau Faen
Cairn
Drygarn Fawr
LD6
Cairn
Carnau
Bryn Glas
LD1
Nant Melyn
Blaen Camarch
Llethr Garw
Bryn Mawr
Cedni
Groesuchaf
Darren
Nant Gewyn
Esgair Gul
Lan Ddu
Cairn
Banc Du
Esgair Fraith
Waterfall
Waterfall
Creigiau Duon
Blaengwnfel
Pen-cae
Cefn Garw
Afon Gwesyn
Gruglwyn
Bryn
Carregronw
Pen Carreg-dan
LD5
Earthwork
Trallwm
Lan Isaf
Quarries (dis)
Trysgol
Llednant
Carreg Wrach
Carreg Lwyd
79
89

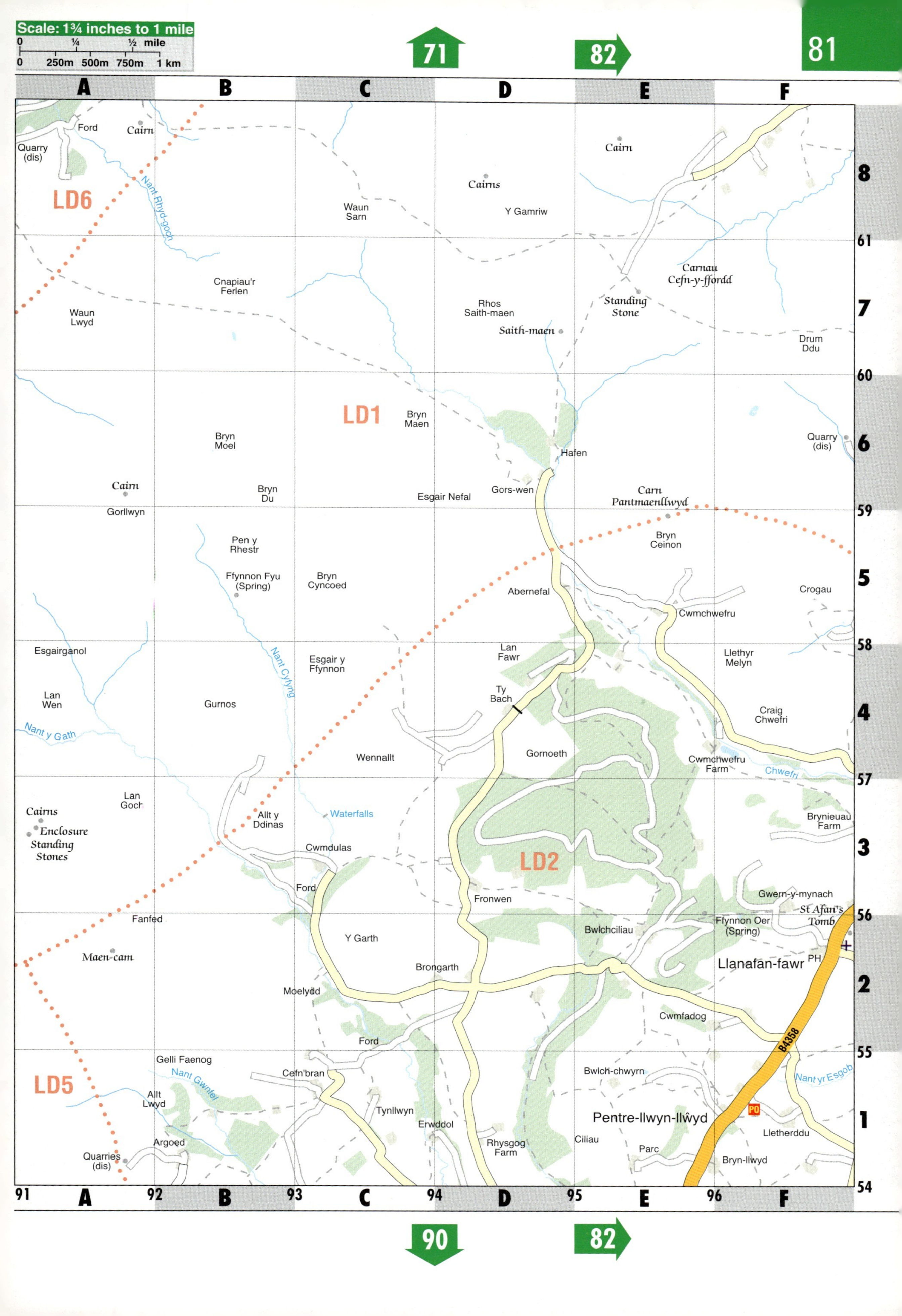
Scale: 1¾ inches to 1 mile
0 ¼ ½ mile
0 250m 500m 750m 1 km
71
82
A B C D E F
Ford
Cairn
Quarry (dis)
LD6
Nant Rhyd-goch
Waun Sarn
Cairns
Y Gamriw
Cairn
8
61
Cnapiau'r Ferlen
Waun Lwyd
Rhos Saith-maen
Saith-maen
Standing Stone
Carnau Cefn-y-ffordd
7
Drum Ddu
60
LD1
Bryn Maen
Bryn Moel
Hafen
Quarry (dis)
6
Cairn
Gorllwyn
Bryn Du
Esgair Nefal
Gors-wen
Carn Pantmaenllwyd
59
Bryn Ceinon
Pen y Rhestr
Ffynnon Fyu (Spring)
Bryn Cyncoed
Abernefal
Crogau
5
Cwmchwefru
Esgairganol
Nant Cyfyng
Esgair y Ffynnon
Lan Fawr
Llethyr Melyn
58
Lan Wen
Gurnos
Ty Bach
Craig Chwefri
4
Nant y Gath
Wennallt
Gornoeth
Cwmchwefru Farm
Chwefri
57
Cairns
Enclosure
Standing Stones
Lan Goch
Allt y Ddinas
Waterfalls
Brynieuau Farm
3
Cwmdulas
LD2
Ford
Fronwen
Gwern-y-mynach
St Afan's Tomb
56
Fanfed
Y Garth
Bwlchciliau
Ffynnon Oer (Spring)
Maen-cam
PH
Llanafan-fawr
Brongarth
2
Moelydd
Cwmfadog
B4358
55
Ford
Gelli Faenog
Nant Gwnfel
Cefn'bran
Bwlch-chwyrn
Nant yr Esgob
LD5
Allt Lwyd
Tynllwyn
Pentre-llwyn-llŵyd
PO
1
Erwddol
Llethèrddu
Argoed
Rhysgog Farm
Ciliau
Parc
Quarries (dis)
Bryn-llwyd
54
91 A 92 B 93 C 94 D 95 E 96 F
90
82

81
72

Scale: 1¾ inches to 1 mile

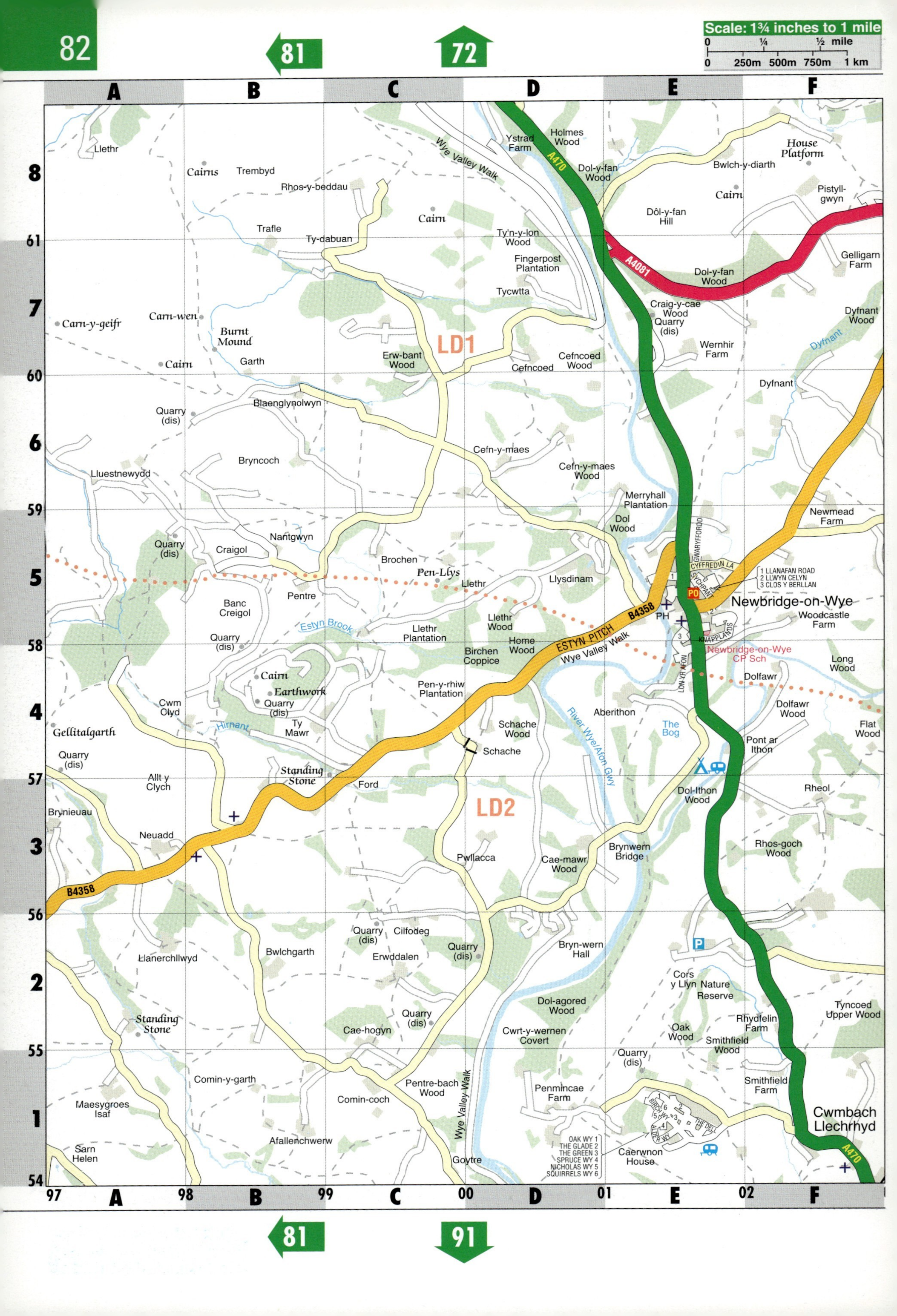

81
91

Scale: 1¾ inches to 1 mile

73
84

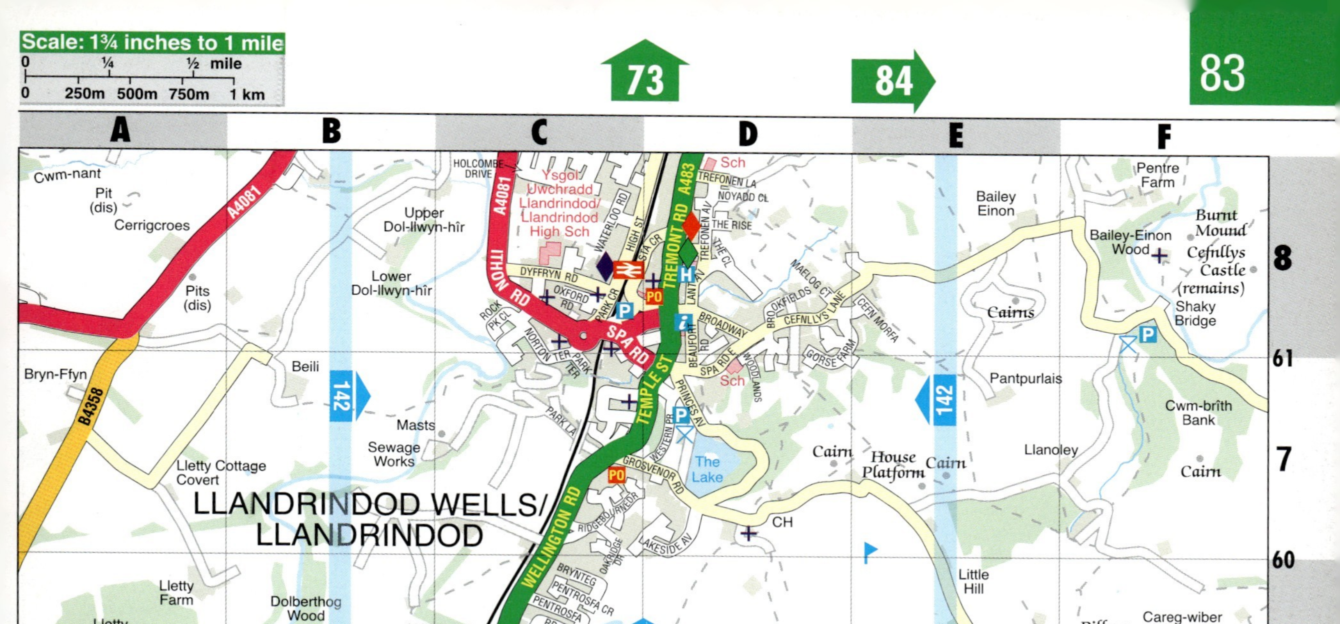

92
84
For full street detail of the highlighted area see page 142.

83
74

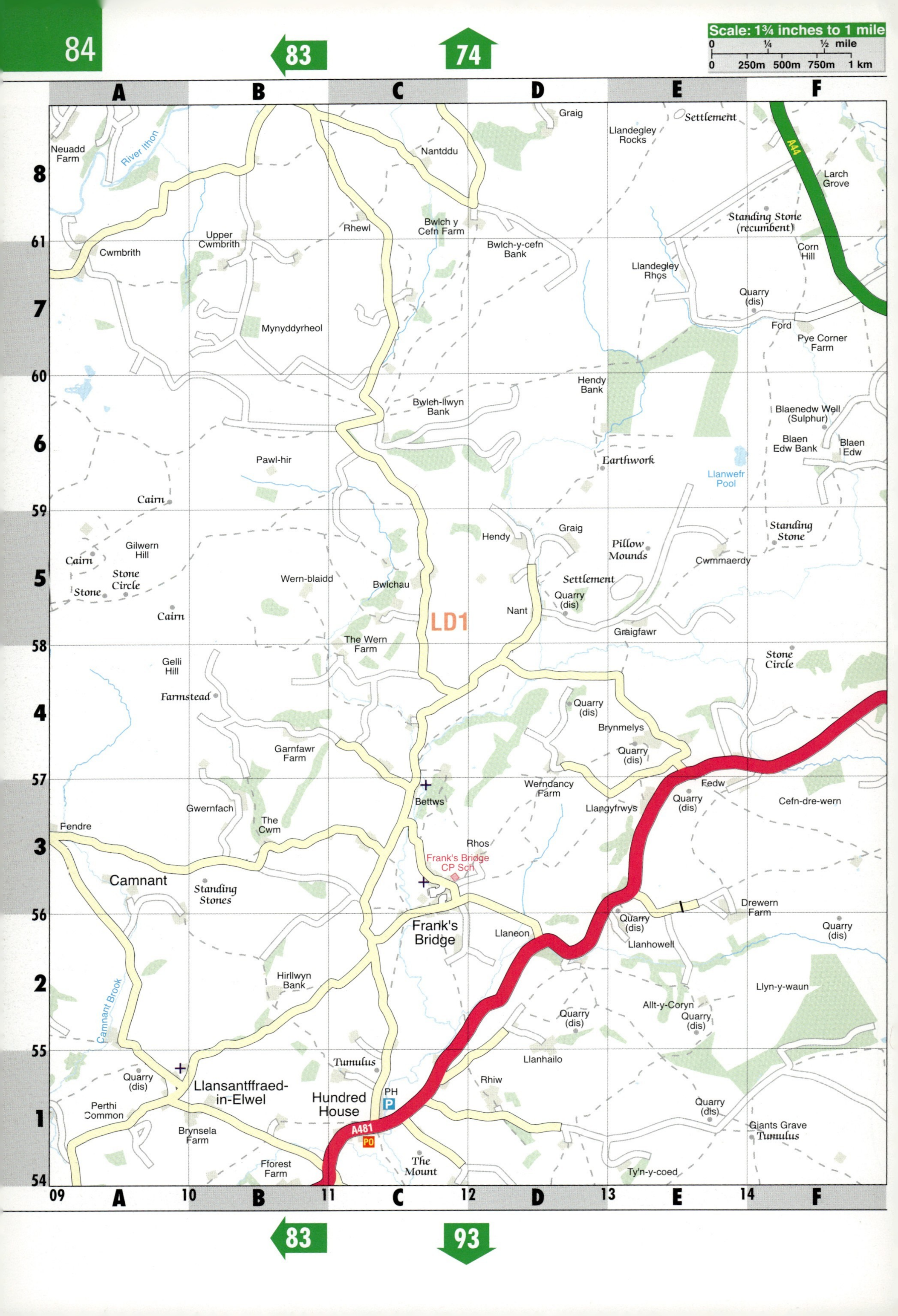
Scale: 1¾ inches to 1 mile
0 ¼ ½ mile
0 250m 500m 750m 1 km
A B C D E F
8 61 7 60 6 59 5 58 4 57 3 56 2 55 1 54
09 10 11 12 13 14
Neuadd Farm
River Ithon
Graig
Llandegley Rocks
Settlement
A44
Nantddu
Larch Grove
Standing Stone (recumbent)
Rhewl
Bwlch y Cefn Farm
Upper Cwmbrith
Cwmbrith
Bwlch-y-cefn Bank
Corn Hill
Llandegley Rhos
Quarry (dis)
Mynyddyrheol
Ford
Pye Corner Farm
Hendy Bank
Bwlch-llwyn Bank
Blaenedw Well (Sulphur)
Blaen Edw Bank
Blaen Edw
Pawl-hir
Earthwork
Llanwefr Pool
Cairn
Hendy
Graig
Pillow Mounds
Standing Stone
Gilwern Hill
Cwmmaerdy
Stone Circle
Stone
Wern-blaidd
Bwlchau
Settlement
Quarry (dis)
Nant
LD1
Graigfawr
The Wern Farm
Stone Circle
Gelli Hill
Farmstead
Quarry (dis)
Brynmelys
Garnfawr Farm
Quarry (dis)
Fedw
Bettws
Wemdancy Farm
Quarry (dis)
Cefn-dre-wern
Llangyfrwys
Gwernfach
The Cwm
Fendre
Rhos
Frank's Bridge CP Sch
Camnant
Standing Stones
Drewern Farm
Quarry (dis)
Frank's Bridge
Llaneon
Quarry (dis)
Llanhowell
Hirllwyn Bank
Llyn-y-waun
Camnant Brook
Allt-y-Coryn
Quarry (dis)
Quarry (dis)
Tumulus
Llanhailo
Quarry (dis)
Llansantffraed-in-Elwel
Rhiw
PH
P
Perthi Common
Hundred House
Quarry (dis)
Giants Grave Tumulus
A481
PO
Brynsela Farm
Fforest Farm
The Mount
Ty'n-y-coed

83
93

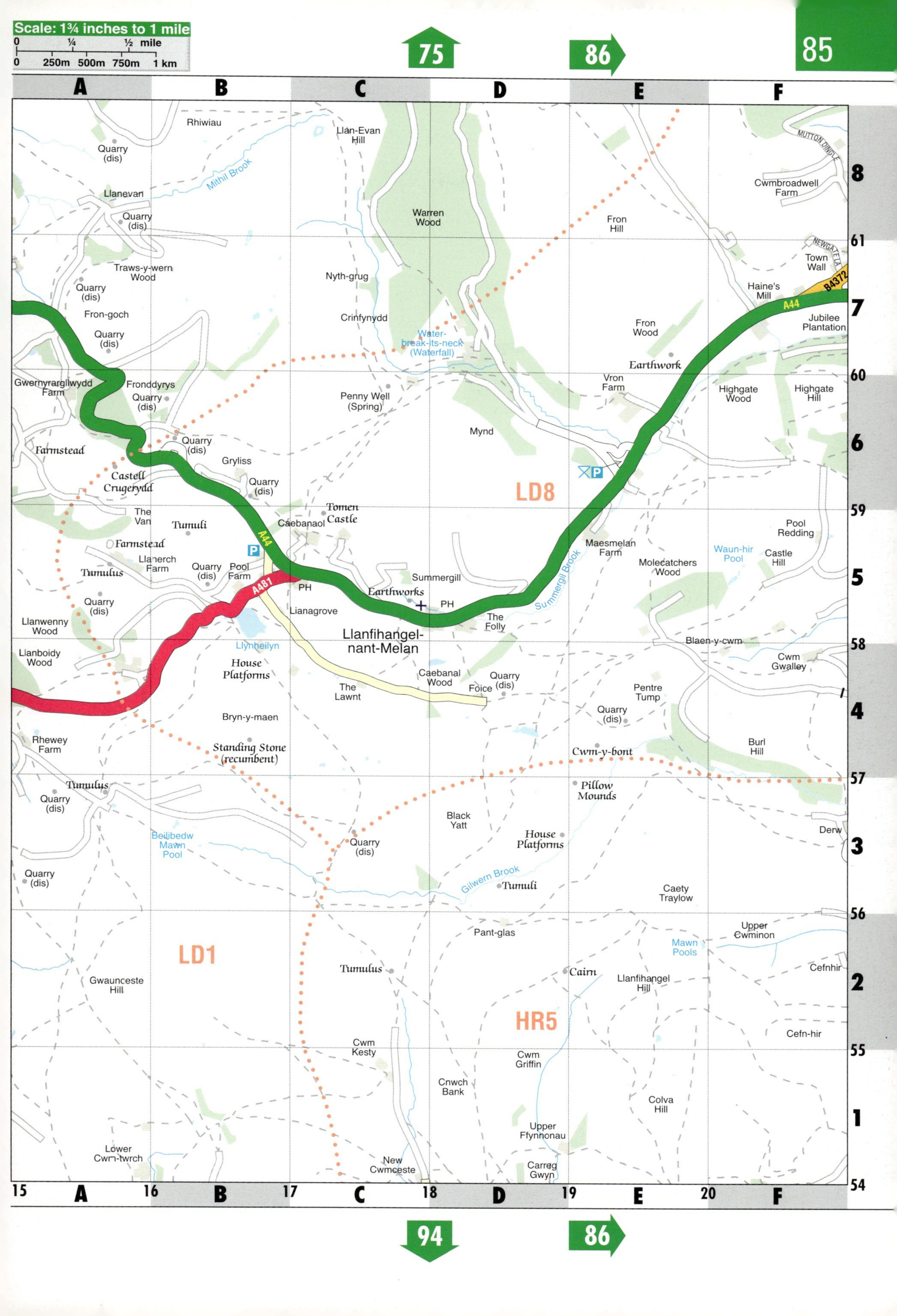

Scale: 1¾ inches to 1 mile
0 ¼ ½ mile
0 250m 500m 750m 1 km
75
86
85
A B C D E F
Rhiwiau
Llan-Evan Hill
Quarry (dis)
Mithil Brook
Llanevan
Warren Wood
Fron Hill
Cwmbroadwell Farm
MUTTON DINGLE
NEWGATE LA
Town Wall
Traws-y-wern Wood
Nyth-grug
Haine's Mill
B4372
A44
Fron-goch
Crinfynydd
Fron Wood
Jubilee Plantation
Water-break-its-neck (Waterfall)
Earthwork
Gwernyrargllwydd Farm
Fronddyrys
Penny Well (Spring)
Vron Farm
Highgate Wood
Highgate Hill
Mynd
Farmstead
Gryliss
Castell Crugerydd
LD8
Tomen Castle
Caebanaol
The Van
Tumuli
Farmstead
Maesmelan Farm
Pool Redding
Waun-hir Pool
Castle Hill
Llanerch Farm
Pool Farm
Summergill
Molecatchers Wood
Tumulus
A481
PH
Earthworks
Summergill Brook
Lianagrove
The Folly
Llanwenny Wood
Llanfihangel-nant-Melan
Blaen-y-cwm
Llanboidy Wood
Llynheilyn
Cwm Gwalley
House Platforms
Caebanal Wood
Foice
The Lawnt
Pentre Tump
Bryn-y-maen
Rhewey Farm
Standing Stone (recumbent)
Cwm-y-bont
Burl Hill
Tumulus
Pillow Mounds
Black Yatt
House Platforms
Derw
Beilibedw Mawn Pool
Gilwern Brook
Tumuli
Caety Traylow
Pant-glas
Upper Cwminon
Mawn Pools
LD1
Tumulus
Cairn
Llanfihangel Hill
Cefnhir
Gwaunceste Hill
HR5
Cefn-hir
Cwm Kesty
Cwm Griffin
Cnwch Bank
Colva Hill
Upper Ffynnonau
Lower Cwm-twrch
New Cwmceste
Carreg Gwyn
8 61 7 60 6 59 5 58 4 57 3 56 2 55 1 54
15 16 17 18 19 20
94
86

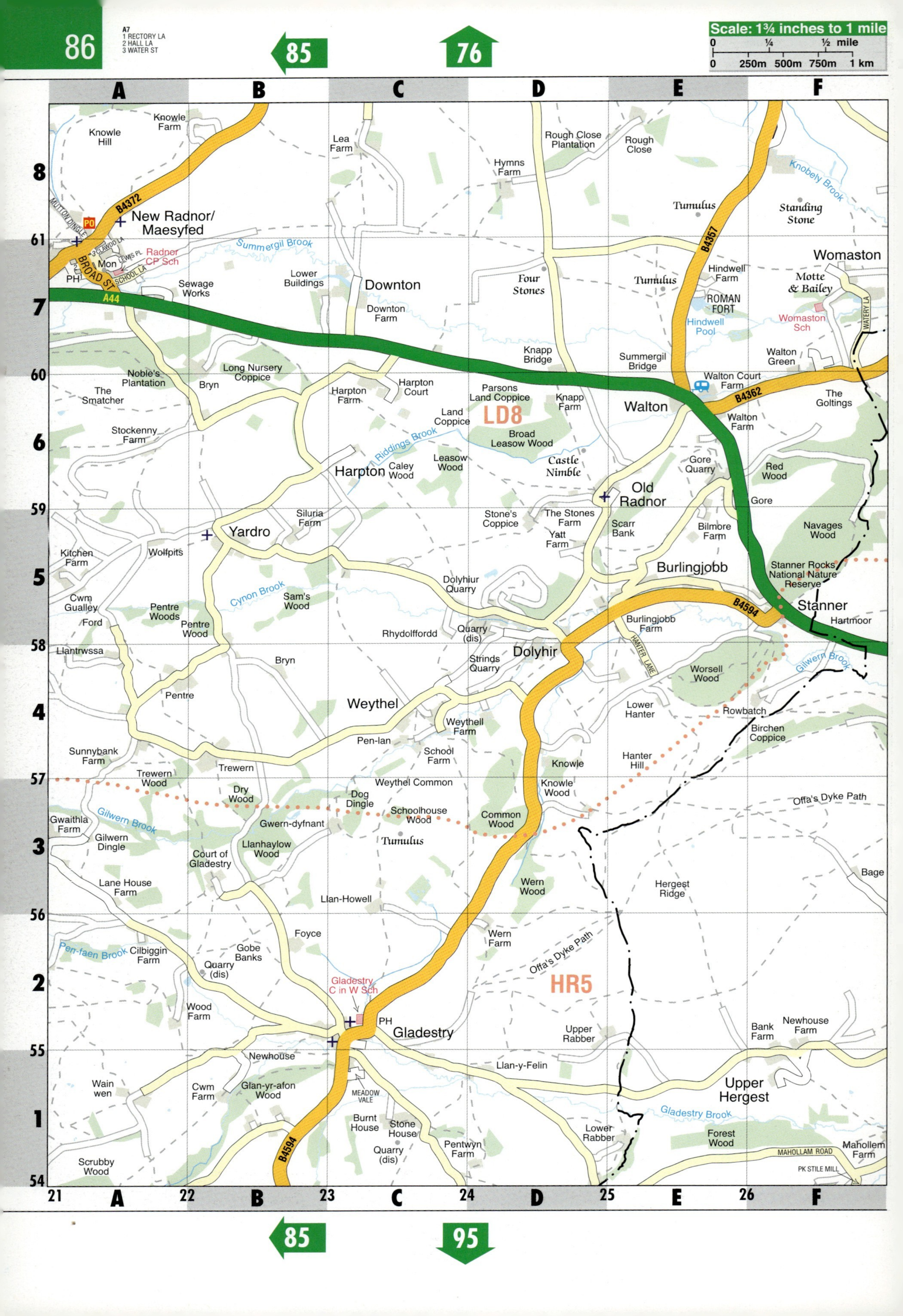
A7
1 RECTORY LA
2 HALL LA
3 WATER ST
85
76
Scale: 1¾ inches to 1 mile
0
¼
½ mile
0
250m
500m
750m
1 km
A
B
C
D
E
F
8
61
7
60
6
59
5
58
4
57
3
56
2
55
1
54
21
22
23
24
25
26
Knowle Farm
Knowle Hill
Lea Farm
Rough Close Plantation
Rough Close
Hymns Farm
Knobely Brook
Tumulus
Standing Stone
MUTTON DINGLE
PO
B4372
New Radnor/ Maesyfed
CLAWDD LA
LEWIS PL
Radnor CP Sch
Summergil Brook
Mon
BROAD ST
SCHOOL LA
PH
Sewage Works
Lower Buildings
Downton
Four Stones
Tumulus
B4357
Hindwell Farm
Womaston
Motte & Bailey
A44
Downton Farm
ROMAN FORT
Hindwell Pool
Womaston Sch
WATERY LA
Knapp Bridge
Summergil Bridge
Walton Green
Long Nursery Coppice
Noble's Plantation
Bryn
Harpton Court
Harpton Farm
Parsons Land Coppice
Knapp Farm
Walton Court Farm
Walton
B4362
The Smatcher
The Goltings
Land Coppice
LD8
Walton Farm
Stockenny Farm
Riddings Brook
Broad Leasow Wood
Leasow Wood
Castle Nimble
Gore Quarry
Red Wood
Harpton
Caley Wood
Old Radnor
Gore
Siluria Farm
Stone's Coppice
The Stones Farm
Scarr Bank
Bilmore Farm
Navages Wood
Yardro
Yatt Farm
Kitchen Farm
Wolfpits
Burlingjobb
Stanner Rocks National Nature Reserve
Dolyhiur Quarry
Cynon Brook
Cwm Gualley
Sam's Wood
Stanner
B4594
Pentre Woods
Hartmoor
Ford
Pentre Wood
Burlingjobb Farm
Rhydolffordd
Quarry (dis)
Llantrwssa
Dolyhir
HANTER LANE
Bryn
Strinds Quarry
Worsell Wood
Gilwern Brook
Pentre
Weythel
Lower Hanter
Rowbatch
Weythell Farm
Birchen Coppice
Pen-lan
Sunnybank Farm
School Farm
Trewern
Knowle
Hanter Hill
Trewern Wood
Weythel Common
Dry Wood
Dog Dingle
Knowle Wood
Offa's Dyke Path
Gwaithla Farm
Gilwern Brook
Schoolhouse Wood
Gwern-dyfnant
Common Wood
Gilwern Dingle
Tumulus
Llanhaylow Wood
Court of Gladestry
Bage
Wern Wood
Lane House Farm
Hergest Ridge
Llan-Howell
Foyce
Wern Farm
Gobe Banks
Perr-faen Brook
Cilbiggin Farm
Quarry (dis)
Offa's Dyke Path
Gladestry C in W Sch
HR5
Wood Farm
PH
Gladestry
Upper Rabber
Bank Farm
Newhouse Farm
Newhouse
Llan-y-Felin
Wain wen
Cwm Farm
Glan-yr-afon Wood
MEADOW VALE
Upper Hergest
Gladestry Brook
Burnt House
Stone House
Lower Rabber
Forest Wood
Pentwyn Farm
Quarry (dis)
B4594
MAHOLLAM ROAD
Mahollem Farm
Scrubby Wood
PK STILE MILL
85
95

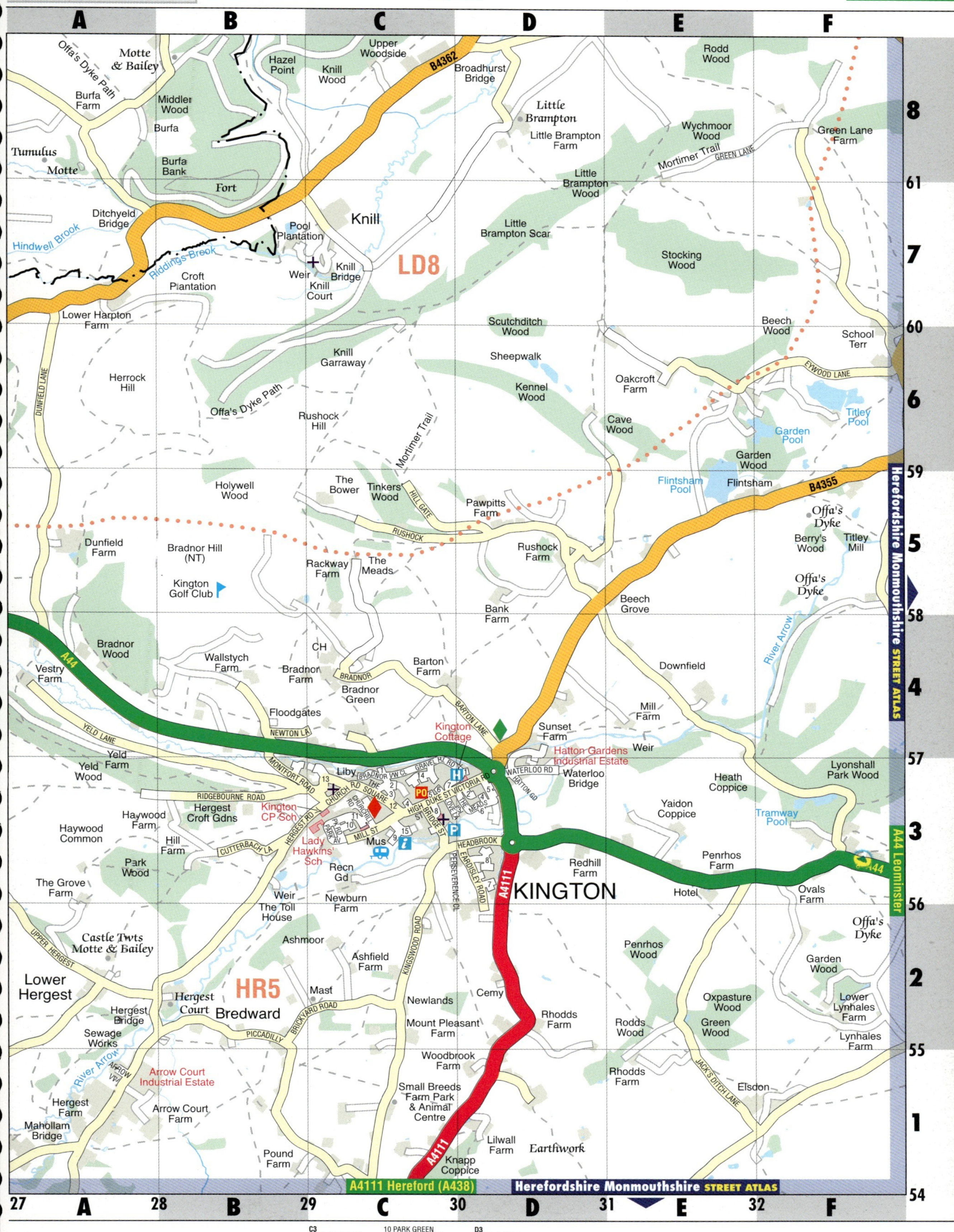

C3
1 PROSPECT RD
2 WALNUT GD
3 COMMON CL
4 PROSPECT PL
5 OXFORD LA
6 SUN LA
7 GRAVEL HL DR
8 MARKET HALL ST
9 MARKWICK CL
10 PARK GREEN
11 THE CRESCENT
12 CHURCH ST
13 CASTLE HILL
14 MORGANS ORCHARD
15 CRABTREE RD

D3
1 GRAVEL HILL
2 VICTORIA CT
3 CORONATION RD
4 MEADS CL
5 ELIZABETH RD
6 TAN HOUSE MS
7 BLACK BARN CL
8 BANLEY DR

79

Scale: 1¾ inches to 1 mile

0 ¼ ½ mile

0 250m 500m 750m 1 km

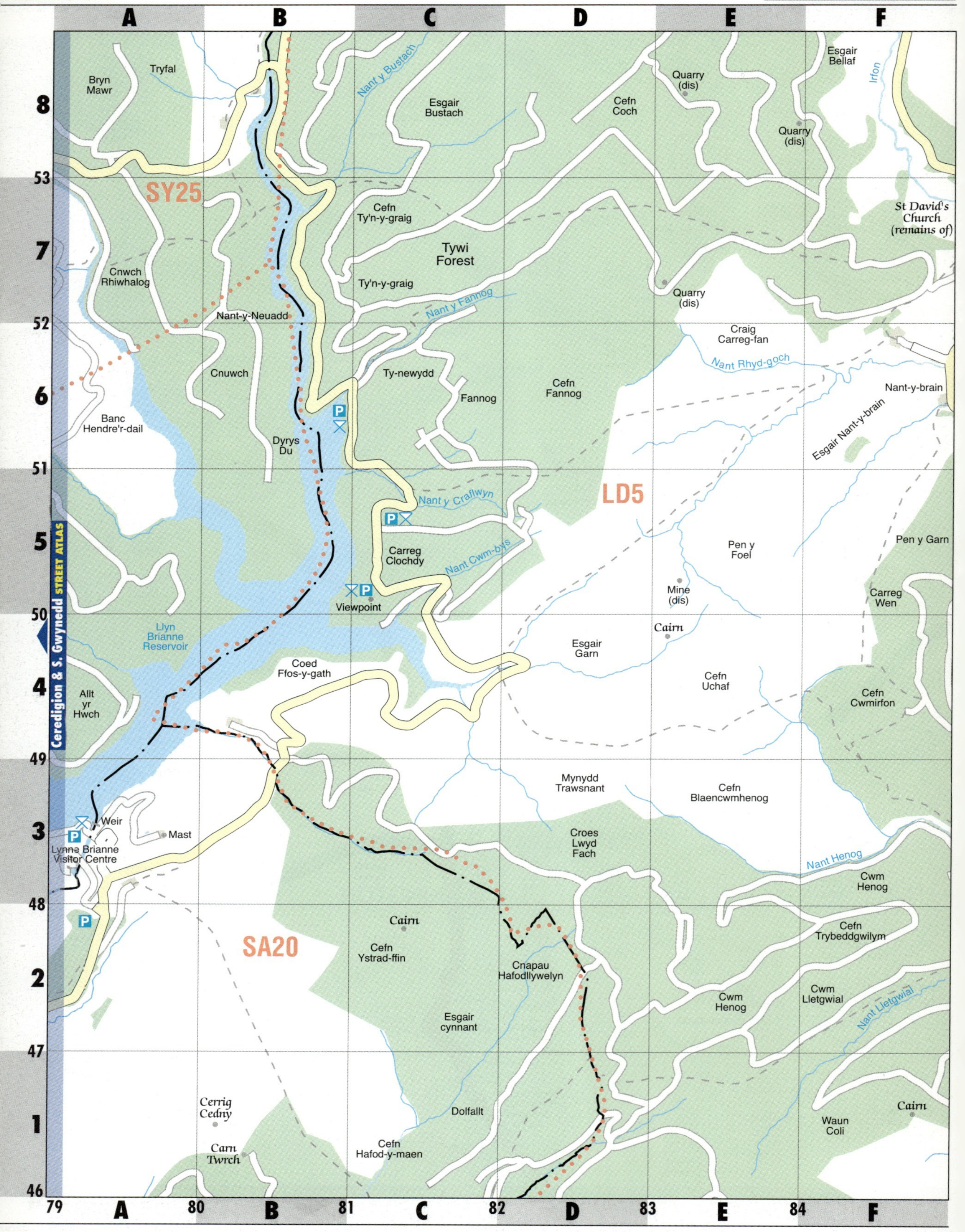

96

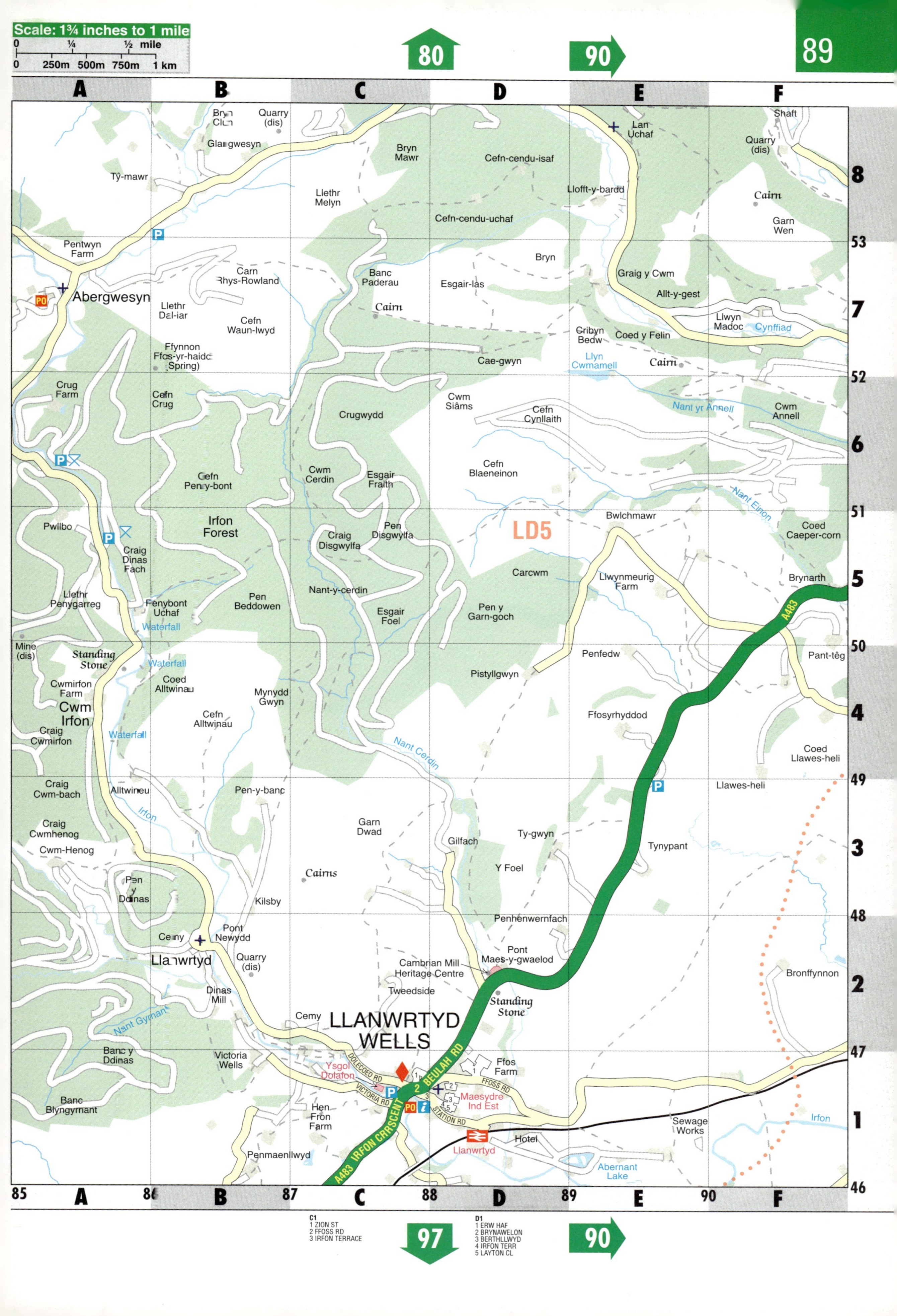
Scale: 1¾ inches to 1 mile
0 ¼ ½ mile
0 250m 500m 750m 1 km
80
90
A B C D E F
Quarry (dis)
Glangwesyn
Tŷ-mawr
Bryn Mawr
Cefn-cendu-isaf
Lan Uchaf
Shaft
Quarry (dis)
Llethr Melyn
Llofft-y-bardd
Cairn
Garn Wen
Cefn-cendu-uchaf
Pentwyn Farm
Carn Rhys-Rowland
Banc Paderau
Bryn
Esgair-las
Graig y Cwm
Allt-y-gest
Abergwesyn
PO
Llethr Dal-iar
Cefn Waun-lwyd
Cairn
Gribyn Bedw
Coed y Felin
Llwyn Madoc
Cynffiad
Ffynnon Ffos-yr-haidd (Spring)
Cae-gwyn
Llyn Cwmamell
Cairn
Crug Farm
Cefn Crug
Cwm Siâms
Cefn Cynllaith
Crugwydd
Nant yr Annell
Cwm Annell
Cefn Pen-y-bont
Cwm Cerdin
Esgair Fraith
Cefn Blaeneinon
Nant Einon
Pwllbo
Irfon Forest
Craig Disgwylfa
Pen Disgwylfa
LD5
Bwlchmawr
Coed Caeper-corn
Craig Dinas Fach
Carcwm
Llwynmeurig Farm
Brynarth
Llethr Penygarreg
Fenybont Uchaf
Pen Beddowen
Nant-y-cerdin
Esgair Foel
Pen y Garn-goch
A483
Waterfall
Mine (dis)
Standing Stone
Waterfall
Penfedw
Pant-têg
Cwmirfon Farm
Coed Alltwinau
Mynydd Gwyn
Pistyllgwyn
Cwm Irfon
Cefn Alltwinau
Ffosyrhyddod
Craig Cwmirfon
Waterfall
Nant Cerdin
Coed Llawes-heli
Craig Cwm-bach
Alltwineu
Pen-y-banc
Llawes-heli
Irfon
Craig Cwmhenog
Garn Dwad
Ty-gwyn
Tynypant
Cwm-Henog
Gilfach
Cairns
Y Foel
Pen y Dinas
Kilsby
Penhenwernfach
Cerny
Pont Newydd
Pont Maes-y-gwaelod
Llanwrtyd
Quarry (dis)
Cambrian Mill Heritage Centre
Bronffynnon
Tweedside
Dinas Mill
Standing Stone
Nant Gwynant
Cemy
LLANWRTYD WELLS
Banc y Ddinas
Victoria Wells
Ffos Farm
Ysgol Dolafon
DOLECOED RD
BEULAH RD
VICTORIA RD
FFOSS RD
Maesydre Ind Est
Banc Blyngygrant
Hen Fron Farm
IRFON CRESCENT
STATION RD
Sewage Works
Irfon
Hotel
Llanwrtyd
Penmaenllwyd
Abernant Lake
53 52 51 50 49 48 47 46
8 7 6 5 4 3 2 1
85 86 87 88 89 90
C1
1 ZION ST
2 FFOSS RD
3 IRFON TERRACE
97
D1
1 ERW HAF
2 BRYNAWELON
3 BERTHLLWYD
4 IRFON TERR
5 LAYTON CL
90

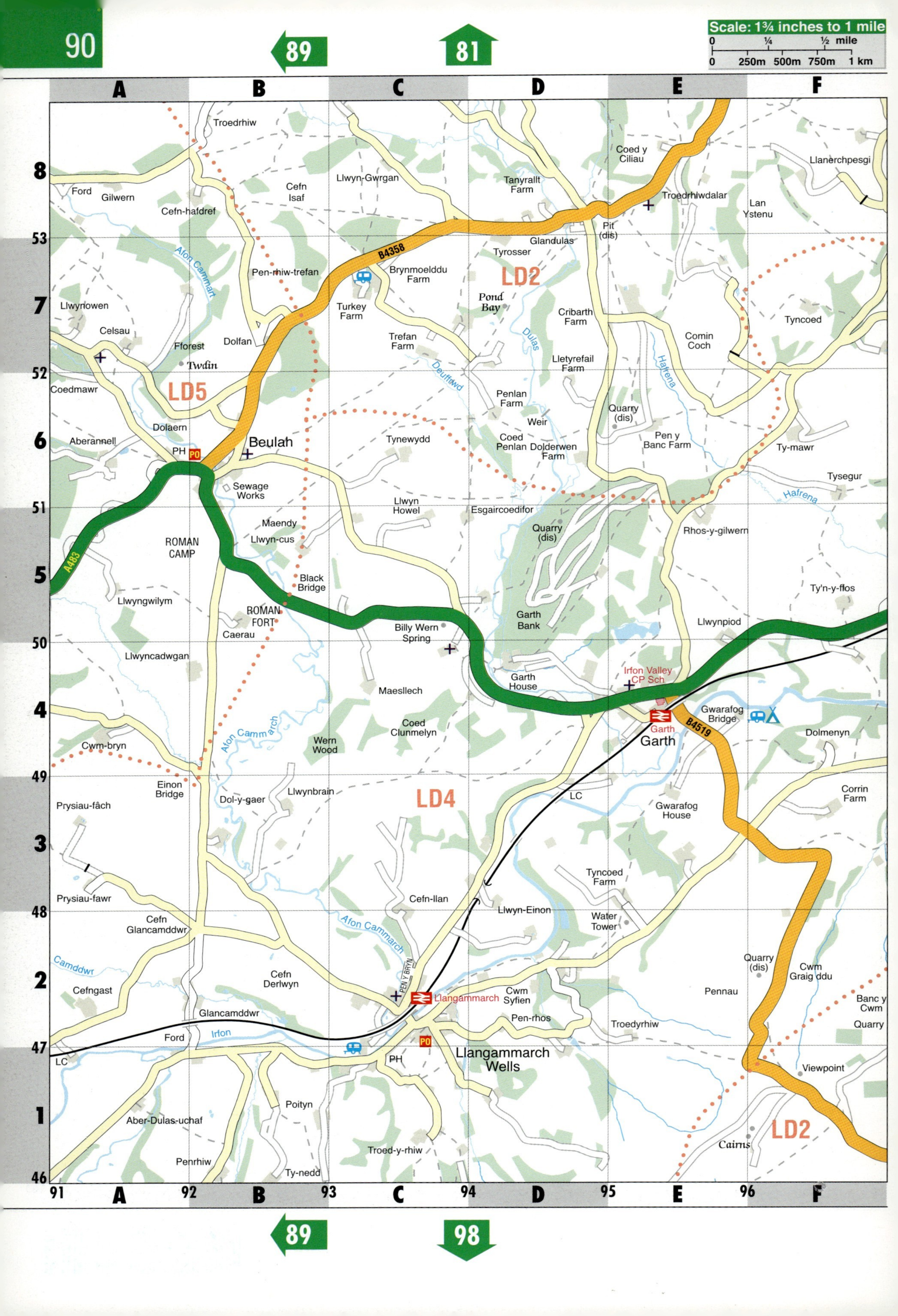
89
81
Scale: 1¾ inches to 1 mile
0 ¼ ½ mile
0 250m 500m 750m 1 km
A B C D E F
8 53 7 52 6 51 5 50 4 49 3 48 2 47 1 46
91 92 93 94 95 96
Troedrhiw
Ford
Gilwern
Cefn-hafdref
Cefn Isaf
Llwyn-Gwrgan
Tanyrallt Farm
Coed y Ciliau
Llanerchpesgi
Troedrhiwdalar
Lan Ystenu
Pit (dis)
Glandulas
Tyrosser
B4358
Afon Cammarch
Pen-rhiw-trefan
Brynmoelddu Farm
LD2
Pond Bay
Llwynowen
Turkey Farm
Cribarth Farm
Comin Coch
Tyncoed
Celsau
Fforest
Dolfan
Trefan Farm
Dulas
Twdin
Hafrena
Lletyrefail Farm
Coedmawr
LD5
Deufftwd
Penlan Farm
Quarry (dis)
Dolaern
Weir
Pen y Banc Farm
Aberannell
Beulah
Tynewydd
Coed Penlan
Dolderwen Farm
Ty-mawr
PH
PO
Sewage Works
Tysegur
Llwyn Howel
Esgaircoedifor
Hafrena
Maendy
Quarry (dis)
Rhos-y-gilwern
ROMAN CAMP
Llwyn-cus
A483
Black Bridge
Ty'n-y-ffos
Llwyngwilym
ROMAN FORT
Garth Bank
Caerau
Billy Wern Spring
Llwynpiod
Llwyncadwgan
Garth House
Irfon Valley CP Sch
Maesllech
Gwarafog Bridge
Garth
B4519
Coed Clunmelyn
Dolmenyn
Afon Cammarch
Cwm-bryn
Wern Wood
Einon Bridge
Llwynbrain
LD4
Corrin Farm
Prysiau-fâch
Dol-y-gaer
LC
Gwarafog House
Tyncoed Farm
Prysiau-fawr
Cefn-llan
Llwyn-Einon
Cefn Glancamddwr
Water Tower
Afon Cammarch
Camddwr
Quarry (dis)
Cwm Graig ddu
Cefn Derlwyn
Cefngast
PEN Y BRYN
Llangammarch
Cwm Syfien
Pennau
Banc y Cwm
Glancamddwr
Pen-rhos
Troedyrhiw
Quarry
Ford
Irfon
PO
LC
PH
Llangammarch Wells
Viewpoint
Poityn
Aber-Dulas-uchaf
LD2
Cairns
Troed-y-rhiw
Penrhiw
Ty-nedd
89
98

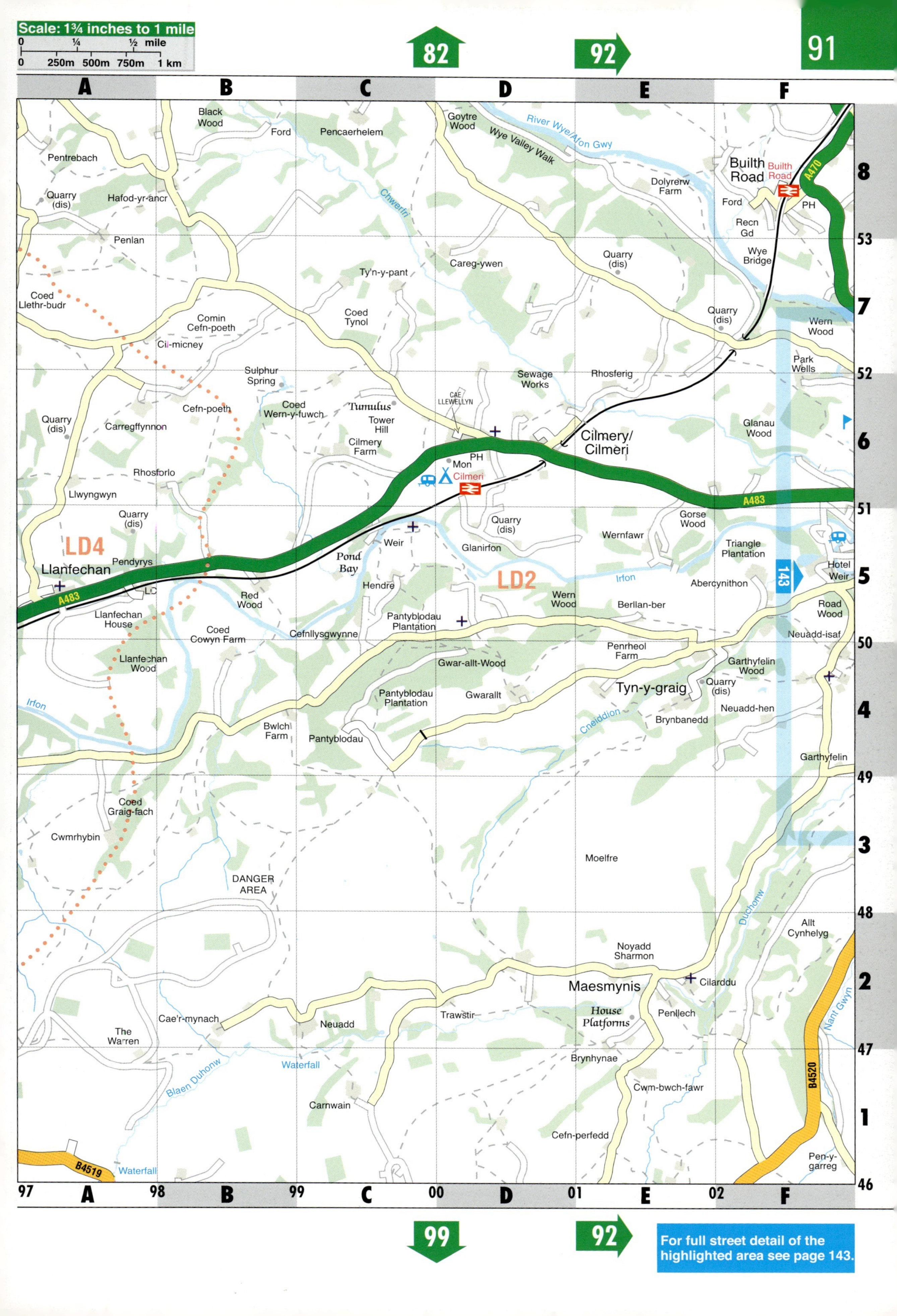

For full street detail of the highlighted area see page 143.

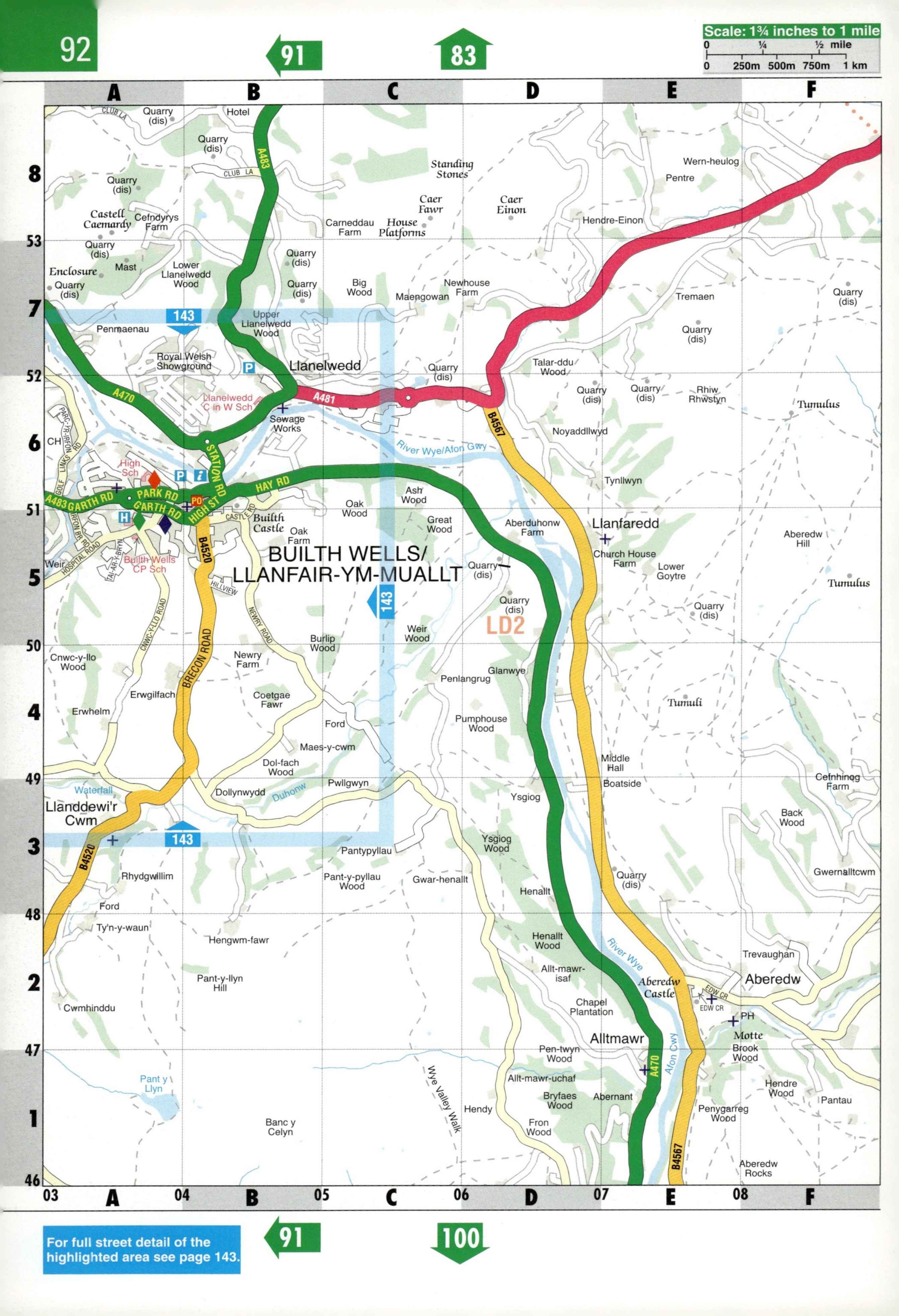

For full street detail of the highlighted area see page 143.

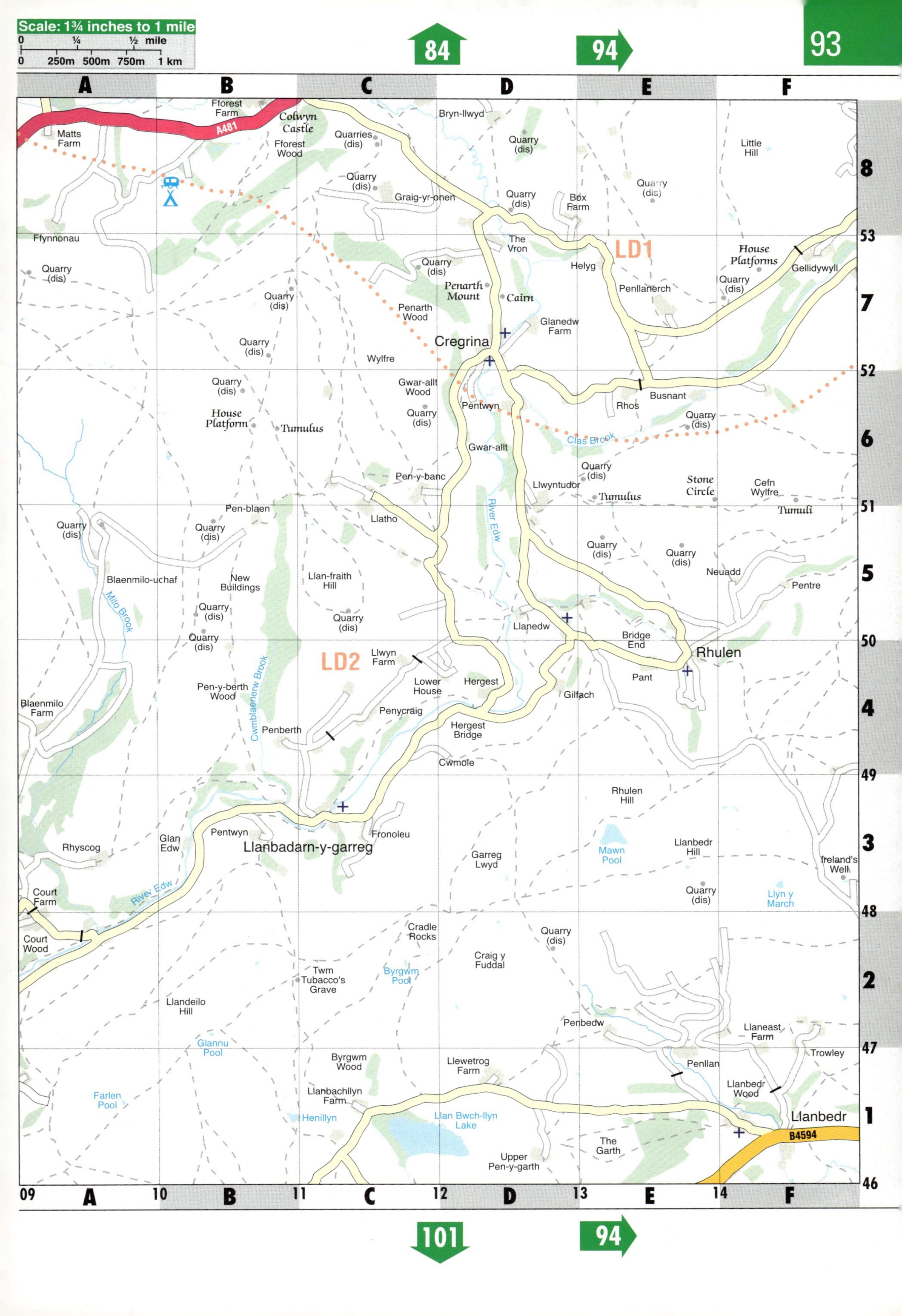
Scale: 1¾ inches to 1 mile
0 ¼ ½ mile
0 250m 500m 750m 1 km
84
94
101
94
A B C D E F
8 53 7 52 6 51 5 50 4 49 3 48 2 47 1 46
09 10 11 12 13 14
A481
B4594
LD1
LD2
Fforest Farm
Colwyn Castle
Fforest Wood
Matts Farm
Quarries (dis)
Bryn-llwyd
Quarry (dis)
Little Hill
Graig-yr-onen
Box Farm
The Vron
Ffynnonau
Helyg
House Platforms
Gellidywyll
Penarth Mount
Cairn
Penllanerch
Penarth Wood
Glanedw Farm
Cregrina
Wylfre
Gwar-allt Wood
Pentwyn
Rhos
Busnant
House Platform
Tumulus
Clas Brook
Gwar-allt
Pen-y-banc
Llwyntudor
Stone Circle
Cefn Wylfre
Tumuli
Pen-blaen
Llatho
River Edw
Neuadd
Blaenmilo-uchaf
New Buildings
Llan-fraith Hill
Pentre
Milo Brook
Llanedw
Bridge End
Rhulen
Llwyn Farm
Lower House
Hergest
Pant
Pen-y-berth Wood
Cwmblaenerw Brook
Blaenmilo Farm
Gilfach
Penycraig
Hergest Bridge
Penberth
Cwmole
Rhulen Hill
Glan Edw
Pentwyn
Fronoleu
Rhyscog
Llanbadarn-y-garreg
Garreg Lwyd
Mawn Pool
Llanbedr Hill
Ireland's Well
Court Farm
River Edw
Llyn y March
Court Wood
Cradle Rocks
Craig y Fuddal
Twm Tubacco's Grave
Byrgwm Pool
Llandeilo Hill
Penbedw
Llaneast Farm
Glannu Pool
Byrgwm Wood
Llewetrog Farm
Trowley
Penllan
Farlen Pool
Llanbachllyn Farm
Llanbedr Wood
Henillyn
Llan Bwch-llyn Lake
Llanbedr
The Garth
Upper Pen-y-garth

93
85

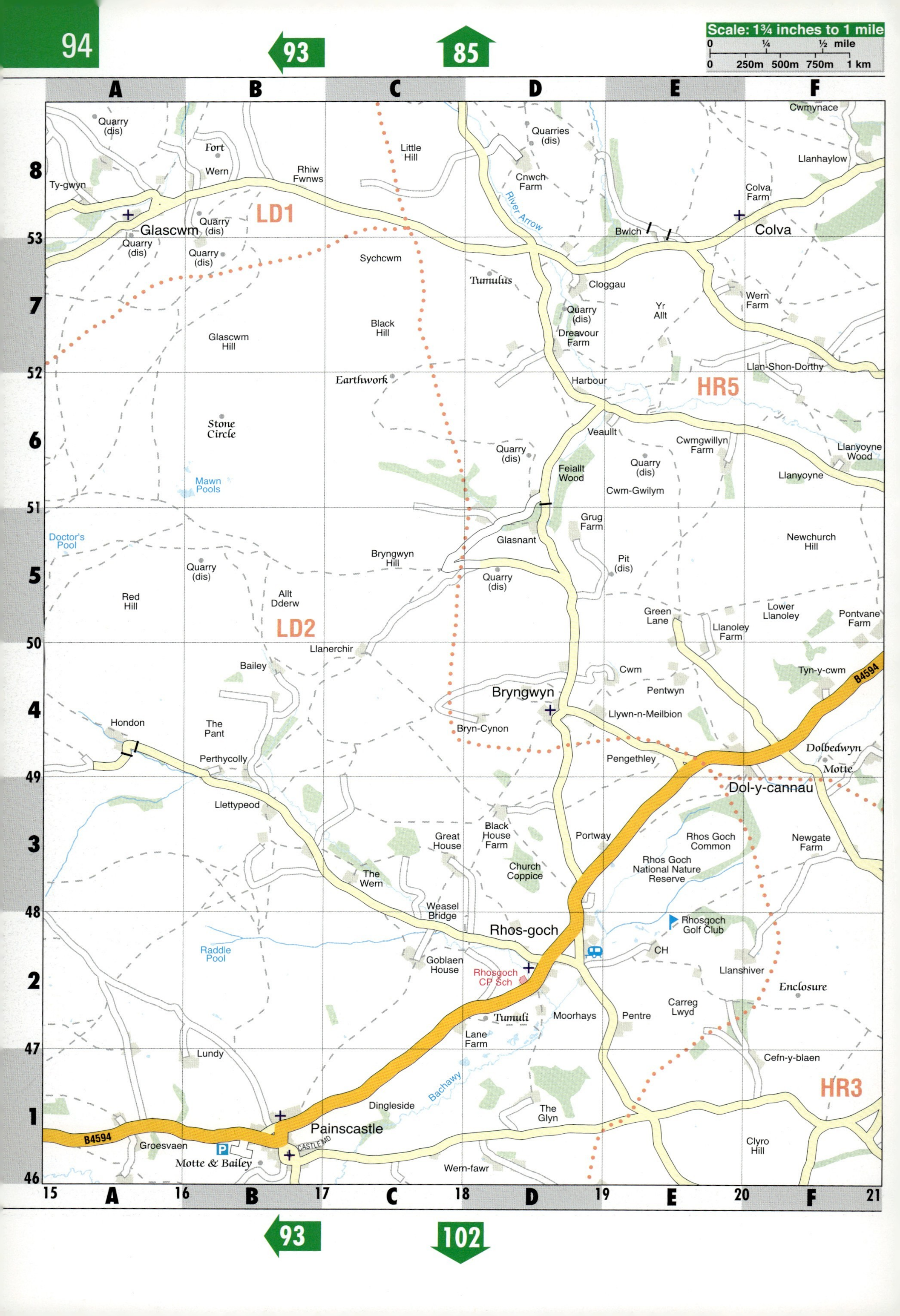
Scale: 1¾ inches to 1 mile
0 ¼ ½ mile
0 250m 500m 750m 1 km
A
B
C
D
E
F
Quarry (dis)
Fort
Wern
Ty-gwyn
Rhiw Fwnws
Little Hill
Quarries (dis)
Cnwch Farm
River Arrow
Cwmynace
Llanhaylow
Colva Farm
Colva
Glascwm
Quarry (dis)
LD1
Sychcwm
Tumulus
Bwlch
Cloggau
Wern Farm
Yr Allt
Quarry (dis)
Dreavour Farm
Black Hill
Glascwm Hill
Earthwork
Harbour
HR5
Llan-Shon-Dorthy
Stone Circle
Veaullt
Cwmgwillyn Farm
Llanyoyne Wood
Llanyoyne
Feiallt Wood
Quarry (dis)
Cwm-Gwilym
Mawn Pools
Doctor's Pool
Glasnant
Grug Farm
Newchurch Hill
Bryngwyn Hill
Pit (dis)
Red Hill
Allt Dderw
LD2
Green Lane
Lower Llanoley
Llanoley Farm
Pontvane Farm
Llanerchir
Bailey
Cwm
Tyn-y-cwm
B4594
Bryngwyn
Pentwyn
Hondon
The Pant
Llywn-n-Meilbion
Bryn-Cynon
Pengethley
Perthycolly
Dolbedwyn Motte
Dol-y-cannau
Llettypeod
Black House Farm
Great House
Portway
Rhos Goch Common
Newgate Farm
The Wern
Church Coppice
Rhos Goch National Nature Reserve
Weasel Bridge
Rhos-goch
Rhosgoch Golf Club
Raddle Pool
CH
Goblaen House
Rhosgoch CP Sch
Llanshiver
Enclosure
Tumuli
Moorhays
Pentre
Carreg Lwyd
Lane Farm
Lundy
Cefn-y-blaen
Bachawy
HR3
Dingleside
The Glyn
Painscastle
Clyro Hill
Groesvaen
Castle Rd
Motte & Bailey
Wern-fawr
8
53
7
52
6
51
5
50
4
49
3
48
2
47
1
46
15
16
17
18
19
20
21

93
102

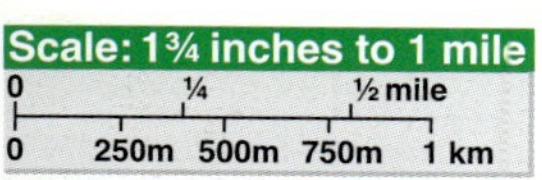
Scale: 1¾ inches to 1 mile
0
¼
½ mile
0
250m
500m
750m
1 km

86

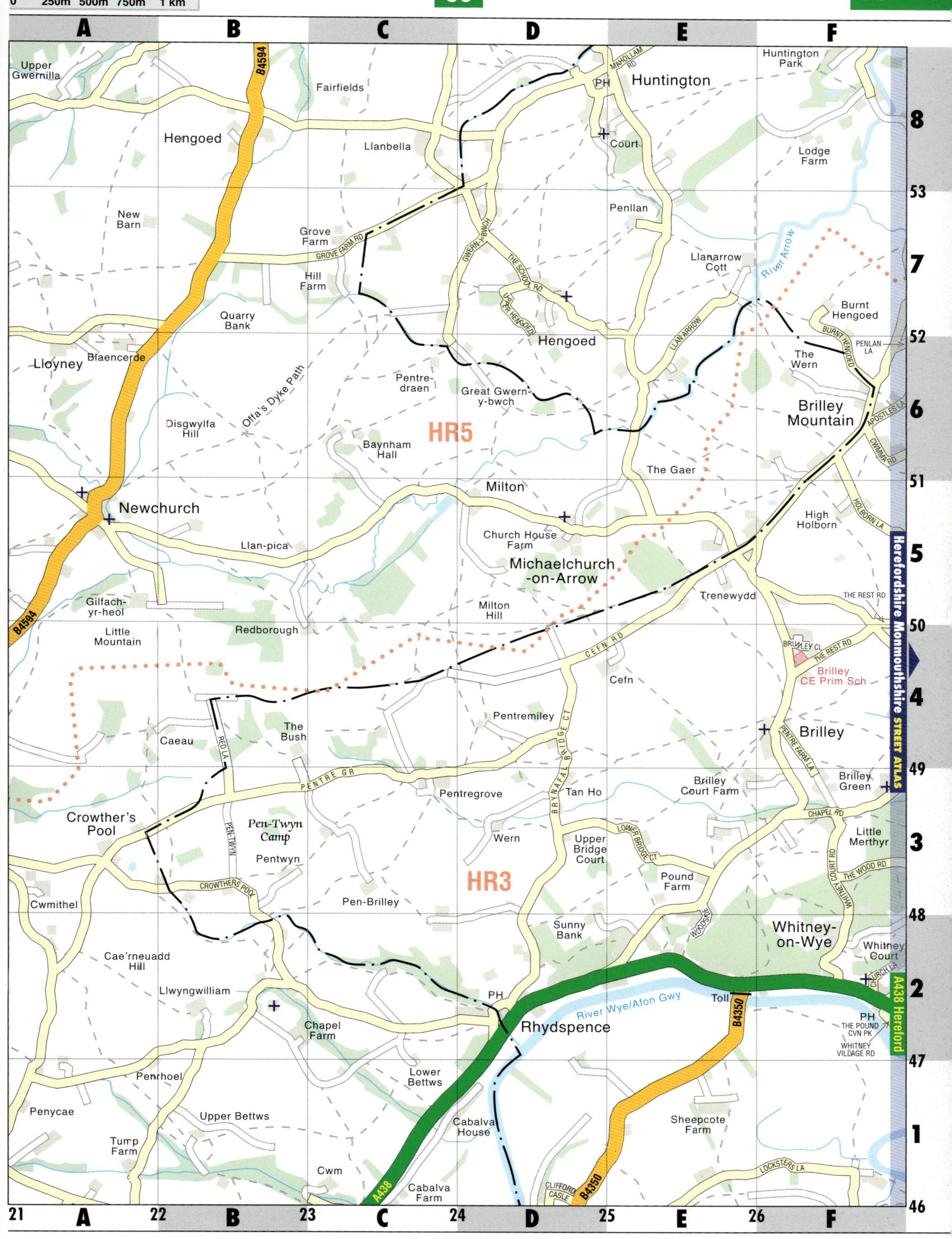
A
B
C
D
E
F
Upper Gwernilla
B4594
Fairfields
MAHOLLAM RD
PH
Huntington
Huntington Park
8
Hengoed
Llanbella
Court
Lodge Farm
53
New Barn
Penllan
Grove Farm
GROVE FARM RD
GWERN-Y-BWCH
THE SCHOOL RD
Llanarrow Cott
River Arrow
7
Hill Farm
UPPER HENGOED
LLAN ARROW
Burnt Hengoed
Quarry Bank
BURNT HENGOED
PENLAN LA
52
Lloyney
Blaencerde
Hengoed
The Wern
Offa's Dyke Path
Pentre-draen
Great Gwern-y-bwch
Brilley Mountain
APOSTLES LA
6
Disgwylfa Hill
HR5
Baynham Hall
CWMMA RD
The Gaer
51
Milton
Newchurch
High Holborn
HOLBORN LA
Church House Farm
Llan-pica
Michaelchurch -on-Arrow
5
Gilfach-yr-heol
Milton Hill
Trenewydd
THE REST RD
B4594
Little Mountain
Redborough
50
CEFN RD
BRILLEY CL
THE REST RD
Brilley CE Prim Sch
Cefn
4
Pentremiley
The Bush
Caeau
RED LA
BRYNAFAL BRIDGE CT
Brilley
PENTRE FARM LA
49
PENTRE GR
Pentregrove
Tan Ho
Brilley Court Farm
Brilley Green
Crowther's Pool
PEN-TWYN
Pen-Twyn Camp
Wern
Upper Bridge Court
LOWER BRIDGE CT
CHAPEL RD
Little Merthyr
3
Pentwyn
HR3
WHITNEY COURT RD
THE WOOD RD
Cwmithel
CROWTHERS POOL
Pen-Brilley
Pound Farm
48
Sunny Bank
WOODSIDE
Whitney-on-Wye
Whitney Court
Cae'rneuadd Hill
CHURCH LA
Llwyngwilliam
PH
Toll
A438 Hereford
2
River Wye/Afon Gwy
B4350
PH
Chapel Farm
Rhydspence
THE POUND CVN PK
WHITNEY VILLAGE RD
47
Penrhoel
Lower Bettws
Penycae
Upper Bettws
Cabalva House
Sheepcote Farm
1
Tump Farm
Cwm
LOCKSTERS LA
A438
Cabalva Farm
CLIFFORD CASLE
B4350
46
21
22
23
24
25
26
Herefordshire Monmouthshire STREET ATLAS

103

88

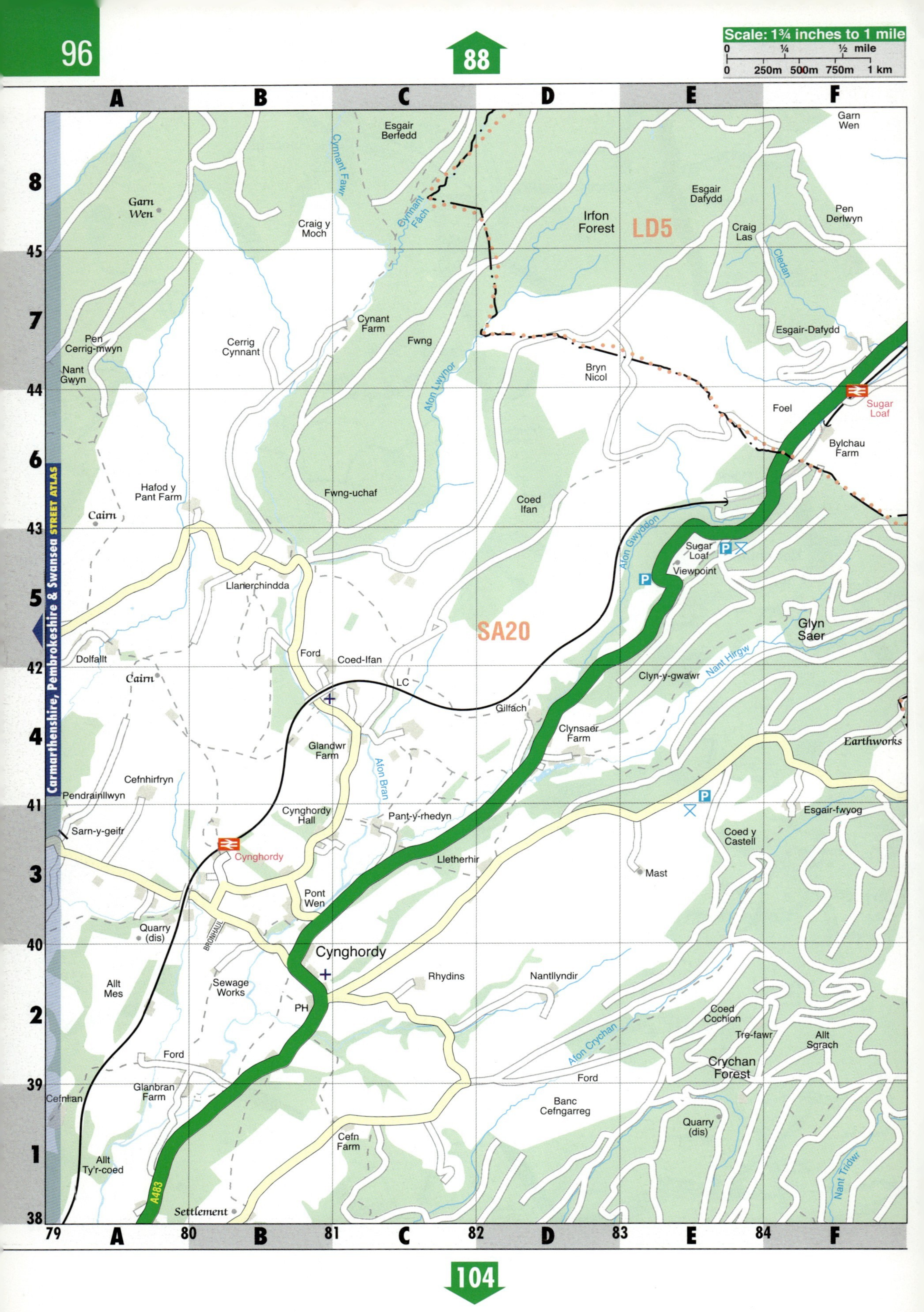

Scale: 1¾ inches to 1 mile
0
¼
½ mile
0
250m
500m
750m
1 km
A
B
C
D
E
F
Esgair Berfedd
Garn Wen
Cynnant Fawr
Cynnant Fach
Esgair Dafydd
Pen Derlwyn
Craig y Moch
Irfon Forest
LD5
Craig Las
Cledan
Cynant Farm
Fwng
Esgair-Dafydd
Pen Cerrig-mwyn
Cerrig Cynnant
Bryn Nicol
Nant Gwyn
Afon Llwynor
Foel
Sugar Loaf
Bylchau Farm
Hafod y Pant Farm
Fwng-uchaf
Coed Ifan
Cairn
Afon Gwyddon
Sugar Loaf
Viewpoint
Llanerchindda
SA20
Glyn Saer
Dolfallt
Ford
Coed-Ifan
Nant Hirgw
LC
Clyn-y-gwawr
Gilfach
Clynsaer Farm
Earthworks
Glandwr Farm
Afon Bran
Cefnhirfryn
Pendrainllwyn
Cynghordy Hall
Pant-y-rhedyn
Esgair-fwyog
Sarn-y-geifr
Coed y Castell
Cynghordy
Lletherhir
Mast
Pont Wen
Quarry (dis)
BRONHAUL
Allt Mes
Sewage Works
Rhydins
Nantllyndir
PH
Coed Cochion
Afon Crychan
Tre-fawr
Allt Sgrach
Crychan Forest
Ford
Glanbran Farm
Cefnllan
Banc Cefngarreg
Quarry (dis)
Cefn Farm
Allt Ty'r-coed
A483
Nant Tridwr
Settlement
Carmarthenshire, Pembrokeshire & Swansea STREET ATLAS
8
45
7
44
6
43
5
42
4
41
3
40
2
39
1
38
79
80
81
82
83
84

104

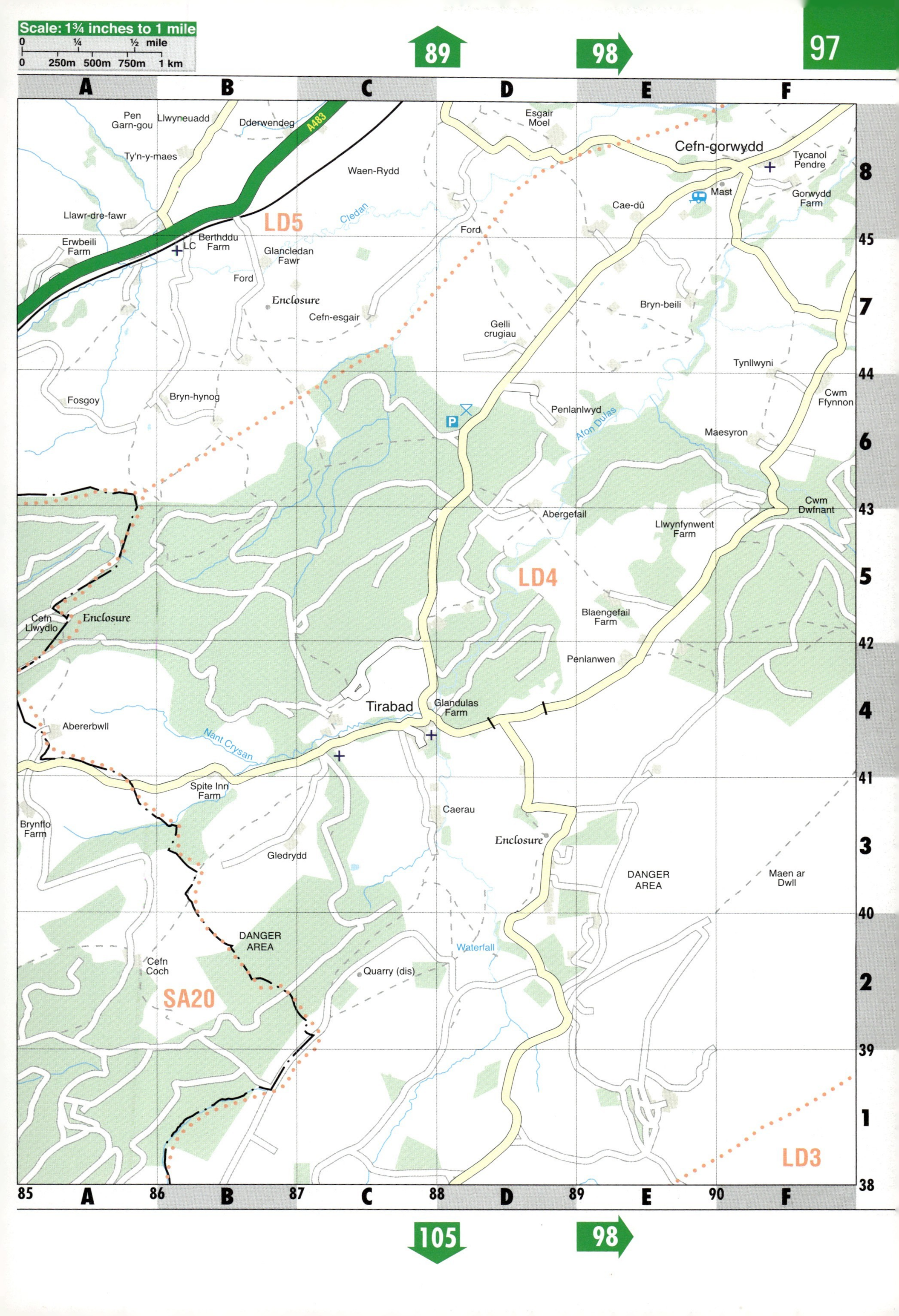

Scale: 1¾ inches to 1 mile
0 ¼ ½ mile
0 250m 500m 750m 1 km
89
98
A B C D E F
8 45 7 44 6 43 5 42 4 41 3 40 2 39 1 38
85 86 87 88 89 90
Pen Garn-gou
Llwyneuadd
Dderwendeg
A483
Esgair Moel
Cefn-gorwydd
Tycanol Pendre
Ty'n-y-maes
Waen-Rydd
Mast
Gorwydd Farm
Cae-dû
Llawr-dre-fawr
LD5
Cledan
Ford
Erwbeili Farm
LC
Berthddu Farm
Glancledan Fawr
Ford
Enclosure
Bryn-beili
Cefn-esgair
Gelli crugiau
Tynllwyni
Fosgoy
Bryn-hynog
Penlanlwyd
Cwm Ffynnon
Afon Dulas
Maesyron
Abergefail
Cwm Dwfnant
Llwynfynwent Farm
LD4
Cefn Llwydlo
Enclosure
Blaengefail Farm
Penlanwen
Tirabad
Glandulas Farm
Abererbwll
Nant Crysan
Spite Inn Farm
Caerau
Brynffo Farm
Enclosure
Gledrydd
DANGER AREA
Maen ar Dwll
DANGER AREA
Waterfall
Cefn Coch
Quarry (dis)
SA20
LD3
105
98

97
90

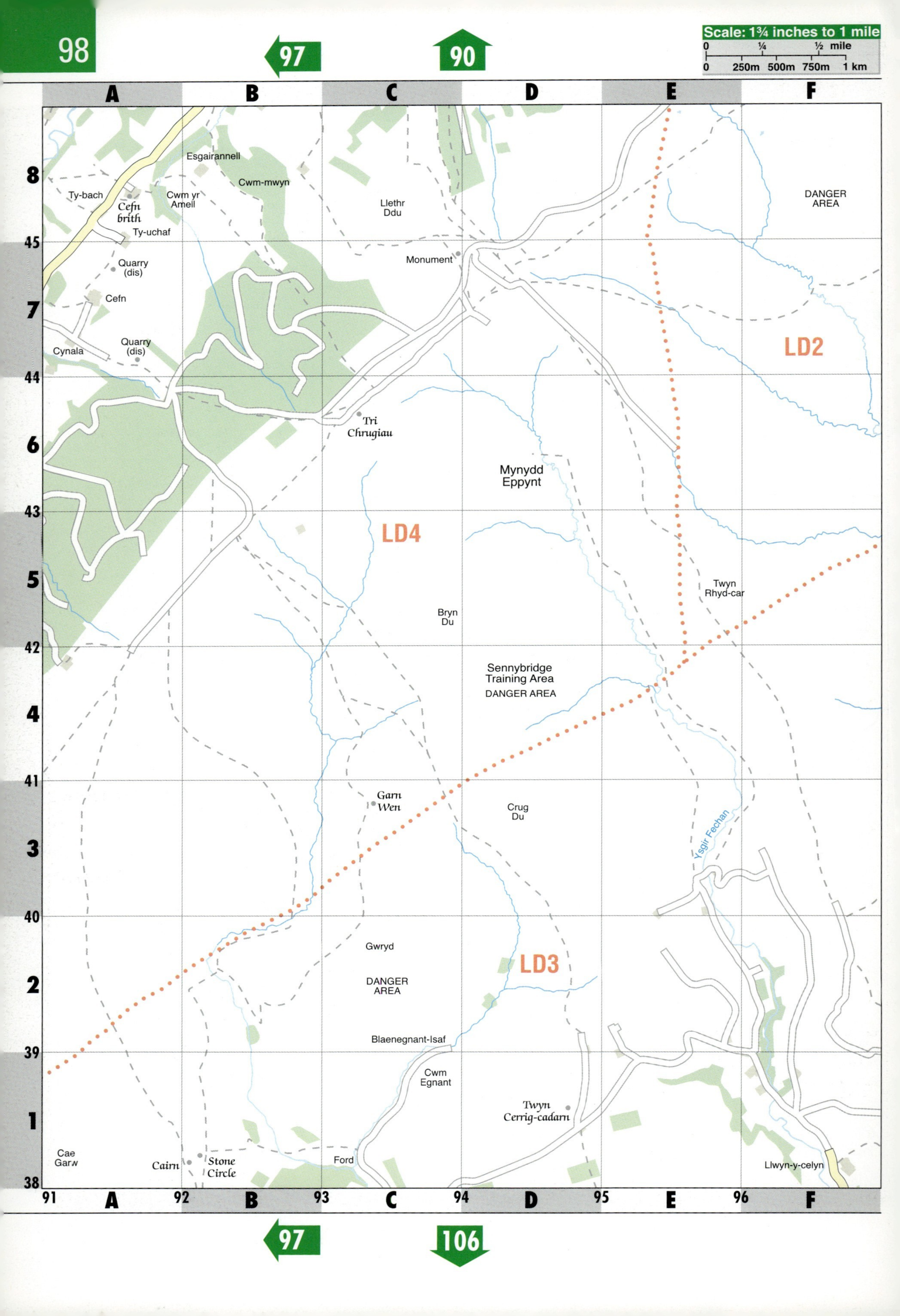
Scale: 1¾ inches to 1 mile
0 ¼ ½ mile
0 250m 500m 750m 1 km
A B C D E F
8
45
7
44
6
43
5
42
4
41
3
40
2
39
1
38
91 92 93 94 95 96
Esgairannell
Cwm-mwyn
Ty-bach
Cefn brith
Cwm yr Amell
Ty-uchaf
Quarry (dis)
Cefn
Cynala
Quarry (dis)
Llethr Ddu
Monument
DANGER AREA
LD2
Tri Chrugiau
Mynydd Eppynt
LD4
Twyn Rhyd-car
Bryn Du
Sennybridge Training Area
DANGER AREA
Garn Wen
Crug Du
Ysgir Fechan
Gwryd
LD3
DANGER AREA
Blaenegnant-Isaf
Cwm Egnant
Twyn Cerrig-cadarn
Cae Garw
Cairn
Stone Circle
Ford
Llwyn-y-celyn

97
106

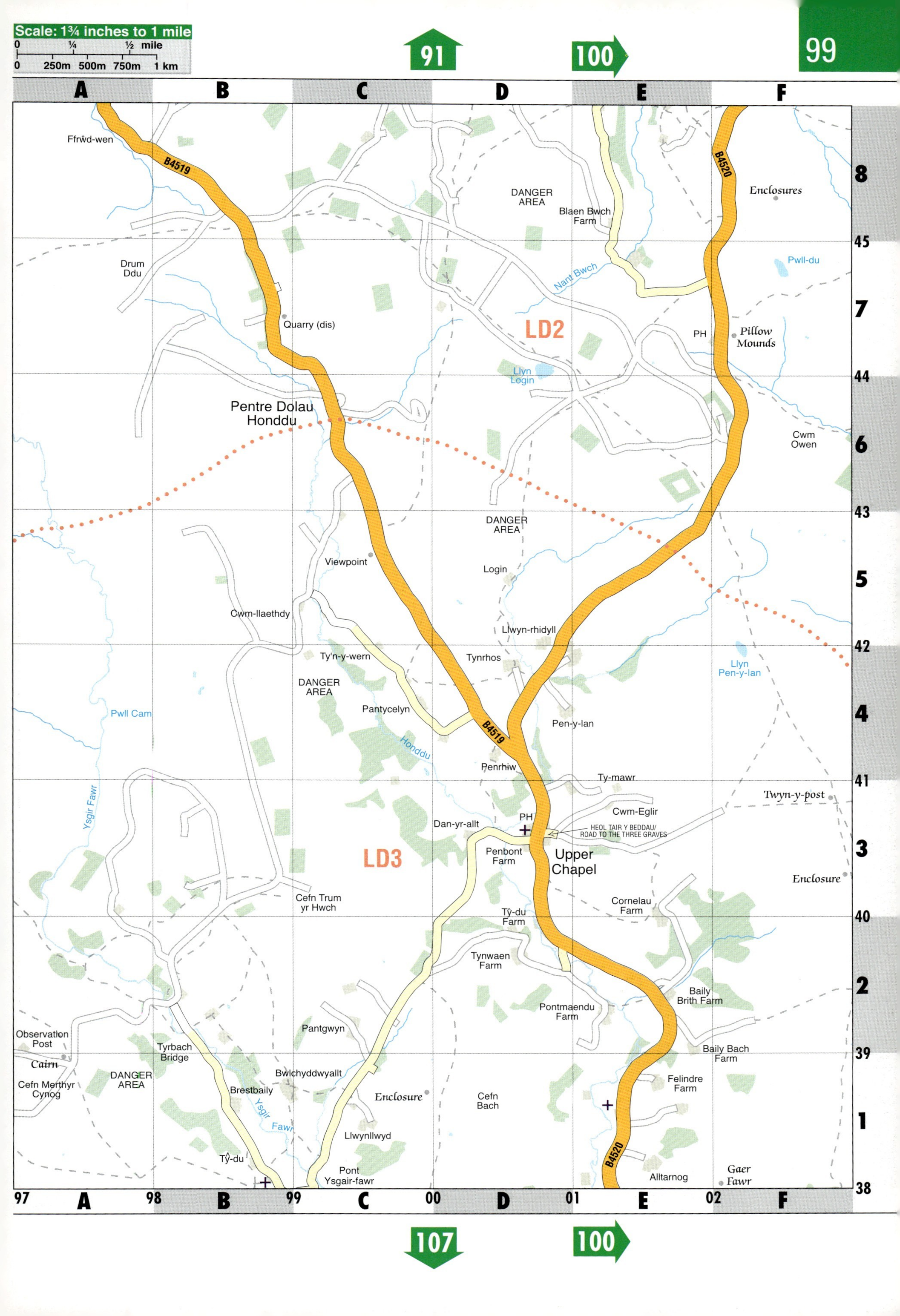

Scale: 1¾ inches to 1 mile
0 ¼ ½ mile
0 250m 500m 750m 1 km
91
100
A B C D E F
8
45
7
44
6
43
5
42
4
41
3
40
2
39
1
38
97 98 99 00 01 02
Ffrŵd-wen
B4519
B4520
DANGER AREA
Blaen Bwch Farm
Enclosures
Pwll-du
Drum Ddu
Nant Bwch
Quarry (dis)
LD2
PH
Pillow Mounds
Llyn Login
Pentre Dolau Honddu
Cwm Owen
DANGER AREA
Viewpoint
Login
Cwm-llaethdy
Llwyn-rhidyll
Ty'n-y-wern
Tynrhos
Llyn Pen-y-lan
DANGER AREA
Pantycelyn
Pwll Cam
Pen-y-lan
Honddu
Penrhiw
Ty-mawr
Ysgir Fawr
Twyn-y-post
Cwm-Eglir
PH
Dan-yr-allt
HEOL TAIR Y BEDDAU/ ROAD TO THE THREE GRAVES
LD3
Penbont Farm
Upper Chapel
Enclosure
Cefn Trum yr Hwch
Cornelau Farm
Tŷ-du Farm
Tynwaen Farm
Baily Brith Farm
Pontmaendu Farm
Observation Post
Pantgwyn
Tyrbach Bridge
Baily Bach Farm
Cairn
DANGER AREA
Bwlchyddwyallt
Felindre Farm
Cefn Merthyr Cynog
Brestbaily
Enclosure
Cefn Bach
Ysgir Fawr
Llwynllwyd
Tŷ-du
Pont Ysgair-fawr
Alltarnog
Gaer Fawr
107
100

99
92

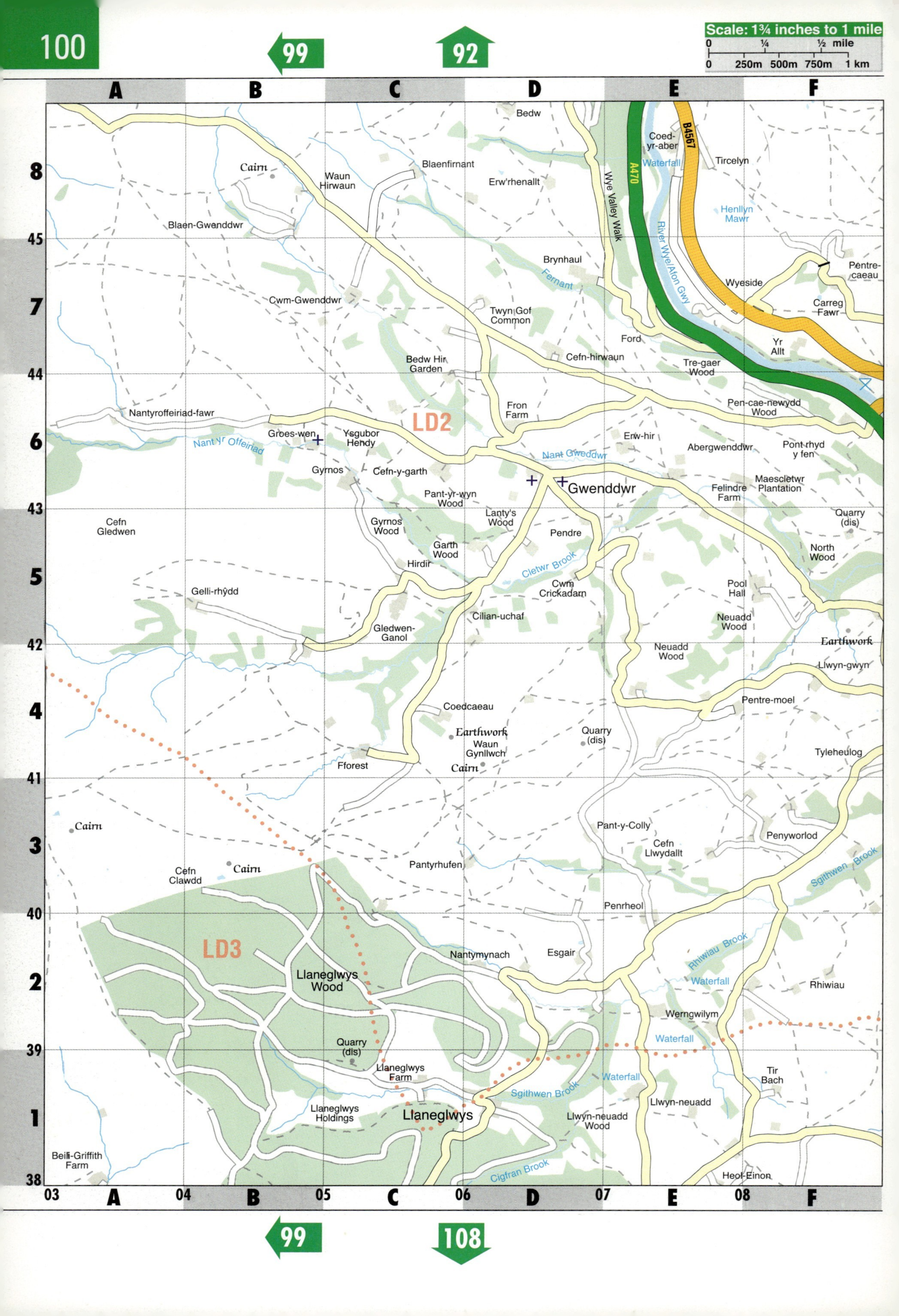
Scale: 1¾ inches to 1 mile
0 ¼ ½ mile
0 250m 500m 750m 1 km
A B C D E F
8 45 7 44 6 43 5 42 4 41 3 40 2 39 1 38
03 04 05 06 07 08
Bedw
Coed-yr-aber
B4567
A470
Waterfall
Tircelyn
Cairn
Waun Hirwaun
Blaenfirnant
Erw'rhenallt
Wye Valley Walk
River Wye/Afon Gwy
Henllyn Mawr
Blaen-Gwenddwr
Brynhaul
Fernant
Pentre-caeau
Wyeside
Cwm-Gwenddwr
Twyn Gof Common
Carreg Fawr
Ford
Yr Allt
Bedw Hir Garden
Cefn-hirwaun
Tre-gaer Wood
Nantyroffeiriad-fawr
LD2
Fron Farm
Pen-cae-newydd Wood
Groes-wen
Ysgubor Hendy
Nant yr Offeiriad
Erw-hir
Abergwenddwr
Pont rhyd y fen
Nant Gwenddwr
Gyrnos
Cefn-y-garth
Gwenddwr
Maescletwr Plantation
Felindre Farm
Pant-yr-wyn Wood
Cefn Gledwen
Gyrnos Wood
Lanty's Wood
Pendre
Quarry (dis)
Garth Wood
North Wood
Hirdir
Cletwr Brook
Cwm Crickadarn
Gelli-rhŷdd
Pool Hall
Cilian-uchaf
Neuadd Wood
Gledwen-Ganol
Neuadd Wood
Earthwork
Llwyn-gwyn
Coedcaeau
Pentre-moel
Earthwork
Quarry (dis)
Waun Gynllwch
Tyleheulog
Cairn
Fforest
Cairn
Pant-y-Colly
Cefn Llwydallt
Penyworlod
Cefn Clawdd
Cairn
Pantyrhufen
Sgithwen Brook
Penrheol
LD3
Nantymynach
Esgair
Rhiwiau Brook
Llaneglwys Wood
Waterfall
Rhiwiau
Werngwilym
Quarry (dis)
Waterfall
Llaneglwys Farm
Waterfall
Tir Bach
Sgithwen Brook
Llaneglwys Holdings
Llaneglwys
Llwyn-neuadd
Llwyn-neuadd Wood
Beili-Griffith Farm
Cigfran Brook
Heol-Einon

99
108

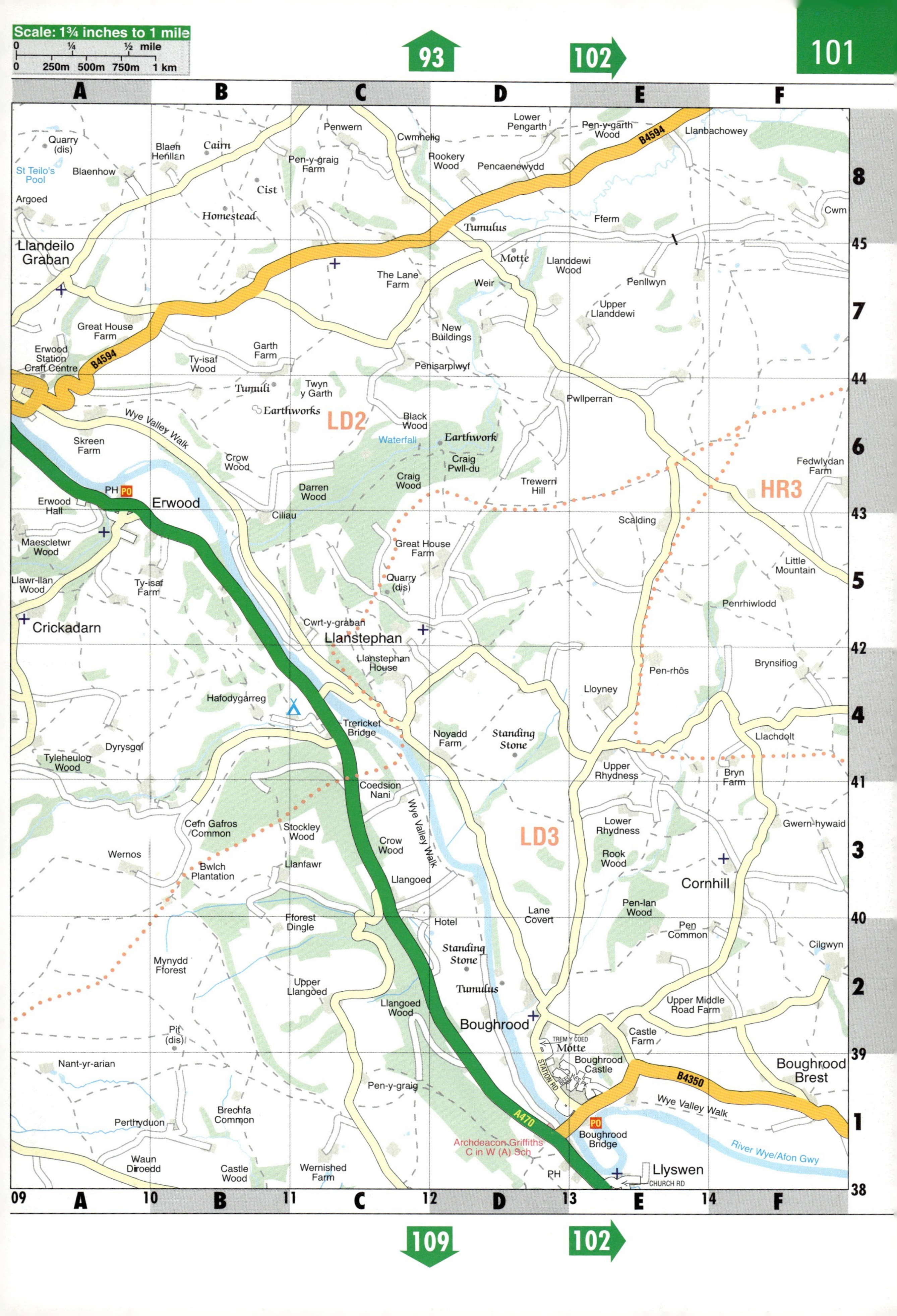

101
Scale: 1¾ inches to 1 mile
0
¼
½ mile
0
250m
500m
750m
1 km
93
102
109
102
A
B
C
D
E
F
8
45
7
44
6
43
5
42
4
41
3
40
2
39
1
38
09
10
11
12
13
14
Quarry (dis)
Blaen Henllan
Cairn
Penwern
Cwmhelig
Lower Pengarth
Pen-y-garth Wood
B4594
Llanbachowey
St Teilo's Pool
Blaenhow
Pen-y-graig Farm
Rookery Wood
Pencaenewydd
Argoed
Cist
Homestead
Tumulus
Fferm
Cwm
Llandeilo Graban
Motte
Llanddewi Wood
The Lane Farm
Weir
Penllwyn
Upper Llanddewi
Great House Farm
New Buildings
Erwood Station Craft Centre
Ty-isaf Wood
Garth Farm
Penisarplwyf
Tumuli
Twyn y Garth
Pwllperran
Earthworks
LD2
Black Wood
Wye Valley Walk
Skreen Farm
Waterfall
Earthwork
Crow Wood
Craig Pwll-du
Fedwlydan Farm
Craig Wood
Trewern Hill
HR3
PH
PO
Erwood
Darren Wood
Erwood Hall
Ciliau
Scalding
Maescletwr Wood
Great House Farm
Little Mountain
Llawr-llan Wood
Ty-isaf Farm
Quarry (dis)
Penrhiwlodd
Crickadarn
Cwrt-y-graban
Llanstephan
Llanstephan House
Brynsifiog
Pen-rhôs
Lloyney
Hafodygarreg
Trericket Bridge
Noyadd Farm
Standing Stone
Llachdolt
Dyrysgol
Tyleheulog Wood
Upper Rhydness
Bryn Farm
Coedsion Nani
Cefn Gafros Common
Lower Rhydness
Gwern-hywaid
Stockley Wood
Crow Wood
LD3
Wernos
Rook Wood
Bwlch Plantation
Llanfawr
Cornhill
Llangoed
Pen-lan Wood
Fforest Dingle
Hotel
Lane Covert
Pen Common
Cilgwyn
Standing Stone
Mynydd Fforest
Upper Llangoed
Tumulus
Llangoed Wood
Upper Middle Road Farm
Boughrood
Castle Farm
Pit (dis)
TREM Y COED
Motte
Nant-yr-arian
Boughrood Castle
Boughrood Brest
STATION RD
B4350
Pen-y-graig
Wye Valley Walk
A470
Brechfa Common
Perthyduon
PO
Boughrood Bridge
Archdeacon Griffiths C in W (A) Sch
River Wye/Afon Gwy
Waun Droedd
Castle Wood
Wernished Farm
PH
Llyswen
CHURCH RD

101 94

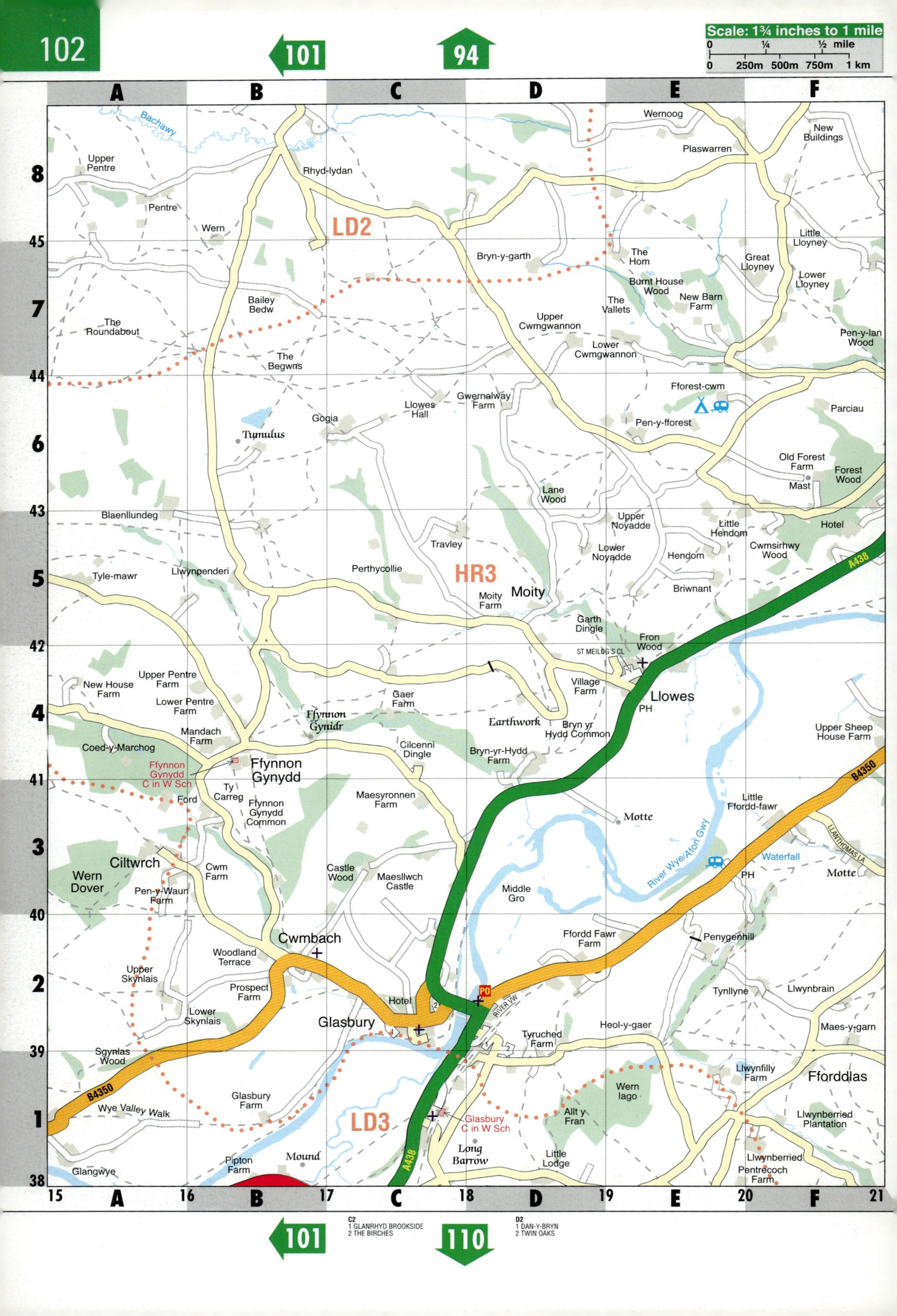

C2
1 GLANRHYD BROOKSIDE
2 THE BIRCHES

D2
1 DAN-Y-BRYN
2 TWIN OAKS

101 110

Scale: 1¾ inches to 1 mile

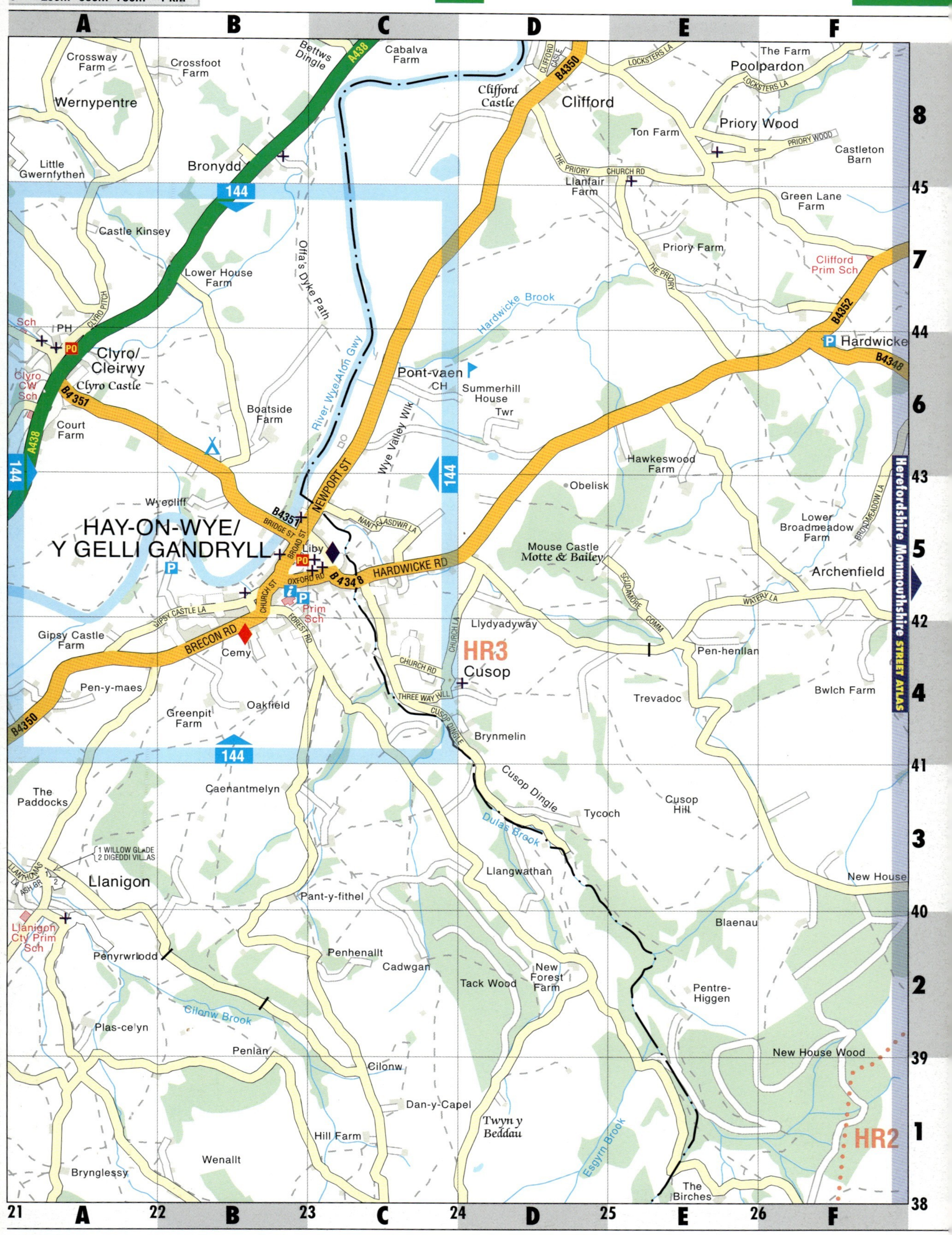

For full street detail of the highlighted area see page 144.

96

Scale: 1¾ inches to 1 mile

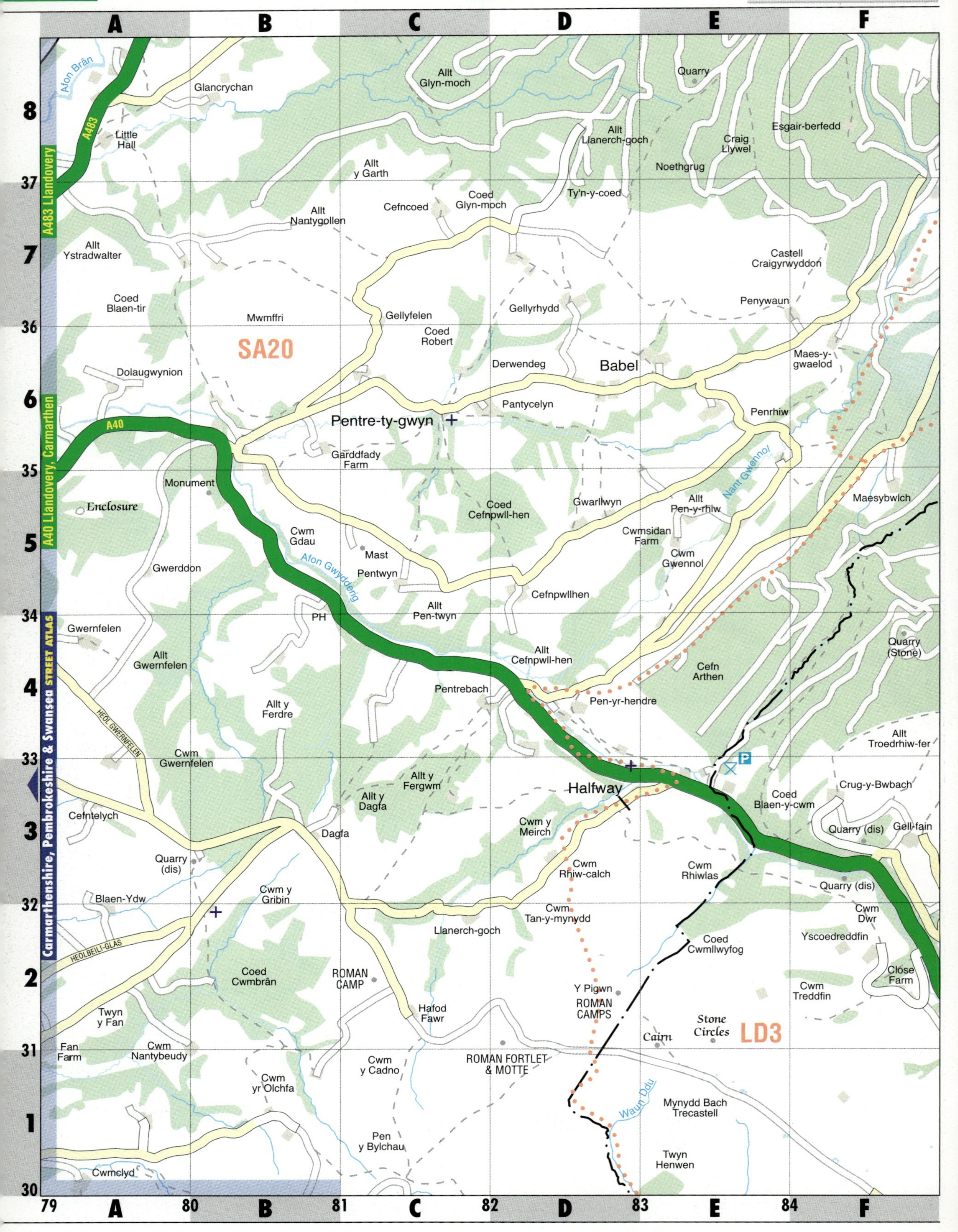

112

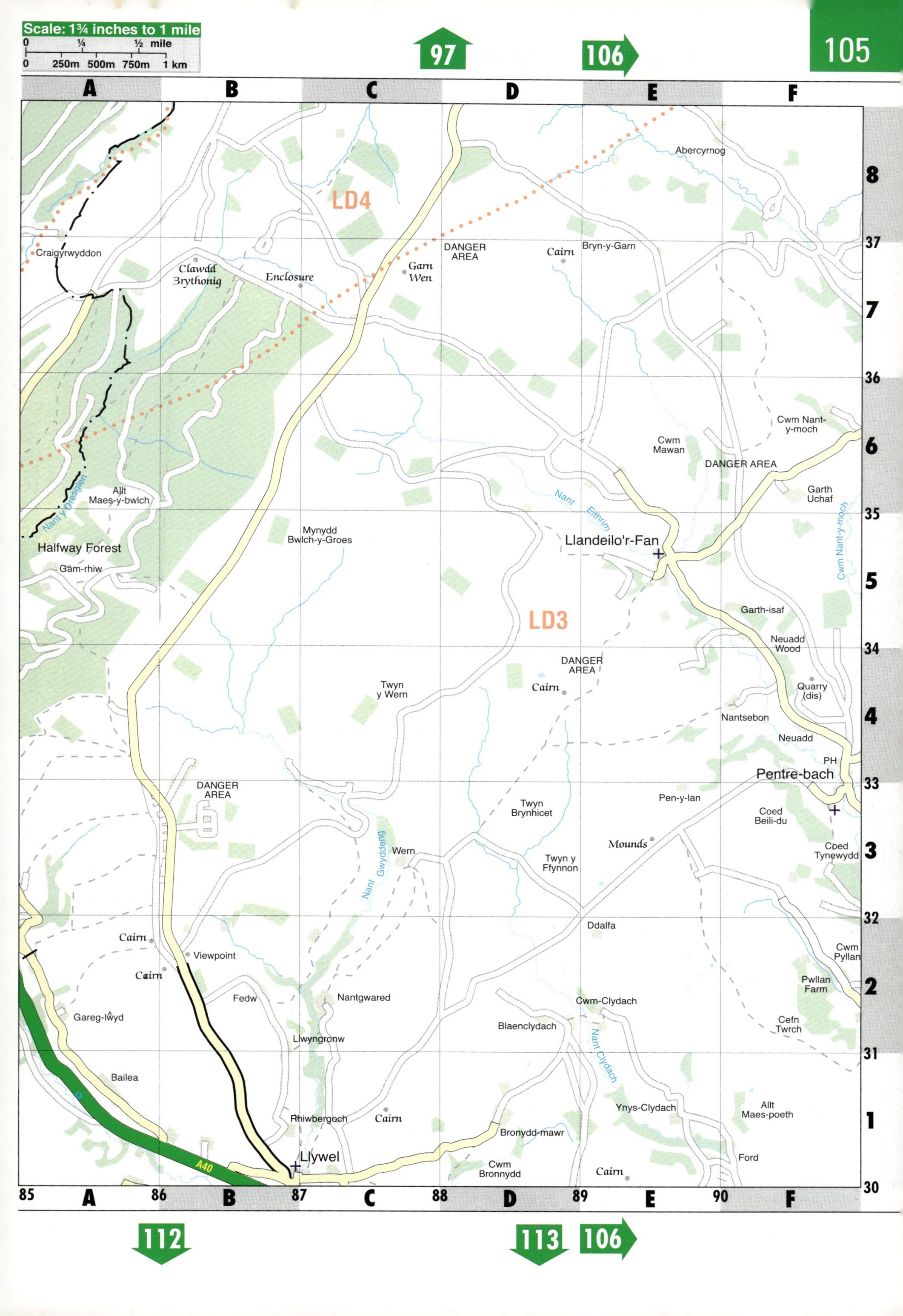
Scale: 1¾ inches to 1 mile
0 ¼ ½ mile
0 250m 500m 750m 1 km
97
106
A B C D E F
8
37
7
36
6
35
5
34
4
33
3
32
2
31
1
30
LD4
Craigyrwyddon
Clawdd Brythonig
Enclosure
Garn Wen
DANGER AREA
Cairn
Bryn-y-Garn
Abercyrnog
Cwm Mawan
DANGER AREA
Cwm Nant-y-moch
Garth Uchaf
Nant Eithrim
Allt Maes-y-bwlch
Nant y Dresglen
Halfway Forest
Gam-rhiw
Mynydd Bwlch-y-Groes
Llandeilo'r-Fan
Cwm Nant-y-moch
LD3
Garth-isaf
Neuadd Wood
DANGER AREA
Cairn
Twyn y Wern
Quarry (dis)
Nantsebon
Neuadd
PH
Pentre-bach
DANGER AREA
Pen-y-lan
Twyn Brynhicet
Coed Beili-du
Nant Gwydderig
Wern
Mounds
Twyn y Ffynnon
Coed Tynewydd
Ddalfa
Cairn
Viewpoint
Cairn
Cwm Pyllan
Fedw
Nantgwared
Cwm-Clydach
Pwllan Farm
Gareg-lwyd
Blaenclydach
Nant Clydach
Cefn Twrch
Llwyngronw
Bailea
Allt Maes-poeth
Ynys-Clydach
Rhiwbergoch
Cairn
Bronydd-mawr
A40
Llywel
Cwm Bronnydd
Cairn
Ford
85 86 87 88 89 90
112
113
106

105 98
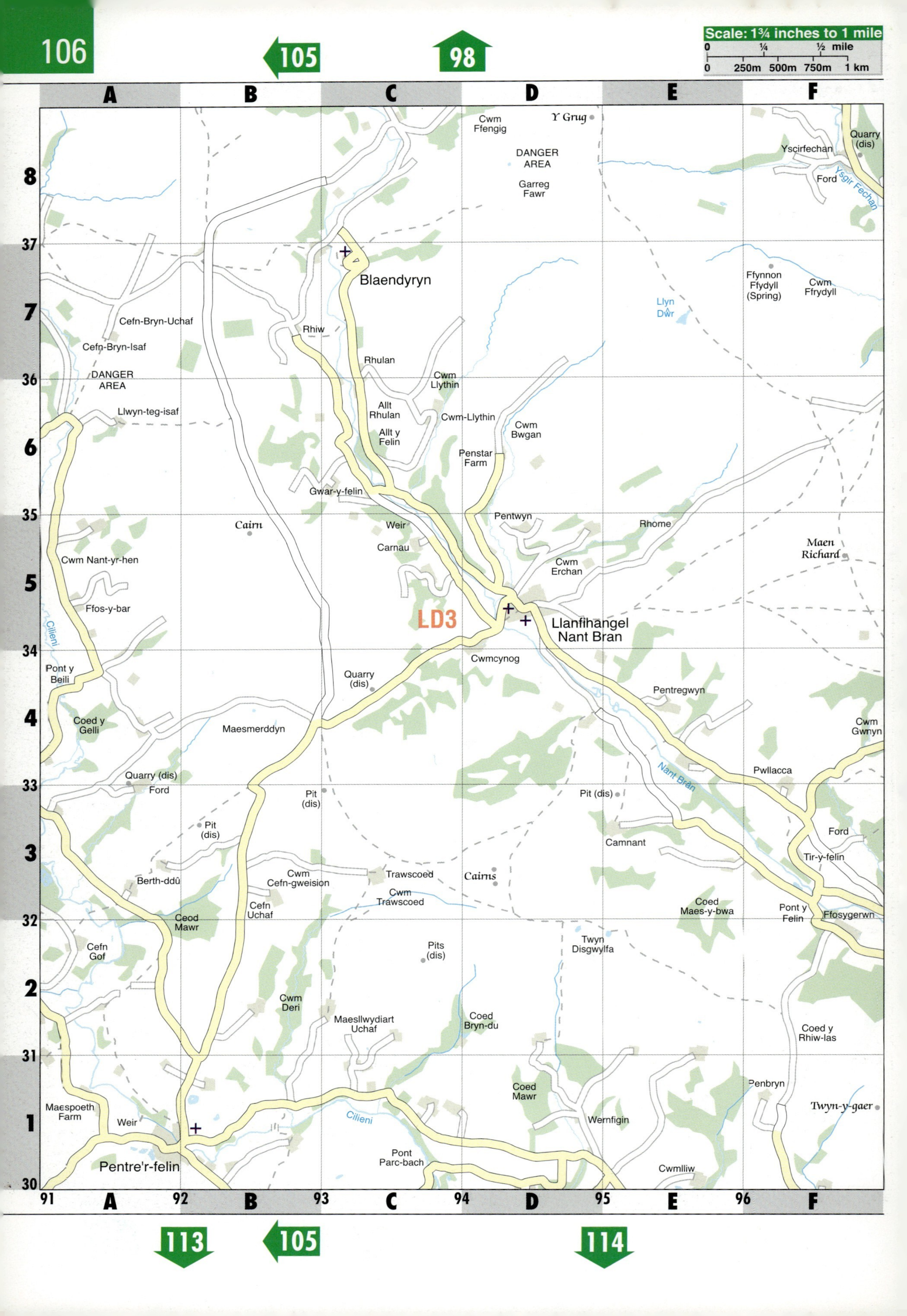

113 105 114

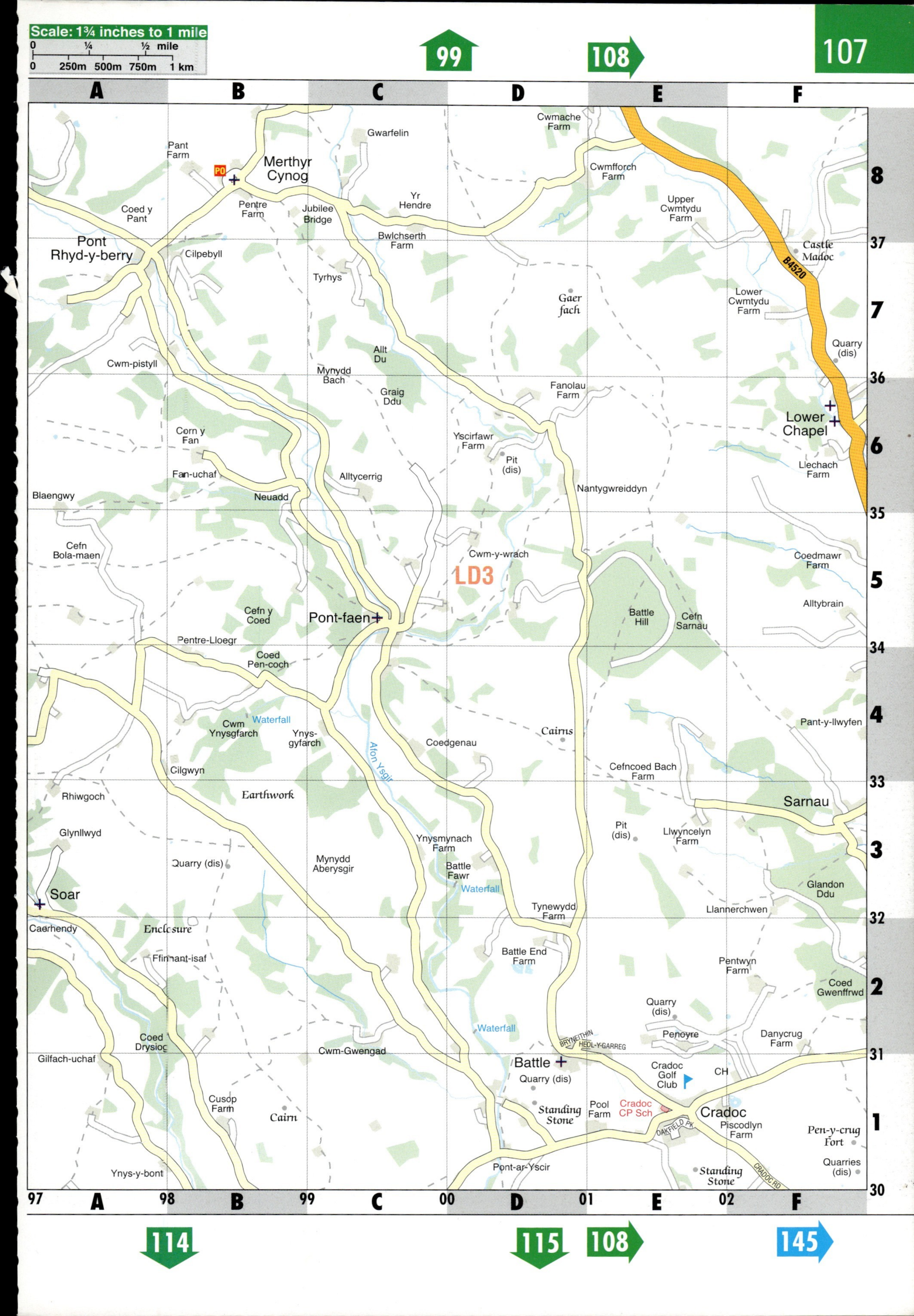

114 115 108 145

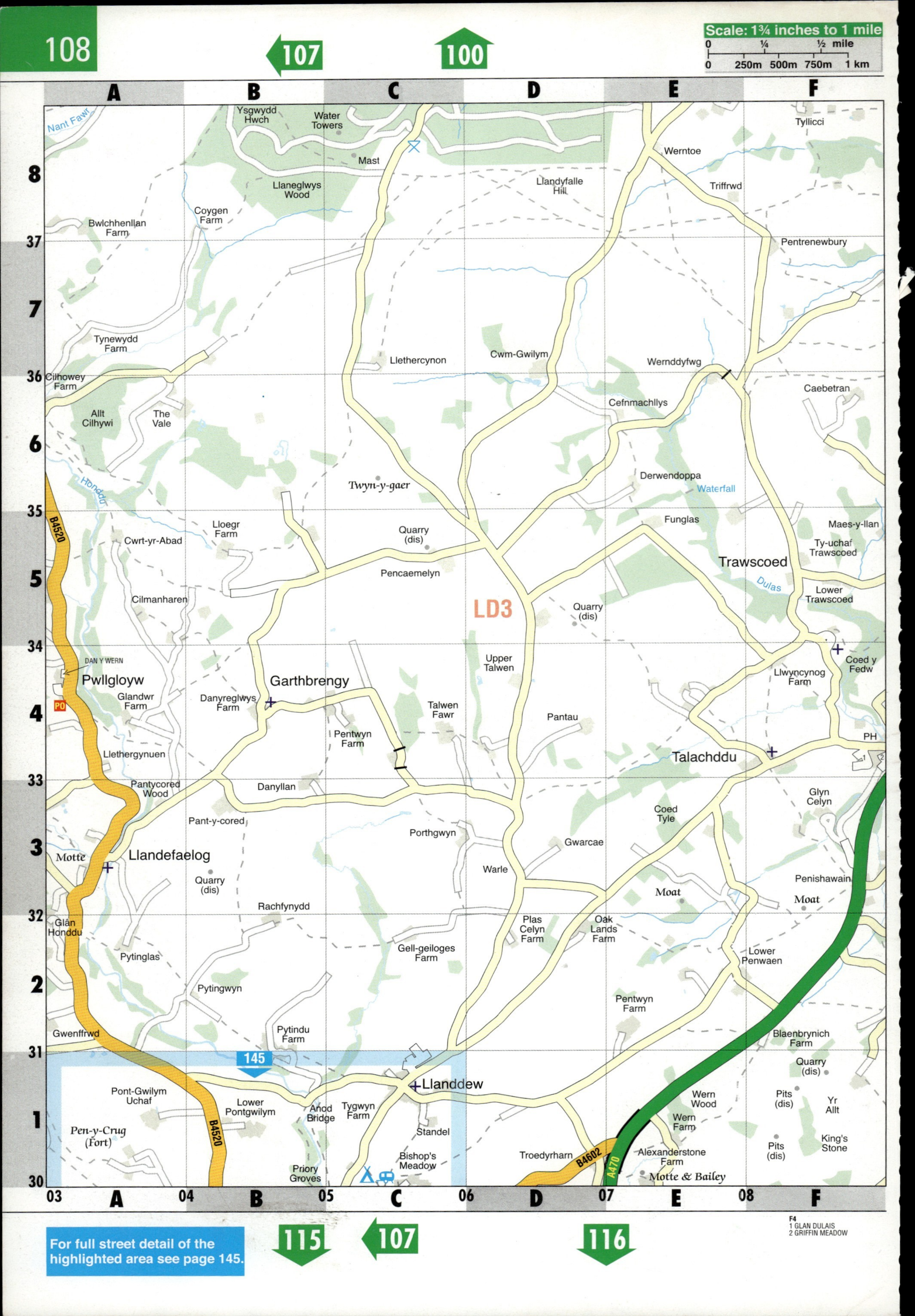

For full street detail of the highlighted area see page 145.

101
110

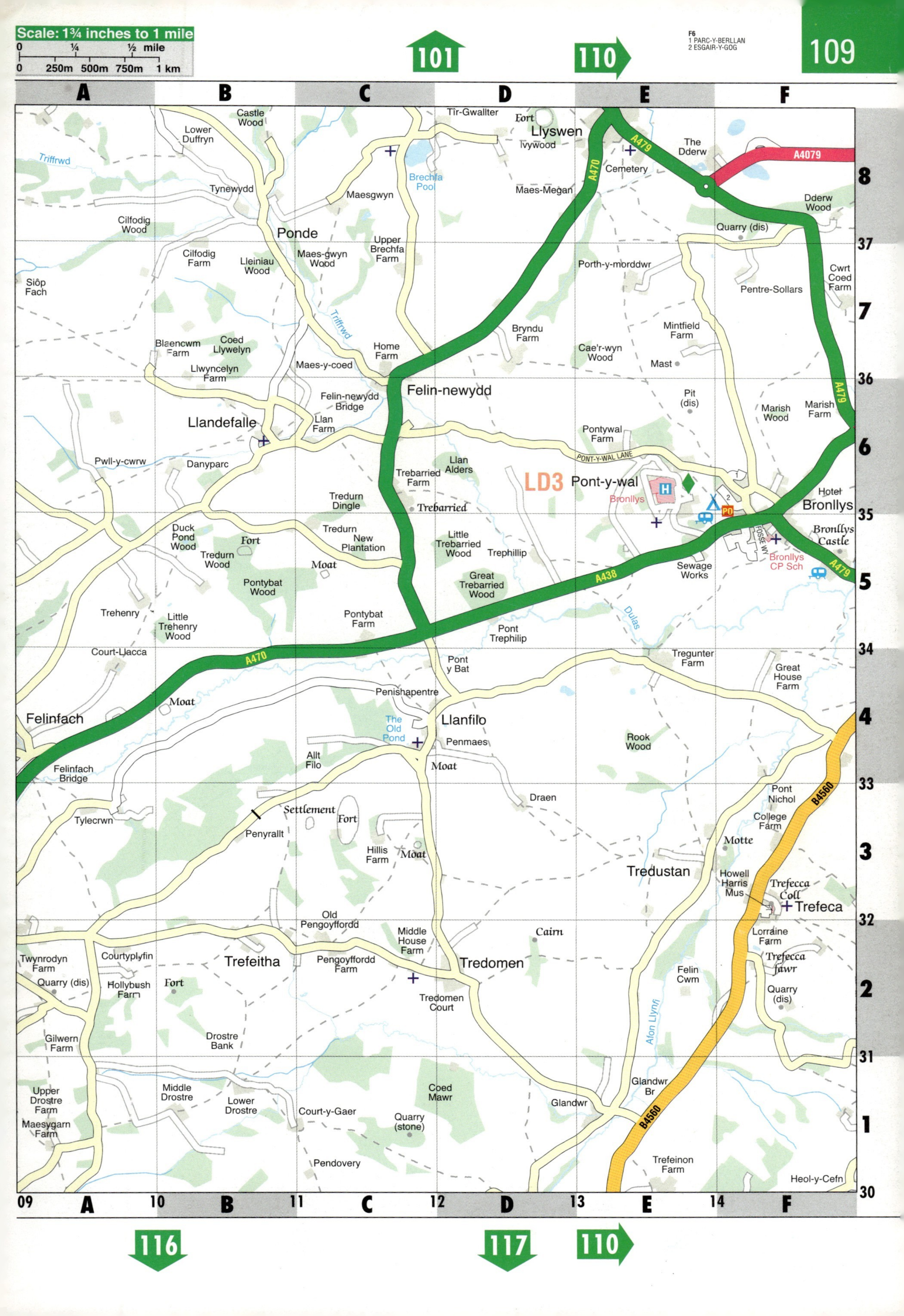

116
117
110

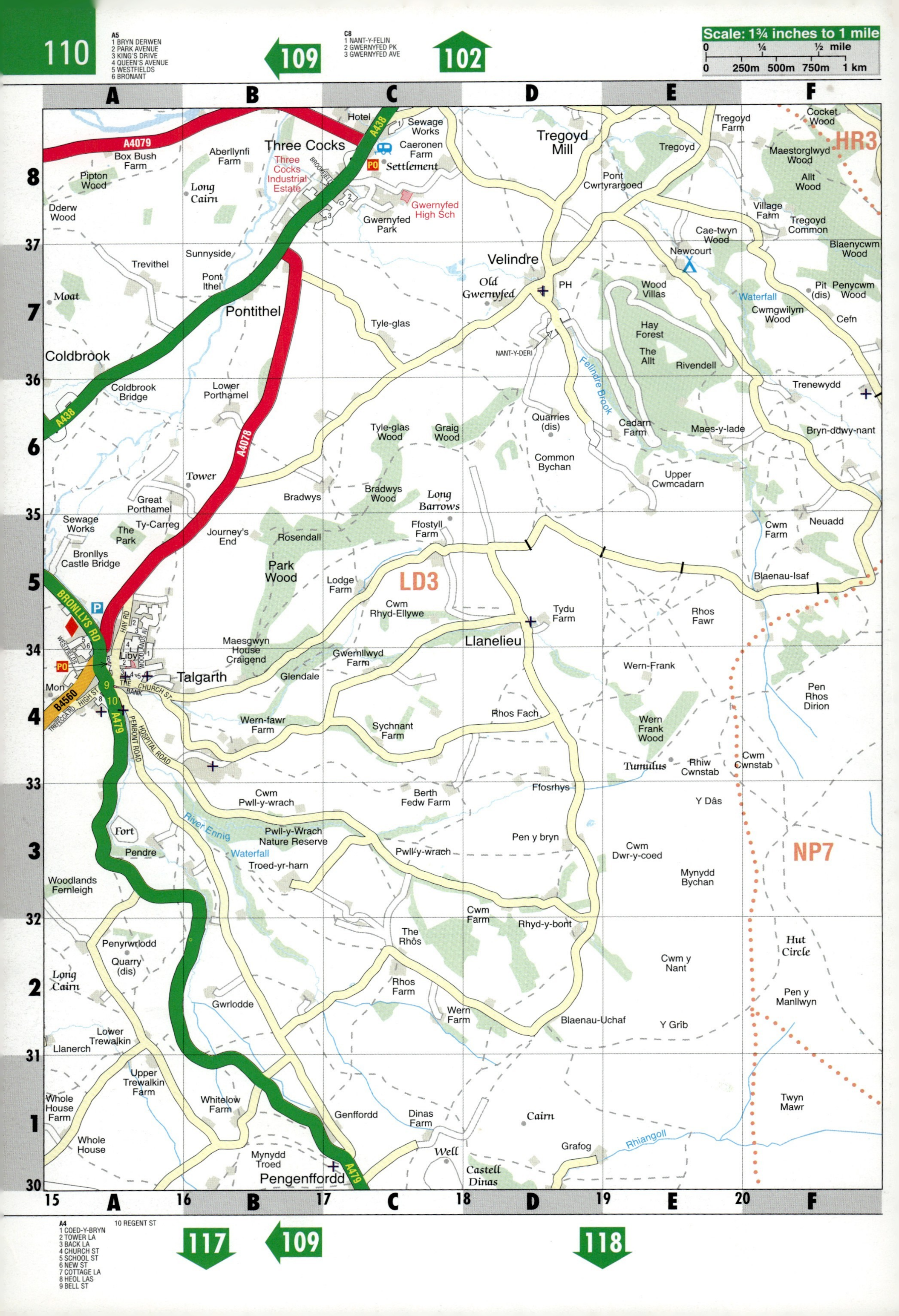
Scale: 1¾ inches to 1 mile
0 ¼ ½ mile
0 250m 500m 750m 1 km
A B C D E F
8
37
7
36
6
35
5
34
4
33
3
32
2
31
1
30
15 16 17 18 19 20
A4079
A438
A4078
A479
B4560
BRONLLYS RD
Three Cocks
Three Cocks Industrial Estate
Hotel
Sewage Works
Caeronen Farm
Settlement
Gwernyfed High Sch
Gwernyfed Park
Box Bush Farm
Aberllynfi Farm
Pipton Wood
Long Cairn
Dderw Wood
Tregoyd Mill
Tregoyd
Tregoyd Farm
Cocket Wood
HR3
Maestorglwyd Wood
Allt Wood
Pont Cwrtyrargoed
Village Farm
Tregoyd Common
Cae-twyn Wood
Newcourt
Blaenycwm Wood
Velindre
Old Gwernyfed
PH
Wood Villas
Pit (dis)
Penycwm Wood
Waterfall
Cwmgwilym Wood
Cefn
Trevithel
Sunnyside
Pont Ithel
Moat
Pontithel
Tyle-glas
NANT-Y-DERI
Hay Forest
The Allt
Rivendell
Felindre Brook
Coldbrook
Coldbrook Bridge
Lower Porthamel
Quarries (dis)
Trenewydd
Tyle-glas Wood
Graig Wood
Cadarn Farm
Maes-y-lade
Bryn-ddwy-nant
Common Bychan
Tower
Great Porthamel
Bradwys
Bradwys Wood
Long Barrows
Upper Cwmcadarn
Sewage Works
The Park
Ty-Carreg
Journey's End
Rosendall
Ffostyll Farm
Cwm Farm
Neuadd
Bronllys Castle Bridge
Park Wood
Lodge Farm
LD3
Cwm Rhyd-Ellywe
Blaenau-Isaf
Tydu Farm
Rhos Fawr
Maesgwyn House
Craigend
Llanelieu
Gwernllwyd Farm
Wern-Frank
Talgarth
Glendale
Liby
Mon
HAY RD
WESTFIELDS
CHURCH ST
THE BANK
HIGH ST
TREFECCA RD
PENBONT ROAD
HOSPITAL ROAD
Pen Rhos Dirion
Wern-fawr Farm
Sychnant Farm
Rhos Fach
Wern Frank Wood
Tumulus
Rhiw Cwnstab
Cwm Cwnstab
Cwm Pwll-y-wrach
Berth Fedw Farm
Ffosrhys
Y Dâs
Fort
River Ennig
Pwll-y-Wrach Nature Reserve
Waterfall
Pendre
Pwll-y-wrach
Pen y bryn
Cwm Dwr-y-coed
NP7
Troed-yr-harn
Woodlands Fernleigh
Mynydd Bychan
Cwm Farm
Rhyd-y-bont
Penyrwrlodd
Quarry (dis)
The Rhôs
Hut Circle
Long Cairn
Cwm y Nant
Rhos Farm
Pen y Manllwyn
Gwrlodde
Wern Farm
Blaenau-Uchaf
Y Grîb
Lower Trewalkin
Llanerch
Upper Trewalkin Farm
Whole House Farm
Whitelow Farm
Twyn Mawr
Genffordd
Dinas Farm
Cairn
Whole House
Rhiangoll
Grafog
Well
Mynydd Troed
Pengenffordd
Castell Dinas

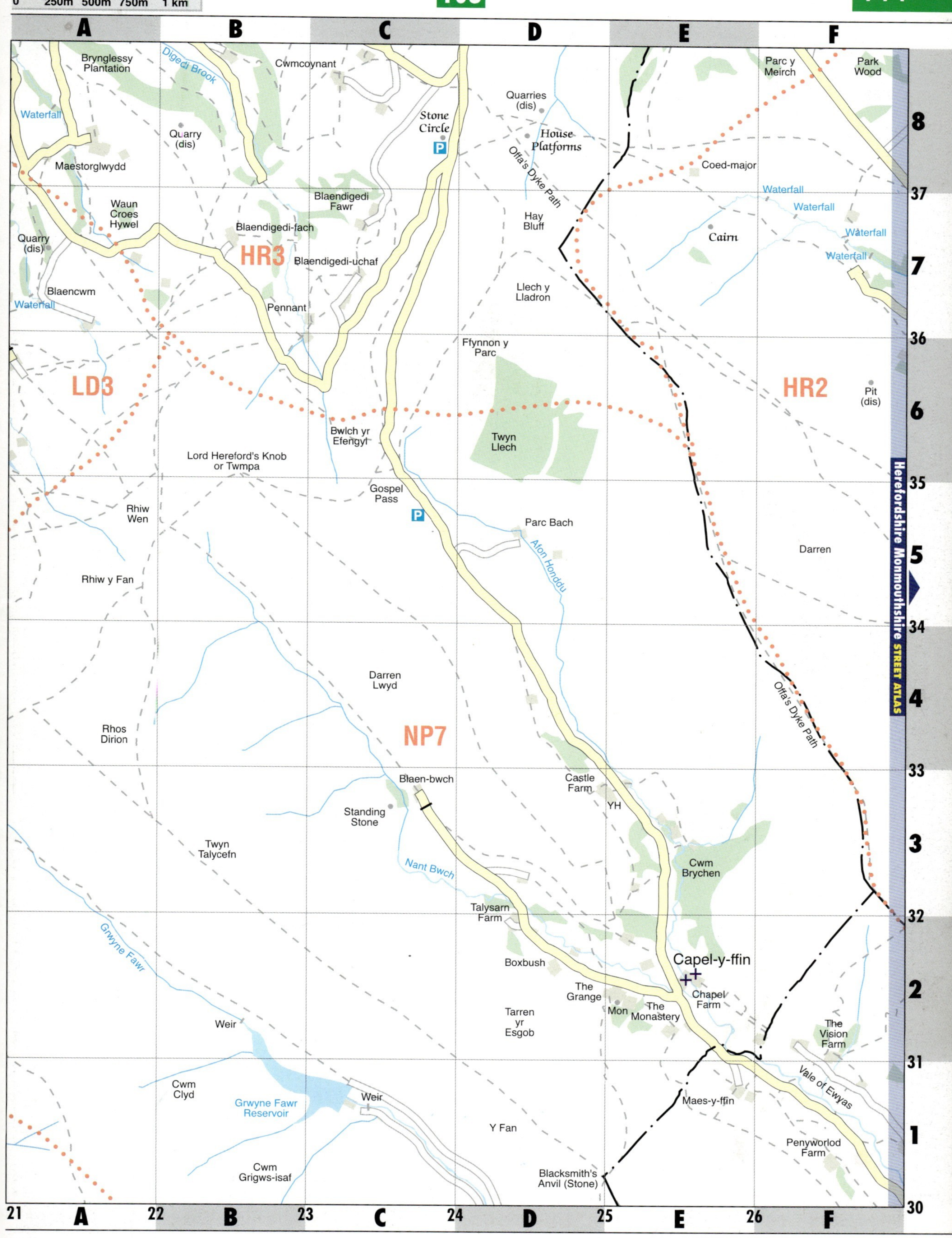
A
B
C
D
E
F
Brynglessy Plantation
Digedi Brook
Cwmcoynant
Quarries (dis)
Parc y Meirch
Park Wood
Waterfall
Quarry (dis)
Stone Circle
House Platforms
8
Maestorglwydd
Offa's Dyke Path
Coed-major
Blaendigedi Fawr
Waterfall
37
Waun Croes Hywel
Hay Bluff
Waterfall
Quarry (dis)
Blaendigedi-fach
Cairn
Waterfall
HR3
Blaendigedi-uchaf
Waterfall
7
Blaencwm
Llech y Lladron
Waterfall
Pennant
36
Ffynnon y Parc
LD3
HR2
Pit (dis)
6
Bwlch yr Efengyl
Twyn Llech
Lord Hereford's Knob or Twmpa
35
Gospel Pass
Rhiw Wen
Parc Bach
Darren
Afon Honddu
5
Rhiw y Fan
34
Herefordshire Monmouthshire STREET ATLAS
Darren Lwyd
4
Offa's Dyke Path
Rhos Dirion
NP7
33
Blaen-bwch
Castle Farm
Standing Stone
YH
3
Twyn Talycefn
Cwm Brychen
Nant Bwch
Talysarn Farm
32
Grwyne Fawr
Boxbush
Capel-y-ffin
2
The Grange
Chapel Farm
Tarren yr Esgob
Mon
The Monastery
The Vision Farm
Weir
31
Vale of Ewyas
Cwm Clyd
Weir
Maes-y-ffin
Grwyne Fawr Reservoir
Y Fan
1
Penyworld Farm
Cwm Grigws-isaf
Blacksmith's Anvil (Stone)
30
21
A
22
B
23
C
24
D
25
E
26
F

104
105

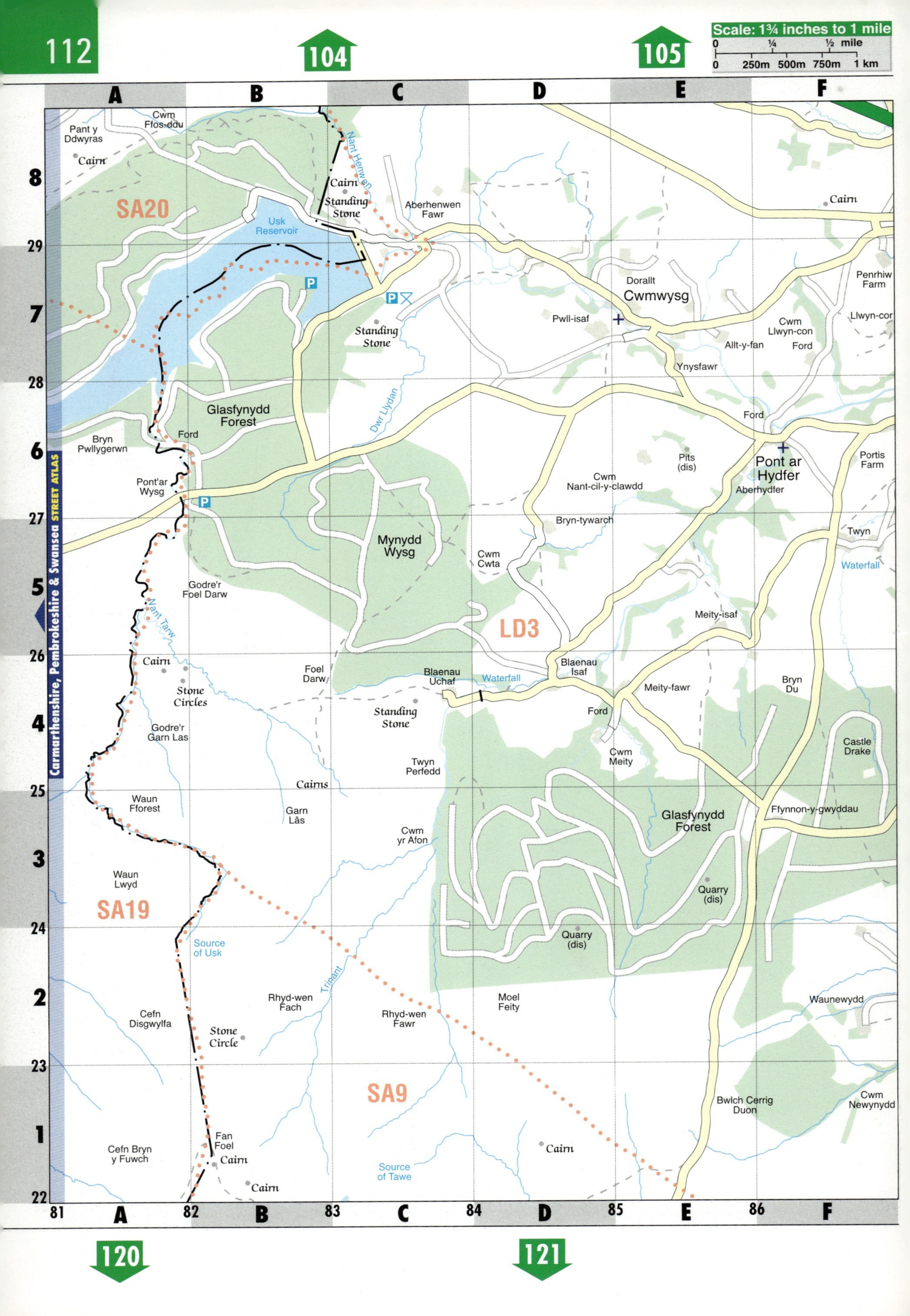

120
121

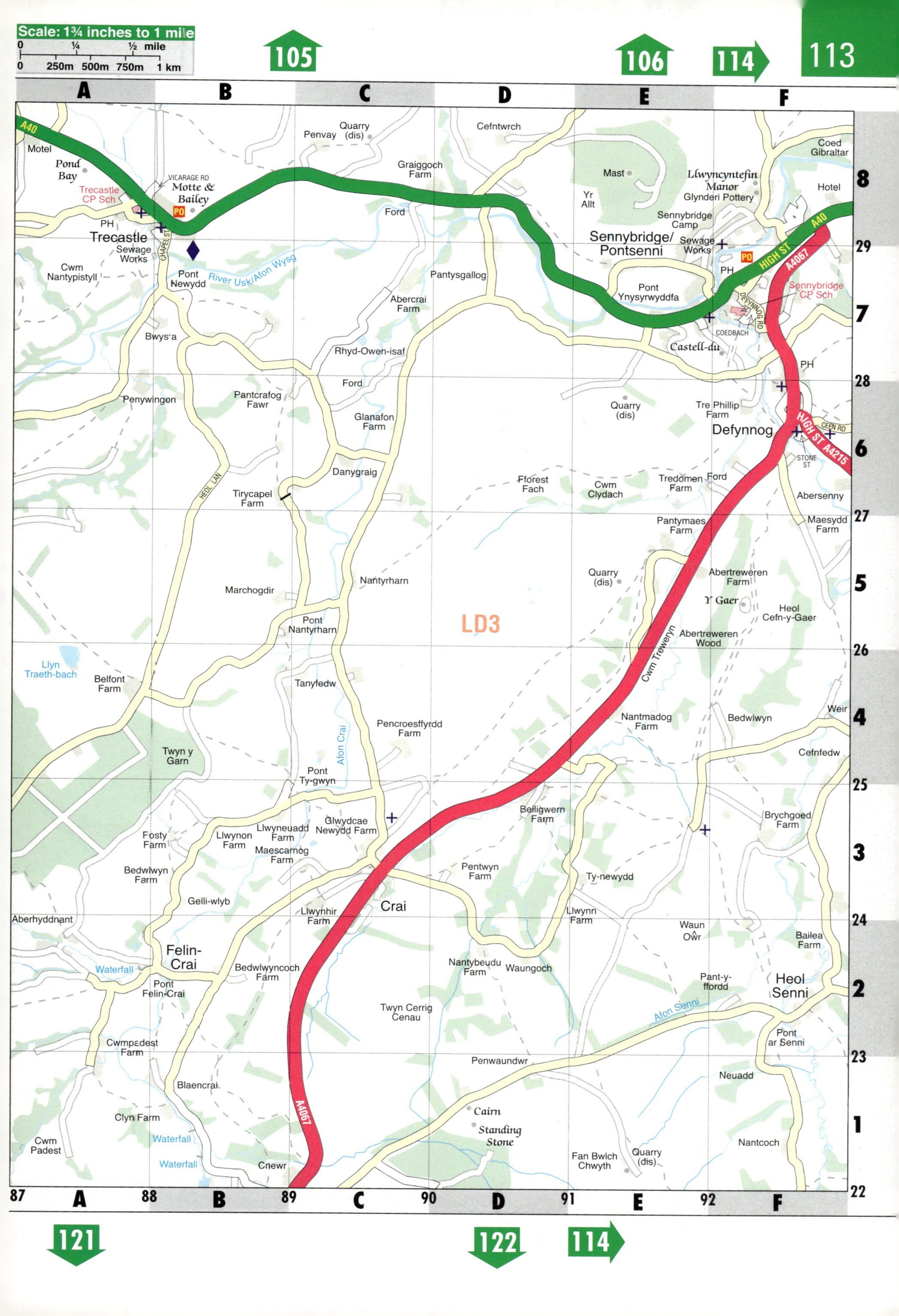

Scale: 1¾ inches to 1 mile
0 ¼ ½ mile
0 250m 500m 750m 1 km
105
106
114
A B C D E F
A40
Motel
Pond Bay
Trecastle CP Sch
Motte & Bailey
VICARAGE RD
PO
PH
Trecastle
Sewage Works
CHAPEL ST
Cwm Nantypistyll
Pont Newydd
River Usk/Afon Wysg
Penvay
Quarry (dis)
Graiggoch Farm
Ford
Cefntwrch
Mast
Yr Allt
Llwyncyntefin Manor
Glyndwr Pottery
Coed Gibraltar
Hotel
Sennybridge Camp
Sennybridge/ Pontsenni
Sewage Works
PO
PH
HIGH ST
A40
A4067
Pont Ynysyrwyddfa
Sennybridge CP Sch
DEFYNNOG RD
COEDBACH
Castell-du
Pantysgallog
Abercrai Farm
Bwys-a
Rhyd-Owen-isaf
Ford
Penywingon
Pantcrafog Fawr
Glanafon Farm
PH
Quarry (dis)
Tre Phillip Farm
Defynnog
HIGH ST A4215
CEFN RD
STONE ST
Danygraig
HEOL LAN
Tirycapel Farm
Fforest Fach
Cwm Clydach
Tredomen Farm
Ford
Abersenny
Pantymaes Farm
Maesydd Farm
Nantyrharn
Marchogdir
Quarry (dis)
Abertreweren Farm
Y Gaer
Heol Cefn-y-Gaer
LD3
Pont Nantyrharn
Cwm Treweryn
Abertreweren Wood
Llyn Traeth-bach
Belfont Farm
Tanyfedw
Nantmadog Farm
Bedwlwyn
Weir
Pencroesffyrdd Farm
Afon Crai
Twyn y Garn
Cefnfedw
Pont Ty-gwyn
Beiligwern Farm
Brychgoed Farm
Fosty Farm
Llwynon Farm
Llwyneuadd Farm
Glwydcae Newydd Farm
Maescarnog Farm
Bedwlwyn Farm
Pentwyn Farm
Ty-newydd
Gelli-wlyb
Llwynhir Farm
Crai
Llwynn Farm
Aberhyddnant
Waun Owr
Bailea Farm
Felin-Crai
Waterfall
Pont Felin-Crai
Bedwlwyncoch Farm
Nantybeudu Farm
Waungoch
Pant-y-ffordd
Heol Senni
Twyn Cerrig Cenau
Afon Senni
Cwmpedest Farm
Pont ar Senni
Penwaundwr
Neuadd
Blaencrai
A4067
Cairn
Standing Stone
Clyn Farm
Cwm Padest
Waterfall
Waterfall
Cnewr
Fan Bwlch Chwyth
Quarry (dis)
Nantcoch
8 29 7 28 6 27 5 26 4 25 3 24 2 23 1 22
87 88 89 90 91 92
121
122
114

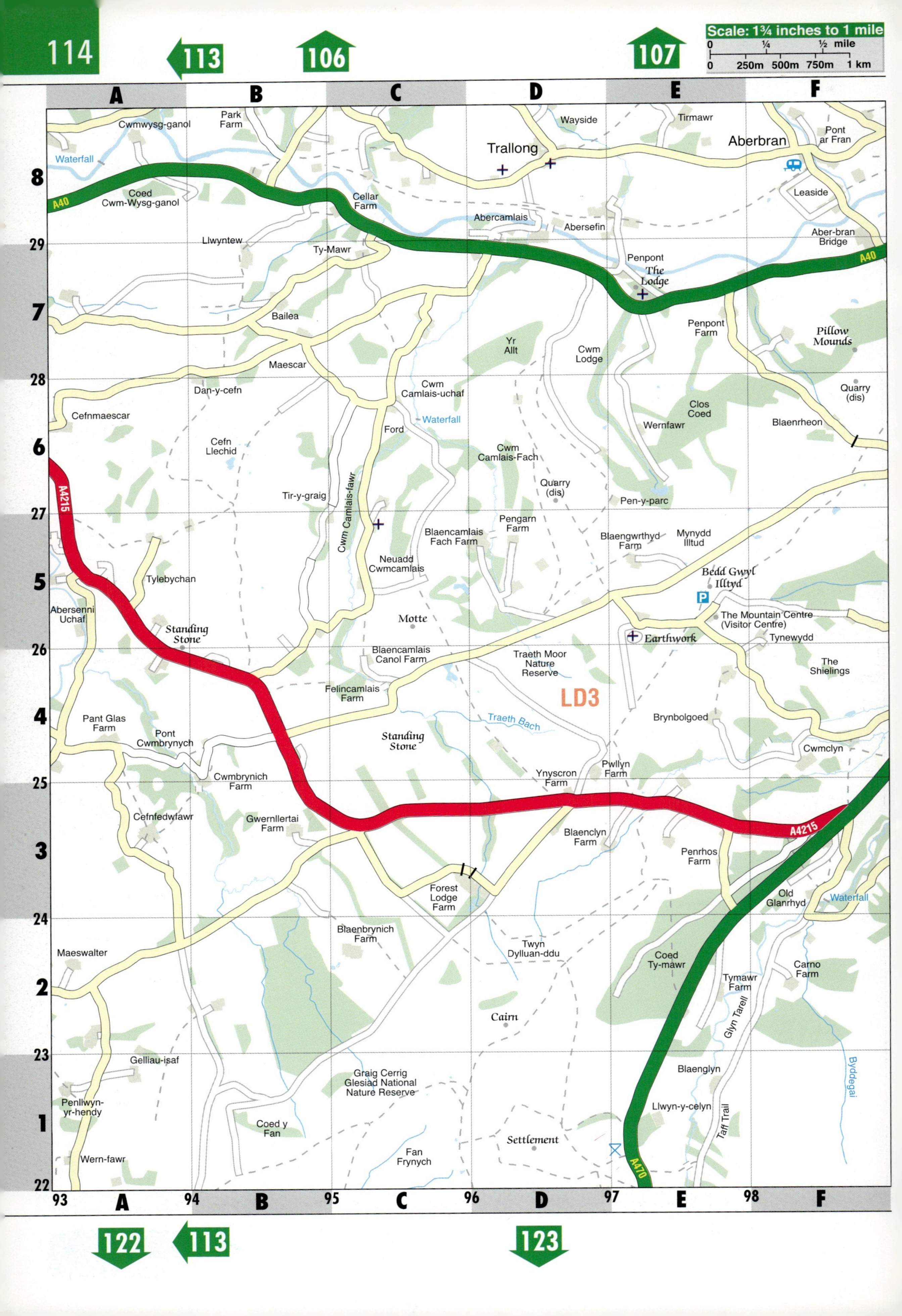
113
106
107
Scale: 1¾ inches to 1 mile
0 ¼ ½ mile
0 250m 500m 750m 1 km
A B C D E F
Cwmwysg-ganol
Park Farm
Wayside
Tirmawr
Trallong
Aberbran
Pont ar Fran
Waterfall
Coed Cwm-Wysg-ganol
A40
Cellar Farm
Leaside
Abercamlais
Abersefin
Aber-bran Bridge
Llwyntew
Ty-Mawr
Penpont
The Lodge
Bailea
Penpont Farm
Pillow Mounds
Yr Allt
Cwm Lodge
Maescar
Quarry (dis)
Dan-y-cefn
Cwm Camlais-uchaf
Clos Coed
Cefnmaescar
Waterfall
Wernfawr
Blaenrheon
Ford
Cefn Llechid
Cwm Camlais-Fach
Quarry (dis)
Tir-y-graig
Cwm Camlais-fawr
Pen-y-parc
A4215
Pengarn Farm
Blaencamlais Fach Farm
Blaengwrthyd Farm
Mynydd Illtud
Neuadd Cwmcamlais
Bedd Gwyl Illtyd
Tylebychan
Abersenni Uchaf
Motte
The Mountain Centre (Visitor Centre)
Standing Stone
Earthwork
Tynewydd
Blaencamlais Canol Farm
Traeth Moor Nature Reserve
The Shielings
Felincamlais Farm
LD3
Brynbolgoed
Pant Glas Farm
Traeth Bach
Pont Cwmbrynych
Standing Stone
Cwmclyn
Cwmbrynich Farm
Ynyscron Farm
Pwllyn Farm
Cefnfedwfawr
Gwernllertai Farm
Blaenclyn Farm
A4215
Penrhos Farm
Forest Lodge Farm
Old Glanrhyd
Waterfall
Blaenbrynich Farm
Maeswalter
Twyn Dylluan-ddu
Coed Ty-mawr
Carno Farm
Tymawr Farm
Cairn
Glyn Tarell
Gelliau-isaf
Byddegai
Graig Cerrig Glesiad National Nature Reserve
Blaenglyn
Penllwyn-yr-hendy
Llwyn-y-celyn
Coed y Fan
Taff Trail
Settlement
A470
Fan Frynych
Wern-fawr
8
29
7
28
6
27
5
26
4
25
3
24
2
23
1
22
93 94 95 96 97 98
122
113
123

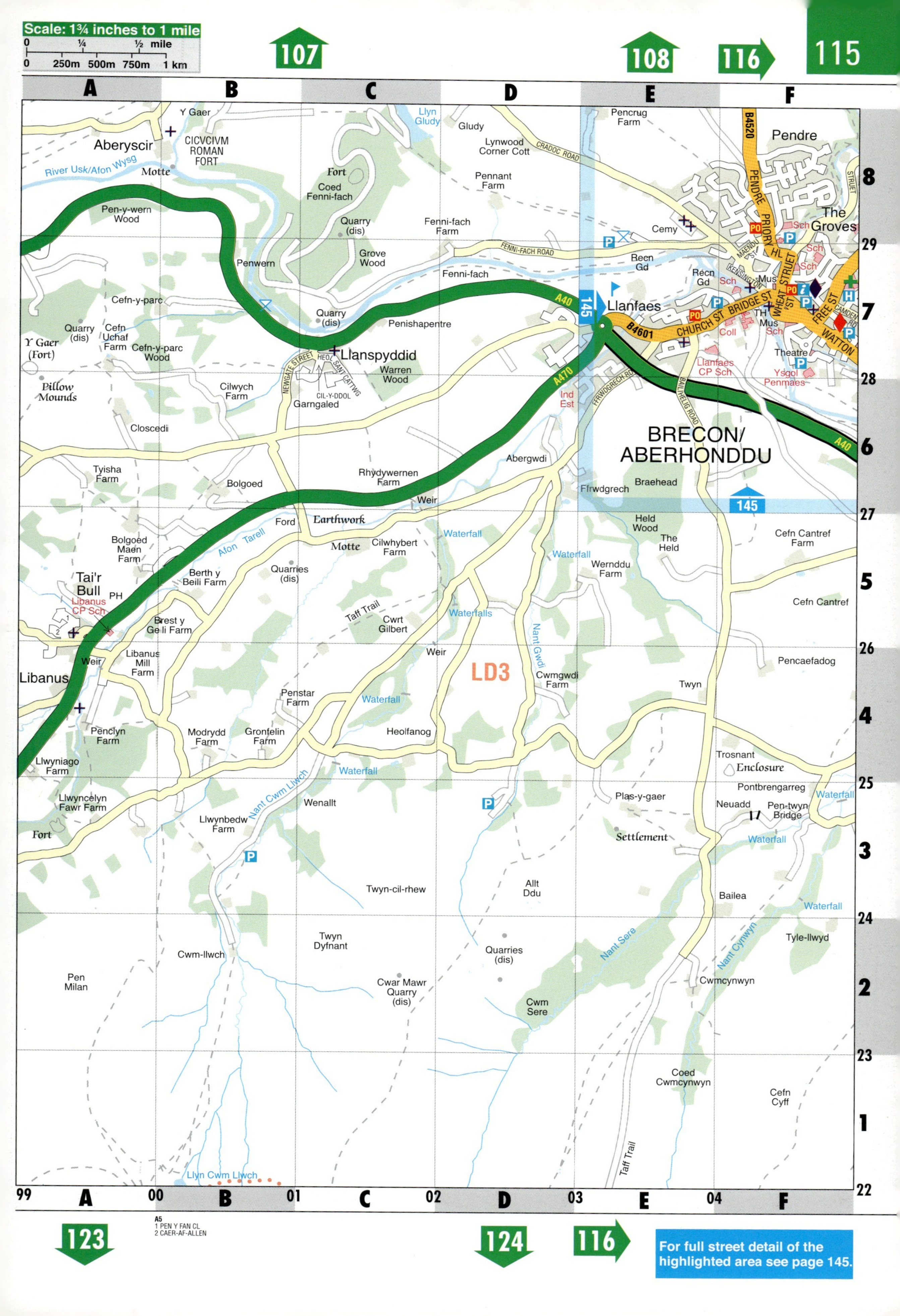
Scale: 1¾ inches to 1 mile
0 ¼ ½ mile
0 250m 500m 750m 1 km
107
108
116
A B C D E F
Y Gaer
Aberyscir
CICVCIVM ROMAN FORT
River Usk/Afon Wysg
Motte
Llyn Gludy
Gludy
Lynwood Corner Cott
CRADOC ROAD
Pencrug Farm
B4520
Pendre
Fort
Coed Fenni-fach
Pennant Farm
Pen-y-wern Wood
Quarry (dis)
Fenni-fach Farm
Cemy
The Groves
Penwern
Grove Wood
FENNI-FACH ROAD
Brecn Gd
Fenni-fach
Cefn-y-parc
A40
145
Llanfaes
Quarry (dis)
Penishapentre
Y Gaer (Fort)
Quarry (dis)
Cefn Uchaf Farm
Cefn-y-parc Wood
Llanspyddid
NEWGATE STREET
Warren Wood
B4601
CHURCH ST
BRIDGE ST
Llanfaes CP Sch
Theatre
Ysgol Penmaes
Pillow Mounds
Cilwych Farm
Garngaled
CIL-Y-DDOL
A470
Ind Est
FFRWDGRECH RD
BAILIHELIG ROAD
BRECON/ ABERHONDDU
Closcedi
Tyisha Farm
Bolgoed
Rhydywernen Farm
Abergwdi
Braehead
Ffrwdgrech
Weir
Ford
Earthwork
Held Wood
The Held
Cefn Cantref Farm
Bolgoed Maen Farm
Afon Tarell
Motte
Cilwhybert Farm
Waterfall
Waterfall
Wernddu Farm
Tai'r Bull
Libanus CP Sch
PH
Berth y Beili Farm
Quarries (dis)
Cefn Cantref
Taff Trail
Cwrt Gilbert
Waterfalls
Brest y Ge li Farm
Nant Gwdi
Libanus Mill Farm
Weir
Weir
Pencaefadog
Libanus
LD3
Cwmgwdi Farm
Twyn
Penstar Farm
Waterfall
Penclyn Farm
Modrydd Farm
Gronfelin Farm
Heolfanog
Llwyniago Farm
Trosnant
Enclosure
Waterfall
Nant Cwm Llwch
Pontbrengarreg
Llwyncelyn Fawr Farm
Wenallt
Plas-y-gaer
Neuadd
Pen-twyn Bridge
Waterfall
Llwynbedw Farm
Settlement
Waterfall
Fort
Twyn-cil-rhew
Allt Ddu
Bailea
Waterfall
Twyn Dyfnant
Quarries (dis)
Nant Sere
Nant Cynwyn
Tyle-llwyd
Cwm-llwch
Pen Milan
Cwar Mawr Quarry (dis)
Cwm Sere
Cwmcynwyn
Coed Cwmcynwyn
Cefn Cyff
Taff Trail
Llyn Cwm Llwch
99 00 01 02 03 04
22 23 24 25 26 27 28 29
1 2 3 4 5 6 7 8
A5
1 PEN Y FAN CL
2 CAER-AF-ALLEN
123
124
116
For full street detail of the highlighted area see page 145.

115 108 109

B7
1 BRYNAWELON
2 WOODLAND CR
3 BEACONS CL
4 LEUCHARS WY
5 DARLING RD

Scale: 1¾ inches to 1 mile
0 ¼ ½ mile
0 250m 500m 750m 1 km

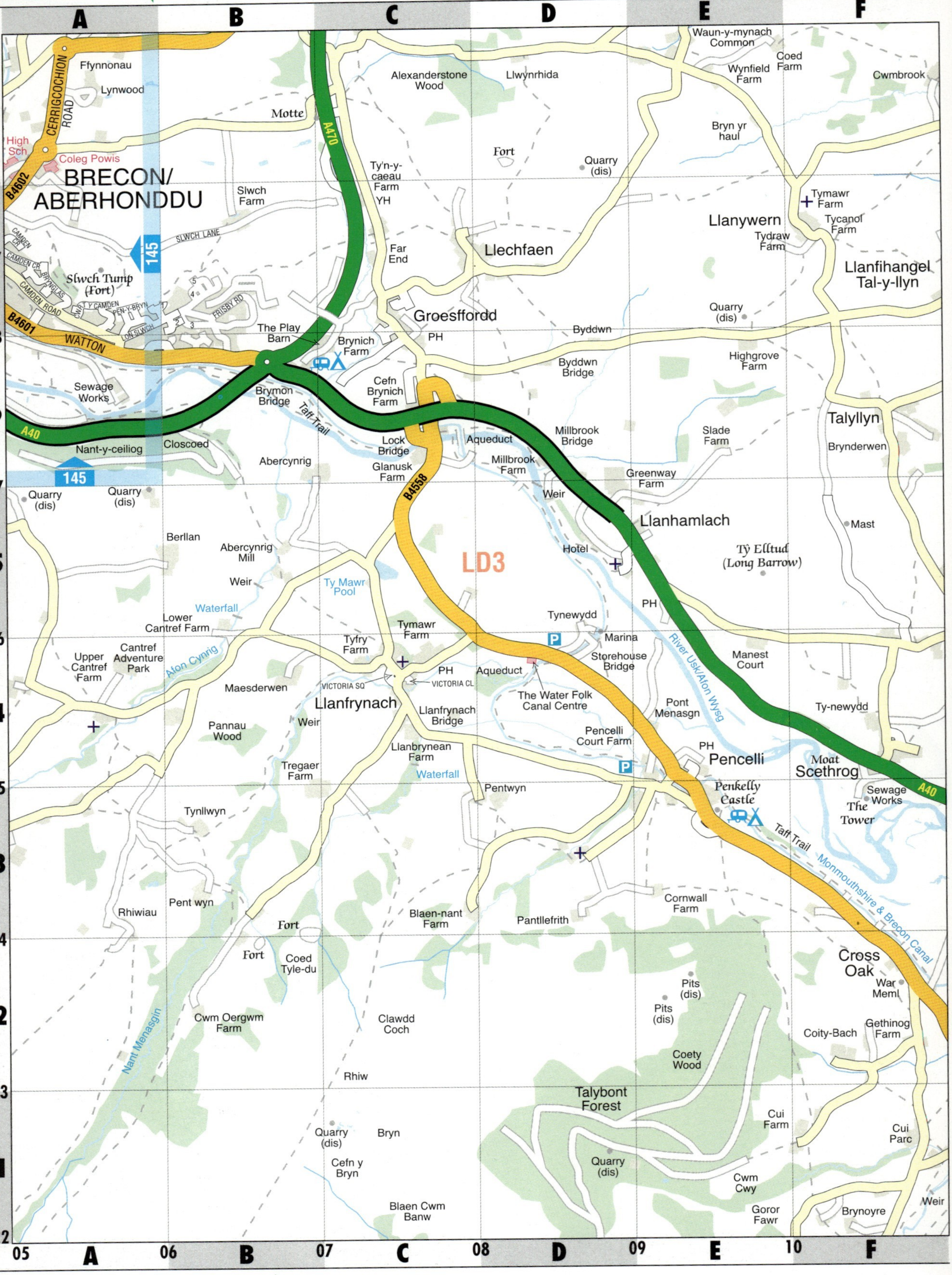

Waun-y-mynach Common
Coed Farm
Wynfield Farm
Cwmbrook
Ffynnonau
Lynwood
CERRIGCOCHION ROAD
Alexanderstone Wood
Llwynrhida
Motte
A470
High Sch
Coleg Powis
BRECON/ ABERHONDDU
B4602
Bryn yr haul
Fort
Quarry (dis)
Ty'n-y-caeau Farm
YH
Slwch Farm
SLWCH LANE
Tymawr Farm
Llanywern
Tycanol Farm
Tydraw Farm
Llechfaen
Far End
Llanfihangel Tal-y-llyn
Slwch Tump (Fort)
CAMDEN CR
CAMDEN ROAD
BRYNGLAS
Y CAMDEN
PEN-Y-BRYN
FRISBY RD
LON SLWCH
Groesffordd
Quarry (dis)
B4601
WATTON
The Play Barn
Brynich Farm
PH
Byddwn
Byddwn Bridge
Highgrove Farm
Sewage Works
Brynon Bridge
Cefn Brynich Farm
Taff Trail
Lock Bridge
Aqueduct
Millbrook Bridge
Slade Farm
Talyllyn
Brynderwen
A40
Nant-y-ceiliog
Closcoed
Abercynrig
Glanusk Farm
Millbrook Farm
Greenway Farm
B4558
Weir
Quarry (dis)
Quarry (dis)
Llanhamlach
Mast
Berllan
Abercynrig Mill
Hotel
Tŷ Elltud (Long Barrow)
LD3
Weir
Ty Mawr Pool
PH
Waterfall
Lower Cantref Farm
Tynewydd
Tymawr Farm
Marina
Upper Cantref Farm
Cantref Adventure Park
Afon Cynrig
Tyfry Farm
Storehouse Bridge
Manest Court
River Usk/Afon Wysg
PH
Aqueduct
VICTORIA SQ
VICTORIA CL
The Water Folk Canal Centre
Maesderwen
Llanfrynach
Pont Menasgn
Ty-newydd
Weir
Llanfrynach Bridge
Pencelli Court Farm
Pannau Wood
Llanbrynean Farm
PH
Pencelli
Moat
Scethrog
Tregaer Farm
Waterfall
Pentwyn
Penkelly Castle
Sewage Works
The Tower
A40
Tynllwyn
Taff Trail
Monmouthshire & Brecon Canal
Rhiwiau
Pent wyn
Blaen-nant Farm
Pantllefrith
Cornwall Farm
Fort
Fort
Coed Tyle-du
Cross Oak
Pits (dis)
War Meml
Pits (dis)
Cwm Oergwm Farm
Clawdd Coch
Coity-Bach
Gethinog Farm
Nant Menasgin
Coety Wood
Rhiw
Talybont Forest
Cui Farm
Cui Parc
Quarry (dis)
Bryn
Quarry (dis)
Cefn y Bryn
Cwm Cwy
Blaen Cwm Banw
Goror Fawr
Brynoyre
Weir

A B C D E F
05 06 07 08 09 10
8 7 6 5 4 3 2 1
29 28 27 26 25 24 23 22

145
145
For full street detail of the highlighted area see page 145.
115 125

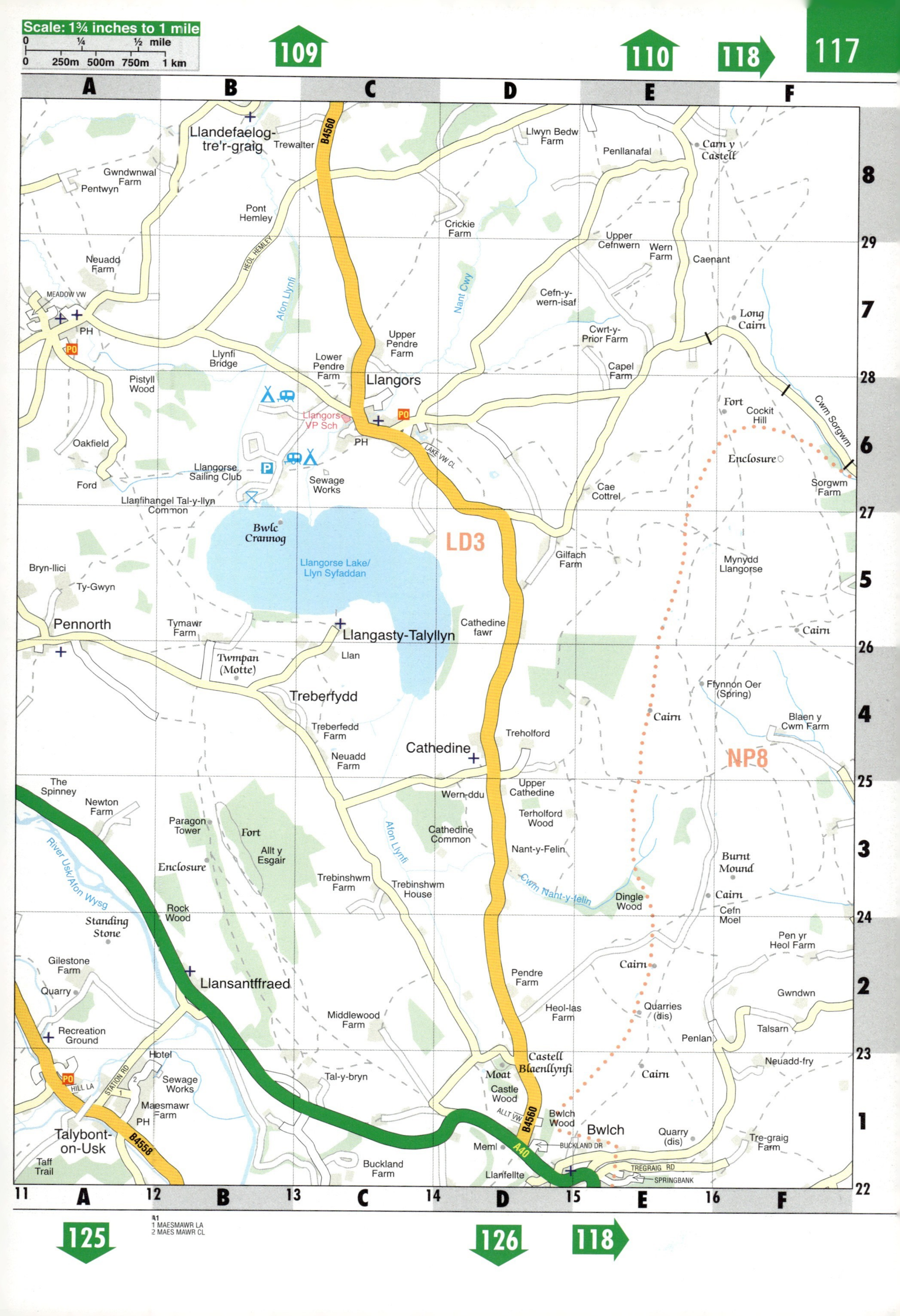
Scale: 1¾ inches to 1 mile
0 ¼ ½ mile
0 250m 500m 750m 1 km
109
110
118
A B C D E F
8
29
7
28
6
27
5
26
4
25
3
24
2
23
1
22
11 12 13 14 15 16
Llandefaelog-tre'r-graig
Trewalter
B4560
Llwyn Bedw Farm
Penllanafal
Carn y Castell
Gwndwnwal Farm
Pentwyn
Pont Hemley
Crickie Farm
HEOL HEMLEY
Upper Cefnwern
Wern Farm
Caenant
Neuadd Farm
Afon Llynfi
Nant Cwy
Cefn-y-wern-isaf
MEADOW VW
PH
PO
Long Cairn
Upper Pendre Farm
Cwrt-y-Prior Farm
Llynfi Bridge
Lower Pendre Farm
Capel Farm
Pistyll Wood
Llangors
Fort
Cockit Hill
Llangors VP Sch
Cwm Sorgwm
Oakfield
PH
LAKE VW CL
Enclosure
Llangorse Sailing Club
Sewage Works
Sorgwm Farm
Ford
Cae Cottrel
Llanfihangel Tal-y-llyn Common
Bwlc Crannog
LD3
Gilfach Farm
Llangorse Lake/ Llyn Syfaddan
Mynydd Llangorse
Bryn-llici
Ty-Gwyn
Pennorth
Tymawr Farm
Cathedine fawr
Cairn
Llangasty-Talyllyn
Twmpan (Motte)
Llan
Treberfydd
Ffynnon Oer (Spring)
Cairn
Blaen y Cwm Farm
Treberfedd Farm
Treholford
Neuadd Farm
Cathedine
NP8
The Spinney
Upper Cathedine
Newton Farm
Wern-ddu
Paragon Tower
Terholford Wood
Fort
Cathedine Common
River Usk/Afon Wysg
Allt y Esgair
Afon Llynfi
Nant-y-Felin
Burnt Mound
Enclosure
Trebinshwm Farm
Trebinshwm House
Cwm Nant-y-felin
Cairn
Dingle Wood
Cefn Moel
Rock Wood
Standing Stone
Pen yr Heol Farm
Gilestone Farm
Cairn
Pendre Farm
Quarry
Llansantffraed
Gwndwn
Heol-las Farm
Quarries (dis)
Middlewood Farm
Recreation Ground
Talsarn
Penlan
Hotel
Castell Blaenllynfi
Neuadd-fry
PO
Sewage Works
Moat
Cairn
HILL LA
STATION RD
Tal-y-bryn
Castle Wood
Maesmawr Farm
ALLT VW
B4560
Bwlch Wood
PH
Bwlch
Quarry (dis)
Talybont-on-Usk
B4558
A40
Tre-graig Farm
Meml
BUCKLAND DR
Taff Trail
Buckland Farm
TREGRAIG RD
Llanfellte
SPRINGBANK
A1
1 MAESMAWR LA
2 MAES MAWR CL
125
126
118

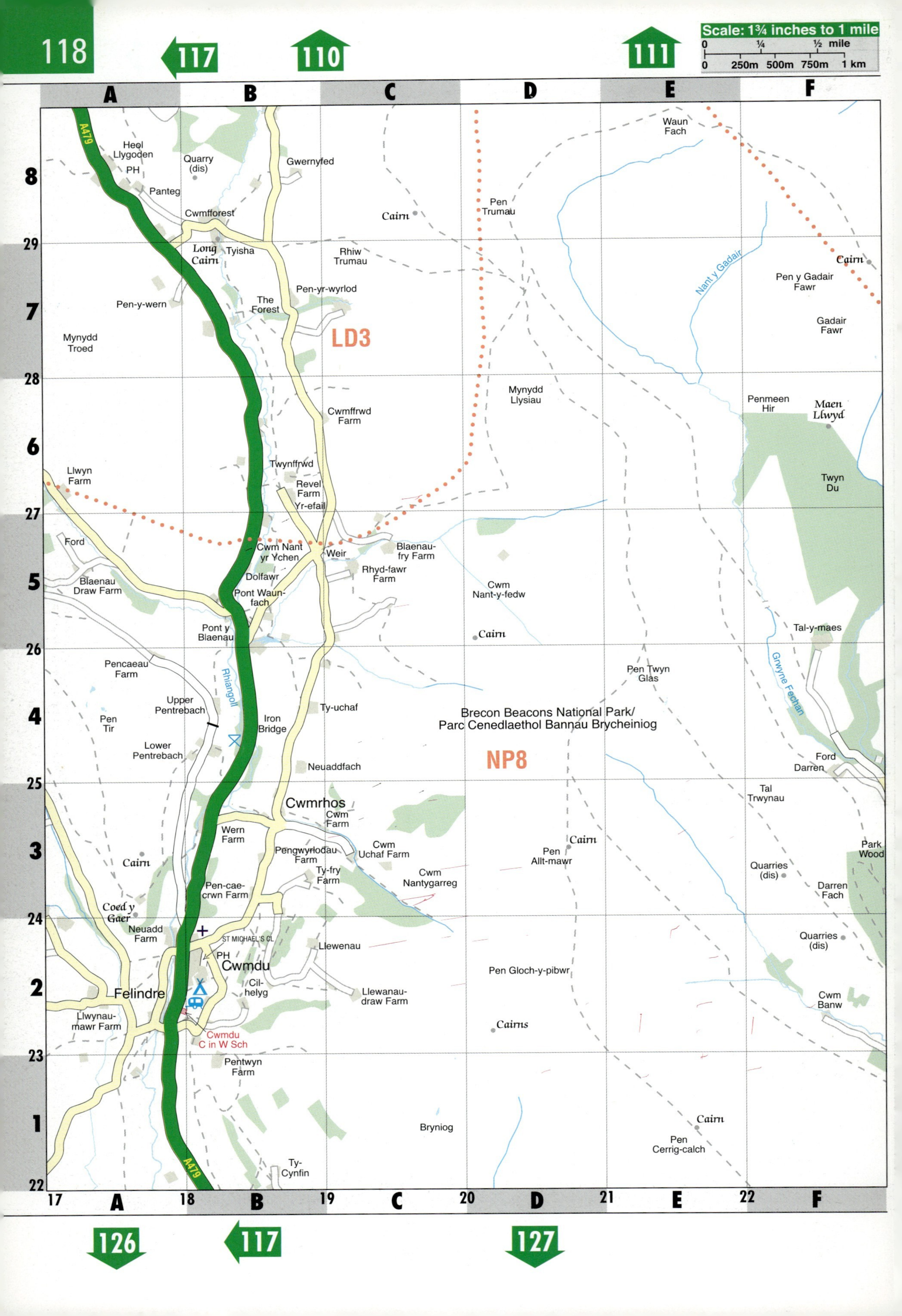
117
110
111
Scale: 1¾ inches to 1 mile
0 ¼ ½ mile
0 250m 500m 750m 1 km
A B C D E F
A479
Heol Llygoden
PH
Quarry (dis)
Gwernyfed
Panteg
Cwmfforest
Cairn
Pen Trumau
Waun Fach
Long Cairn
Tyisha
Rhiw Trumau
Nant y Gadair
Cairn
Pen y Gadair Fawr
Pen-y-wern
Pen-yr-wyrlod
The Forest
Gadair Fawr
Mynydd Troed
LD3
Mynydd Llysiau
Penmeen Hir
Maen Llwyd
Cwmffrwd Farm
Llwyn Farm
Twynffrwd
Revel Farm
Yr-efail
Twyn Du
Ford
Cwm Nant yr Ychen
Weir
Blaenau-fry Farm
Rhyd-fawr Farm
Blaenau Draw Farm
Dolfawr
Pont Waun-fach
Cwm Nant-y-fedw
Pont y Blaenau
Cairn
Tal-y-maes
Pencaeau Farm
Rhiangoll
Pen Twyn Glas
Grwyne Fechan
Upper Pentrebach
Ty-uchaf
Brecon Beacons National Park/
Parc Cenedlaethol Bannau Brycheiniog
Pen Tir
Iron Bridge
Lower Pentrebach
NP8
Ford
Darren
Neuaddfach
Cwmrhos
Tal Trwynau
Cwm Farm
Wern Farm
Pengwyrlodau Farm
Cwm Uchaf Farm
Cairn
Pen Allt-mawr
Park Wood
Cairn
Ty-fry Farm
Cwm Nantygarreg
Quarries (dis)
Pen-cae-crwn Farm
Darren Fach
Coed y Gaer
Neuadd Farm
ST MICHAEL'S CL
Llewenau
Quarries (dis)
PH
Cwmdu
Pen Gloch-y-pibwr
Felindre
Cil-helyg
Llewanau-draw Farm
Cwm Banw
Llwynau-mawr Farm
Cairns
Cwmdu C in W Sch
Pentwyn Farm
Cairn
Bryniog
Pen Cerrig-calch
Ty-Cynfin
8 29 7 28 6 27 5 26 4 25 3 24 2 23 1 22
17 18 19 20 21 22
126
117
127

Scale: 1¾ inches to 1 mile
0 ¼ ½ mile
0 250m 500m 750m 1 km
111

A
B
C
D
E
F
Herefordshire Monmouthshire STREET ATLAS
Grwyne Fawr
Chwarel y Fan
Trevelog
Tafolog Bridge
Quarry (dis)
Enclosure
Cairn
Sychtre
Loxidge Tump
Llwyn-on
Bwlch Bach
Dôl Alice
Broadley Farm
Loxidge Wood
Blaen-y-cwm
Vale of Ewyas
Nantygwyddel
Waterfall
Llanthony Priory
Hotel
PH
Llanthony
Bwlch Isaf
Mill Farm
Waterfall
Ty-isaf
Cwm-bwchel
Cairn
Troedrhiw-mon Farm
Bâl-Mawr
Nantybedd
Bal-bach
Pen Twyn Mawr
Gargwy Fawr
Mynydd Du Forest
NP7
Cairn
Pits (dis)
Pen Garreg
Cwn Ddeunant
Ffawydden
Tyle-ffardding Wood
Penwyrlod
Garn-wen (Cairn)
Hermitage
Cadwgan
Pont Cadwgan
Cwm Nant Bran
Noyaddllwyd
Pen Gwyllt Meirch
Coed Ty Canol
Coed-dias
Coetgae Mawr
Nantyrychain
Coed Mawr
Ford
Cwm Farm
NP8
Ffordd-las-fawr
Cwm Ffrwd
Llwyn-y-brain
Coed Robin
Upper House
Grwyne Fawr
Blaenau
Cairn
Llanthony Wood
Pentwyn
Disgwylfa
Gelli Boeth
Coed Farm
Waterfall
Neuadd-fawr
Bont
Crug Mawr
Partrishow
Cwm Milaid
Ffynnon Tshow
Ty'n-n-llwyn
Ty-coch
Blaen-yr-henbant
Penhoelmeirch
Milaid
8
29
7
28
6
27
5
26
4
25
3
24
2
23
1
22
23
24
25
26
27
28

112

Scale: 1¾ inches to 1 mile
0 ¼ ½ mile
0 250m 500m 750m 1 km

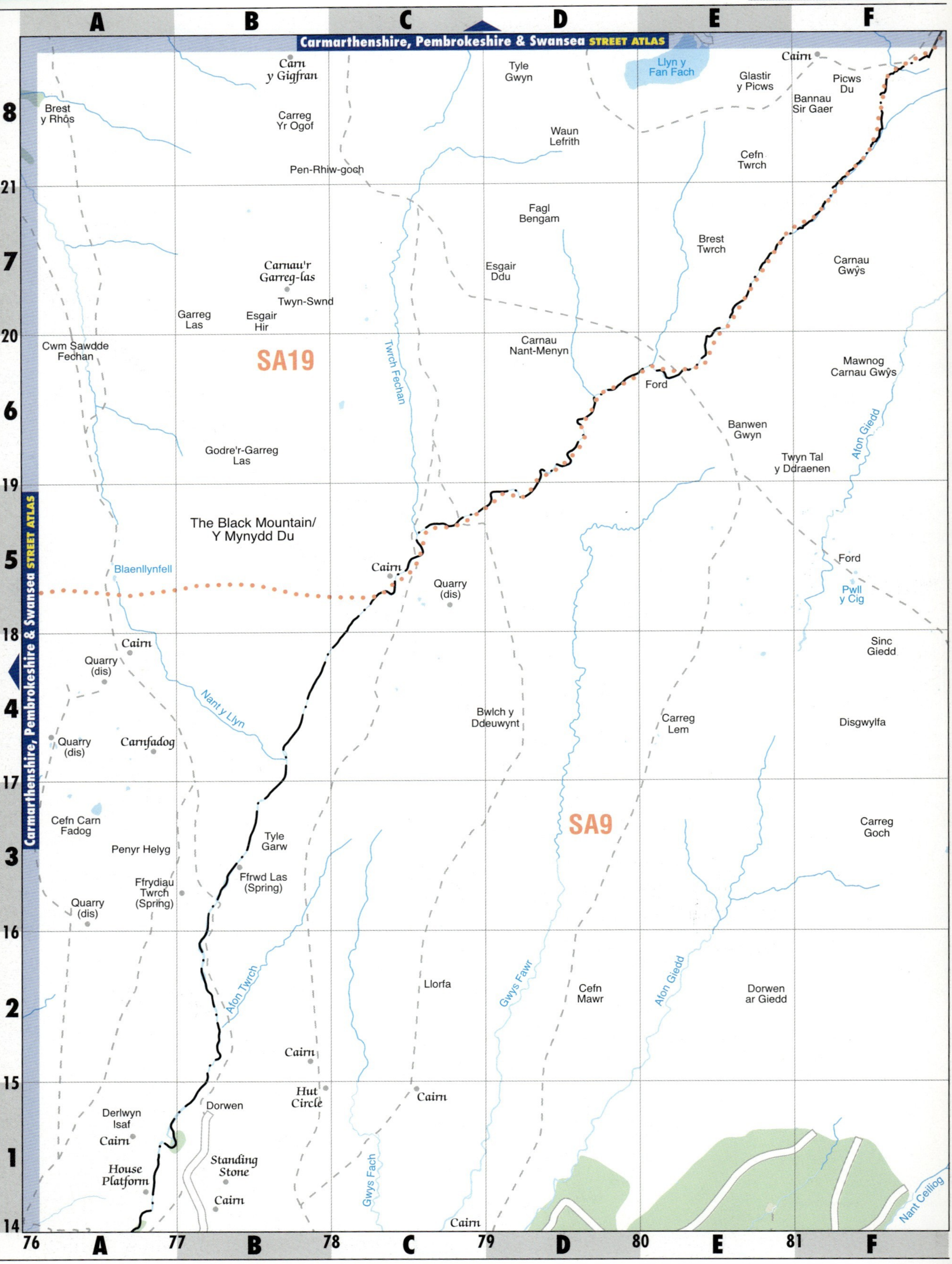

129 146 130

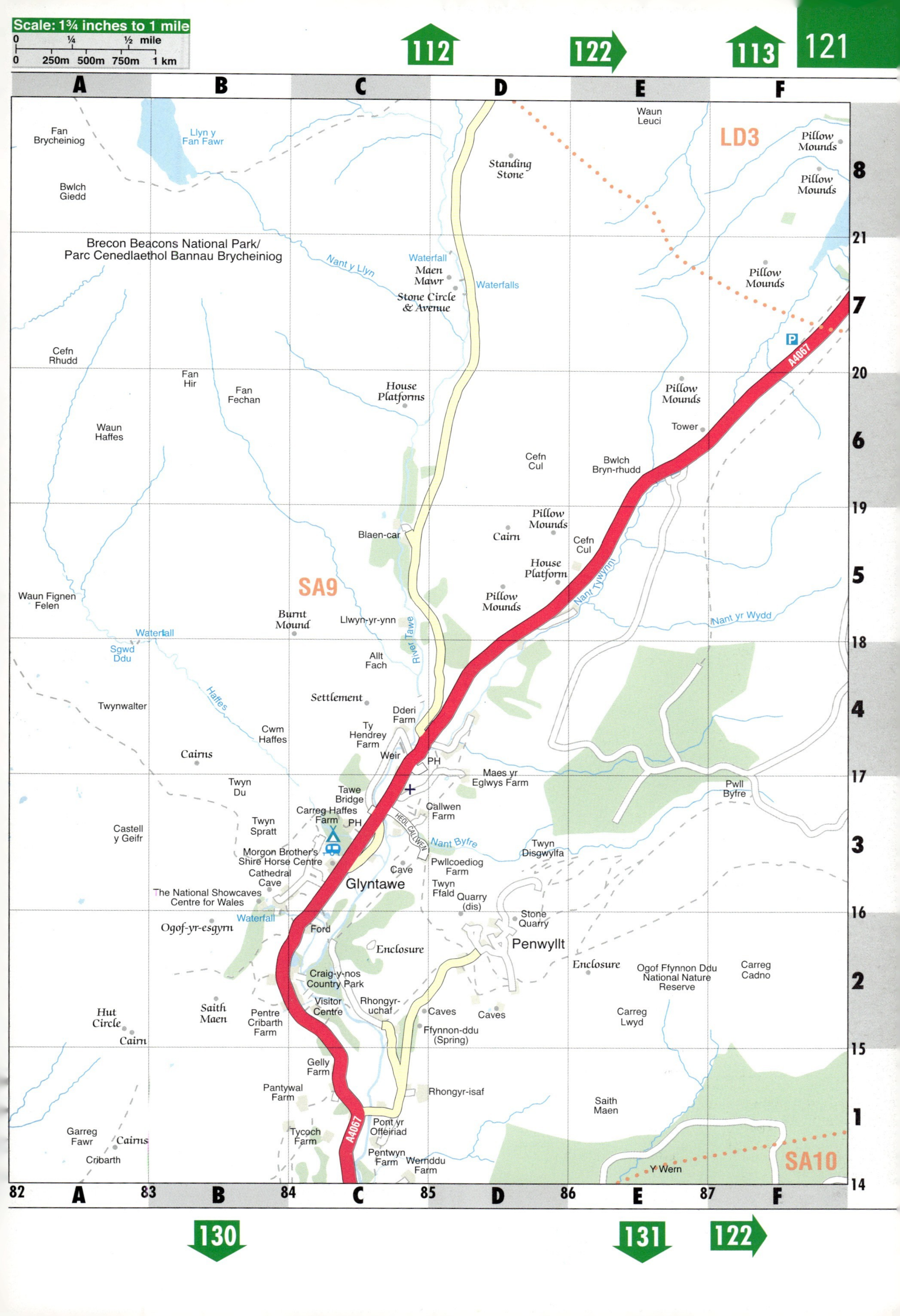
Scale: 1¾ inches to 1 mile
0 ¼ ½ mile
0 250m 500m 750m 1 km
112
122
113
A B C D E F
Fan Brycheiniog
Llyn y Fan Fawr
Bwlch Giedd
Waun Leuci
LD3
Pillow Mounds
Standing Stone
Pillow Mounds
Brecon Beacons National Park/
Parc Cenedlaethol Bannau Brycheiniog
Nant y Llyn
Waterfall
Maen Mawr
Waterfalls
Stone Circle & Avenue
Pillow Mounds
A4067
Cefn Rhudd
Fan Hir
Fan Fechan
House Platforms
Pillow Mounds
Tower
Waun Haffes
Cefn Cul
Bwlch Bryn-rhudd
Pillow Mounds
Cairn
Blaen-car
Cefn Cul
House Platform
SA9
Nant Tywynni
Pillow Mounds
Waun Fignen Felen
Burnt Mound
Llwyn-yr-ynn
River Tawe
Nant yr Wydd
Waterfall
Sgwd Ddu
Allt Fach
Haffes
Settlement
Twynwalter
Dderi Farm
Cwm Haffes
Ty Hendrey Farm
Cairns
Weir
PH
Maes yr Eglwys Farm
Twyn Du
Tawe Bridge
Pwll Byfre
Castell y Geifr
Twyn Spratt
Carreg Haffes Farm
PH
Callwen Farm
Heol Callwen
Nant Byfre
Twyn Disgwylfa
Morgon Brother's Shire Horse Centre
Pwllcoediog Farm
Cathedral Cave
Cave
Glyntawe
Twyn Ffald
Quarry (dis)
The National Showcaves Centre for Wales
Stone Quarry
Waterfall
Ogof-yr-esgyrn
Ford
Enclosure
Penwyllt
Enclosure
Ogof Ffynnon Ddu National Nature Reserve
Carreg Cadno
Craig-y-nos Country Park
Visitor Centre
Rhongyr-uchaf
Caves
Caves
Carreg Lwyd
Hut Circle
Saith Maen
Pentre Cribarth Farm
Ffynnon-ddu (Spring)
Cairn
Gelly Farm
Pantywal Farm
Rhongyr-isaf
Saith Maen
Garreg Fawr
Cairns
Tycoch Farm
A4067
Pont yr Offeiriad
Cribarth
Pentwyn Farm
Wernddu Farm
Y Wern
SA10
8 21 7 20 6 19 5 18 4 17 3 16 2 15 1 14
82 A 83 B 84 C 85 D 86 E 87 F
130
131
122

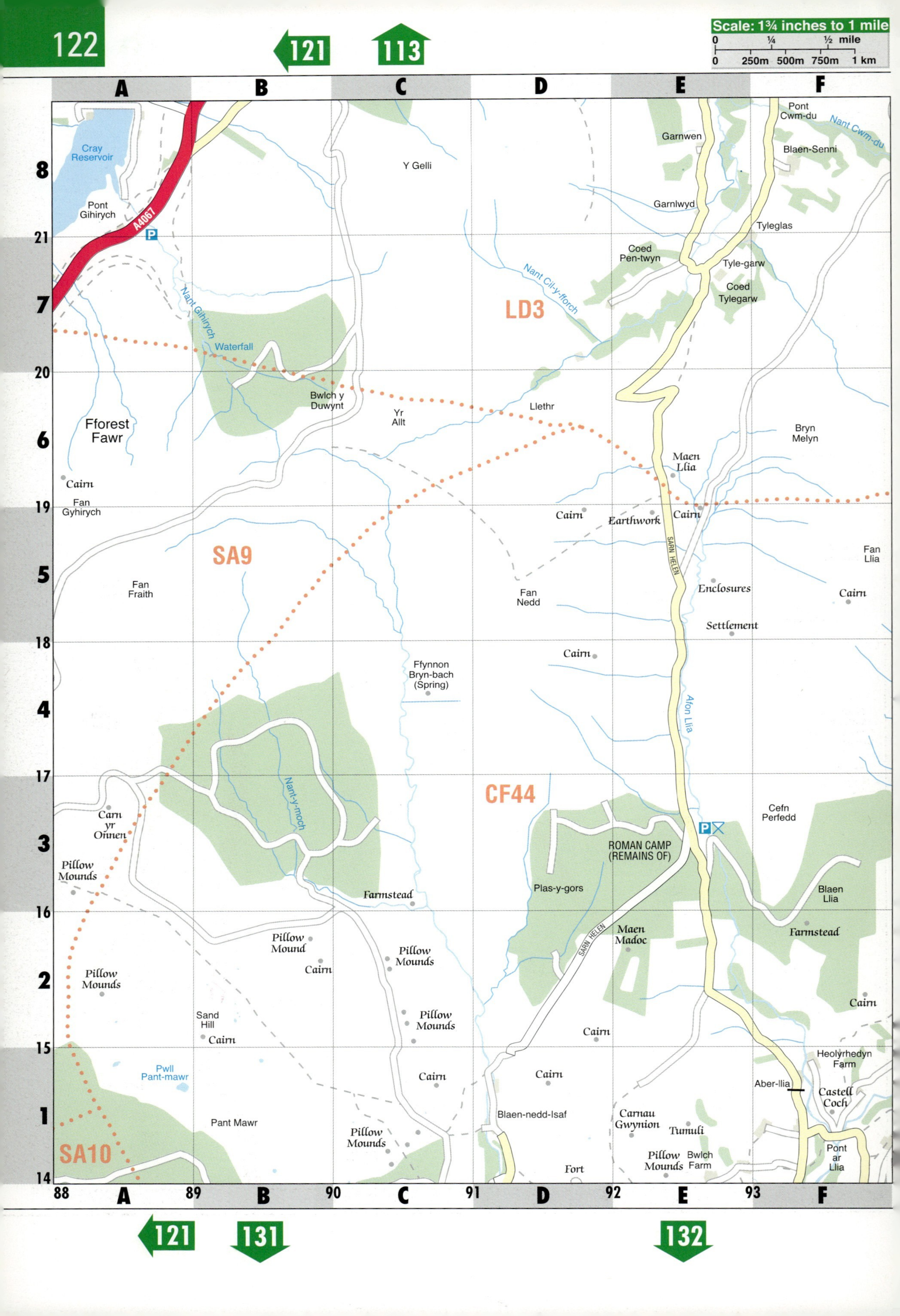
121
113
Scale: 1¾ inches to 1 mile
0 ¼ ½ mile
0 250m 500m 750m 1 km
A B C D E F
Cray Reservoir
Pont Gihirych
A4067
Y Gelli
Garnwen
Pont Cwm-du
Nant Cwm-du
Blaen-Senni
Garnlwyd
Tyleglas
Coed Pen-twyn
Tyle-garw
Coed Tylegarw
Nant Cil-y-fforch
LD3
Nant Gihirych
Waterfall
Bwlch y Duwynt
Yr Allt
Llethr
Fforest Fawr
Bryn Melyn
Maen Llia
Cairn
Fan Gyhirych
Cairn
Earthwork
Cairn
SARN HELEN
SA9
Fan Llia
Fan Fraith
Fan Nedd
Enclosures
Cairn
Settlement
Cairn
Ffynnon Bryn-bach (Spring)
Afon Llia
Nant-y-moch
CF44
Cefn Perfedd
Carn yr Onnen
ROMAN CAMP (REMAINS OF)
Pillow Mounds
Plas-y-gors
Blaen Llia
Farmstead
Farmstead
Pillow Mound
SARN HELEN
Maen Madoc
Pillow Mounds
Cairn
Pillow Mounds
Cairn
Pillow Mounds
Sand Hill
Cairn
Cairn
Heolyrhedyn Farm
Pwll Pant-mawr
Cairn
Cairn
Aber-llia
Castell Coch
Blaen-nedd-Isaf
Carnau Gwynion
Tumuli
Pant Mawr
Pillow Mounds
Pillow Mounds
Bwlch Farm
Pont ar Llia
SA10
Fort
8 21 7 20 6 19 5 18 4 17 3 16 2 15 1 14
88 89 90 91 92 93

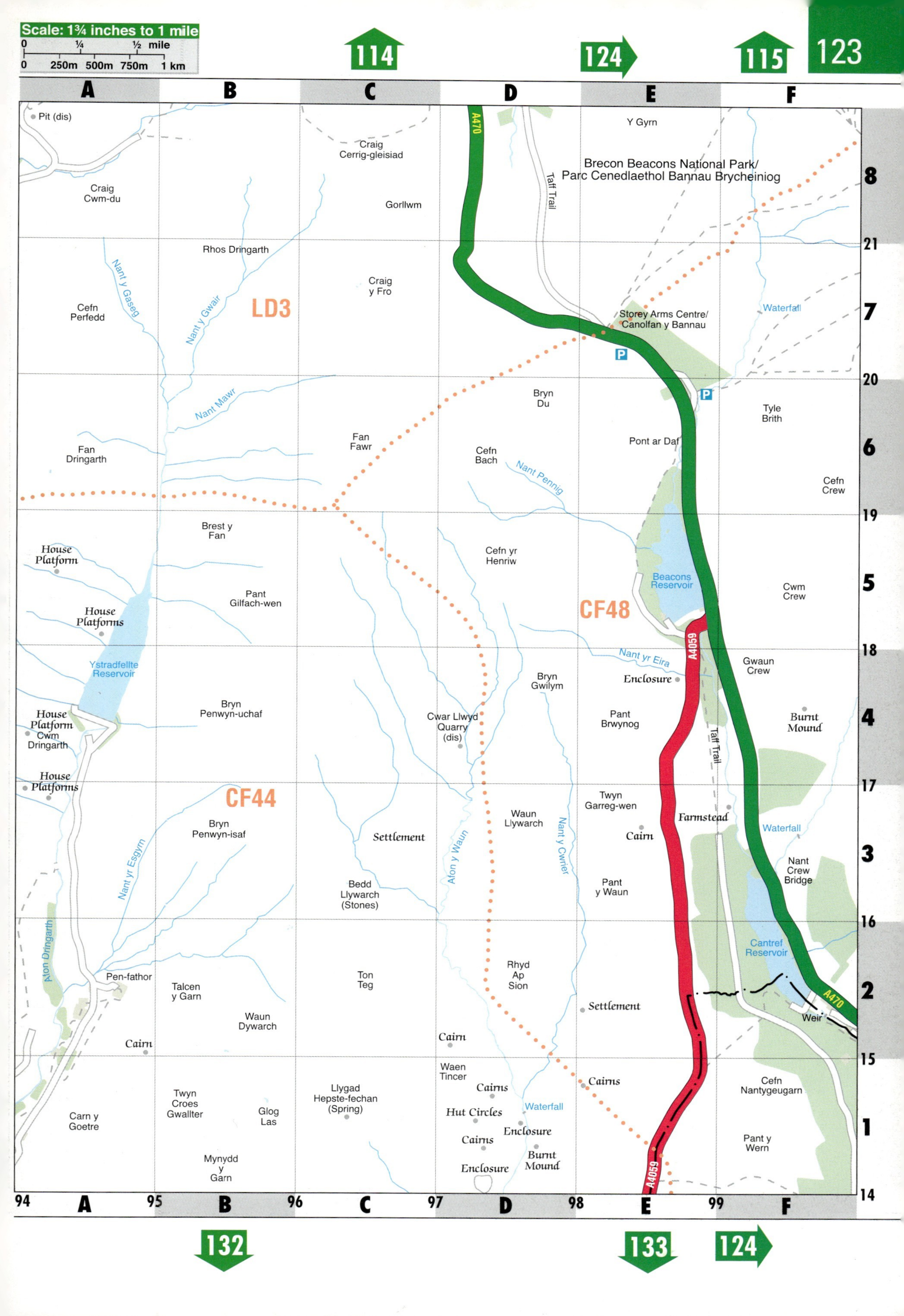

Scale: 1¾ inches to 1 mile
0 ¼ ½ mile
0 250m 500m 750m 1 km
114
124
115
A B C D E F
Pit (dis)
Craig Cerrig-gleisiad
Y Gyrn
Brecon Beacons National Park/ Parc Cenedlaethol Bannau Brycheiniog
Craig Cwm-du
Gorllwm
Taff Trail
A470
Rhos Dringarth
Nant y Gaseg
Craig y Fro
Cefn Perfedd
Nant y Gwair
LD3
Storey Arms Centre/ Canolfan y Bannau
Waterfall
Nant Mawr
Bryn Du
Tyle Brith
Fan Fawr
Pont ar Daf
Fan Dringarth
Cefn Bach
Nant Pennig
Cefn Crew
Brest y Fan
Cefn yr Henriw
House Platform
Pant Gilfach-wen
Beacons Reservoir
Cwm Crew
House Platforms
CF48
A4059
Ystradfellte Reservoir
Nant yr Eira
Gwaun Crew
Enclosure
Bryn Gwilym
House Platform
Cwm Dringarth
Bryn Penwyn-uchaf
Cwar Llwyd Quarry (dis)
Pant Brwynog
Burnt Mound
House Platforms
CF44
Twyn Garreg-wen
Farmstead
Bryn Penwyn-isaf
Waun Llywarch
Settlement
Afon y Waun
Nant y Cwrier
Cairn
Waterfall
Nant yr Esgyrn
Nant Crew Bridge
Bedd Llywarch (Stones)
Pant y Waun
Afon Dringarth
Cantref Reservoir
Pen-fathor
Talcen y Garn
Ton Teg
Rhyd Ap Sion
Settlement
Waun Dywarch
Weir
Cairn
Cairn
Waen Tincer
Cairns
Cefn Nantygeugarn
Cairns
Twyn Croes Gwallter
Llygad Hepste-fechan (Spring)
Hut Circles
Waterfall
Carn y Goetre
Glog Las
Enclosure
Cairns
Pant y Wern
Mynydd y Garn
Burnt Mound
Enclosure
8 21 7 20 6 19 5 18 4 17 3 16 2 15 1 14
94 95 96 97 98 99
132
133
124

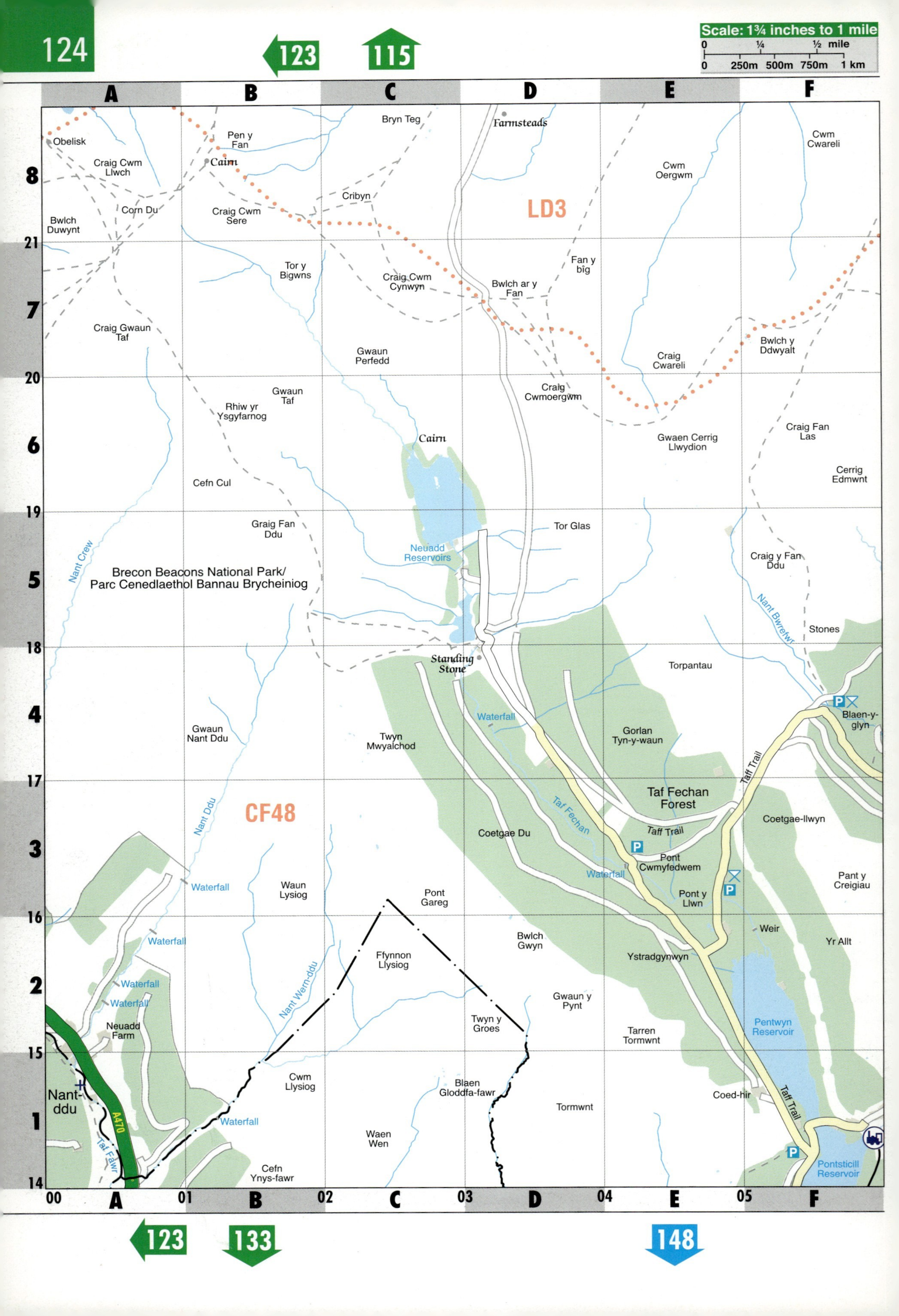
123
115
Scale: 1¾ inches to 1 mile
0 ¼ ½ mile
0 250m 500m 750m 1 km
A B C D E F
Obelisk
Pen y Fan
Cairn
Bryn Teg
Farmsteads
Cwm Cwareli
Craig Cwm Llwch
Cwm Oergwm
Cribyn
LD3
Corn Du
Craig Cwm Sere
Bwlch Duwynt
Tor y Bigwns
Craig Cwm Cynwyn
Bwlch ar y Fan
Fan y bîg
Craig Gwaun Taf
Gwaun Perfedd
Craig Cwareli
Bwlch y Ddwyalt
Gwaun Taf
Rhiw yr Ysgyfarnog
Craig Cwmoergwm
Cairn
Gwaen Cerrig Llwydion
Craig Fan Las
Cefn Cul
Cerrig Edmwnt
Graig Fan Ddu
Tor Glas
Neuadd Reservoirs
Nant Crew
Brecon Beacons National Park/
Parc Cenedlaethol Bannau Brycheiniog
Craig y Fan Ddu
Nant Bwrefwr
Stones
Standing Stone
Torpantau
Waterfall
Blaen-y-glyn
Gwaun Nant Ddu
Twyn Mwyalchod
Gorlan Tyn-y-waun
Taff Trail
Taf Fechan Forest
Nant Ddu
CF48
Taf Fechan
Coetgae Du
Taff Trail
Coetgae-llwyn
Pont Cwmyfedwem
Waterfall
Waterfall
Waun Lysiog
Pont Gareg
Pont y Llwn
Pant y Creigiau
Waterfall
Bwlch Gwyn
Weir
Yr Allt
Ystradgynwyn
Ffynnon Llysiog
Waterfall
Nant Wern-ddu
Waterfall
Gwaun y Pynt
Pentwyn Reservoir
Neuadd Farm
Twyn y Groes
Tarren Tormwnt
Nant-ddu
Cwm Llysiog
Blaen Gloddfa-fawr
Tormwnt
Coed-hir
Taff Trail
A470
Waterfall
Waen Wen
Taf Fawr
Cefn Ynys-fawr
Pontsticill Reservoir
8
21
7
20
6
19
5
18
4
17
3
16
2
15
1
14
00 01 02 03 04 05
123
133
148

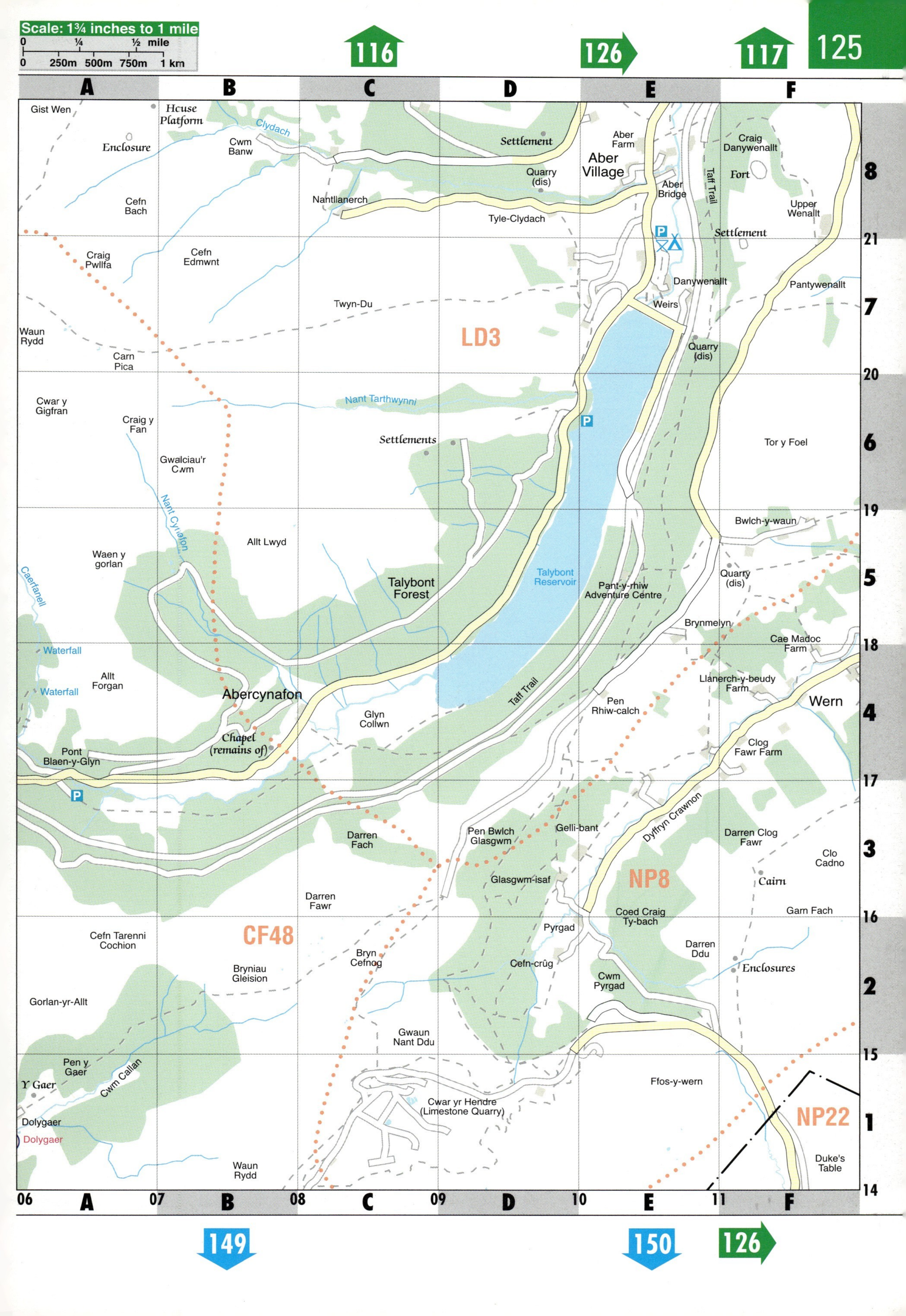
Scale: 1¾ inches to 1 mile
0 ¼ ½ mile
0 250m 500m 750m 1 km
116
126
117
A B C D E F
Gist Wen
House Platform
Clydach
Enclosure
Cwm Banw
Settlement
Aber Farm
Aber Village
Craig Danywenallt
Fort
Quarry (dis)
Aber Bridge
Taff Trail
Cefn Bach
Nantllanerch
Tyle-Clydach
Upper Wenallt
Settlement
Craig Pwllfa
Cefn Edmwnt
Danywenallt
Pantywenallt
Twyn-Du
Weirs
Waun Rydd
LD3
Quarry (dis)
Carn Pica
Cwar y Gigfran
Nant Tarthwynni
Craig y Fan
Settlements
Tor y Foel
Gwalciau'r Cwm
Nant Cynafon
Bwlch-y-waun
Allt Lwyd
Waen y gorlan
Caerfanell
Talybont Reservoir
Quarry (dis)
Talybont Forest
Pant-y-rhiw Adventure Centre
Brynmelyn
Cae Madoc Farm
Waterfall
Allt Forgan
Llanerch-y-beudy Farm
Waterfall
Abercynafon
Taff Trail
Pen Rhiw-calch
Wern
Glyn Collwn
Chapel (remains of)
Clog Fawr Farm
Pont Blaen-y-Glyn
Dyffryn Crawnon
Pen Bwlch Glasgwm
Gelli-bant
Darren Clog Fawr
Darren Fach
Clo Cadno
Glasgwm-isaf
NP8
Cairn
Darren Fawr
Coed Craig Ty-bach
Garn Fach
Cefn Tarenni Cochion
CF48
Pyrgad
Darren Ddu
Bryn Cefnog
Cefn-crûg
Enclosures
Bryniau Gleision
Cwm Pyrgad
Gorlan-yr-Allt
Gwaun Nant Ddu
Pen y Gaer
Y Gaer
Cwm Callan
Ffos-y-wern
Cwar yr Hendre (Limestone Quarry)
Dolygaer
Dolygaer
NP22
Duke's Table
Waun Rydd
8 21 7 20 6 19 5 18 4 17 3 16 2 15 1 14
06 07 08 09 10 11
149
150
126

Scale: 1¾ inches to 1 mile
0 ¼ ½ mile
0 250m 500m 750m 1 km

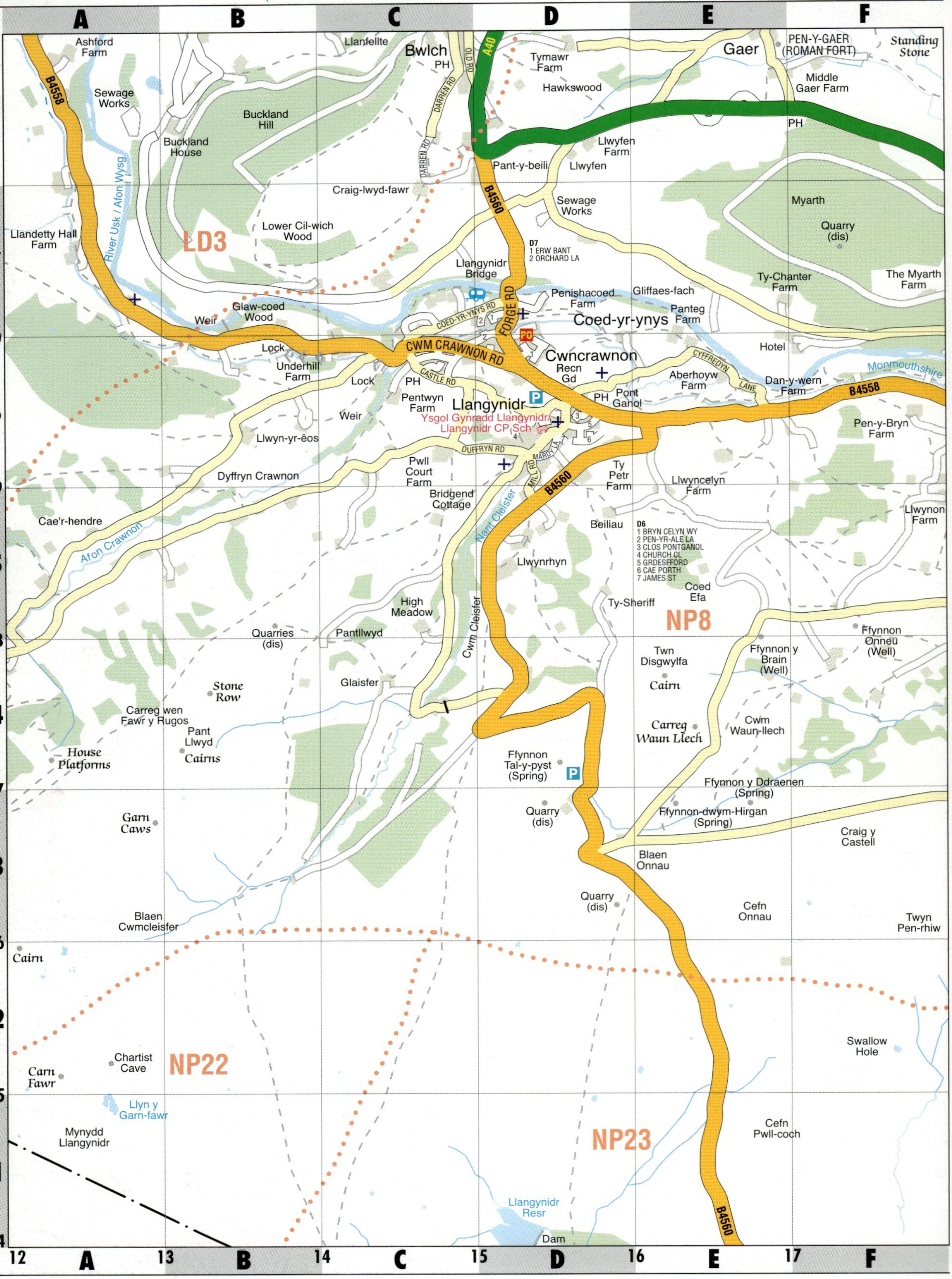

A B C D E F

8 21 7 20 6 19 5 18 4 17 3 16 2 15 1 14

Ashford Farm
Llanfellte
Bwlch
PH
OLD RD
DARREN RD
A40
Tymawr Farm
Hawkswood
Gaer
PEN-Y-GAER (ROMAN FORT)
Standing Stone
Middle Gaer Farm
B4558
Sewage Works
Buckland Hill
Buckland House
Llwyfen Farm
PH
Pant-y-beili
Llwyfen
River Usk / Afon Wysg
Craig-lwyd-fawr
B4560
Sewage Works
Myarth
Llandetty Hall Farm
LD3
Lower Cil-wich Wood
Quarry (dis)
D7
1 ERW BANT
2 ORCHARD LA
Llangynidr Bridge
Ty-Chanter Farm
The Myarth Farm
Penishacoed Farm
Gliffaes-fach
COED-YR-YNYS RD
FORGE RD
Panteg Farm
Weir
Glaw-coed Wood
Coed-yr-ynys
PO
Lock
CWM CRAWNON RD
Cwncrawnon
Hotel
Underhill Farm
CASTLE RD
Recn Gd
CYFFREDYN LANE
Monmouthshire
Aberhoyw Farm
Lock
PH
Dan-y-wern Farm
Pentwyn Farm
Llangynidr
PH
Pont Ganol
B4558
Weir
Ysgol Gynradd Llangynidr
Llangynidr CP Sch
Pen-y-Bryn Farm
Llwyn-yr-êos
DUFFRYN RD
MARDY LA
Pwll Court Farm
Ty Petr Farm
Dyffryn Crawnon
MILL RD
B4560
Llwyncelyn Farm
Bridgend Cottage
Cae'r-hendre
Nant Cleisfer
Beiliau
D6
1 BRYN CELYN WY
2 PEN-YR-ALE LA
3 CLOS PONTGANOL
4 CHURCH CL
5 GRDESFFORD
6 CAE PORTH
7 JAMES ST
Llwynon Farm
Afon Crawnon
Llwynrhyn
Coed Efa
High Meadow
Ty-Sheriff
NP8
Quarries (dis)
Pantllwyd
Cwm Cleisfer
Ffynnon Onneu (Well)
Ffynnon y Brain (Well)
Twn Disgwylfa
Stone Row
Glaisfer
Cairn
Carreg wen Fawr y Rugos
Carreg Waun Llech
Cwm Waun-llech
Pant Llwyd
Cairns
House Platforms
Ffynnon Tal-y-pyst (Spring)
Ffynnon y Ddraenen (Spring)
Quarry (dis)
Ffynnon-dwym-Hirgan (Spring)
Garn Caws
Craig y Castell
Blaen Onnau
Quarry (dis)
Cefn Onnau
Blaen Cwmcleisfer
Twyn Pen-rhiw
Cairn
Swallow Hole
Chartist Cave
NP22
Carn Fawr
Llyn y Garn-fawr
Mynydd Llangynidr
Cefn Pwll-coch
NP23
Llangynidr Resr
Dam
B4560

12 A 13 B 14 C 15 D 16 E 17 F

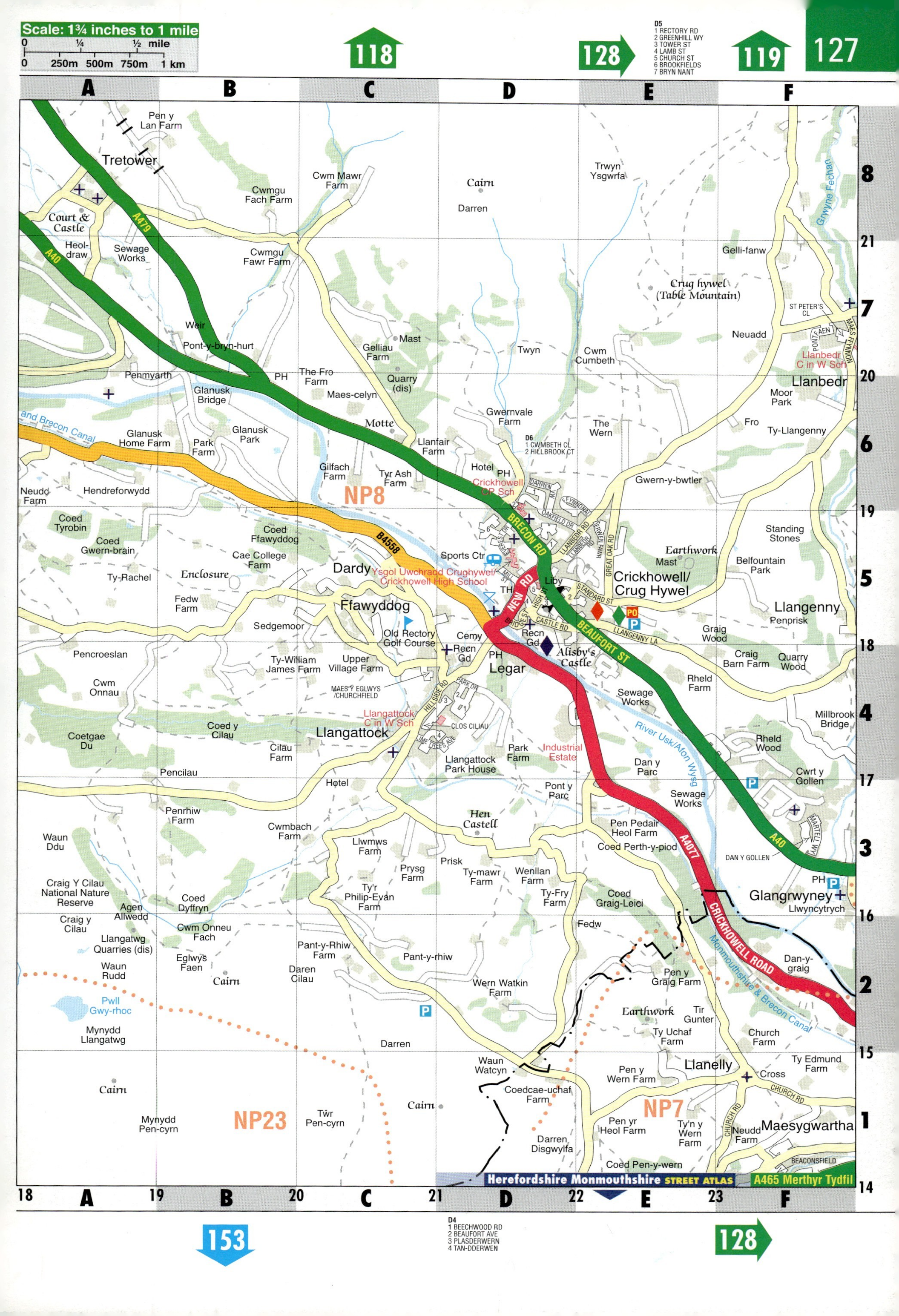
Scale: 1¾ inches to 1 mile
0 ¼ ½ mile
0 250m 500m 750m 1 km
118
128
D5
1 RECTORY RD
2 GREENHILL WY
3 TOWER ST
4 LAMB ST
5 CHURCH ST
6 BROOKFIELDS
7 BRYN NANT
119
Pen y Lan Farm
Tretower
Court & Castle
Heol-draw
Sewage Works
A479
A40
Cwmgu Fach Farm
Cwm Mawr Farm
Cwmgu Fawr Farm
Cairn
Darren
Trwyn Ysgwrfa
Grwyne Fechan
Gelli-fanw
Crug hywel (Table Mountain)
ST PETER'S CL
Neuadd
Weir
Pont-y-bryn-hurt
Gelliau Farm
Mast
Twyn
Cwm Cumbeth
Llanbedr C in W Sch
Llanbedr
Penmyarth
PH
The Fro Farm
Quarry (dis)
Glanusk Bridge
Maes-celyn
Moor Park
Motte
Gwernvale Farm
The Wern
Fro
Ty-Llangenny
Monmouthshire and Brecon Canal
Glanusk Home Farm
Park Farm
Glanusk Park
Llanfair Farm
D6
1 CWMBETH CL
2 HILLBROOK CT
Gilfach Farm
Tyr Ash Farm
Hotel
PH
Crickhowell CP Sch
Gwern-y-bwtler
Neudd Farm
Hendreforwydd
NP8
Coed Tyrobin
Coed Gwern-brain
Coed Ffawyddog
B4558
BRECON RD
Standing Stones
Cae College Farm
Sports Ctr
Earthwork
Mast
Belfountain Park
Ty-Rachel
Enclosure
Dardy
Ysgol Uwchradd Crughywel/ Crickhowell High School
Crickhowell/ Crug Hywel
Fedw Farm
Ffawyddog
NEW RD
Liby
STANDARD ST
Llangenny
Penprisk
Sedgemoor
Old Rectory Golf Course
Cemy
TH
CASTLE RD
PO
BEAUFORT ST
LLANGENNY LA
Graig Wood
Pencroeslan
Recn Gd
Recn Gd
PH
Alisby's Castle
Craig Barn Farm
Quarry Wood
Ty-William James Farm
Upper Village Farm
Legar
Rheld Farm
Cwm Onnau
MAES Y EGLWYS /CHURCHFIELD
HILLSIDE RD
PARK DR
Sewage Works
Llangattock C in W Sch
CLOS CILIAU
Millbrook Bridge
Coed y Cilau
River Usk/Afon Wysg
Coetgae Du
Llangattock
LIME TREES AVE
Rheld Wood
Cilau Farm
Park Farm
Industrial Estate
Llangattock Park House
Dan y Parc
Cwrt y Gollen
Pencilau
Hotel
Pont y Parc
Sewage Works
Penrhiw Farm
Hen Castell
Pen Pedair Heol Farm
Waun Ddu
Cwmbach Farm
Llwmws Farm
Coed Perth-y-piod
A4077
A40
DAN Y GOLLEN
MARTELL WY
Prisk
Prysg Farm
Ty-mawr Farm
Wenllan Farm
Craig Y Cilau National Nature Reserve
Coed Dyffryn
Ty'r Philip-Evan Farm
Ty-Fry Farm
Coed Graig-Leici
PH
Glangrwyney
Llwyncytrych
Agen Allwedd
Craig y Cilau
Cwm Onneu Fach
Fedw
CRICKHOWELL ROAD
Llangatwg Quarries (dis)
Pant-y-Rhiw Farm
Pant-y-rhiw
Dan-y-graig
Waun Rudd
Eglwys Faen
Cairn
Daren Cilau
Wern Watkin Farm
Pen y Graig Farm
Monmouthshire & Brecon Canal
Pwll Gwy-rhoc
Earthwork
Tir Gunter
Mynydd Llangatwg
Ty Uchaf Farm
Church Farm
Darren
Waun Watcyn
Llanelly
Ty Edmund Farm
Pen y Wern Farm
Cross
CHURCH RD
Cairn
Coedcae-uchaf Farm
Cairn
NP7
Mynydd Pen-cyrn
NP23
Twr Pen-cyrn
Pen yr Heol Farm
Ty'n y Wern Farm
Neudd Farm
Maesygwartha
Darren Disgwylfa
Coed Pen-y-wern
BEACONSFIELD
Herefordshire Monmouthshire STREET ATLAS
A465 Merthyr Tydfil
A B C D E F
8 21 7 20 6 19 5 18 4 17 3 16 2 15 1 14
18 19 20 21 22 23
D4
1 BEECHWOOD RD
2 BEAUFORT AVE
3 PLASDERWERN
4 TAN-DDERWEN
153
128

Scale: 1¾ inches to 1 mile
0 ¼ ½ mile
0 250m 500m 750m 1 km

A B C D E F

8 21 7 20 6 19 5 18 4 17 3 16 2 15 1 14

Partrishow Hill
Pentwyn Farm
New House Farm
Weir
Twyn y Gaer
Gaer Farm
New Inn Farm
Cwm-coed-y-cerrig Farm
Y Cwrt
Pen-y-bair
The Pant
Cwm Beusych
Neuadd Farm
Hen-bant Fawr Farm
Coed-y-Cerrig National Nature Reserve
Pontyspig Farm
Chapel Farm
Llwyn-on
Pont Newydd
Forest Coal Pit
PO
Forest Coal Pit Farm
Gudder
Trewysgoed Farm
Craig-y-bwla
Dyffryn
Lower Cwm Bridge
Cwm-bwch
Gellirhydd Farm
Coed Ynys-faen
NP8
Cwm Gwent
Cwm Nant-du
Blaenawey
Mynydd Pen-y-fâl
Bettws
Pengilfach
Cap-glas Farm
Cwm Bach Farm
Pen-twyn Farm
Great Gott
Twyn Gwyn
Parc Lodge Farm
Llangenny Bridge
Upper House Farm
Cwm Trosnant
NP7
Golden Grove Paper
Deri
Cwm Gwenffrwd
Cwm-cegyr
Afon Cibi
Weir
Cefn Lewis
Mynydd Llanwenarth
Llyweddrog Farm
Deri-fach
Hall Farm
Penygraig Farm
Viewpoint
St Mary's Vale
Rholben
Twyn-yr-allt
Graig
A40
Penyrheol Farm
Green Tump Farm
Llwyn-du
PH
Ford
Glangrwyney Bridge
Home Farm
Pentre Farm
Green Farm
Tyrewen Farm
Vineyard
Llwyndu Court
River Usk/Afon Wysg
DERI ROAD
Pyscodlyn
The Pentre
PENTRE LANE
CHAIN RD
CHAIN CL
PEN-Y-POUND
HILLSIDE
Sch
Ty-mawr Farm
PH
Gilwern
Lower House Farm
GLANGRWYNEY RD
COMMON RD
TIL W
A4077
CRICKHOWELL RD
BANK CR
CAE MELDDN
Gilwern Prim Sch
HEOLYCOMIN
COMMON RD
Mardy Farm
Duffryn Farm
CHAPEL LA
CHAPEL
CRESTA
WESTERN RD
DINGLE RD
DELAFIELD RD
NORTH ST
HILL RD
OLD HEREFORD RD
Sch
AVENUE RD
DAN Y BRYN
Sewage Works
Llanwenarth
KNOLL RD
BELGRAVE RD
PO
Sch
CHURCH RD
FOREST
A4077 ABERGAVENNY RD
HIGH TREES RD
A40
BRECON RD
PARK RD
ABERGAVENNY/ Y FENNI
Nevill Hall
H
UNION ROW
A4143
Liby
Sch
A465 HEADS OF THE VALLEYS RD
HEADS OF THE VALLEYS RD A465
B4246
OLD TRAP RD
Mon
MERTHYR RD
BAKER ST
TUDOR ST

Herefordshire Monmouthshire STREET ATLAS
A40 Abergavenny, Monmouth
A465 Abergavenny, Hereford

24 25 26 27 28 29

127

A1
1 OAKDENE WY
2 ALLERFORD GR
3 MALFORD GR
4 WINSFORD GR
5 SCHOOL LA
6 ORCHARD CL
7 HILEY AVE
8 EXFORD GRO
9 BACK RD
10 BRYNGLAS
11 GLENRHYD

A2
1 THE HALFPENNYS
2 THE SHIRES
3 FAIRHOME
4 TYR COMMON
5 ELM GR
6 THE GARDENS
7 GLANMOOR
8 BANK LA

B1
1 LANCASTER DR
2 CLOS BASILDENE/BASILDENE CL
3 CROSS ROADS
4 GREENWOOD PL
5 BROADMEAD
6 CAE DERW

E2
1 HAVEN WY
2 WINDSOR RD
3 MEADOW LA
4 ALBANY RD

F1
1 HAROLD RD
2 STANHOPE ST
3 CANTREF RD
4 SKIRRIDRD
5 PENYFAL RD
6 QUEEN ST
7 LEWIS'S LA
8 TRINITY ST
9 PANTLA
10 ST JOHN'S ST
11 PRINCE'S ST
12 PROSPECT RD
13 COMMERCIAL ST
14 LAMB CL
15 PARK CRE
16 RADSTOCK CT
17 VICTORIA ST
18 REGENT STREET
19 SUNNY BANK
20 ST HELEN'S RD
21 HATHERLEIGH RD
22 CAE PEN Y DRE
23 HATHERLEIGH PL
24 PARK ST
25 ORCHARD MEWS
26 LAUNDRY PL
27 TRINITY TERR
28 THE MEWS
29 NEVILL ST
30 LOWER CASTLE ST
31 ST MICHAEL'S RD
32 ORCHARD ST
33 MOUNT ST
34 BELGRAVE CL
35 ORCHARD CL

F2
1 CHAPEL OR
2 AVENUE CR
3 PEN-Y-POUND CT

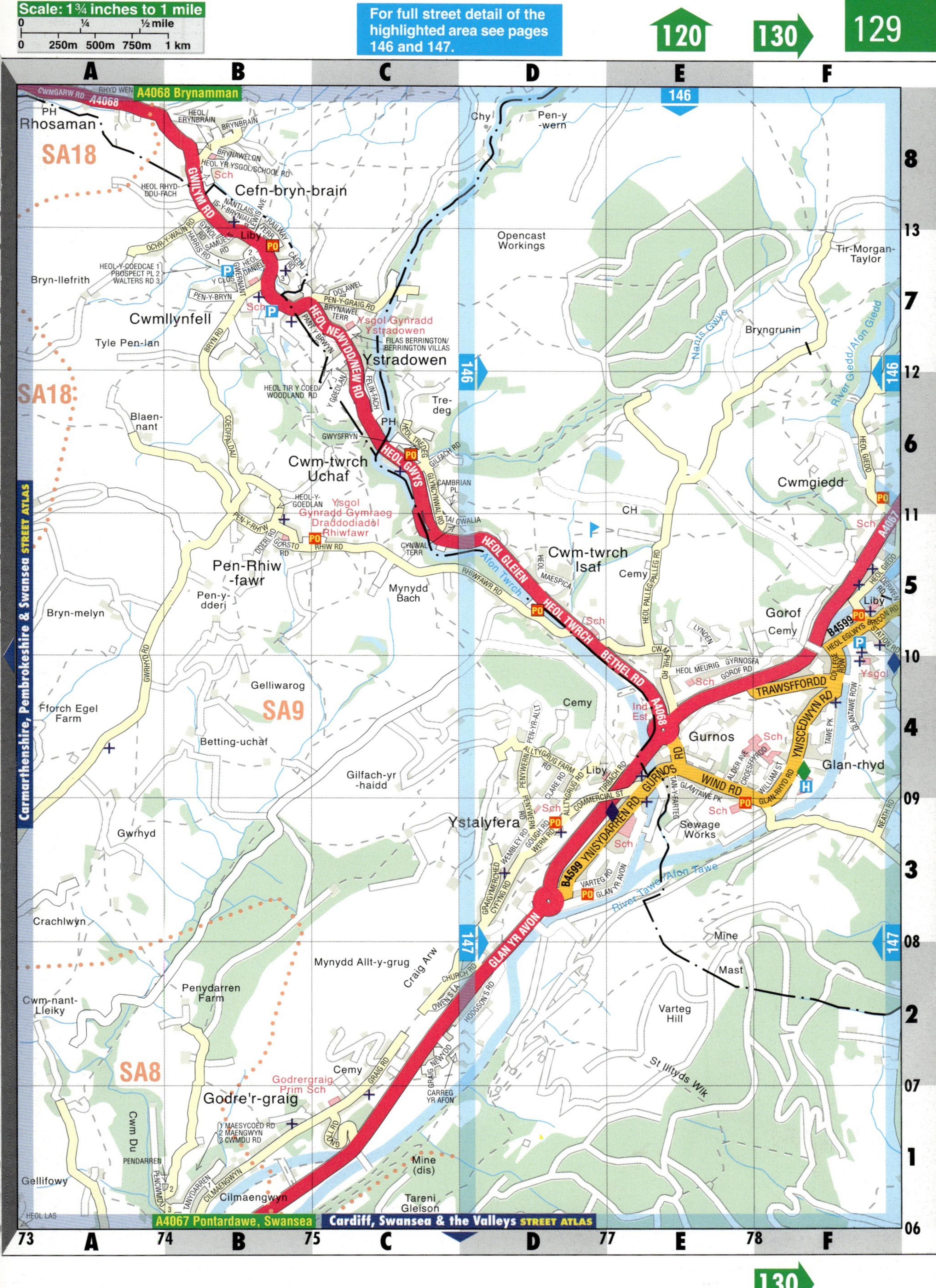

Scale: 1¾ inches to 1 mile
0 ¼ ½ mile
0 250m 500m 750m 1 km
For full street detail of the highlighted area see pages 146 and 147.
120
130
129
A
B
C
D
E
F
CWMGARW RD
RHYD WEN
A4068
A4068 Brynamman
PH
Rhosaman
SA18
HEOL ERYNBRAIN
BRYNBRAIN
BRYNAWELON
HEOL YR YSGOL/SCHOOL RD
Sch
HEOL RHYD-DDU-FACH
GWILYM RD
Cefn-bryn-brain
NANTLAIS
IS-Y-BRYN
RAILWAY TERR
OCHR-Y-WAUN RD
GYNOL RD
HARRIS RD
SAMUEL RD
HEOL DANIEL
Liby
PO
HEOL-Y-COEDCAE 1
PROSPECT PL 2
WALTERS RD 3
Y CLOS
GWERNANT
Bryn-llefrith
PEN-Y-BRYN
DOLAWEL
PEN-Y-GRAIG RD
BRYNAWEL TERR
Ysgol Gynradd Ystradowen
FILAS BERRINGTON/ BERRINGTON VILLAS
Cwmllynfell
Tyle Pen-lan
HEOL NEWYDD/NEW RD
PANT Y BRWYN
Ystradowen
SA18
HEOL TIR Y COED/ WOODLAND RD
Y GOEDLAN
PELIN-FACH
BRYN RD
Blaen-nant
COEDFAIDAU
Tre-deg
PH
HEOL TREDEG
GWYSFRYN
HEOL GWYS
GILFACH RD
Cwm-twrch Uchaf
CAMBRIAN PL
GLYNCYNWAL RD
HEOL-Y-GOEDLAN
Ysgol Gymraeg Draddodiadol Rhiwfawr
TAI GWALIA
PEN-Y-RHIW
DDERI RD
GORSTO RD
RHIW RD
CYNWAL TERR
HEOL GLEIEN
Pen-Rhiw -fawr
Pen-y-dderi
Mynydd Bach
RHIWFAWR RD
Afon Twrch
Bryn-melyn
GWRHYD RD
Chy
Pen-y -wern
Opencast Workings
Nant Gwys
Bryngrunin
Tir-Morgan-Taylor
River Giedd/Afon Giedd
146
Cwmgiedd
HEOL GIEDD
CH
Cwm-twrch Isaf
HEOL MAESPICA
HEOL TWRCH
Cemy
HEOL PALLEG/PALLEG RD
Sch
A4067
Gorof
Liby
B4599
BRECON RD
STATION RD
HEOL EGLWYS
LYNDEN
BETHEL RD
CWM PHIL RD
HEOL MEURIG
GYRNOSFA
GOROF RD
TRAWSFFORDD
COLLEGE ROW
Ysgol
Gelliwarog
SA9
Cemy
Ind Est
A4068
Gurnos
GLANTAWE ROW
YNISCEDWYN RD
TAWE PK
Fforch Egel Farm
Betting-uchaf
Gilfach-yr -haidd
PEN-YR-ALLT
ALLTYGRUG FARM RD
PENYWERN
CLARE RD
ALLTYGRUG RD
Liby
TIRBACH RD
GURNOS RD
ALBER AVE
CROESFFORDD
WILLIAM ST
WIND RD
Glan-rhyd
H
GLANTAWE PK
TAN-Y-FARTEG
COMMERCIAL ST
Gwrhyd
Ystalyfera
Sch
PO
GOUGH RD
WERN RD
WEMBLEY RD
YNYSDARREN RD
B4599
GLAN-RHYD RD
Sewage Works
NEATH RD
GRAIGYMERCHED
CYFYNG RD
VARTEG RD
GLAN YR AVON
River Tawe/Afon Tawe
Crachlwyn
147
GLAN YR AVON
Mine
Mynydd Allt-y-grug
Craig Arw
Mast
CHURCH RD
OWEN'S LA
HODGSON'S RD
Cwm-nant-Lleiky
Penydarren Farm
Varteg Hill
St Illtyds Wlk
SA8
Godrergraig Prim Sch
Cemy
GRAIG RD
GRAIG NEWYDD
CARREG YR AFON
Godre'r-graig
1 MAESYCOED RD
2 MAENGWYN
3 CWMDU RD
Cwm Du
PENDARREN
Mine (dis)
Gellifowy
PENCWMDU
TANYDARREN
CILMAENGWYN
Cilmaengwyn
Tareni Gleison
HEOL LAS
A4067 Pontardawe, Swansea
Cardiff, Swansea & the Valleys STREET ATLAS
Carmarthenshire, Pembrokeshire & Swansea STREET ATLAS
73
74
75
77
78
8
13
7
12
6
11
5
10
4
09
3
08
2
07
1
06
130

146
129
120
121

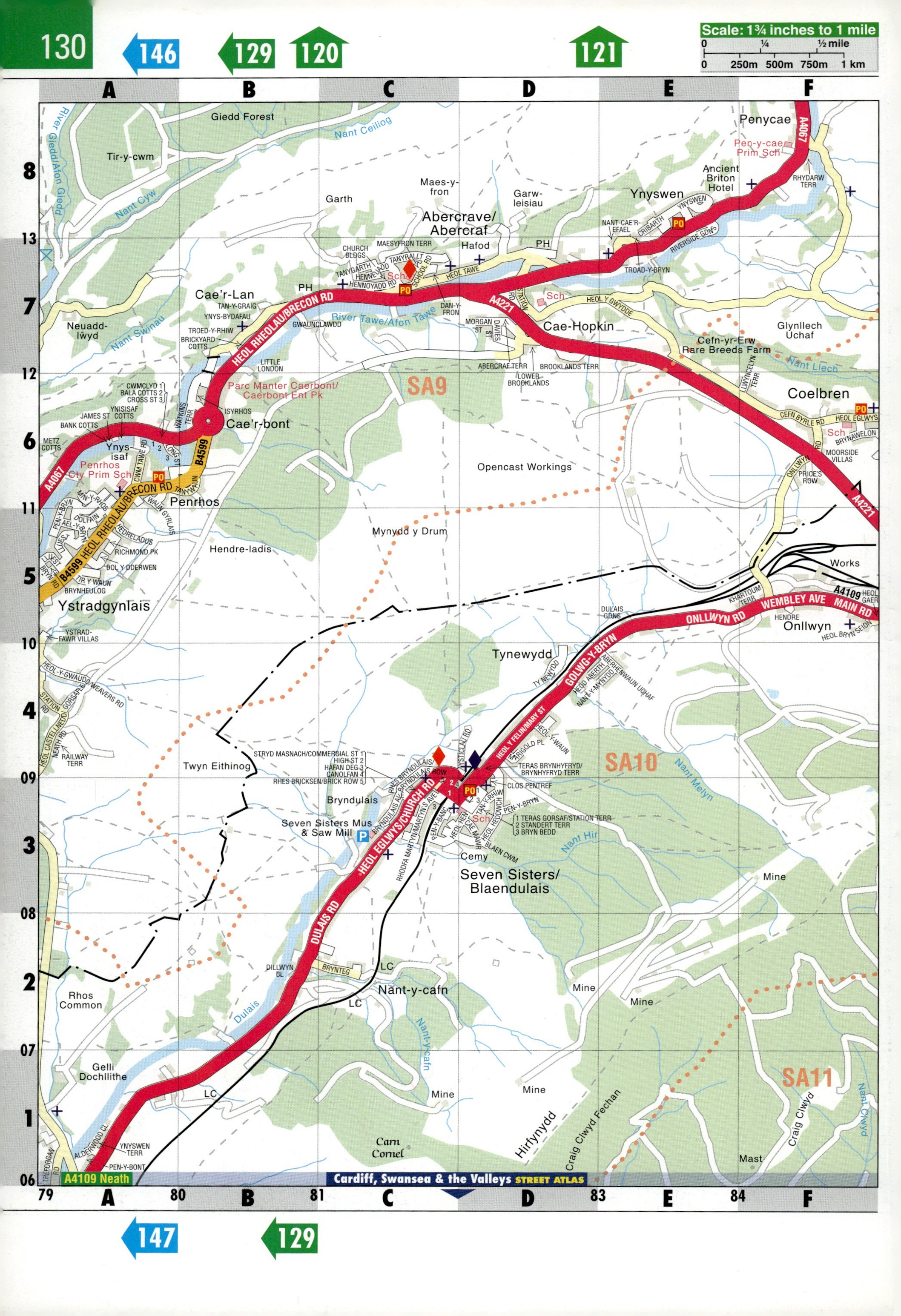

147
129

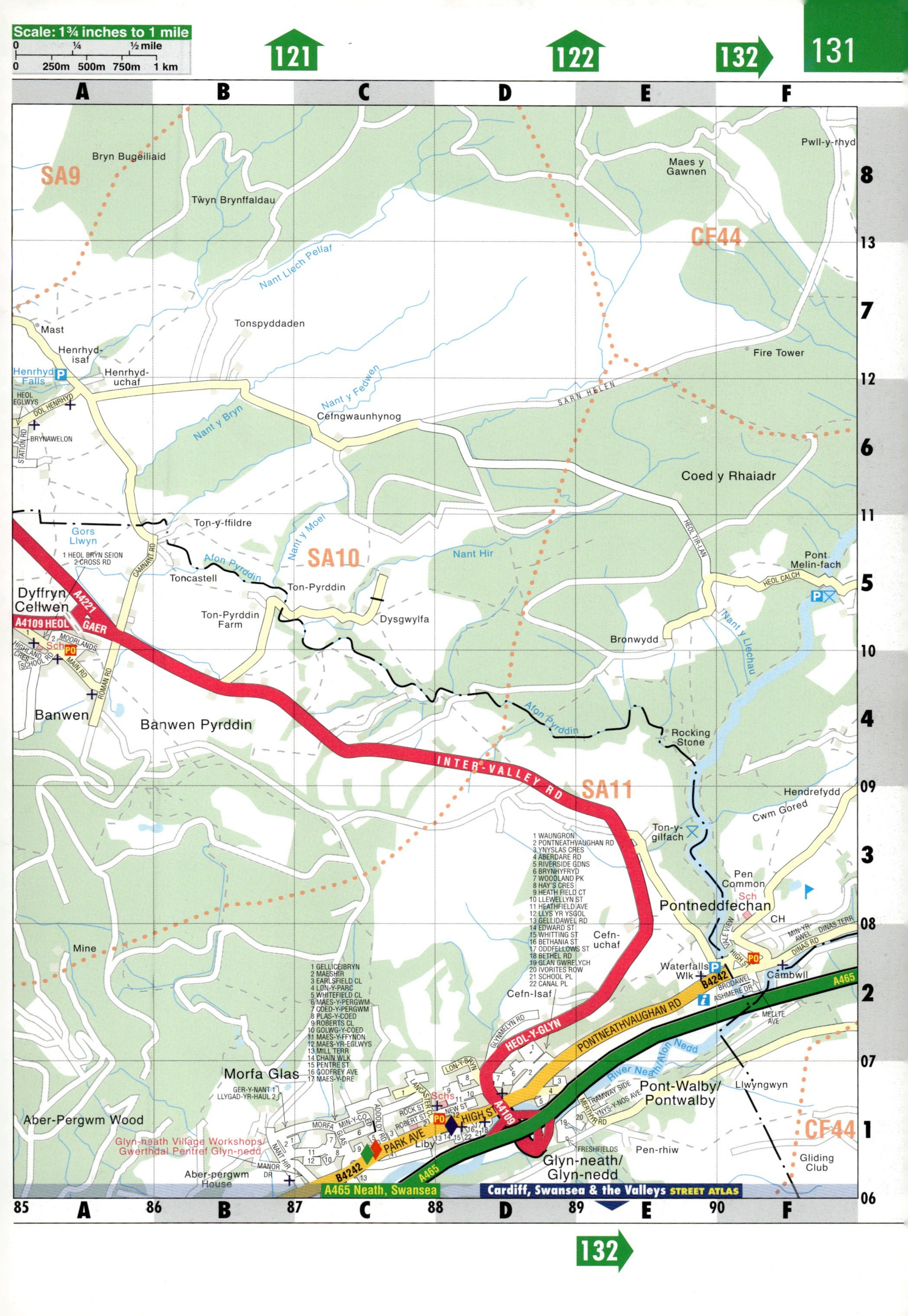

Scale: 1¾ inches to 1 mile
0 ¼ ½ mile
0 250m 500m 750m 1 km
121
122
132
A B C D E F
8 13 7 12 6 11 5 10 4 09 3 08 2 07 1 06
85 86 87 88 89 90
SA9
Bryn Bugeiliaid
Twyn Brynffaldau
Maes y Gawnen
Pwll-y-rhyd
CF44
Nant Llech Pellaf
Tonspyddaden
Mast
Henrhyd-isaf
Henrhyd Falls
Henrhyd-uchaf
HEOL EGLWYS
DOL HENRHYD
BRYNAWELON
STATION RD
Fire Tower
Nant y Fedwen
Nant y Bryn
Cefngwaunhynog
SARN HELEN
Coed y Rhaiadr
Ton-y-ffildre
Gors Llwyn
1 HEOL BRYN SEION
2 CROSS RD
CAMNANT RD
Nant y Moel
SA10
Nant Hir
HEOL TIR-LAN
Pont Melin-fach
HEOL CALCH
Afon Pyrddin
Toncastell
Ton-Pyrddin
Dyffryn Cellwen
A4221
A4109 HEOL GAER
MOORLANDS
HIGHLAND CRES
SCHOOL RD
Sch
PO
MAIN RD
ROMAN RD
Ton-Pyrddin Farm
Dysgwylfa
Bronwydd
Nant y Llechau
Banwen
Banwen Pyrddin
Rocking Stone
INTER-VALLEY RD
SA11
Hendrefydd
Cwm Gored
Ton-y-gilfach
1 WAUNGRON
2 PONTNEATHVAUGHAN RD
3 YNYSLAS CRES
4 ABERDARE RD
5 RIVERSIDE GDNS
6 BRYNHYFRYD
7 WOODLAND PK
8 HAY'S CRES
9 HEATH FIELD CT
10 LLEWELLYN ST
11 HEATHFIELD AVE
12 LLYS YR YSGOL
13 GELLIDAWEL RD
14 EDWARD ST
15 WHITTING ST
16 BETHANIA ST
17 ODDFELLOWS ST
18 BETHEL RD
19 GLAN GWRELYCH
20 IVORITES ROW
21 SCHOOL PL
22 CANAL PL
Pen Common
Pontneddfechan
Sch
CH
VALE VIEW
HIGH ST
MIN-YR-AWEL
DINAS TERR
DINAS RD
Cefn-uchaf
Mine
Waterfalls Wlk
Cambwll
B4242
BRODAWEL
ASHMERE DR
A465
MELLTE AVE
Cefn-Isaf
1 GELLICEIBRYN
2 MAESHIR
3 EARLSFIELD CL
4 LON-Y-PARC
5 WHITEFIELD CL
6 MAES-Y-PERGWM
7 COED-Y-PERGWM
8 PLAS-Y-COED
9 ROBERTS CL
10 GOLWG-Y-COED
11 MAES-Y-FFYNON
12 MAES-YR-EGLWYS
13 MILL TERR
14 CHAIN WLK
15 PENTRE ST
16 GODFREY AVE
17 MAES-Y-DRE
GLYNMELYN RD
HEOL-Y-GLYN
PONTNEATHVAUGHAN RD
River Neath/Afon Nedd
LON-Y-BRYN
Morfa Glas
GER-Y-NANT
LLYGAD-YR-HAUL
LANCASTER CL
Schs
ROCK ST
NEW ST
ROBERT ST
HIGH ST
A4109
TRAMWAY SIDE
YNYS-Y-NOS AVE
MERTHYR RD
Pont-Walby/ Pontwalby
Llwyngwyn
Aber-Pergwm Wood
MORFA GLAS
MIN-Y-COED
ADDOLDY RD
PARK AVE
Liby
Glyn-neath Village Workshops/ Gwerthdal Pentref Glyn-nedd
NANT HIR
MANOR DR
FRESHFIELDS
Pen-rhiw
Glyn-neath/ Glyn-nedd
CF44
Gliding Club
Aber-pergwm House
A465 Neath, Swansea
Cardiff, Swansea & the Valleys STREET ATLAS
132

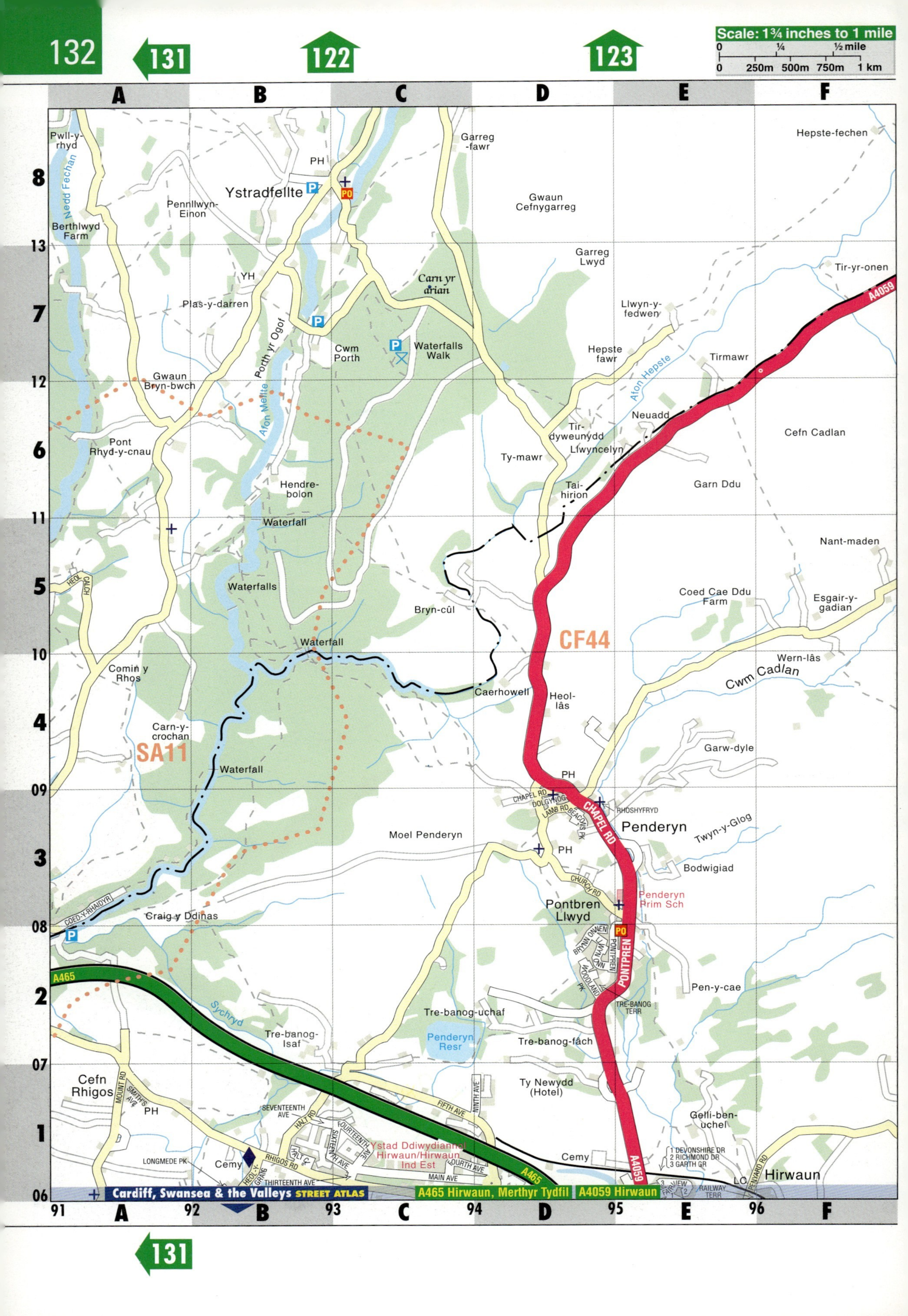

131
122
123
Scale: 1¾ inches to 1 mile
0 ¼ ½ mile
0 250m 500m 750m 1 km
A B C D E F
Pwll-y-rhyd
Nedd Fechan
Berthlwyd Farm
Ystradfellte
Pennllwyn-Einon
PH
PO
Garreg -fawr
Gwaun Cefnygarreg
Hepste-fechen
Garreg Lwyd
Tir-yr-onen
YH
Carn yr arian
Plas-y-darren
Porth yr Ogof
Cwm Porth
Waterfalls Walk
Llwyn-y-fedwen
Hepste fawr
Tirmawr
A4059
Gwaun Bryn-bwch
Afon Mellte
Afon Hepste
Neuadd
Pont Rhyd-y-cnau
Tir-dyweunydd
Llwyncelyn
Ty-mawr
Cefn Cadlan
Hendre-bolon
Tai-hirion
Garn Ddu
Waterfall
Nant-maden
HEOL CALCH
Waterfalls
Bryn-cûl
Coed Cae Ddu Farm
Esgair-y-gadian
CF44
Waterfall
Comin y Rhos
Caerhowell
Heol-lâs
Wern-lâs
Cwm Cadlan
Carn-y-crochan
SA11
Waterfall
Garw-dyle
CHAPEL RD
DOLGYNOG
LAMB RD
BEACONS PK
CHAPEL RD
RHOSHYFRYD
Penderyn
Twyn-y-Glog
Moel Penderyn
Bodwigiad
CHURCH RD
Pontbren Llwyd
Penderyn Prim Sch
COED-Y-RHANDYR
Craig y Ddinas
BRYNN OWEN
PONTPREN
WOODLAND PK
A465
Sychryd
Tre-banog-uchaf
TRE-BANOG TERR
Pen-y-cae
Tre-banog-Isaf
Penderyn Resr
Tre-banog-fâch
Cefn Rhigos
MOUNT RD
SMITH'S AVE
PH
SEVENTEENTH AVE
HALT RD
SIXTEENTH AVE
FOURTEENTH AVE
FIFTH AVE
NINTH AVE
Ty Newydd (Hotel)
Gelli-ben-uchel
Ystad Ddiwydiannol Hirwaun/Hirwaun Ind Est
FOURTH AVE
MAIN AVE
LONGMEDE PK
Cemy
HEOL-Y-GRAIG
RHIGOS RD
THIRTEENTH AVE
Cemy
1 DEVONSHIRE DR
2 RICHMOND DR
3 GARTH GR
LC
PENYARD RD
Hirwaun
RAILWAY TERR
FAIRVIEW
Cardiff, Swansea & the Valleys STREET ATLAS
A465 Hirwaun, Merthyr Tydfil
A4059 Hirwaun
91 92 93 94 95 96
8 13 7 12 6 11 5 10 4 09 3 08 2 07 1 06
131

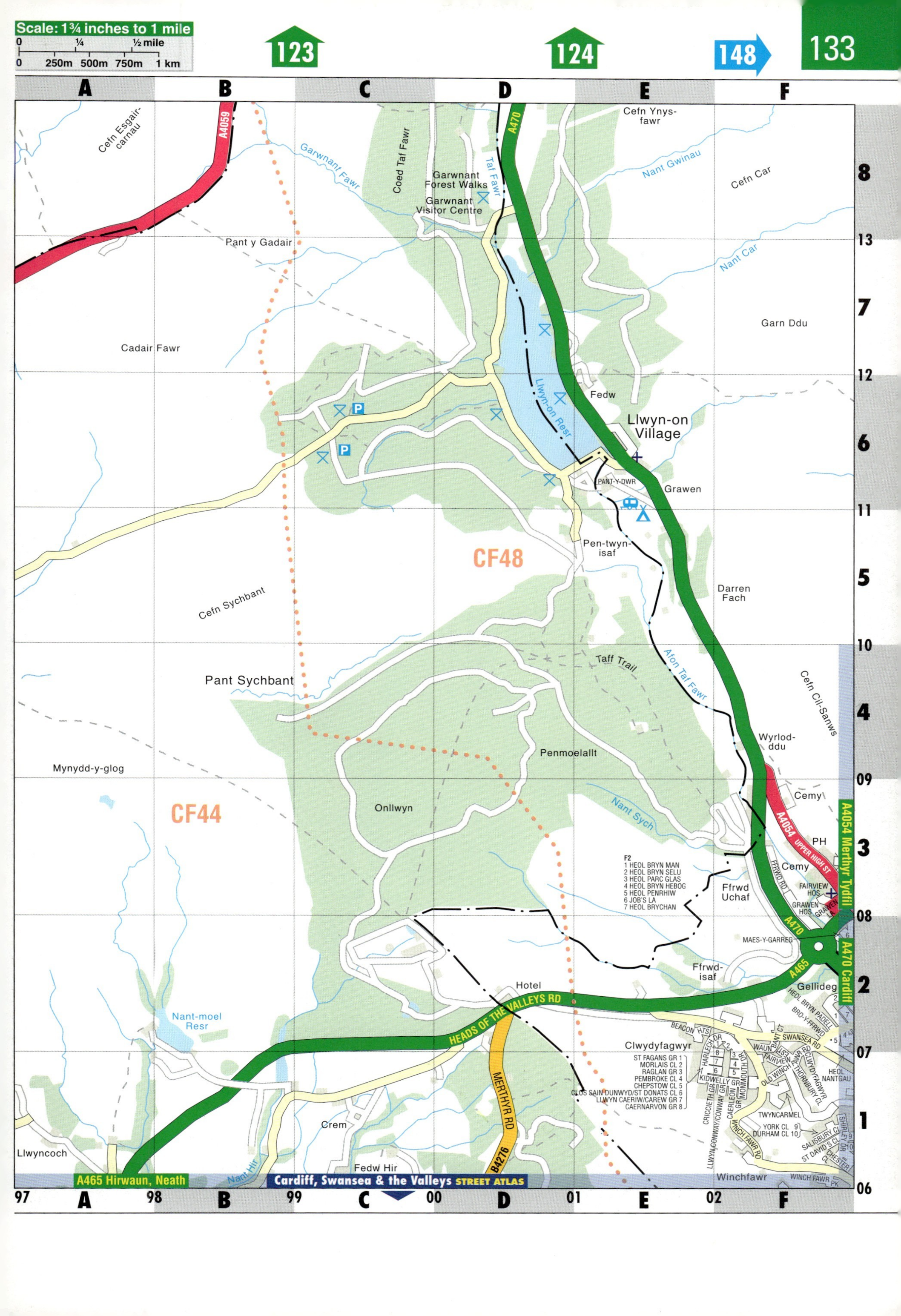

Scale: 1¾ inches to 1 mile
0 ¼ ½ mile
0 250m 500m 750m 1 km
123
124
148
A B C D E F
8 13 7 12 6 11 5 10 4 09 3 08 2 07 1 06
97 98 99 00 01 02
A4059
A470
Cefn Esgair-carnau
Garwnant Fawr
Coed Taf Fawr
Garwnant Forest Walks
Garwnant Visitor Centre
Taf Fawr
Cefn Ynys-fawr
Nant Gwinau
Cefn Car
Pant y Gadair
Nant Car
Garn Ddu
Cadair Fawr
Llwyn-on Resr
Fedw
Llwyn-on Village
PANT-Y-DWR
Grawen
Pen-twyn-isaf
CF48
Darren Fach
Cefn Sychbant
Taff Trail
Afon Taf Fawr
Pant Sychbant
Cefn Cil-Sanws
Wyrlod-ddu
Penmoelallt
Mynydd-y-glog
CF44
Onllwyn
Nant Sych
Cemy
A4054
UPPER HIGH ST
PH
A4054 Merthyr Tydfil
FFRWD RD
F2
1 HEOL BRYN MAN
2 HEOL BRYN SELU
3 HEOL PARC GLAS
4 HEOL BRYN HEBOG
5 HEOL PENRHIW
6 JOB'S LA
7 HEOL BRYCHAN
Ffrwd Uchaf
FAIRVIEW HOS
GRAWEN HOS
GRAWEN LA
MAES-Y-GARREG
A470 Cardiff
Ffrwd-isaf
A465
Gelllideg
Hotel
HEADS OF THE VALLEYS RD
Nant-moel Resr
HEOL BRYN PADELL
BRO-Y-FFRWD
BEACON HTS
SWANSEA RD
Clwydyfagwyr
ST FAGANS GR 1
MORLAIS CL 2
RAGLAN GR 3
PEMBROKE CL 4
CHEPSTOW CL 5
CLOS SAIN DUNWYD/ST DONATS CL 6
LLWYN CAERIW/CAREW GR 7
CAERNARVON GR 8
HARLECH DR
KIDWELLY GR
MONMOUTH DR
CAERLEON GR
CRICCIETH GR
LLWYN CONWAY/CONWAY GR
WAUN
FAIRVIEW
OLD WINCH FAWR RD
CLWYDYFAGWYR
THORNBURY CL
HEOL NANTGAU
TWYNCARMEL
YORK CL 9
DURHAM CL 10
SALISBURY CL
ST DAVID'S CL
SHIRLEY DR
CHESTER CL
WINCH FAWR RD
MERTHYR RD
B4276
Crem
Llwyncoch
Fedw Hir
Nant Hir
Winchfawr
WINCH FAWR PK
A465 Hirwaun, Neath
Cardiff, Swansea & the Valleys STREET ATLAS

9 9 10 10

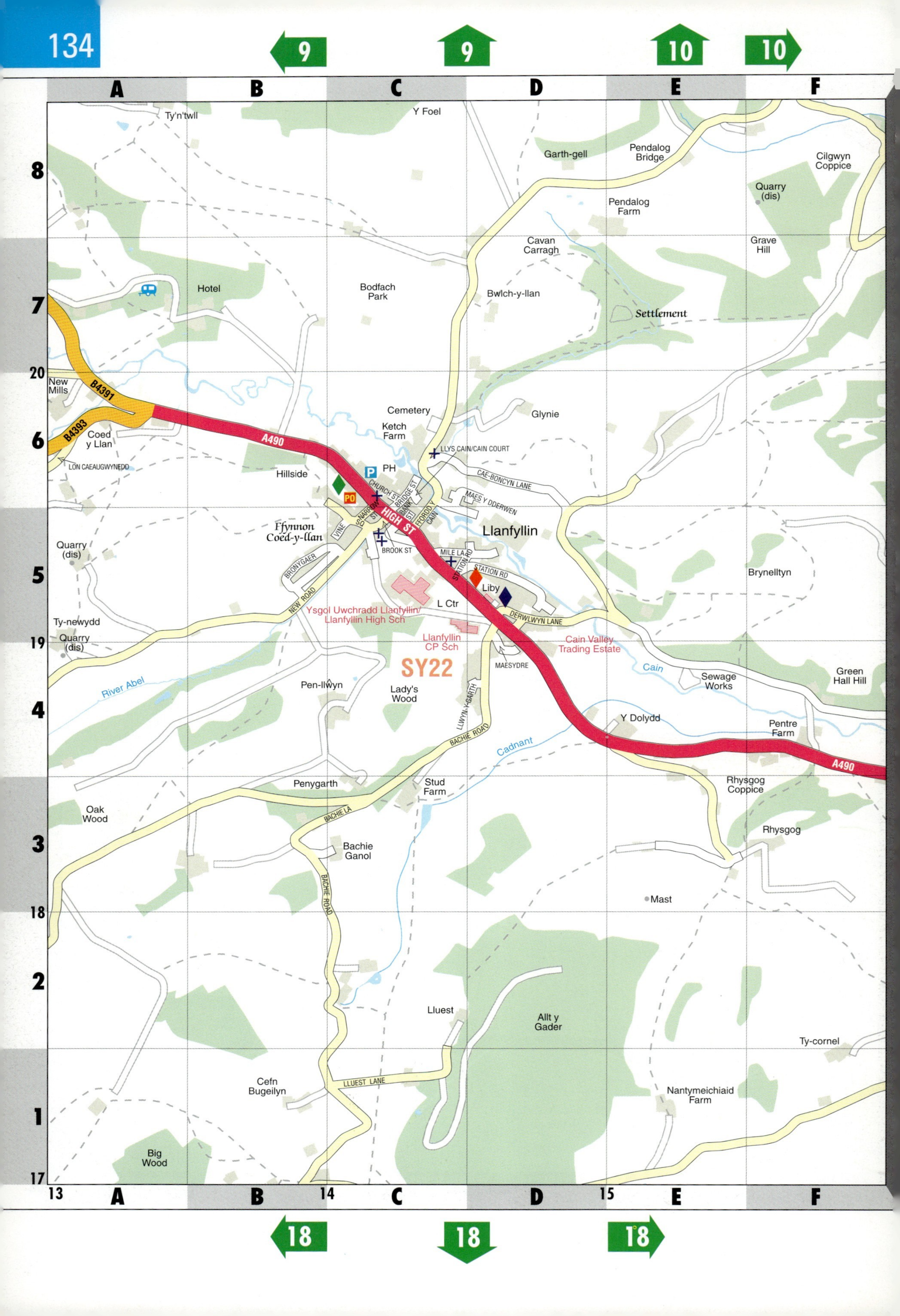

18 18 18

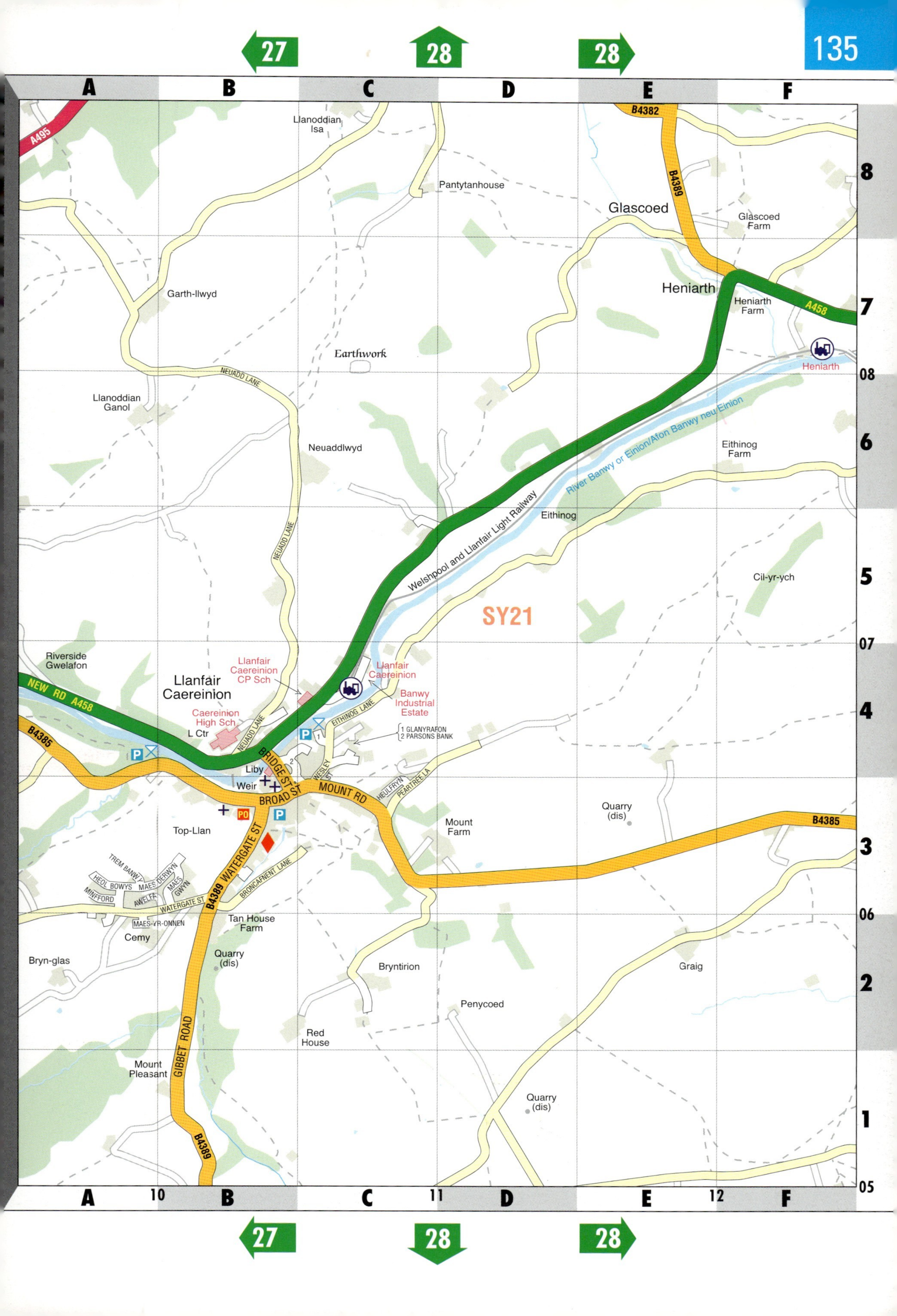

27
28
28
A
B
C
D
E
F
A495
B4382
Llanoddian
Isa
Pantytanhouse
B4389
Glascoed
Glascoed
Farm
Heniarth
Heniarth
Farm
A458
Garth-llwyd
Earthwork
Heniarth
NEUADD LANE
Llanoddian
Ganol
Neuaddlwyd
River Banwy or Einion/Afon Banwy neu Einion
Eithinog
Farm
Welshpool and Llanfair Light Railway
Eithinog
NEUADD LANE
Cil-yr-ych
SY21
Riverside
Gwelafon
Llanfair
Caereinion
Llanfair
Caereinion
CP Sch
Llanfair
Caereinion
NEW RD A458
Banwy
Industrial
Estate
Caereinion
High Sch
L Ctr
NEUADD LANE
EITHINOG LANE
1 GLANYRAFON
2 PARSONS BANK
B4385
BRIDGE ST
Liby
WESLEY ST
Weir
BROAD ST
MOUNT RD
HEULFRYN
PEARTREE LA
Quarry
(dis)
B4385
PO
Mount
Farm
Top-Llan
WATERGATE ST
TREM BANWY
MAES DERWYN
HEOL BOWYS
MAES GWYN
MINFFORD
AWELFA
BRONCAFNENT LANE
WATERGATE ST
B4389
MAES-YR-ONNEN
Tan House
Farm
Cemy
Bryn-glas
Quarry
(dis)
Bryntirion
Graig
Penycoed
Red
House
GIBBET ROAD
Mount
Pleasant
Quarry
(dis)
B4389
8
7
08
6
5
07
4
3
06
2
1
05
10
11
12
27
28
28

A5
1 RAVEN SQ
2 GLAN LLEDDAN

B5
1 OLD TAVERN LA
2 MOUNT CL
3 BOWLING GN LANE
4 SEVEN STARS RD
5 HALL ST
6 PUZZLE SQ
7 PARKER'S PL

C5
1 CHURCH BANK
2 BROOK ST
3 BRYNEGLWYS
4 CLERK'S CT
5 ALBERT TERR
6 WESTWOOD RD
7 MYRTLE DR

29 30 30

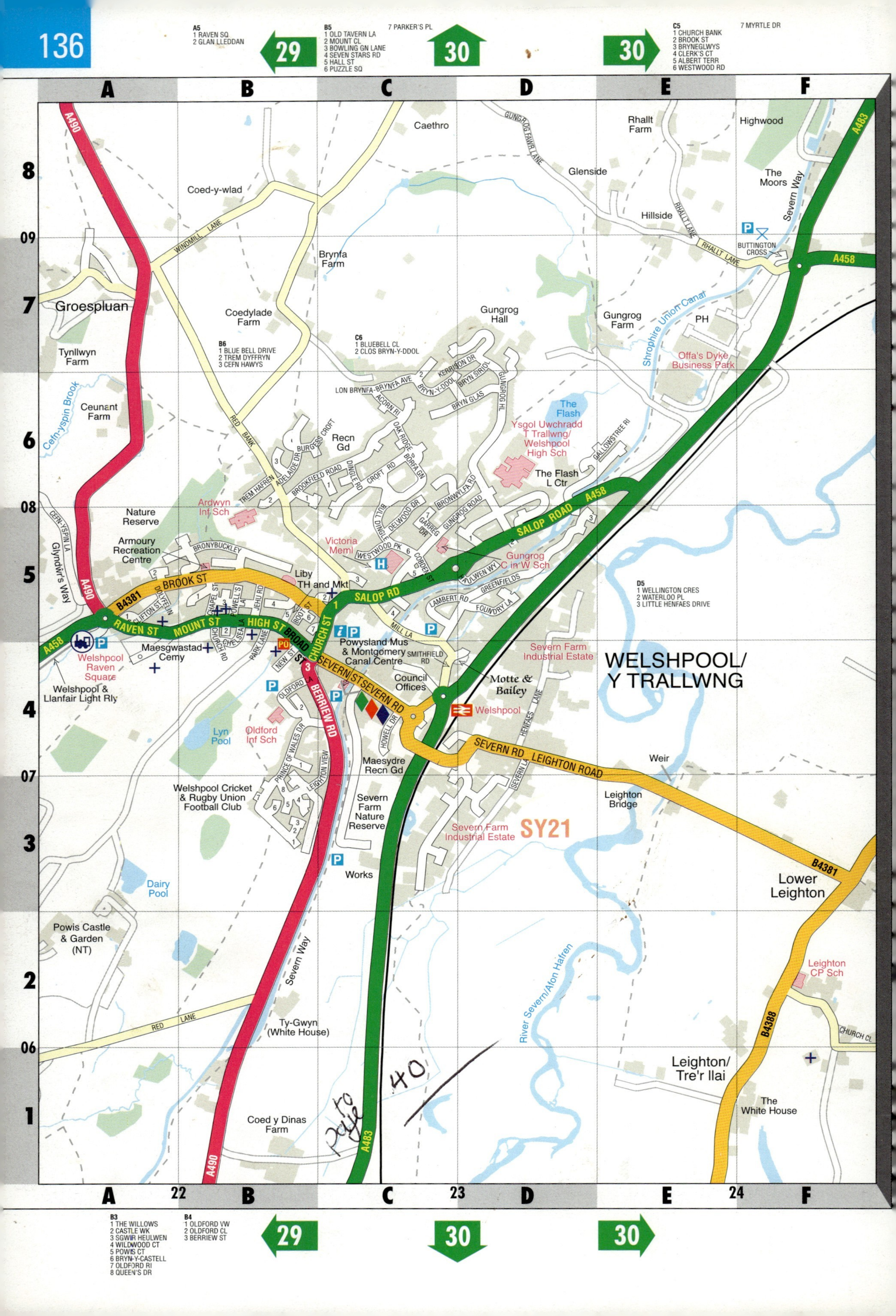

B3
1 THE WILLOWS
2 CASTLE WK
3 SGWIR HEULWEN
4 WILDWOOD CT
5 POWIS CT
6 BRYN-Y-CASTELL
7 OLDFORD RI
8 QUEEN'S DR

B4
1 OLDFORD VW
2 OLDFORD CL
3 BERRIEW ST

29 30 30

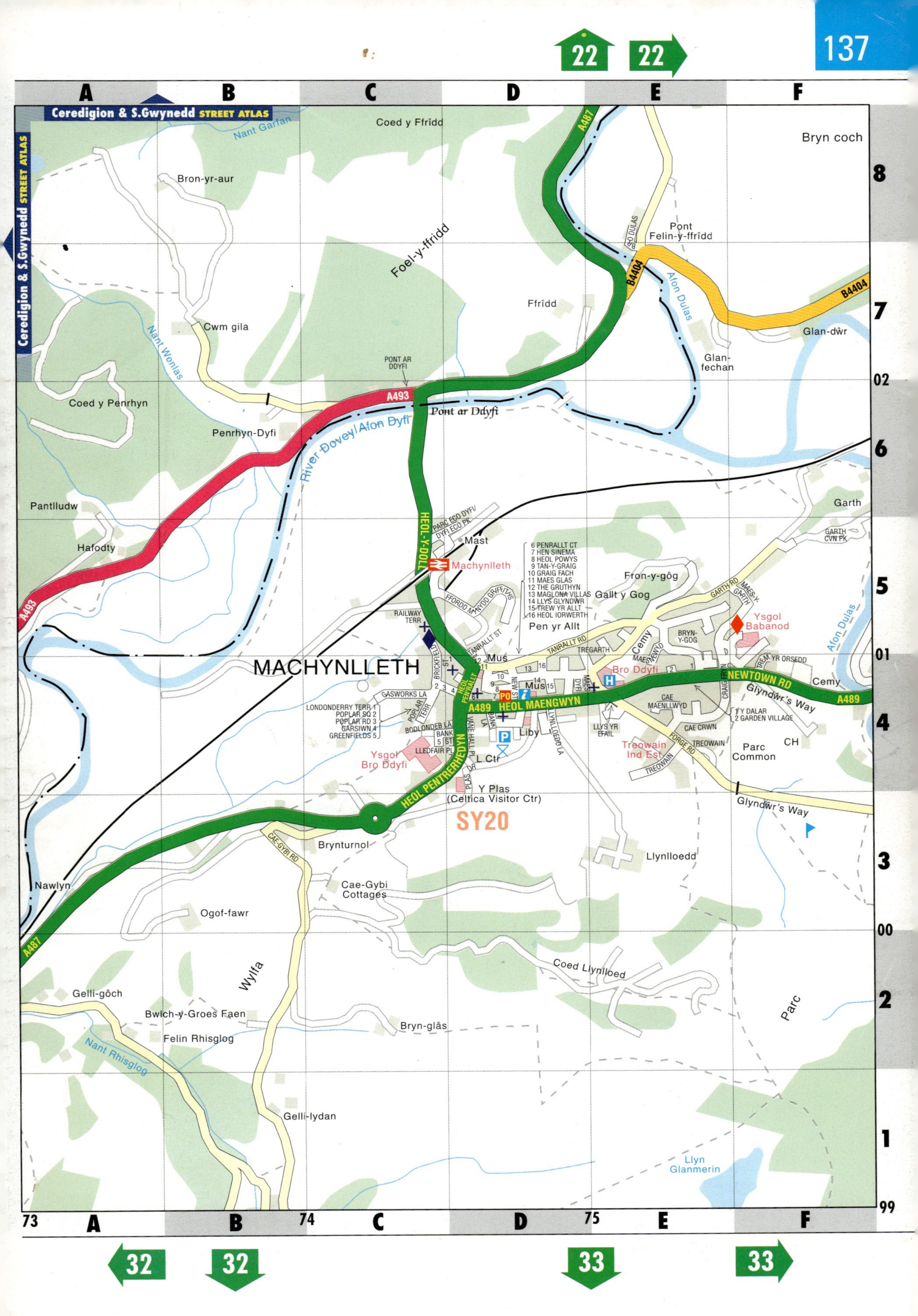
Ceredigion & S.Gwynedd STREET ATLAS
22
22
A
B
C
D
E
F
8
7
02
6
5
01
4
3
00
2
1
99
73
74
75
Coed y Ffrîdd
Bryn coch
Nant Garfan
Bron-yr-aur
A487
Pont
Felin-y-ffrîdd
Foel-y-ffridd
B4404
Afon Dulas
B4404
Ffridd
Cwm gila
Nant Wonlas
Glan-dŵr
Glan-
fechan
PONT AR
DDYFI
A493
Coed y Penrhyn
Pont ar Ddyfi
Penrhyn-Dyfi
River Dovey/Afon Dyfi
Pantlludw
Garth
Hafodty
HEOL-Y-DOLL
Mast
Machynlleth
GARTH CVN PK
6 PENRALLT CT
7 HEN SINEMA
8 HEOL POWYS
9 TAN-Y-GRAIG
10 GRAIG FACH
11 MAES GLAS
12 THE GRUTHYN
13 MAGLONA VILLAS
14 LLYS GLYNDWR
15 TREW YR ALLT
16 HEOL IORWERTH
Fron-y-gôg
Gallt y Gog
Pen yr Allt
A493
Ysgol
Babanod
Afon Dulas
RAILWAY
TERR
TANRALLT RD
TREGARTH
Cemy
MACHYNLLETH
Mus
Bro Ddyfi
NEWTOWN RD
Cemy
Glyndŵr's Way
A489
GASWORKS LA
Mus
A489
HEOL MAENGWYN
CAE
MAENLLWYD
1 Y DALAR
2 GARDEN VILLAGE
LONDONDERRY TERR 1
POPLAR SQ 2
POPLAR RD 3
GARSIWN 4
GREENFIELDS 5
Liby
LLYS YR
EFAIL
CAE CRWN
Treowain
Ind Est
TREOWAIN
Parc
Common
CH
Ysgol
Bro Ddyfi
L Ctr
HEOL PENTREHEDYN
Y Plas
(Celtica Visitor Ctr)
Glyndŵr's Way
SY20
Brynturnol
Llynlloedd
Nawlyn
Cae-Gybi
Cottages
Ogof-fawr
A487
Wylfa
Coed Llynlloed
Gelli-gôch
Parc
Bwlch-y-Groes Faen
Bryn-glâs
Felin Rhisglog
Nant Rhisglog
Gelli-lydan
Llyn
Glanmerin
32
32
33
33

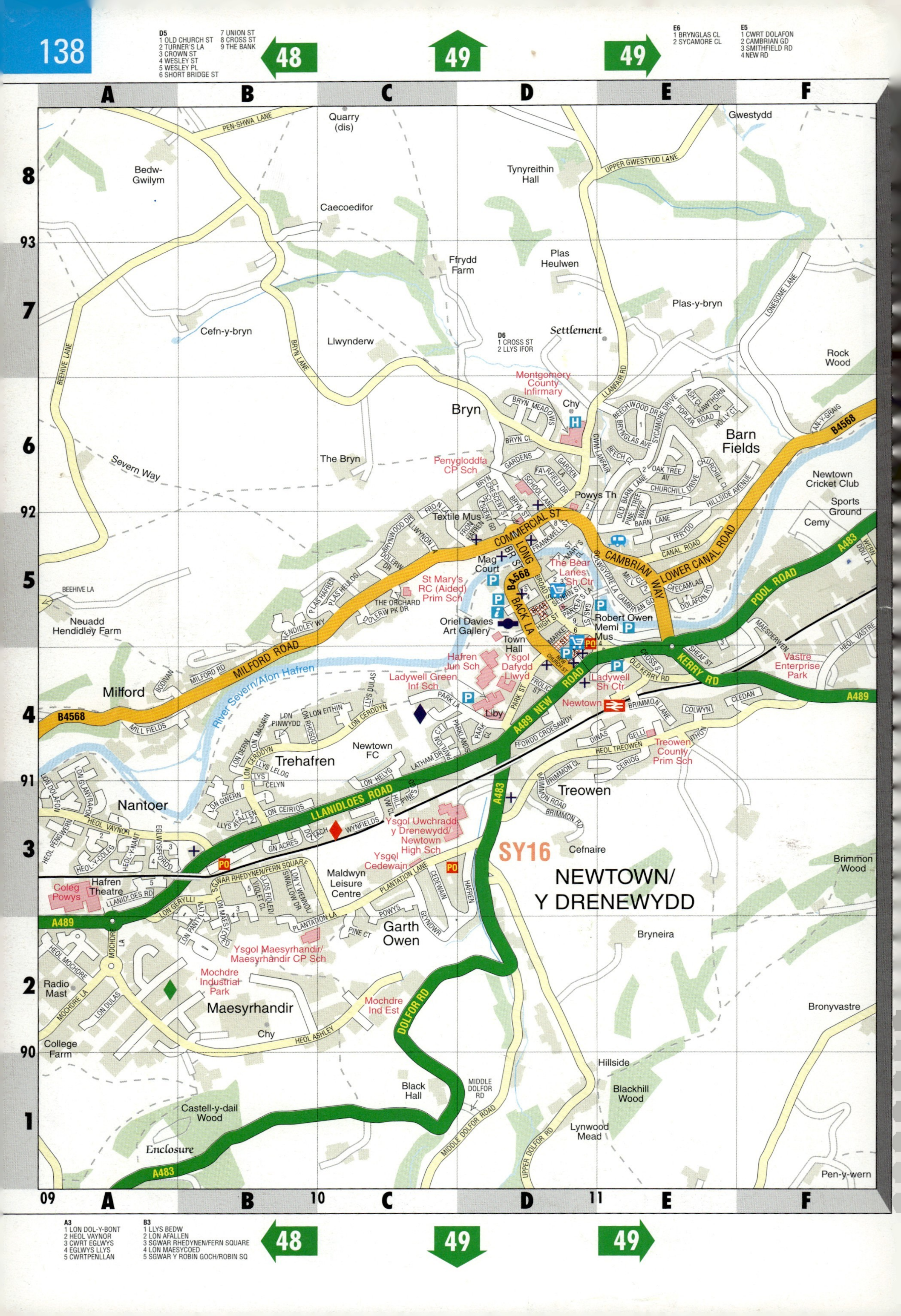

138
D5
1 OLD CHURCH ST
2 TURNER'S LA
3 CROWN ST
4 WESLEY ST
5 WESLEY PL
6 SHORT BRIDGE ST
7 UNION ST
8 CROSS ST
9 THE BANK
48
49
49
E6
1 BRYNGLAS CL
2 SYCAMORE CL
E5
1 CWRT DOLAFON
2 CAMBRIAN GD
3 SMITHFIELD RD
4 NEW RD
A
B
C
D
E
F
8
93
7
6
92
5
4
91
3
2
90
1
PEN-SHWA LANE
Quarry (dis)
Gwestydd
Bedw-Gwilym
Tynyreithin Hall
UPPER GWESTYDD LANE
Caecoedifor
Ffrydd Farm
Plas Heulwen
Plas-y-bryn
LONESOME LANE
Cefn-y-bryn
BRYN LANE
Llwynderw
D6
1 CROSS ST
2 LLYS IFOR
Settlement
BEEHIVE LANE
Rock Wood
Montgomery County Infirmary
LLANFAIR RD
Bryn
BRYN MEADOWS
Chy
BEECHWOOD DR
SYCAMORE DRIVE
ASH CL
HAWTHORN
POPLAR ROAD
HOLLY CT
TAN-Y-GRAIG
B4568
Barn Fields
Severn Way
The Bryn
BRYN CL
CWM LANFAIR
BRYNGLAS AVE
BEECH CL
OAK TREE AV
CHURCHILL CL
Penygloddfa CP Sch
GARDENS
GARDEN LA
Newtown Cricket Club
CHURCHILL DRIVE
HILLSIDE AVENUE
Sports Ground
Powys Th
OLD BARN LANE
PINE TREE WAY
BARN LANE
Cemy
Textile Mus
COMMERCIAL ST
FRANKWELL ST
Y FFRYDD
CANAL ROAD
LOWER CANAL ROAD
CAMBRIAN WAY
BRYNWOOD DR
LONG BRIDGE ST
Mag Court
The Bear Lanes Sh Ctr
BEEHIVE LA
St Mary's RC (Aided) Prim Sch
BACK LA
CAECAMLAS
DOLAFON RD
POOL ROAD
A483
PLAS HAFREN
PLAS HELLOG
THE ORCHARD
DOLERW PK DR
Neuadd Hendidley Farm
HENDIDLEY WY
Oriel Davies Art Gallery
Robert Owen Meml Mus
MAESDERWEN
HEOL VASTRE
Town Hall
MILFORD ROAD
Hafren Jun Sch
Ysgol Dafydd Llwyd
SHEAF ST
Vastre Enterprise Park
KERRY RD
OLD KERRY RD
River Severn/Afon Hafren
MILFORD RD
Ladywell Green Inf Sch
Ladywell Sh Ctr
Milford
BODIVAN
A489
NEW ROAD
Newtown
BRIMMON LANE
CLEDAN
COLWYN
PARK LA
Liby
B4568
MILL FIELDS
LON EITHIN
LON CERDDYN
LLYS DULAS
LON PINWYDD
LON RHOSOD
PARKLANDS
FFORDD CROESAWDY
DINAS
GELLI
Treowen County Prim Sch
ITHON
LON DERW
LON MASARN
Newtown FC
HEOL TREOWEN
CEIRIOG
Trehafren
LATHAM DR
BRIMMON CL
LLYS LELOG
CELYN
LON HELYG
Treowen
LLANIDLOES ROAD
LON DOLAFON
LON GLANYRAFON
Nantoer
LON GWERN
LON CEIRIOS
LLYS AFALLEN
BRIMMON ROAD
HEOL VAYNOR
HEOL PENGWERN
HEOL-Y-COLEG
HEOL-Y-NANT
EGLWYSFFORDD
GN ACRES
WYNFIELDS
Ysgol Uwchradd y Drenewydd/ Newtown High Sch
SY16
Cefnaire
Brimmon Wood
PO
Coleg Powys
Hafren Theatre
LLANIDLOES RD
SGWAR RHEDYNEN/FERN SQUARE
LON GERYLLI
Maldwyn Leisure Centre
PLANTATION LANE
Ysgol Cedewain
CEDEWAIN
HAFREN
NEWTOWN/ Y DRENEWYDD
A489
LON PANTYLLYN
VIOLET CL
PLANTATION LA
POWYS
PINE CT
Garth Owen
GLYNDWR
Bryneira
MOCHDRE LA
HEOL MOCHDRE
Ysgol Maesyrhandir/ Maesyrhandir CP Sch
Radio Mast
Mochdre Industrial Park
DOLFOR RD
MOCHDRE LA
LON DULAS
Maesyrhandir
Mochdre Ind Est
Bronyvastre
College Farm
Chy
HEOL ASHLEY
Hillside
Black Hall
MIDDLE DOLFOR RD
Blackhill Wood
Castell-y-dail Wood
MIDDLE DOLFOR ROAD
Lynwood Mead
UPPER DOLFOR RD
Enclosure
A483
Pen-y-wern
09
A
B
10
C
D
11
E
F
A3
1 LON DOL-Y-BONT
2 HEOL VAYNOR
3 CWRT EGLWYS
4 EGLWYS LLYS
5 CWRTPENLLAN
B3
1 LLYS BEDW
2 LON AFALLEN
3 SGWAR RHEDYNEN/FERN SQUARE
4 LON MAESYCOED
5 SGWAR Y ROBIN GOCH/ROBIN SQ
48
49
49

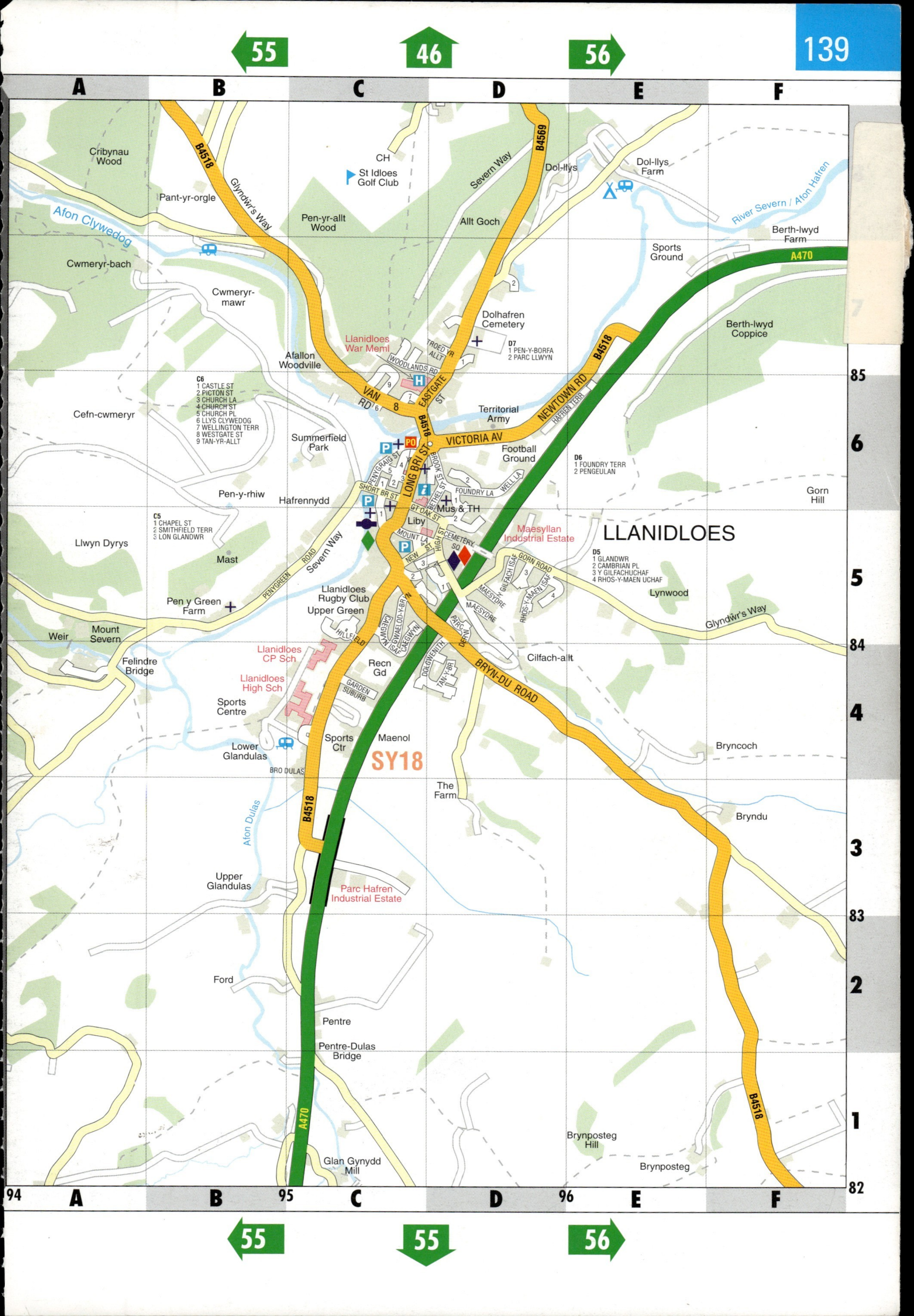
55
46
56
A B C D E F
Cribynau Wood
Pant-yr-orgle
Afon Clywedog
Cwmeryr-bach
Cwmeryr-mawr
Glyndŵr's Way
B4518
CH
St Idloes Golf Club
Pen-yr-allt Wood
Severn Way
Allt Goch
B4569
Dol-llys
Dol-llys Farm
River Severn / Afon Hafren
Berth-lwyd Farm
Sports Ground
A470
Dolhafren Cemetery
Berth-lwyd Coppice
Llanidloes War Meml
Afallon Woodville
C6
1 CASTLE ST
2 PICTON ST
3 CHURCH LA
4 CHURCH ST
5 CHURCH PL
6 LLYS CLYWEDOG
7 WELLINGTON TERR
8 WESTGATE ST
9 TAN-YR-ALLT
D7
1 PEN-Y-BORFA
2 PARC LLWYN
Cefn-cwmeryr
VAN RD
EASTGATE ST
WOODLANDS RD
TROED YR ALLT
Territorial Army
NEWTOWN RD
HAFREN TERR
Summerfield Park
VICTORIA AV
LONG BRIDGE ST
Football Ground
D6
1 FOUNDRY TERR
2 PENGEULAN
Pen-y-rhiw
Hafrennydd
PENYGRAIG ST
SHORT BR ST
BROOK ST
FOUNDRY LA
WELL LA
BETHEL ST
GT OAK ST
Mus & TH
Liby
Gorn Hill
C5
1 CHAPEL ST
2 SMITHFIELD TERR
3 LON GLANDWR
Llwyn Dyrys
Mast
Maesyllan Industrial Estate
LLANIDLOES
MOUNT LA
HIGH ST
CEMETERY SQ
NEW ST
GORN ROAD
D5
1 GLANDWR
2 CAMBRIAN PL
3 Y GILFACHUCHAF
4 RHOS-Y-MAEN UCHAF
PENYGREEN ROAD
Pen y Green Farm
Llanidloes Rugby Club
Upper Green
MAESYDRE
Y GILFACH ISAF
RHOS-Y-MAEN ISAF
Lynwood
Weir
Mount Severn
HILLFIELD
CAEGWYN ISAF
GWAELOD-Y-BRYN
CAEGWYN
PARC-Y-DERWEN
Felindre Bridge
Llanidloes CP Sch
Recn Gd
Cilfach-allt
Llanidloes High Sch
DOLGWENITH
TAN-Y-BRYN
BRYN-DU ROAD
GARDEN SUBURB
Sports Centre
Sports Ctr
Maenol
Lower Glandulas
BRO DULAS
SY18
Bryncoch
The Farm
Afon Dulas
Bryndu
Upper Glandulas
Parc Hafren Industrial Estate
Ford
Pentre
Pentre-Dulas Bridge
Brynposteg Hill
Brynposteg
Glan Gynydd Mill
94 95 96
85 6 5 84 4 3 83 2 1 82
55
55
56

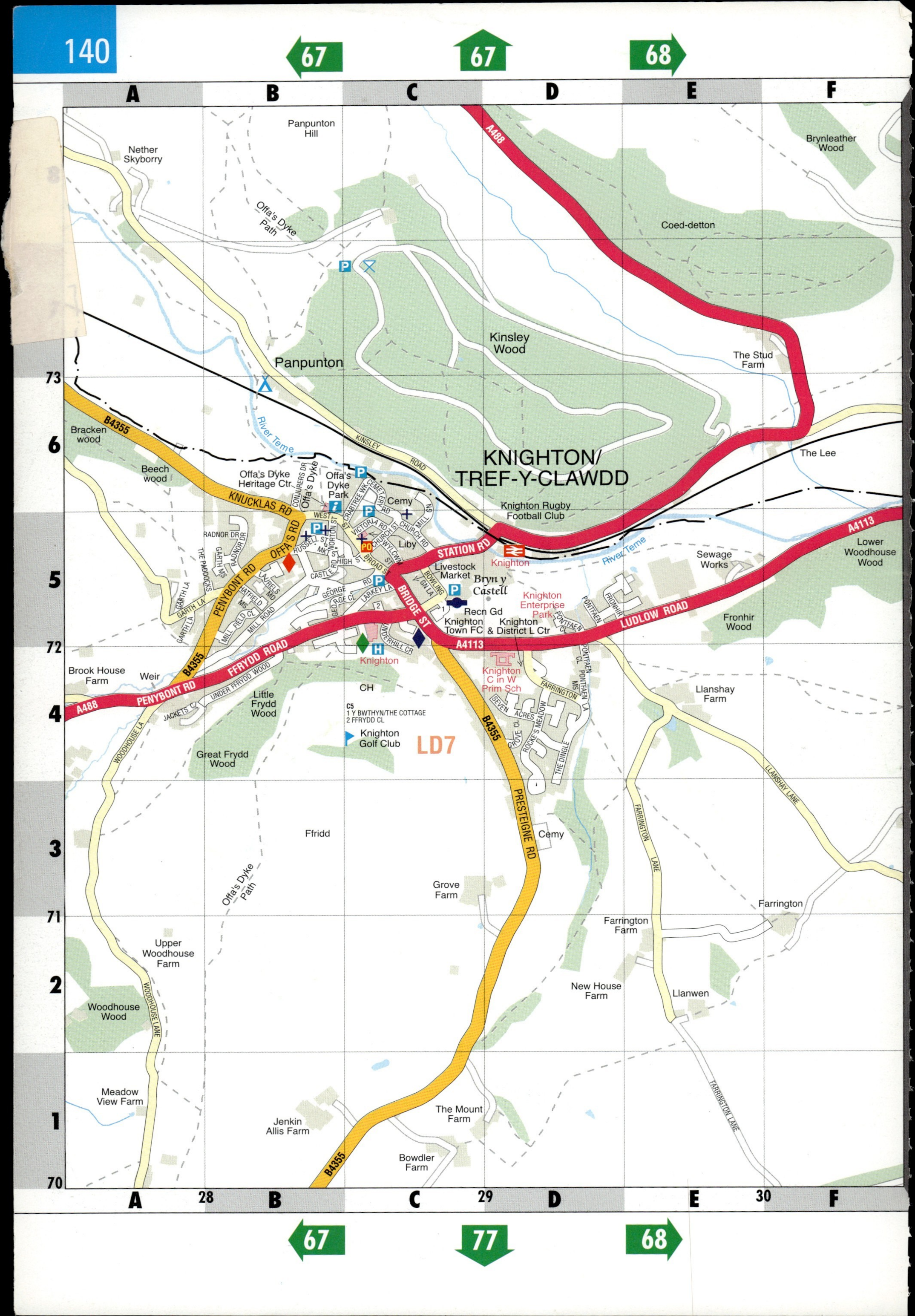
67
67
68
A
B
C
D
E
F
Panpunton Hill
Nether Skyborry
A488
Brynleather Wood
Offa's Dyke Path
Coed-detton
Kinsley Wood
Panpunton
The Stud Farm
73
River Teme
B4355
Bracken wood
6
KINSLEY ROAD
KNIGHTON/
TREF-Y-CLAWDD
The Lee
Beech wood
Offa's Dyke Heritage Ctr
Offa's Dyke Park
Cemy
KNUCKLAS RD
Knighton Rugby Football Club
A4113
Lower Woodhouse Wood
RADNOR DR
OFFA'S RD
STATION RD
Liby
Knighton
River Teme
Sewage Works
5
PENYBONT RD
Livestock Market
Bryn y Castell
Knighton Enterprise Park
BRIDGE ST
LUDLOW ROAD
Recn Gd
Knighton Town FC
Knighton & District L Ctr
Fronhir Wood
72
A4113
Knighton
FFRYDD ROAD
Brook House Farm
Weir
Knighton C in W Prim Sch
CH
Llanshay Farm
4
A488
PENYBONT RD
Little Frydd Wood
C5
1 Y BWTHYN/THE COTTAGE
2 FFRYDD CL
Knighton Golf Club
LD7
Great Frydd Wood
B4355
LLANSHAY LANE
PRESTEIGNE RD
FARRINGTON LANE
Ffridd
3
Cemy
Offa's Dyke Path
Grove Farm
Farrington
71
Farrington Farm
Upper Woodhouse Farm
2
New House Farm
Llanwen
Woodhouse Wood
WOODHOUSE LANE
Meadow View Farm
1
The Mount Farm
FARRINGTON LANE
Jenkin Allis Farm
Bowdler Farm
B4355
70
A
28
B
C
29
D
E
30
F
67
77
68

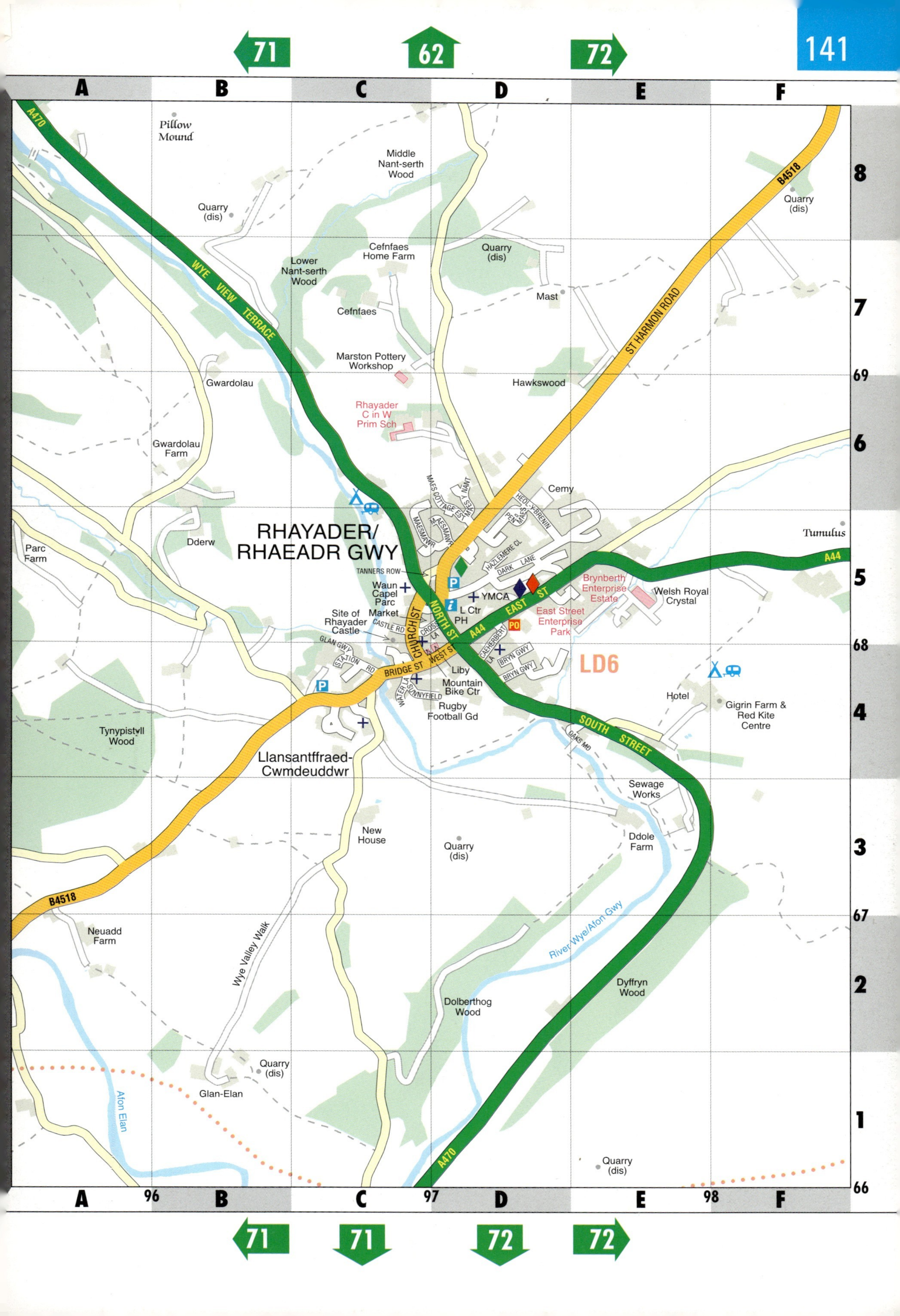

71
62
72
A
B
C
D
E
F
8
7
69
6
5
68
4
3
67
2
1
66
96
97
98
A470
Pillow Mound
Middle Nant-serth Wood
Quarry (dis)
B4518
WYE VIEW TERRACE
Cefnfaes Home Farm
Lower Nant-serth Wood
Mast
Cefnfaes
ST HARMON ROAD
Marston Pottery Workshop
Gwardolau
Hawkswood
Rhayader C in W Prim Sch
Gwardolau Farm
Cemy
Tumulus
RHAYADER/ RHAEADR GWY
Dderw
Parc Farm
TANNERS ROW
HAZLEMERE CL
DARK LANE
Waun Capel Parc
YMCA
Brynberth Enterprise Estate
Welsh Royal Crystal
A44
L Ctr
PH
Site of Rhayader Castle
Market
CASTLE RD
CHURCH ST
NORTH ST
EAST ST
East Street Enterprise Park
PO
GLAN GWY
STATION RD
WEST ST
BRYN GWY
LD6
BRIDGE ST
Liby
Mountain Bike Ctr
Hotel
Gigrin Farm & Red Kite Centre
SUNNYFIELD
Rugby Football Gd
SOUTH STREET
Tynypistyll Wood
Llansantffraed-Cwmdeuddwr
OAKS MD
Sewage Works
New House
Ddole Farm
Neuadd Farm
Wye Valley Walk
River Wye/Afon Gwy
Dyffryn Wood
Dolberthog Wood
Glan-Elan
Afon Elan
A470

73 73 73

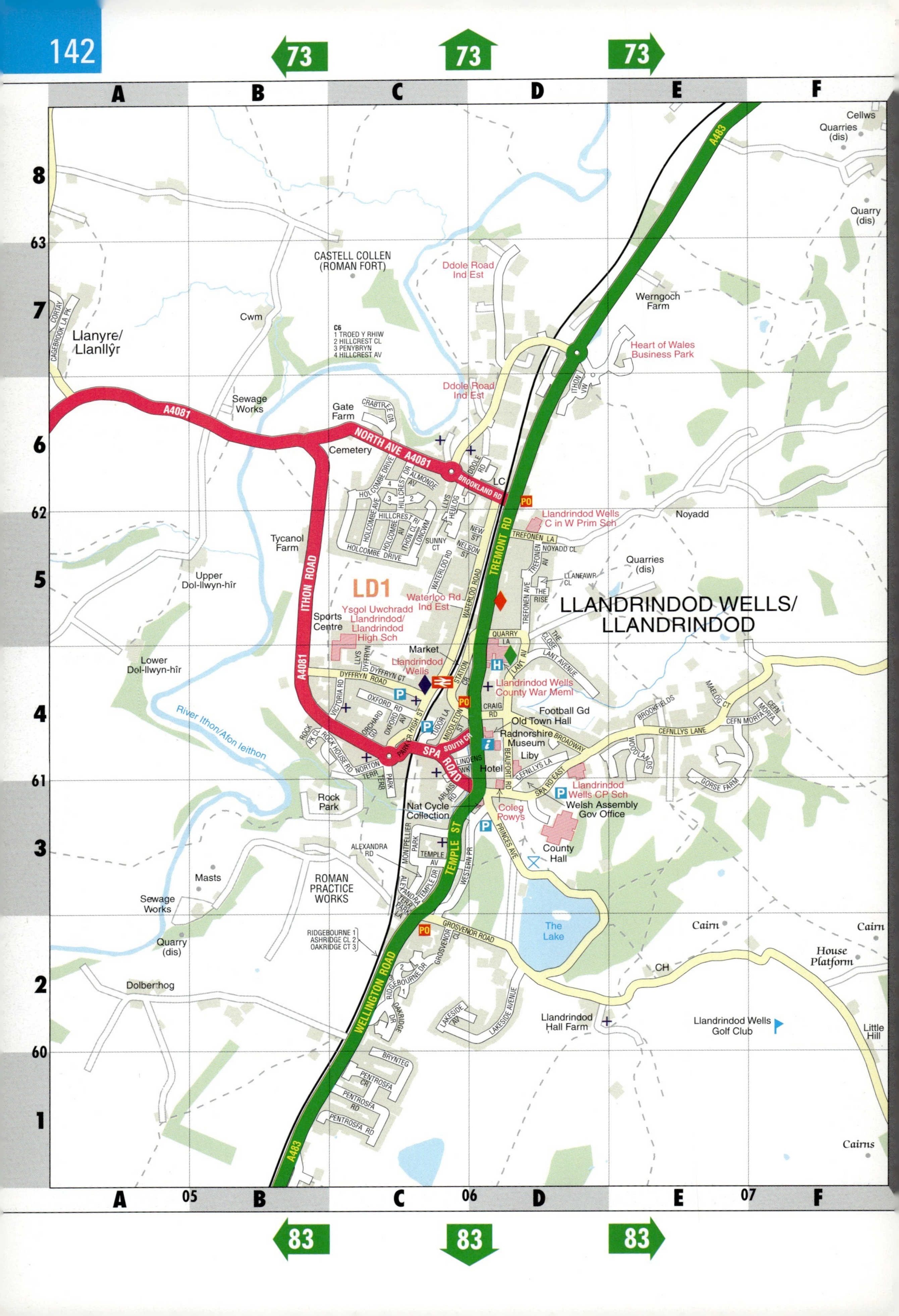

83 83 83

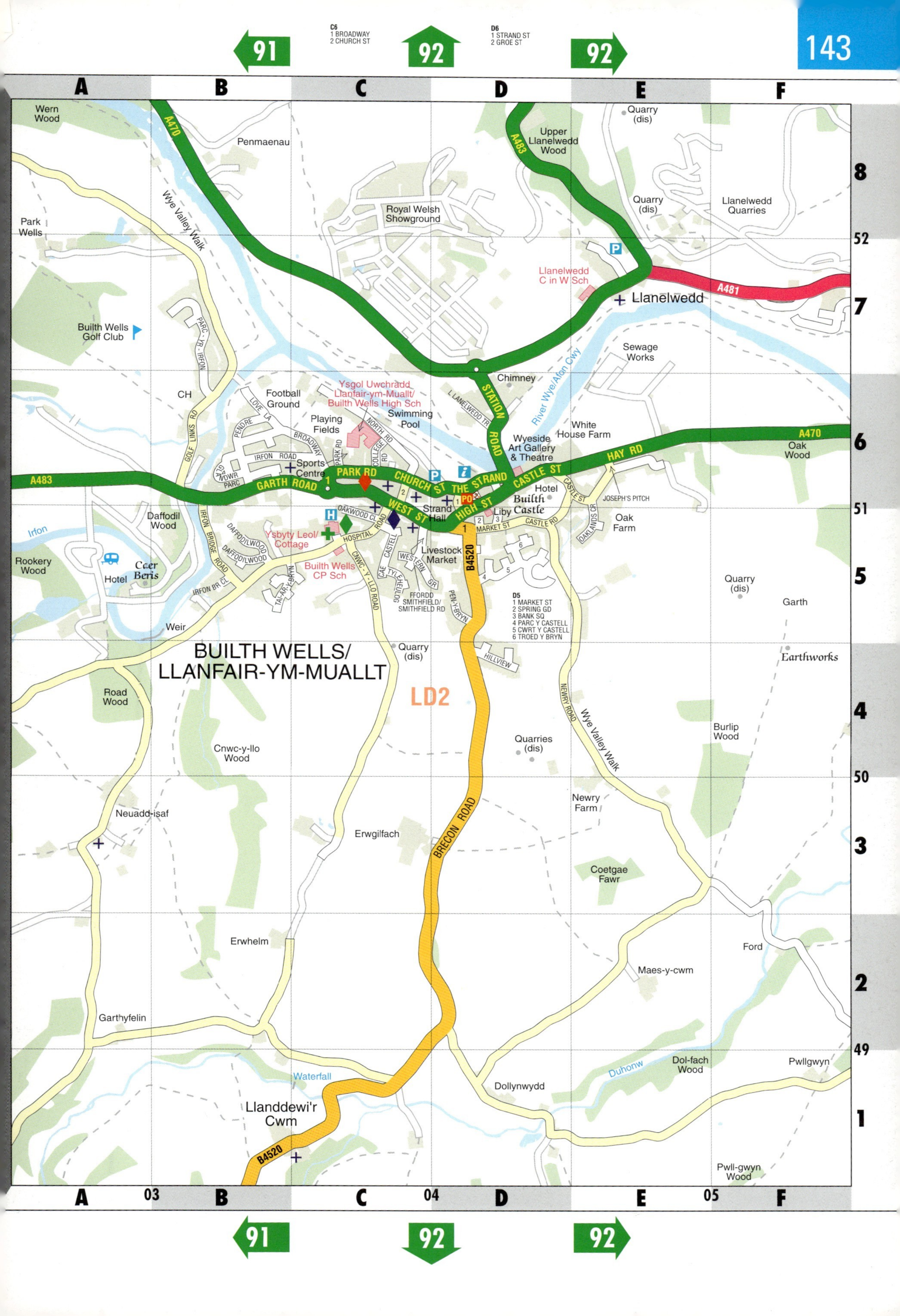
91
92
92
C6
1 BROADWAY
2 CHURCH ST
D6
1 STRAND ST
2 GROE ST
A B C D E F
8
52
7
6
51
5
4
50
3
2
49
1
03
04
05
Wern Wood
Penmaenau
A470
A483
Upper Llanelwedd Wood
Quarry (dis)
Royal Welsh Showground
Quarry (dis)
Llanelwedd Quarries
Park Wells
Wye Valley Walk
Llanelwedd C in W Sch
Llanelwedd
A481
Builth Wells Golf Club
PARC-YR-IRFON
Sewage Works
Chimney
STATION ROAD
River Wye/Afon Gwy
CH
Football Ground
Ysgol Uwchradd Llanfair-ym-Muallt/ Builth Wells High Sch
Swimming Pool
Playing Fields
White House Farm
Wyeside Art Gallery & Theatre
A470
Oak Wood
HAY RD
CASTLE ST
THE STRAND
CHURCH ST
PARK RD
GARTH ROAD
A483
Sports Centre
IRFON ROAD
BROADWAY
GOLF LINKS RD
Hotel
Builth Castle
Liby
Strand Hall
WEST ST
HIGH ST
MARKET ST
CASTLE RD
JOSEPH'S PITCH
Oak Farm
Daffodil Wood
Irfon
Rookery Wood
Hotel
Caer Beris
Ysbyty Leol/ Cottage
Builth Wells CP Sch
Livestock Market
B4520
D5
1 MARKET ST
2 SPRING GD
3 BANK SQ
4 PARC Y CASTELL
5 CWRT Y CASTELL
6 TROED Y BRYN
Quarry (dis)
Garth
Weir
BUILTH WELLS/ LLANFAIR-YM-MUALLT
Quarry (dis)
HILLVIEW
Earthworks
Road Wood
LD2
NEWRY ROAD
Wye Valley Walk
Burlip Wood
Cnwc-y-llo Wood
Quarries (dis)
Neuadd-isaf
Newry Farm
BRECON ROAD
Erwgilfach
Coetgae Fawr
Erwhelm
Ford
Maes-y-cwm
Garthyfelin
Waterfall
Duhonw
Dol-fach Wood
Pwllgwyn
Dollynwydd
Llanddewi'r Cwm
B4520
Pwll-gwyn Wood
A B C D E F
91
92
92

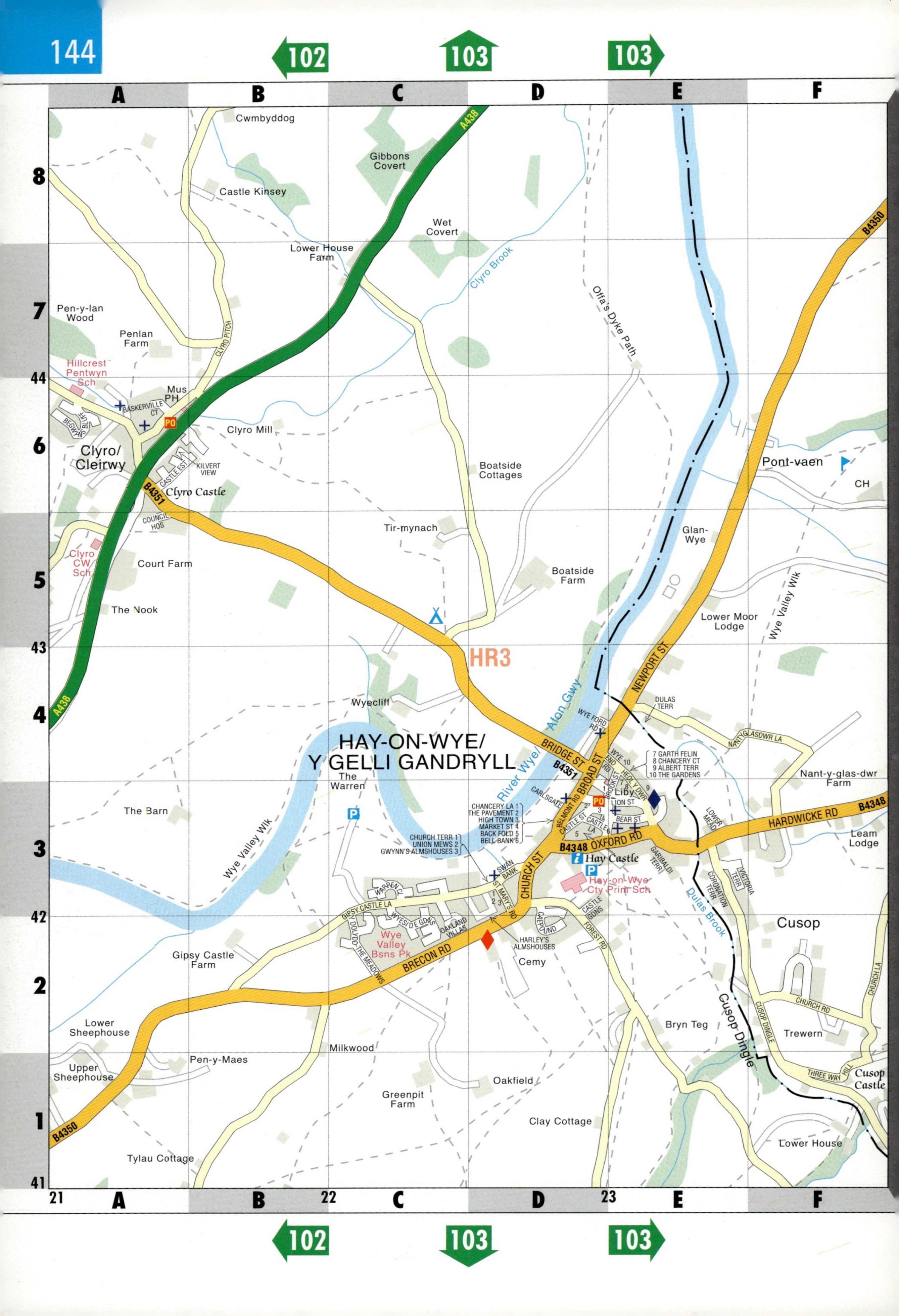
102
103
103
A
B
C
D
E
F
8
7
44
6
5
43
4
3
42
2
1
41
21
22
23
A438
B4350
B4351
B4348
Cwmbyddog
Gibbons Covert
Castle Kinsey
Wet Covert
Lower House Farm
Clyro Brook
Offa's Dyke Path
Pen-y-lan Wood
Penlan Farm
CLYRO PITCH
Hillcrest Pentwyn Sch
Mus PH
BASKERVILLE CT
PO
Clyro Mill
Clyro/ Cleirwy
CASTLE EST
KILVERT VIEW
Clyro Castle
COUNCIL HOS
Boatside Cottages
Pont-vaen
CH
Tir-mynach
Glan-Wye
Clyro CW Sch
Court Farm
Boatside Farm
The Nook
Lower Moor Lodge
Wye Valley Wlk
HR3
NEWPORT ST
Wyecliff
DULAS TERR
HAY-ON-WYE/ Y GELLI GANDRYLL
River Wye/ Afon Gwy
WYE FORD RD
BRIDGE ST
BROAD ST
NANT-Y-GLASDWR LA
7 GARTH FELIN
8 CHANCERY CT
9 ALBERT TERR
10 THE GARDENS
Nant-y-glas-dwr Farm
The Warren
The Barn
CARLSGATE
Liby
LION ST
BEAR ST
CASTLE ST
CHANCERY LA 1
THE PAVEMENT 2
HIGH TOWN 3
MARKET ST 4
BACK FOLD 5
BELL BANK 6
CHURCH TERR 1
UNION MEWS 2
GWYNN'S ALMSHOUSES 3
HARDWICKE RD
LOWER MEAD
Leam Lodge
OXFORD RD
Hay Castle
GARIBALDI TERR
SWAN BANK
CHURCH ST
ST MARY'S RD
Hay-on-Wye Cty Prim Sch
Dulas Brook
CORONATION TERR
VICTORIA TERR
WARREN CL
GIPSY CASTLE LA
WYESIDE GDNS
OAKLAND VILLAS
CASTLE GDNS
FOREST RD
CAEPOUND
Cusop
Wye Valley Bsns Pk
HARLEY'S ALMSHOUSES
Gipsy Castle Farm
THE MEADOWS
BRECON RD
Cemy
CHURCH LA
CHURCH RD
CUSOP DINGLE
Cusop Dingle
Lower Sheephouse
Bryn Teg
Trewern
Pen-y-Maes
Milkwood
Upper Sheephouse
THREE WAY HILL
Cusop Castle
Oakfield
Greenpit Farm
Clay Cottage
Tylau Cottage
Lower House
102
103
103

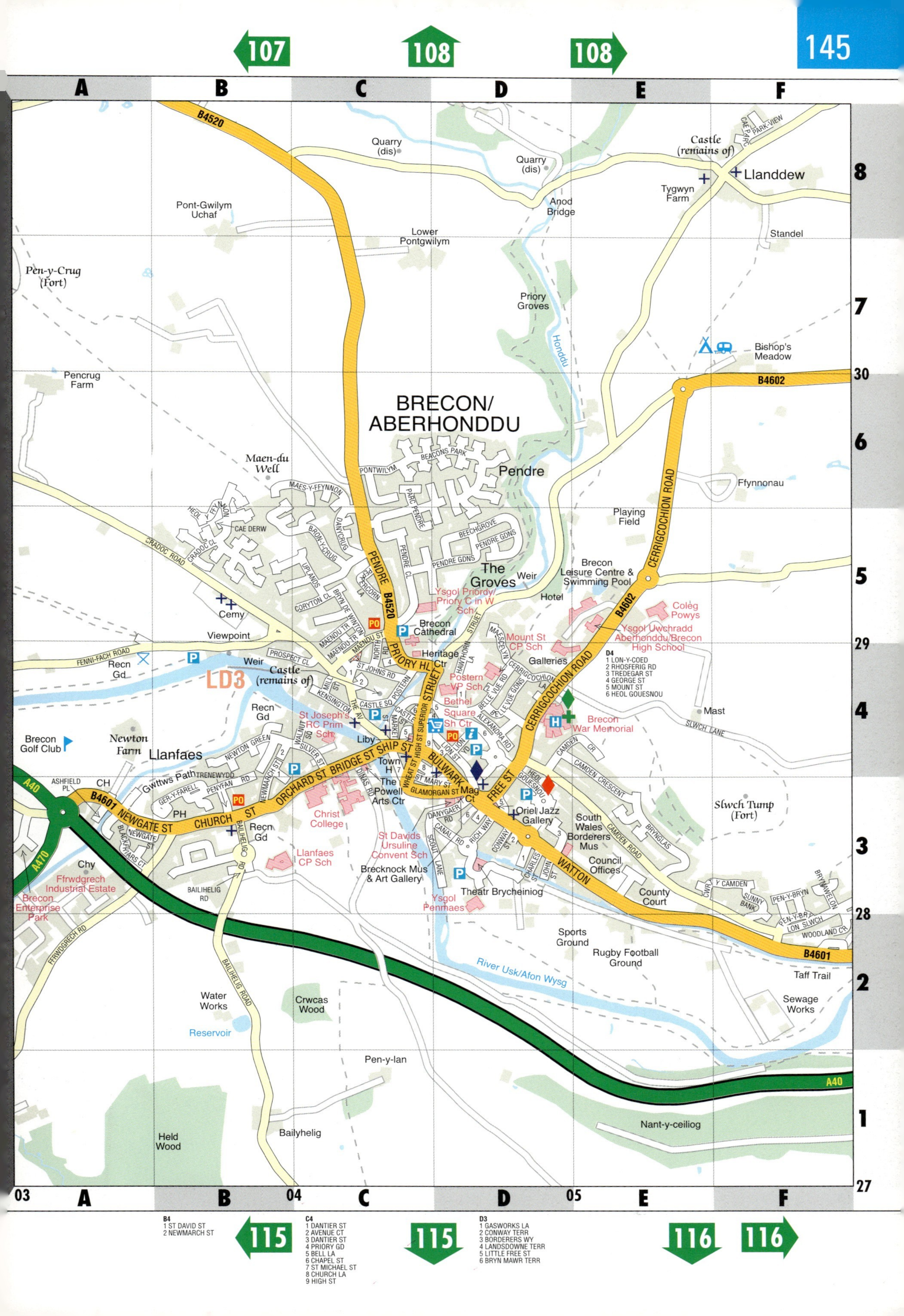
107
108
108
BRECON/
ABERHONDDU
Pendre
The Groves
Llanfaes
LD3
Llanddew
Castle (remains of)
Tygwyn Farm
Quarry (dis)
Anod Bridge
Standel
Pont-Gwilym Uchaf
Lower Pontgwilym
Pen-y-Crug (Fort)
Priory Groves
Honddu
Bishop's Meadow
Pencrug Farm
B4520
B4602
Maen-du Well
Ffynnonau
Playing Field
Brecon Leisure Centre & Swimming Pool
Weir
Hotel
Coleg Powys
Ysgol Uwchradd Aberhonddu/Brecon High School
Ysgol Priordy/Priory C in W Sch
Brecon Cathedral
Heritage Ctr
Mount St CP Sch
Galleries
Cemy
Viewpoint
Recn Gd
Castle (remains of)
Postern VP Sch
Bethel Square
Sh Ctr
St Joseph's RC Prim Sch
Liby
Town H
The Powell Arts Ctr
Mag Ct
Oriel Jazz Gallery
Brecon War Memorial
Mast
Slwch Tump (Fort)
South Wales Borderers Mus
Council Offices
County Court
Brecon Golf Club
Newton Farm
Gwttws Path
Christ College
Llanfaes CP Sch
St Davids Ursuline Convent Sch
Brecknock Mus & Art Gallery
Theatr Brycheiniog
Ysgol Penmaes
Chy
Ffrwdgrech Industrial Estate
Brecon Enterprise Park
Sports Ground
Rugby Football Ground
River Usk/Afon Wysg
Taff Trail
Sewage Works
Water Works
Reservoir
Crwcas Wood
Pen-y-lan
Nant-y-ceiliog
Held Wood
Bailyhelig
A40
A470
B4601
NEWGATE ST
CHURCH ST
ORCHARD ST
BRIDGE ST
SHIP ST
BULWARK
WATTON
FREE ST
STRUET
PRIORY HL
PENDRE
CERRIGCOCHION ROAD
CAMDEN ROAD
CRADOC ROAD
FENNI-FACH ROAD
BAILIHELIG ROAD
FFRWDGRECH RD
SLWCH LANE
D4
1 LON-Y-COED
2 RHOSFERIG RD
3 TREDEGAR ST
4 GEORGE ST
5 MOUNT ST
6 HEOL GOUESNOU
B4
1 ST DAVID ST
2 NEWMARCH ST
C4
1 DANTIER ST
2 AVENUE CT
3 DANTIER ST
4 PRIORY GD
5 BELL LA
6 CHAPEL ST
7 ST MICHAEL ST
8 CHURCH LA
9 HIGH ST
D3
1 GASWORKS LA
2 CONWAY TERR
3 BORDERERS WY
4 LANDSDOWNE TERR
5 LITTLE FREE ST
6 BRYN MAWR TERR
115
115
116
116

129 120

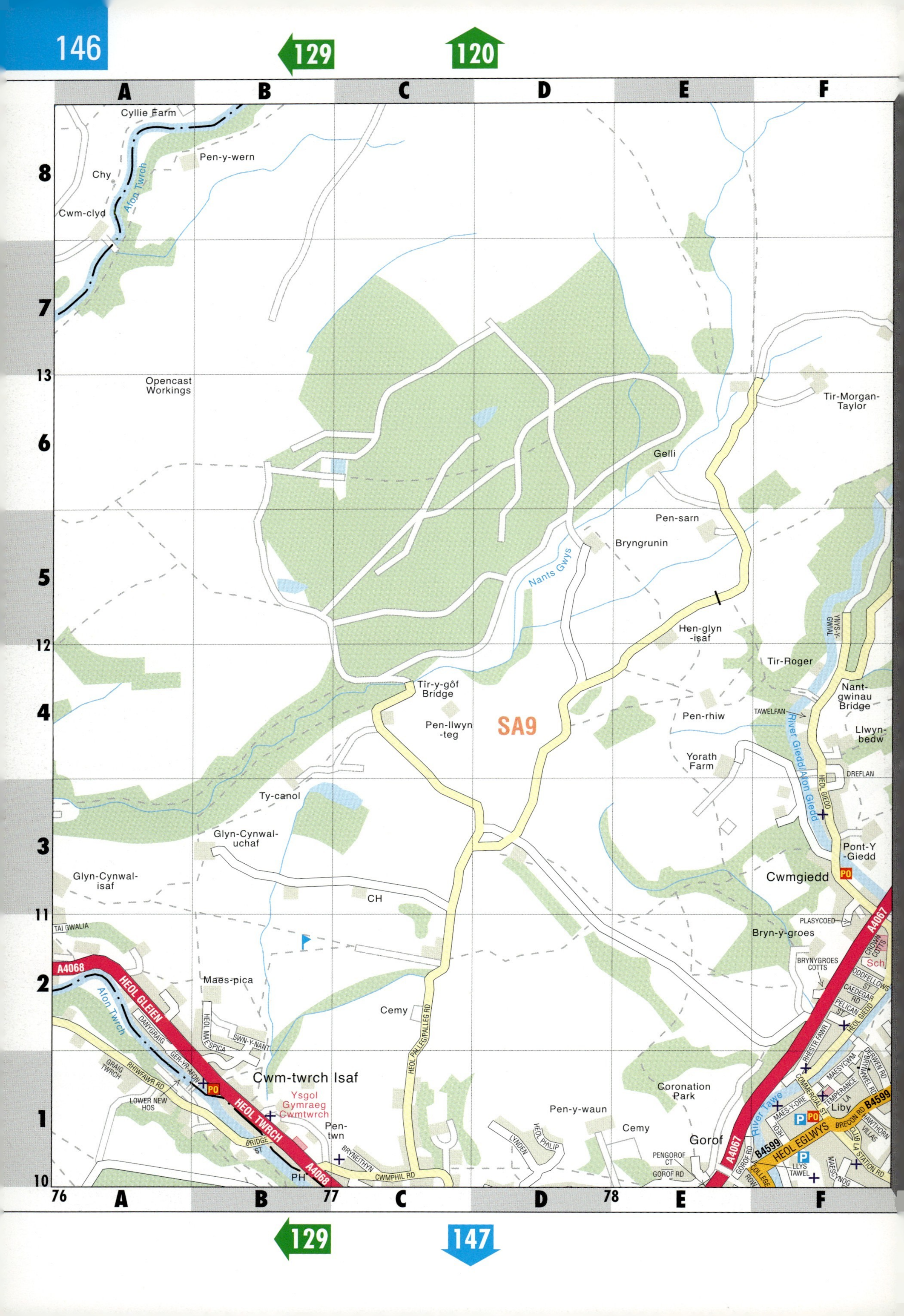

129 147

146
130

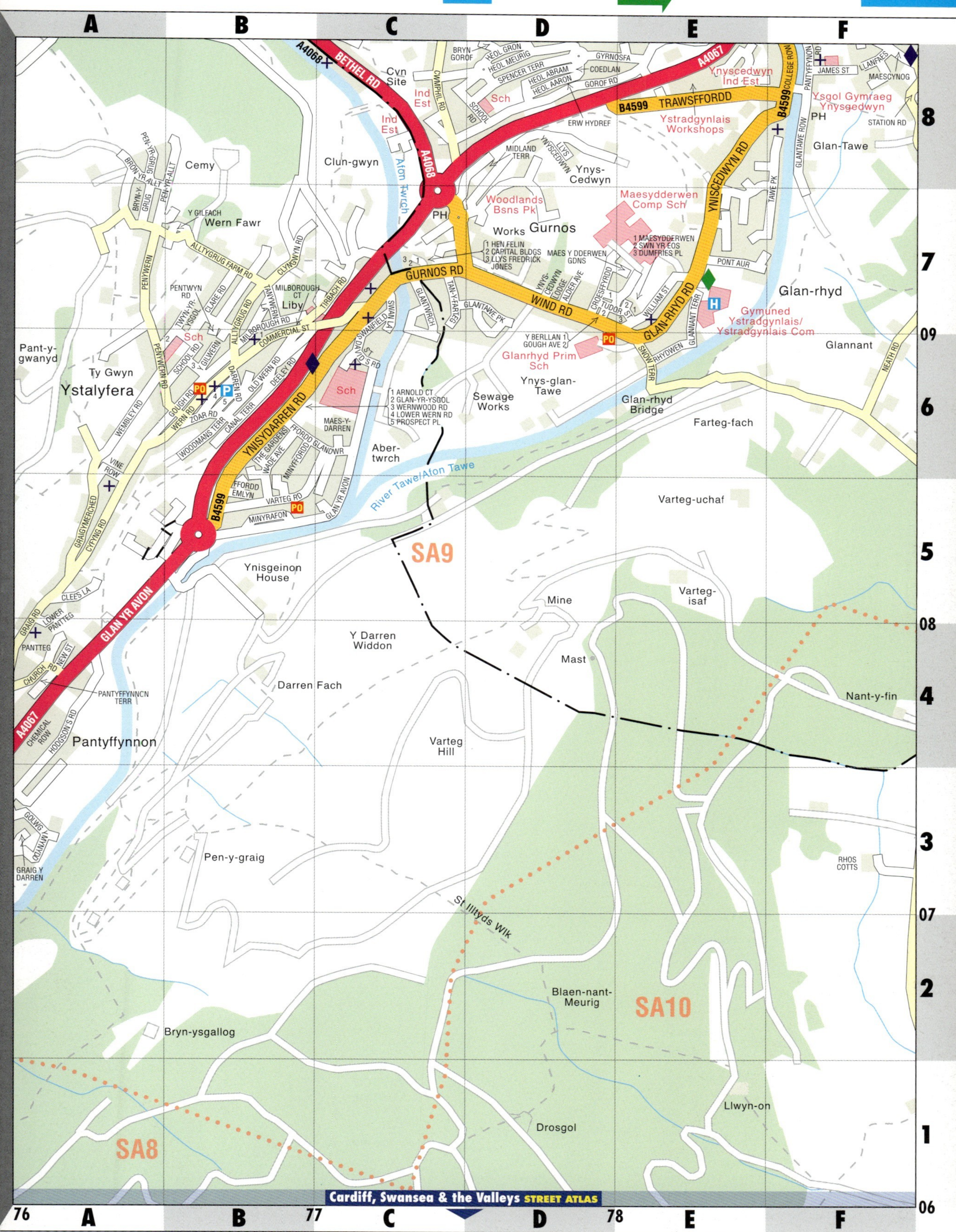
Ystalyfera
Gurnos
Glan-rhyd
Glan-Tawe
Glannant
Pant-y-gwanyd
Ty Gwyn
Cemy
Wern Fawr
Clun-gwyn
Ynys-Cedwyn
Aber-twrch
Glan-rhyd Bridge
Farteg-fach
Varteg-uchaf
Varteg-isaf
Ynisgeinon House
Mine
Mast
Y Darren Widdon
Darren Fach
Varteg Hill
Nant-y-fin
Pantyffynnon
Pen-y-graig
St Illtyds Wlk
Blaen-nant-Meurig
Bryn-ysgallog
Drosgol
Llwyn-on
SA8
SA9
SA10
River Tawe/Afon Tawe
Afon Twrch
A4067
A4068
B4599
BETHEL RD
GLAN YR AVON
YNISYDARREN RD
GURNOS RD
WIND RD
GLAN-RHYD RD
YNISCEDWYN RD
TRAWSFFORDD
Maesydderwen Comp Sch
Ysgol Gymraeg Ynysgedwyn
Glanrhyd Prim Sch
Gymuned Ystradgynlais/Ystradgynlais Com
Ystradgynlais Workshops
Ynyscedwyn Ind Est
Woodlands Bsns Pk
Sewage Works
Cardiff, Swansea & the Valleys STREET ATLAS

133
124

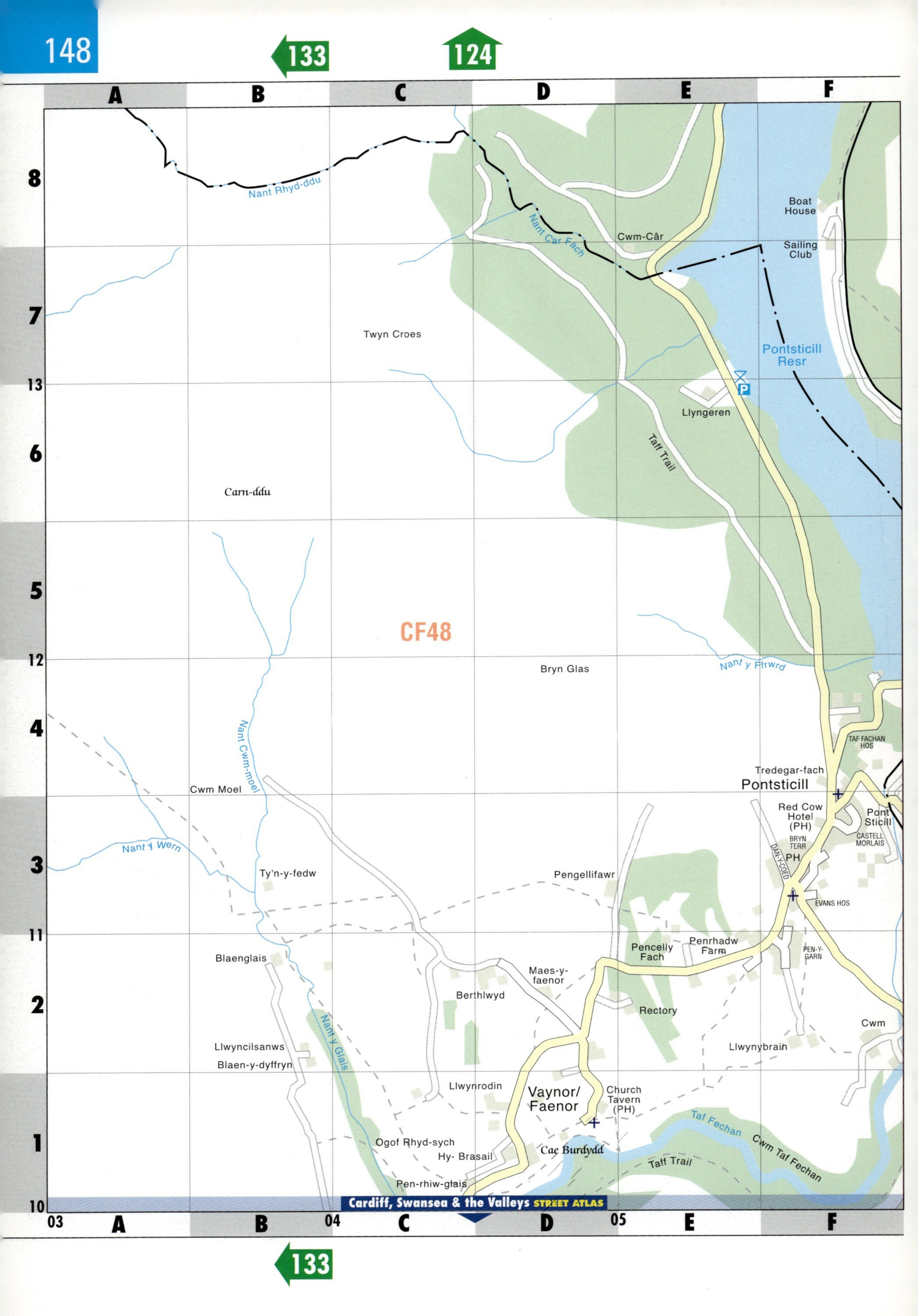
A
B
C
D
E
F
8
7
13
6
5
12
4
3
11
2
1
10
03
04
05
Nant Rhyd-ddu
Nant Car Fach
Cwm-Câr
Boat House
Sailing Club
Twyn Croes
Pontsticill Resr
Llyngeren
Taff Trail
Carn-ddu
CF48
Bryn Glas
Nant y Ffrwrd
TAF FACHAN HOS
Tredegar-fach
Pontsticill
Cwm Moel
Nant Cwm-moel
Red Cow Hotel (PH)
Pont Sticill
BRYN TERR
CASTELL MORLAIS
PH
DAN-Y-COED
Nant y Wern
Ty'n-y-fedw
Pengellifawr
EVANS HOS
Blaenglais
Pencelly Fach
Penrhadw Farm
PEN-Y-GARN
Maes-y-faenor
Berthlwyd
Rectory
Nant y Glais
Cwm
Llwyncilsanws
Blaen-y-dyffryn
Llwynybrain
Llwynrodin
Vaynor/ Faenor
Church Tavern (PH)
Taf Fechan
Cwm Taf Fechan
Ogof Rhyd-sych
Hy- Brasail
Cae Burdydd
Taff Trail
Pen-rhiw-glais

133

125
150

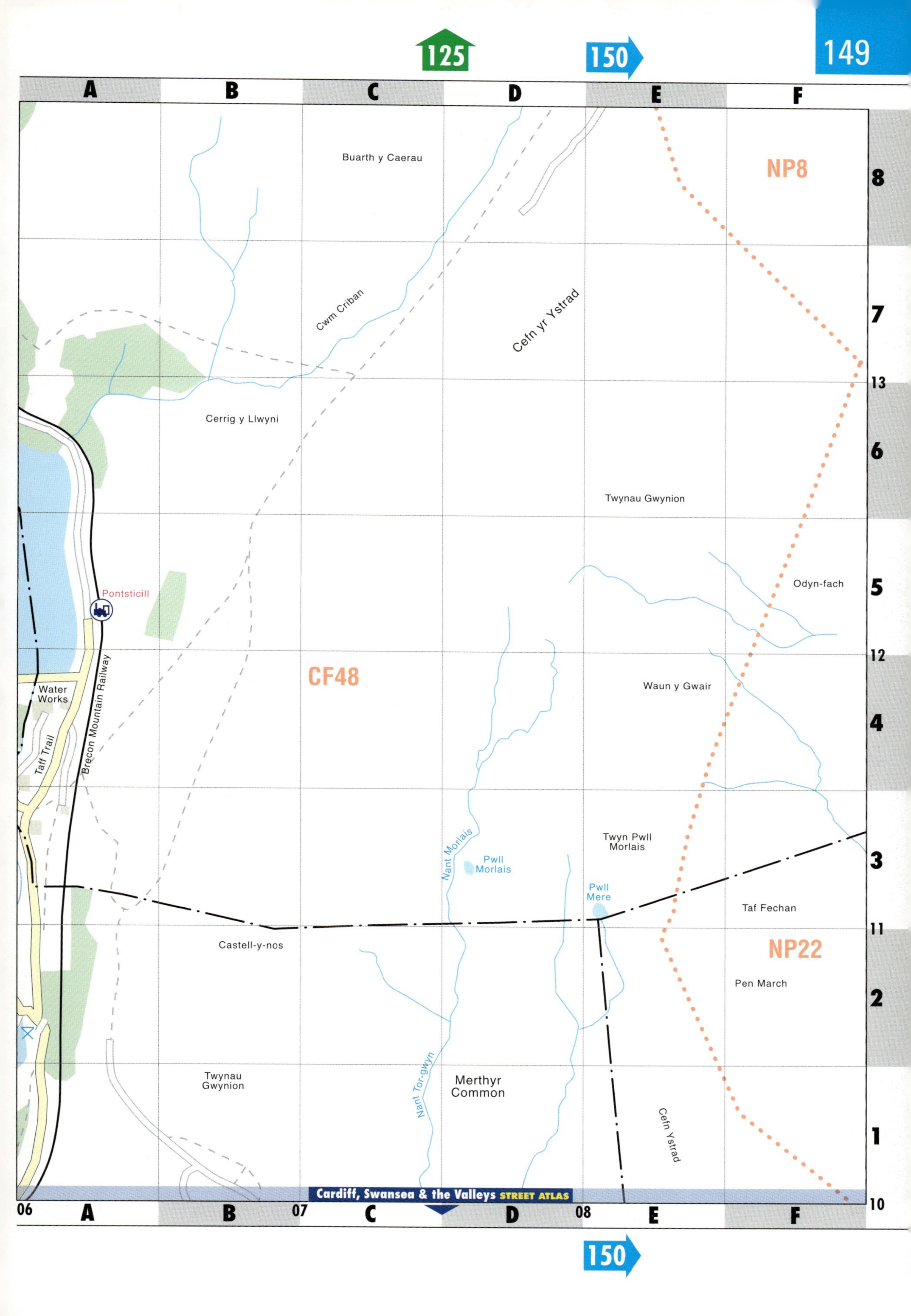
A
B
C
D
E
F
8
7
13
6
5
12
4
3
11
2
1
10
06
07
08
NP8
Buarth y Caerau
Cwm Criban
Cefn yr Ystrad
Cerrig y Llwyni
Twynau Gwynion
Odyn-fach
Pontsticill
CF48
Waun y Gwair
Water Works
Taff Trail
Brecon Mountain Railway
Twyn Pwll Morlais
Nant Morlais
Pwll Morlais
Pwll Mere
Taf Fechan
Castell-y-nos
NP22
Pen March
Twynau Gwynion
Nant Tor-gwyn
Merthyr Common
Cefn Ystrad

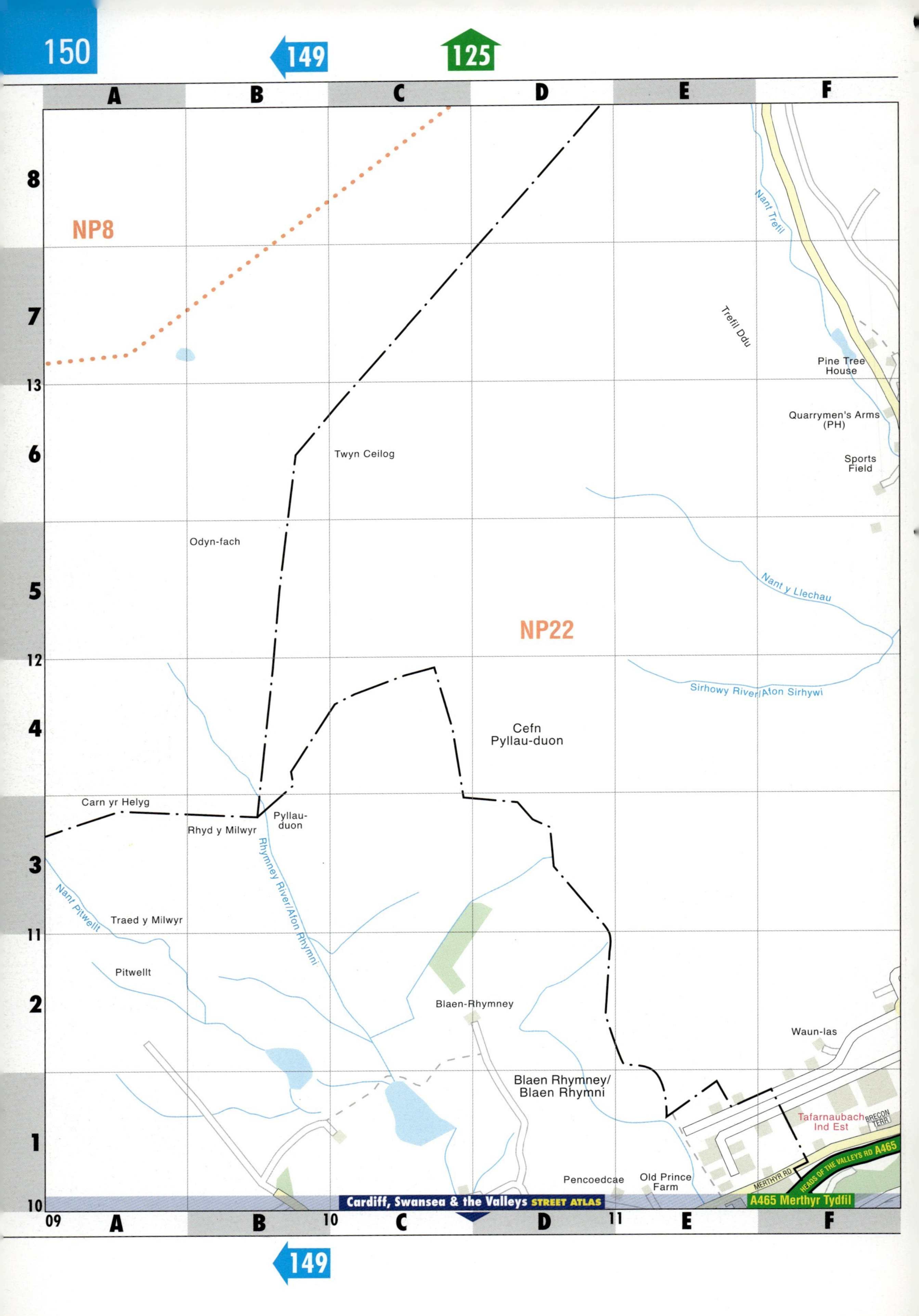
150
149
125
A
B
C
D
E
F
8
7
13
6
5
12
4
3
11
2
1
10
09
10
11
NP8
NP22
Nant Trefil
Trefil Ddu
Pine Tree House
Quarrymen's Arms (PH)
Sports Field
Twyn Ceilog
Odyn-fach
Nant y Llechau
Sirhowy River/Afon Sirhywi
Cefn Pyllau-duon
Carn yr Helyg
Rhyd y Milwyr
Pyllau-duon
Rhymney River/Afon Rhymni
Nant Pitwellt
Traed y Milwyr
Pitwellt
Blaen-Rhymney
Waun-las
Blaen Rhymney/ Blaen Rhymni
Tafarnaubach Ind Est
BRECON TERR
HEADS OF THE VALLEYS RD A465
MERTHYR RD
Pencoedcae
Old Prince Farm
A465 Merthyr Tydfil
Cardiff, Swansea & the Valleys STREET ATLAS
149

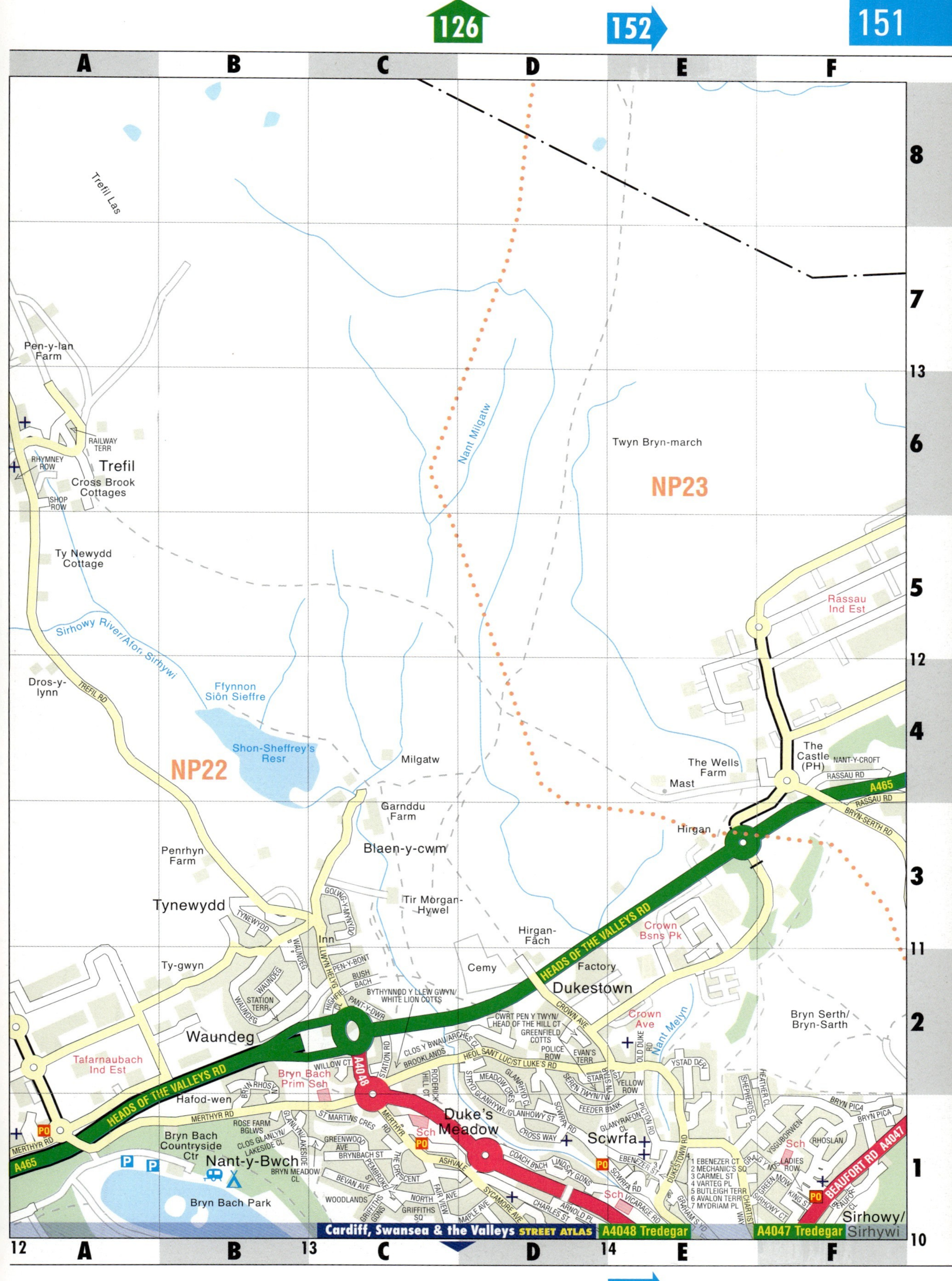
126
152
A
B
C
D
E
F
8
7
6
5
4
3
2
1
13
12
11
10
14
Trefil Las
Pen-y-lan Farm
RAILWAY TERR
RHYMNEY ROW
Trefil
Cross Brook Cottages
SHOP ROW
Ty Newydd Cottage
Sirhowy River/Afon Sirhywi
Dros-y-lynn
TREFIL RD
Ffynnon Siôn Sieffre
Shon-Sheffrey's Resr
NP22
Nant Milgatw
Twyn Bryn-march
NP23
Rassau Ind Est
The Castle (PH)
NANT-Y-CROFT
RASSAU RD
The Wells Farm
Mast
A465
RASSAU RD
BRYN-SERTH RD
Milgatw
Garnddu Farm
Hirgan
Penrhyn Farm
Blaen-y-cwm
Tir Morgan-Hywel
Tynewydd
GOLWG-Y-MYNYDD
TYNEWYDD
Inn
Hirgan-Fach
Crown Bsns Pk
HEADS OF THE VALLEYS RD
Ty-gwyn
WAUNDEG
LLWYN HELYG
PEN-Y-BONT
BUSH BACH
Cemy
Factory
Dukestown
STATION TERR
BYTHYNNOD Y LLEW GWYN/ WHITE LION COTTS
PANT-Y-DWR
CWRT PEN Y TWYN/ HEAD OF THE HILL CT
GREENFIELD COTTS
CROWN AVE
Crown Ave
Nant Melyn
Bryn Serth/ Bryn-Sarth
Waundeg
Tafarnaubach Ind Est
HEADS OF THE VALLEYS RD
WILLOW CT
A4048
STATION RD
CLOS Y BWA/ARCHES CL
BROOKLANDS
POLICE ROW
EVAN'S TERR
HEOL SANT LUC/ST LUKE'S RD
OLD DUKE RD
YSTAD DERI
Bryn Bach Prim Sch
RODERICK HILL CT
MEADOW CRES
STAR ST
YELLOW ROW
SEREN TWYN/TWYN
Hafod-wen
BRYN RHOS
MERTHYR RD
ROSE FARM BGLWS
ST MARTINS CRES
Duke's Meadow
GLANHOWY ST
FEEDER BANK
GLANYRAFON CL
PICTON RD
SHEPHERDS CL
HEATHER CL
BRYN PICA
BRYN PICA
MERTHYR RD
Bryn Bach Countryside Ctr
CLOS GLANLYN/ LAKESIDE CL
Sch
CROSS WAY
Scwrfa
YSGUBORWEN
RHOSLAN
Sch
A465
Nant-y-Bwch
GREENWOOD AVE
BRYNBACH ST
COACH BACH
LINDSAY GDNS
EBENEZER ST
DUKESTOWN RD
1 EBENEZER CT
2 MECHANIC'S SQ
3 CARMEL ST
4 VARTEG PL
5 BUTLEIGH TERR
6 AVALON TERR
7 MYDRIAM PL
LADIES ROW
BEAUFORT RD
A4047
BRYN MEADOW CL
BEVAN AVE
THE CRESCENT
ASHVALE
SCWRFA RD
Sch
VICARAGE RD
GREEN MDW
KING ST
Bryn Bach Park
WOODLANDS
GRIFFITHS GDNS
NORTH AVE
FAIR VIEW
SYCAMORE AVE
GRIFFITHS SQ
MAPLE AVE
CHARLES ST
ARNOLD PL
Sirhowy/ Sirhywi
A4048 Tredegar
A4047 Tredegar
12

152

151
126

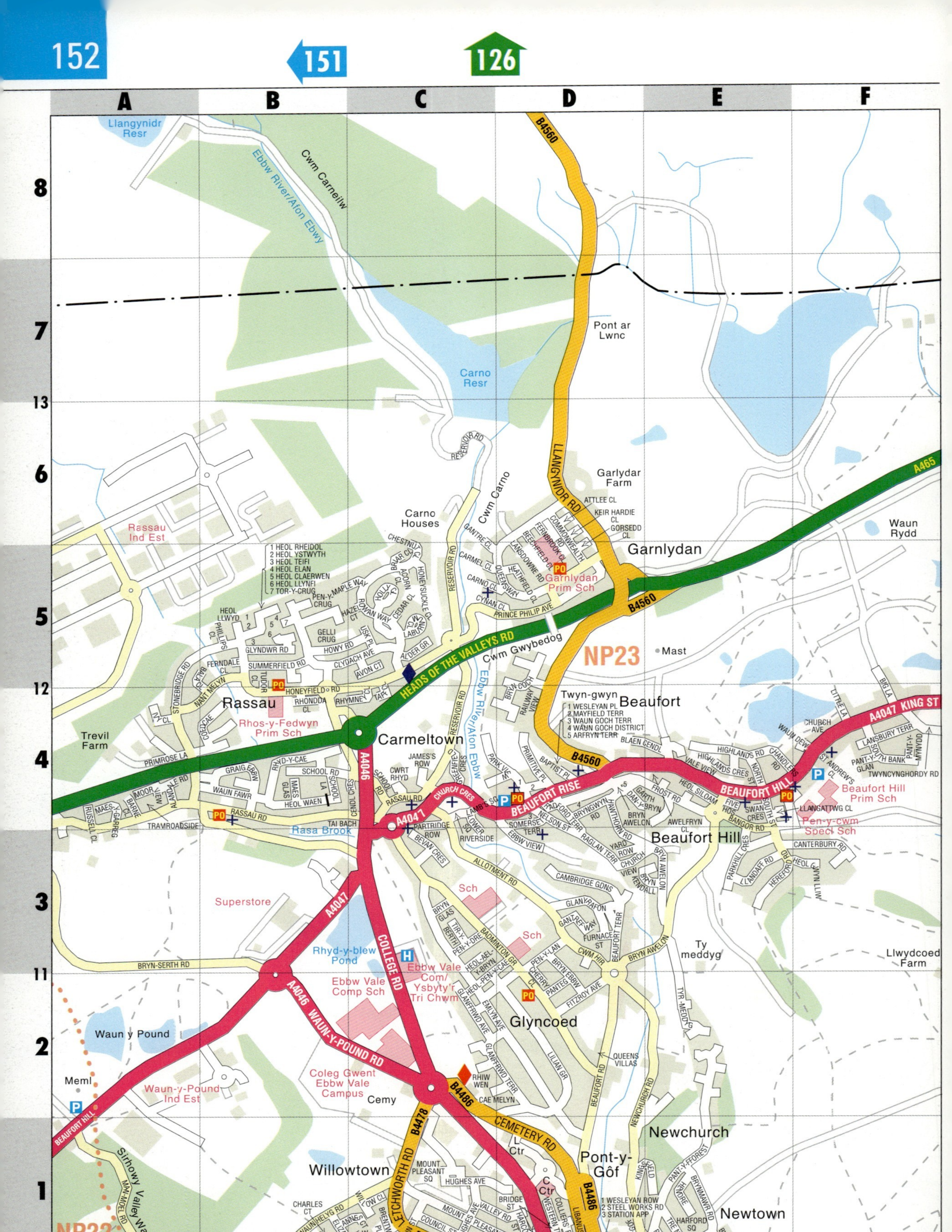
Llangynidr Resr
Cwm Carneilw
Ebbw River/Afon Ebwy
Pont ar Lwnc
Carno Resr
Garlydar Farm
Waun Rydd
Carno Houses
Cwm Carno
Garnlydan
Garnlydan Prim Sch
Rassau Ind Est
HEADS OF THE VALLEYS RD
Cwm Gwybedog
NP23
Mast
Rassau
Rhos-y-Fedwyn Prim Sch
Twyn-gwyn
Beaufort
Trevil Farm
Carmeltown
BEAUFORT RISE
BEAUFORT HILL
A4047 KING ST
Beaufort Hill Prim Sch
Pen-y-cwm Specl Sch
Rasa Brook
Beaufort Hill
Superstore
Rhyd-y-blew Pond
Ebbw Vale Comp Sch
Ebbw Vale Com/ Ysbyty'r Tri Chwm
COLLEGE RD
Ty meddyg
Llwydcoed Farm
Waun y Pound
Glyncoed
WAUN-Y-POUND RD
Coleg Gwent Ebbw Vale Campus
Meml
Waun-y-Pound Ind Est
Cemy
CEMETERY RD
Newchurch
Sirhowy Valley Walk
Willowtown
Pont-y-Gôf
Newtown
NP22
Cardiff, Swansea & the Valleys STREET ATLAS
A4046 Ebbw Vale

151

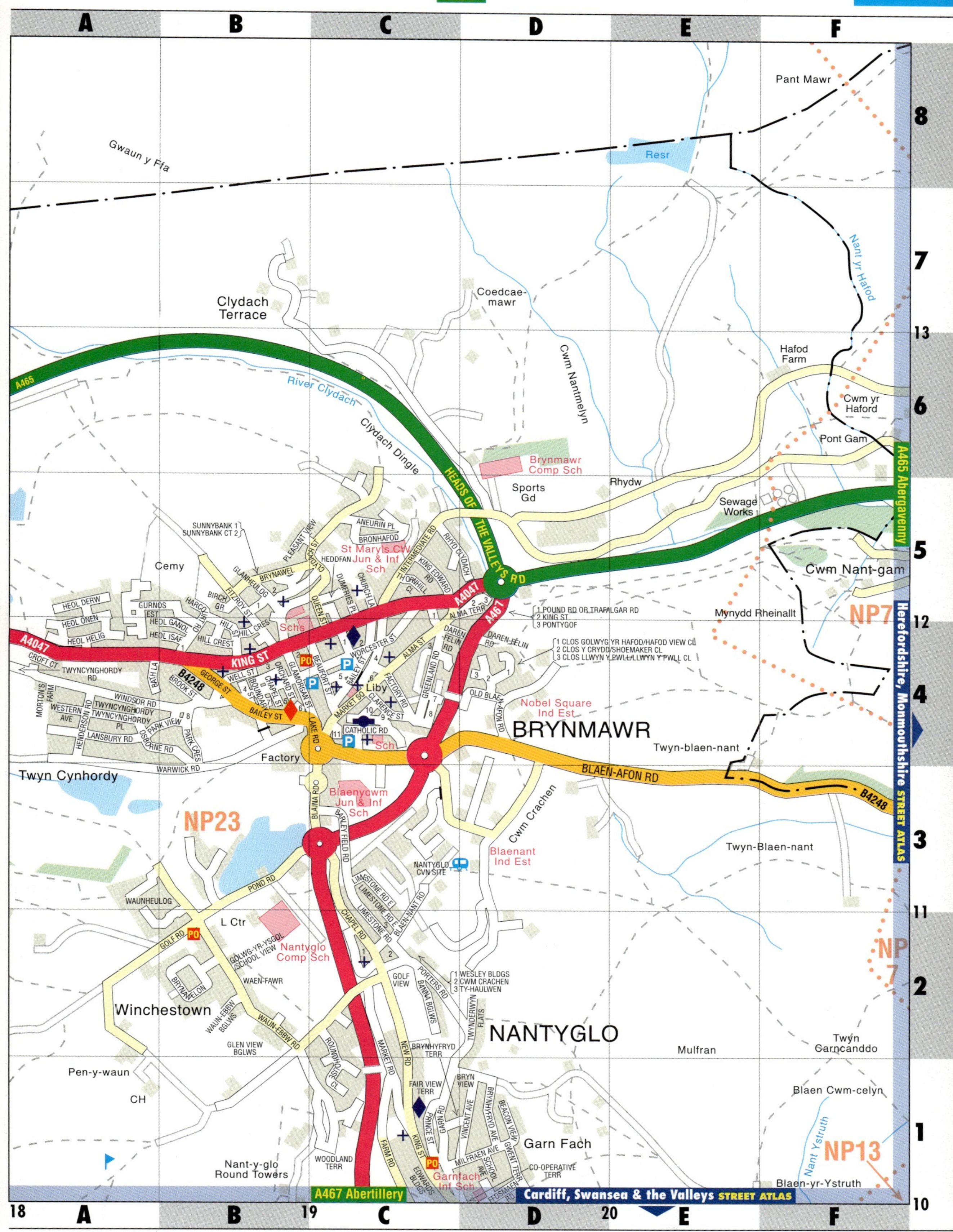
A
B
C
D
E
F
8
7
13
6
5
12
4
3
11
2
1
10
18
19
20
Pant Mawr
Gwaun y Ffa
Resr
Nant yr Hafod
Clydach Terrace
Coedcae-mawr
Cwm Nantmelyn
Hafod Farm
A465
River Clydach
Clydach Dingle
Cwm yr Haford
Pont Gam
A465 Abergavenny
HEADS OF THE VALLEYS RD
Brynmawr Comp Sch
Sports Gd
Rhydw
Sewage Works
Cwm Nant-gam
Cemy
St Mary's CW Jun & Inf Sch
Mynydd Rheinallt
NP7
Herefordshire, Monmouthshire STREET ATLAS
A4047
KING ST
Schs
Liby
Nobel Square Ind Est
BRYNMAWR
Factory
Twyn-blaen-nant
BLAEN-AFON RD
B4248
Twyn Cynhordy
Blaenycwm Jun & Inf Sch
NP23
Cwm Crachen
Twyn-Blaen-nant
Blaenant Ind Est
NANTYGLO CVN SITE
L Ctr
Nantyglo Comp Sch
Winchestown
NANTYGLO
Mulfran
Twyn Carncanddo
Pen-y-waun
CH
Blaen Cwm-celyn
Nant Ystruth
NP13
Garn Fach
Nant-y-glo Round Towers
Garnfach Inf Sch
Blaen-yr-Ystruth
A467 Abertillery
Cardiff, Swansea & the Valleys STREET ATLAS
1 POUND RD OR TRAFALGAR RD
2 KING ST
3 PONTYGOF
1 CLOS GOLWYG YR HAFOD/HAFOD VIEW CL
2 CLOS Y CRYDD/SHOEMAKER CL
3 CLOS LLWYN Y PWLL/LLWYN Y PWLL CL
1 WESLEY BLDGS
2 CWM CRACHEN
3 TY-HAULWEN

Index

Church Rd **6** Beckenham BR2..........**53** C6

Place name	Location number	Locality, town or village	Postcode district	Page and grid square
May be abbreviated on the map	Present when a number indicates the place's position in a crowded area of mapping	Shown when more than one place has the same name	District for the indexed place	Page number and grid reference for the standard mapping

Public and commercial buildings are highlighted in magenta **Places of interest** are highlighted in blue with a star*

Abbreviations used in the index

Acad	**Academy**
App	**Approach**
Arc	**Arcade**
Ave	**Avenue**
Bglw	**Bungalow**
Bldg	**Building**
Bsns, Bus	**Business**
Bvd	**Boulevard**
Cath	**Cathedral**
Cir	**Circus**
Cl	**Close**
Cnr	**Corner**
Coll	**College**
Com	**Community**
Comm	**Common**
Cott	**Cottage**
Cres	**Crescent**
Cswy	**Causeway**
Ct	**Court**
Ctr	**Centre**
Ctry	**Country**
Cty	**County**
Dr	**Drive**
Dro	**Drove**
Ed	**Education**
Emb	**Embankment**
Est	**Estate**
Ex	**Exhibition**
Gd	**Ground**
Gdn	**Garden**
Gn	**Green**
Gr	**Grove**
H	**Hall**
Ho	**House**
Hospl	**Hospital**
HQ	**Headquarters**
Hts	**Heights**
Ind	**Industrial**
Inst	**Institute**
Int	**International**
Intc	**Interchange**
Junc	**Junction**
L	**Leisure**
La	**Lane**
Liby	**Library**
Mdw	**Meadow**
Meml	**Memorial**
Mkt	**Market**
Mus	**Museum**
Orch	**Orchard**
Pal	**Palace**
Par	**Parade**
Pas	**Passage**
Pk	**Park**
Pl	**Place**
Prec	**Precinct**
Prom	**Prom**
Rd	**Road**
Recn	**Recreation**
Ret	**Retail**
Sh	**Shopping**
Sq	**Square**
St	**Street**
Sta	**Station**
Terr	**Terrace**
TH	**Town Hall**
Univ	**University**
Wk, Wlk	**Walk**
Wr	**Water**
Yd	**Yard**

Translations Welsh – English

Aber	**Estuary, confluence**
Afon	**River**
Amgueddfa	**Museum**
Bro	**Area, district**
Bryn	**Hill**
Cae	**Field**
Caer	**Fort**
Canolfan	**Centre**
Capel	**Chapel**
Castell	**Castle**
Cilgant	**Crescent**
Clòs	**Close**
Coed	**Wood**
Coleg	**College**
Cwm	**Valley**
Cwrt	**Court**
Dinas	**City**
Dôl	**Meadow**
Eglwys	**Church**
Felin	**Mill**
Fferm	**Farm**
Ffordd	**Road, way**
Gelli	**Grove**
Gerddi	**Gardens**
Heol	**Road**
Isaf	**Lower**
Llan	**Church, parish**
Llyn	**Lake**
Lôn	**Lane**
Maes	**Open area, field, square**
Môr	**Sea**
Mynydd	**Mountain**
Oriel	**Gallery**
Parc	**Park**
Parc busnes	**Business park**
Pen	**Top, end**
Pentref	**Village**
Plas	**Mansion, place**
Pont	**Bridge**
Prifysgol	**University**
Rhaeadr	**Waterfall**
Rhes	**Terrace, row**
Rhiw	**Hill, incline**
Rhodfa	**Avenue**
Sgwar	**Square**
Stryd	**Street**
Swyddfa post	**Post office**
Tref, Tre	**Town**
Tŷ	**House**
Uchaf	**Upper**
Ysbyty	**Hospital**
Ysgol	**School**
Ystad, stad	**Estate**
Ystad ddiwydiannol	**Industrial estate**
Ystrad	**Vale**

Translations English – Welsh

Avenue	**Rhodfa**
Bridge	**Pont**
Business Park	**Parc busnes**
Castle	**Castell**
Centre	**Canolfan**
Chapel	**Capel**
Church	**Eglwys**
City	**Dinas**
Close	**Clòs**
College	**Coleg**
Court	**Cwrt**
Crescent	**Cilgant**
District	**Bro**
Estate	**Ystad, stad**
Estuary	**Aber**
Farm	**Fferm**
Field	**Cae**
Fort	**Caer**
Gallery	**Oriel**
Gardens	**Gerddi**
Grove	**Gelli**
Hill	**Bryn, rhiw**
Hospital	**Ysbyty**
House	**Tŷ**
Industrial estate	**Ystad ddiwydiannol**
Lake	**Llyn**
Lane	**Lôn**
Lower	**Isaf**
Mansion	**Plas**
Meadow	**Dôl**
Mill	**Felin**
Mountain	**Mynydd**
Museum	**Amgueddfa**
Parish	**Llan, plwyf, eglwys**
Park	**Parc**
Place	**Plas, maes**
Post office	**Swyddfa post**
River	**Afon**
Road	**Heol**
School	**Ysgol**
Sea	**Môr**
Square	**Sgwâr, maes**
Street	**Stryd**
Terrace	**Rhes**
Top, end	**Pen**
Town	**Tref, tre**
University	**Prifysgol**
Upper	**Uchaf**
Vale	**Ystrad, glyn, dyffryn**
Valley	**Cwm**
Village	**Pentref**
Waterfall	**Rhaeadr**
Way	**Ffordd**
Wood	**Coed**

Index of localities, towns and villages

A

B

C

D

E

F

G

H

K

L

I

J

K

L

M

Ty = house

U

V

W

Y

Ysbyty = hospital

Ysgol = school

Ystad = estate

Z

Addresses

Name and Address	Telephone	Page	Grid reference

Using the Ordnance Survey National Grid

Any feature in this atlas can be given a unique reference to help you find the same feature on other Ordnance Survey maps of the area, or to help someone else locate you if they do not have a Street Atlas.

The grid squares in this atlas match the Ordnance Survey National Grid and are at 500 metre intervals. The small figures at the bottom and sides of every other grid line are the National Grid kilometre values (**00** to **99** km) and are repeated across the country every 100 km (see left).

To give a unique National Grid reference you need to locate where in the country you are. The country is divided into 100 km squares with each square given a unique two-letter reference. Use the administrative map to determine in which 100 km square a particular page of this atlas falls.

The bold letters and numbers between each grid line (**A** to **F**, **1** to **8**) are for use within a specific Street Atlas only, and when used with the page number, are a convenient way of referencing these grid squares.

Example *The railway bridge over DARLEY GREEN RD in grid square B1*

Step 1: Identify the two-letter reference, in this example the page is in **SP**

Step 2: Identify the 1 km square in which the railway bridge falls. Use the figures in the southwest corner of this square: Eastings **17**, Northings **74**. This gives a unique reference: **SP 17 74**, accurate to 1 km.

Step 3: To give a more precise reference accurate to 100 m you need to estimate how many tenths along and how many tenths up this 1 km square the feature is (to help with this the 1 km square is divided into four 500 m squares). This makes the bridge about **8** tenths along and about **1** tenth up from the southwest corner.

This gives a unique reference: **SP 178 741**, accurate to 100 m.

Eastings (read from left to right along the bottom) come before Northings (read from bottom to top). If you have trouble remembering say to yourself "Along the hall, THEN up the stairs"!

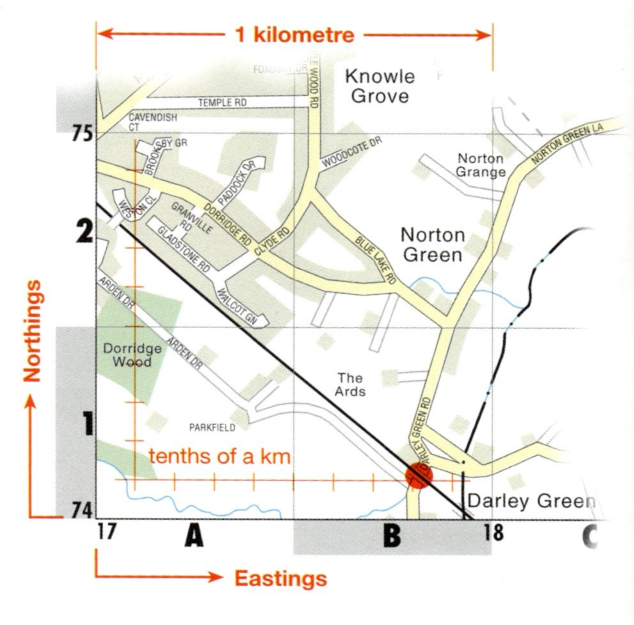

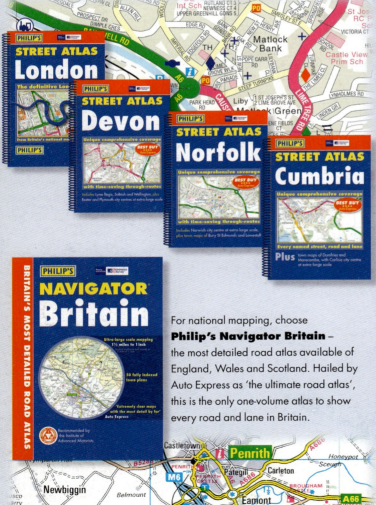